HEALTH

SCREENING

MEDICINE

개정판

건강검진의학

저자 김영배 • 차만진

의사, 간호사, 임상병리사, 방사선사
관리 및 행정업무 담당자 등

건강검진 실무자 모두를 위한
최초의 건강검진 의학서적

Health Screening Medicine

건강검진의학

개정판

첫째판 1쇄 발행 | 2013년 3월 10일
둘째판 1쇄 인쇄 | 2022년 12월 21일
둘째판 1쇄 발행 | 2023년 1월 2일

지 은 이 김영배, 차만진
발 행 인 장주연
출 판 기 획 이성재
책 임 편 집 강미연
편집디자인 조원배
표지디자인 김재욱
일 러 스 트 김경열
제 작 담 당 이순호
발 행 처 군자출판사(주)
등록 제4-139호(1991. 6. 24)
본사 (10881) **파주출판단지** 경기도 파주시 회동길 338(서패동 474-1)
전화 (031) 943-1888 팩스 (031) 955-9545
홈페이지 | www.koonja.co.kr

ISBN 979-11-5955-950-1
정가 45,000원

개정판

건강검진의학

저자 김영배 · 차만진

저자약력

김 영 배

한국건강관리협회 건강검진센터 (現)
가정의학과 전문의
대한가정의학회 정회원
대한검진의학회 정회원

차 만 진

차만진가정의학과의원 (現)
가정의학과 전문의
조선대학교 의과대학 석사 박사 수료
아산재단 정읍병원 가정의학과 과장 역임
광주 첨단종합병원 종합검진센터장, 가정의학과 과장 역임
광주광역시 가정의학과의사회 회장 역임
조선대학교 의과대학 외래교수 역임
대한통합기능의학연구회 정회원
대한가정의학회 정회원
대한밸런스테이핑의학회 정회원
대한항노화학회 정회원
대한임상노인의학회 노인의학전문 인정의
대한위장내시경학회 위장내시경전문 인정의
대한보완통합의학회 인정의
시사매거진 "2021 대한민국 100대 명의" 선정

서문 둘째판

건강검진의학 초판이 출판된 지 어언 10여 년이 되었습니다. 치료의학에 관한 전문의학서적은 많이 있었지만, 예방의학에 기반을 둔 건강검진에 관한 책은 국내는 물론 세계에서도 처음이었을 것입니다. 물론, 개인을 대상으로 하는 "medical checkup"에 관한 의학서적은 예전에도 많이 있었지만, 특정 집단에 속한 개인을 대상으로 하는 "health screening" 개념을 다루는 의학서적은 본서가 처음이었을 것입니다. 건강검진의학에 관한 첫 번째 디딤돌을 놓은 것에 대해 저자들은 무한한 기쁨으로 생각합니다.

초판에서도 밝혔듯이 본서는 의사들만을 위한 전문의학서적이 아닙니다. 간호사, 임상병리사, 방사선사, 관리업무나 행정업무를 맡고 있는 분들을 포함하여 건강검진에 관한 모든 실무진을 위한 의학서적입니다. 건강검진이라는 업무 자체가 의료적인 면과 서비스적인 면을 동시에 가지고 있기 때문에 관계자 모두 어느 정도의 의학지식은 가지고 있어야 하므로 그 수요에 호응하기 위해 본서를 간행한 것입니다.

개정판에서 많은 변화를 주지는 않았습니다. 제일 중요한 변화라면 "표적 질환"이라는 용어가 너무 생소하고 강한 이미지가 있어서 널리 사용되지 못하고 있으므로 좀 더 친근하게 "목표 질환" 이라는 용어로 변경한 것입니다. 또한 책의 영문명이 "Health Examination Medicine"이었는데, 더 명확하게 "Health Screening Medicine"으로 변경한 것입니다. 이름의 의미가 명확하지 않으면 혼돈을 줄 수도 있기 때문입니다. 우리나라의 건강검진은 단순히 한 개인을 대상으로 하는 것이 아니라, 특정 집단에 속한 개인을 대상으로 하는 것이기 때문에 "health screening"이라는 용어가 더 명확할 것이기 때문입니다. 그 외에 초판에서 발견된 몇 가지 오류들을 시정하였습니다.

우리나라의 건강검진은 현재 눈부시게 발전하고 있습니다. 얼마나 대단한 것인지를 우리 스스로는 잘 모르는 것 같습니다. 하지만 우리나라의 건강검진을 경험한 외국인들은 모두 그 가치를 매우 높이 평가하고 있습니다. 건강검진 업무에 종사하는 사람으로서 자긍심과 보람을 느끼는 바입니다.

앞으로도 단순히 검진을 위한 검진이 아니라 조기발견 조기치료라는 예방의학적 요구사항을 충족하는 방향으로 다가가는 건강검진이 되기를 바라며, 건강검진 업무에 종사하는 모든 분들께 깊은 존경과 감사를 드립니다.

2022년 12월 12일

김영배, 차만진

서문 첫째판

건강검진의학은 최근에 빠르게 성장하고 있는 의학의 한 분야입니다. 경제성장과 노령화가 매우 빠르게 진행되면서 건강에 대한 관심이 증가하고, 이에 따라 증상이 나타나기 이전에 질병을 조기에 발견하여 치료하려는 욕구가 증가하고 있기 때문입니다. 대부분의 병원에서는 건강검진센터를 별도로 설치해 운영하고 있습니다. 하지만 건강검진에 대한 개념정립이 미비하여 수검자의 욕구에 대한 대응이 아직은 미흡한 수준입니다.

건강검진은 일반 병원과 동일한 의료 인력과 장비를 사용하여 업무를 수행하지만, 그 목적이 서로 다릅니다. 일반적인 진료는 증상이 이미 발생한 환자를 진단하고 치료하는 것이 목적이지만, 건강검진은 증상이 없는 일반인을 대상으로 혹시 숨어 있을지도 모르는 질병의 초기상태를 선별해내는 것이 그 목적입니다.

목적이 다르므로 과정 또한 다를 수밖에 없습니다. 일반적인 진료는 증상이라는 단서를 가지고 찾아 온 사람에게 진찰과 검사 등을 거쳐 진단을 내리는 과정이 마치 탐정수사와 비슷합니다. 반면, 건강검진은 많은 수검자 중에서 검사에 이상소견을 보이는 사람을 찾아내는 과정이 마치 넓은 강바닥의 모래자갈에서 재첩을 체로 걸러 내는 것과 비슷합니다. 이런 차이점에 대한 이해가 없으면 건강검진 업무를 원활히 수행하기 어렵습니다. 마치 엔진과 바퀴를 사용하지만 자동차와 기차가 서로 다른 것과 같기 때문입니다.

응급의료센터나 중환자집중치료센터가 외래나 병동과는 다른 시스템으로 운영되어야 하듯이, 건강검진센터도 업무의 특성에 맞는 시스템으로 운영되어야 합니다. 그러나 아직은 많은 병원에서 건강검진센터라는 독립된 공간만 갖추고 있을 뿐, 운영은 일반 외래와 동일한 시스템으로 운영하고 있는 것이 현실입니다.

이 책은 새로운 지식을 제공하기 보다는 이런 개념의 차이를 이해시킬 목적으로 만들어졌습니다. 건강검진업무를 새로 시작하는 의사, 간호사, 방사선사, 임상병리사, 행정업무담당자, 병원경영자 등 건강검진 실무자들에게 유용하게 사용되었으면 좋겠습니다. 저자들의 지식이 얕고 좁아 부족한 내용이 많으리라 생각됩니다. 많은 충고와 격려를 부탁드립니다.

앞으로도 건강검진의학은 더욱 성장할 것이며 더 많은 지식과 노하우를 필요로 할 것입니다. 이 책이 그 첫 번째 디딤돌이 되었으면 기쁘겠습니다.

끝으로 한낱 파일에 지나지 않는 원고를 좋은 책으로 만들어주신 군자출판사 장주연 사장님과 구한철 님, 김명애 님, 그리고 편집하느라 애쓰신 윤수진 님께 감사의 인사를 드립니다.

2012년 12월 21일

김영배, 차만진

일러두기

1. 책의 서술순서는 대체로 실제 검진의 순서에 따랐다.
2. 각 검사마다 가장 중요한 질환 즉 목표질환을 설명하고, 필요한 경우 주변질환을 설명하였다. 조우병변은 간단히 언급하거나 생략하였다. 건강검진에서 접하기 힘든 질환은 설명하지 않았다.
3. 각 검사마다 검사의 목적, 의의, 의학적 원리를 먼저 설명하였다.
4. 중요한 사항은 상자 안에 넣어 쉽게 이해되도록 하였다.
5. [검사방법 및 주의사항]은 실제 검사를 진행하는 방법과 주의해야 할 사항을 설명하였다.
6. 【고맙습니다, 건강검진】은 실제 사례가 아니라, 건강검진센터에서 흔히 접할 수 있는 상황 또는 임상적으로 중요한 경우를 이해하기 쉽도록 임의로 꾸며낸 이야기이다.

목차

HEALTH SCREENING MEDICINE

SECTION 1 건강검진의 개념

01 건강검진의 정의 ······ 3
02 건강검진의 종류 ······ 7
03 건강검진의 과정 ······ 9
04 건강검진 항목 ······ 11
05 건강검진의 주기 ······ 14
06 목표질환 ······ 16
07 구조검사와 기능검사 ······ 19
08 검진결과의 판정 ······ 20
09 건강검진 실무 ······ 26

SECTION 2 기본검사

01 문진 ······ 33
02 신체계측과 비만도지수 ······ 34
03 체성분검사 ······ 36
04 혈압 측정 ······ 46
　고혈압 ······ 47
05 시력검사 ······ 51
06 안압검사 ······ 59
　녹내장 ······ 61
07 안저촬영검사 ······ 65
08 심전도검사 ······ 70
　부정맥 ······ 73
　허혈성 심장질환 ······ 76
09 동맥경화검사 ······ 77
　동맥경화증 ······ 81
　폐색성 동맥경화증 ······ 82
10 폐기능검사 ······ 84
　폐기능 장애 ······ 96
11 청력검사 ······ 99
　난청(청력장애) ······ 104
12 골밀도검사 ······ 106
　골다공증 ······ 111
13 자궁경부 도말검사 ······ 115
　자궁경부암 ······ 125

SECTION 3 진단의학검사

■ 검사결과의 해석 ······ 130

■ 혈액 ······ 133
■ 혈액검사 방법 ······ 140
■ 채혈 ······ 143
■ 혈액검사의 종류 ······ 149
01 혈액질환검사-총혈구검사 ······ 151
백혈병 ······ 159
02 철분대사검사 -빈혈검사 ······ 162
빈혈 ······ 164
철결핍성 빈혈 ······ 170
03 혈액응고검사 ······ 174
04 혈액형검사 ······ 182
05 간기능검사 ······ 190
간염, 간경변증, 간암 ······ 207
06 신장기능검사 ······ 210
사구체신염 ······ 217
급성신부전 ······ 218
만성신부전 ······ 219
07 혈당검사 ······ 220
당뇨병 ······ 222
08 지질대사 검사 ······ 227
고지혈증 ······ 237
09 통풍검사 ······ 244
고요산혈증 ······ 245
통풍 ······ 247
10 전해질검사 ······ 250
부갑상선의 질환 ······ 260
11 바이러스성 간염검사 ······ 263
B형간염 ······ 263
C형간염 ······ 274
A형 간염 ······ 281
12 갑상선기능검사 ······ 282
그레이브스 병 ······ 285
하시모토 갑상선염 ······ 286
무증상 갑상선기능저하증 ······ 286
13 췌장기능검사 ······ 288
췌장염 ······ 292
14 종양표지자검사 ······ 294
15 염증반응검사 ······ 314
16 AIDS 검사 ······ 316
17 매독검사 ······ 318
매독 ······ 322
18 류마티스인자 검사 ······ 325
류마티스 관절염 ······ 326
19 소변검사 ······ 331
단백뇨, 당뇨, 혈뇨 ······ 354
20 대변검사 ······ 360
기생충 감염 ······ 365

SECTION 4 영상의학검사

01 흉부촬영 ······ 376
폐결절과 폐암 ······ 377
폐결핵 ······ 379
늑막염 ······ 381
흉부촬영에서 발견되는 기타 병변들 ······ 382
02 유방촬영 ······ 383
유방암 ······ 391
유방촬영에서 발견되는 기타 병변들 ······ 393
03 위장조영촬영-상부위장관조영술 ······ 395
04 대장조영촬영-하부위장관조영술 ······ 396
05 초음파검사 ······ 397
간암 ······ 398
지방간 ······ 400
기타 간초음파에서 발견되는 소견들 ······ 401

담낭용종 ···· 402
담석증 ···· 403
무증상 담석 ···· 405
신장암 ···· 406
요로결석 ···· 408
췌장암 ···· 410
자궁근종 ···· 412
난소 낭종 ···· 413
섬유선종 ···· 416
양성 전립선비대 ···· 417
갑상선 결절 ···· 418
뇌졸중 ···· 425
뇌동맥 협착 ···· 429
06 전산화 단층촬영 ···· 441
관상동맥 MDCT ···· 442
07 자기공명영상 ···· 446
뇌종양 ···· 451
08 자기공명 혈관조영술 ···· 455
뇌동맥류 ···· 457

SECTION 5 핵의학검사

01 PET-CT검사 ···· 463

SECTION 6 내시경검사

■ 내시경 ···· 471
01 위내시경(상부위장관내시경) ···· 478
식도암 ···· 482
식도의 양성종양 ···· 483
역류성 식도염 ···· 483
위암 ···· 486
상피하병변 ···· 489
위용종 ···· 490
위궤양 ···· 492
십이지장궤양 ···· 495
위염 ···· 496
위내 음식물 잔류 ···· 498
위내시경검사의 조우병변 ···· 500
02 대장내시경 ···· 501
대장암 ···· 503
대장용종 ···· 506
염증성 장질환 ···· 511
장 결핵 ···· 514
과민성 대장증후군 ···· 515
대장내시경검사의 조우병변 ···· 516

참고문헌 ···· 518

INDEX ···· 519

SECTION 1

건강검진의 개념

01 건강검진의 정의
02 건강검진의 종류
03 건강검진의 과정
04 건강검진 항목
05 건강검진의 주기
06 목표질환
07 구조검사와 기능검사
08 검진결과의 판정
09 건강검진 실무

01 건강검진의 정의

1. 건강검진(Health Screening)

건강검진을 아주 쉽고 간단히 설명하자면 "어떤 사람이 건강한지 아닌지를 검진하는 것"이라고 할 수 있다. 이를 좀 더 정확하게 표현하자면 다음 몇 가지 사항에 대해 고찰해 보아야 한다.

1) "어떤 사람"을 검진할 것인가?

검진대상자 또는 수검자는 증상이 없는 사람이다. 즉 "환자가 아닌 일반인"이다. 그러므로 아파서 병원을 찾는 일반 환자와는 다른 특성을 가지고 있다(실제로는 증상이 있는 사람, 심지어 입원중인 환자도 건강검진을 받는다. 하지만 건강검진의 개념에는 벗어나는 경우이므로 이후에 따로 설명한다).

그리고 건강검진은 개인을 대상으로 하기보다는 주로 특정 인구집단을 대상으로 이루어진다. 건강검진을 시행하고자 하는 특정한 사람들의 집단을 "검진대상 집단"이라고 한다.

2) "건강한지 아닌지"를 어떤 기준으로 판정할 것인가?

정해진 검진항목 내에서 "찾고자 하는 질병이 있는지 없는지"를 기준으로 삼는다. 정해진 검사항목 내에서 찾고자 하는 주요 목표가 되는 질환을 "목표질환(target disease)"이라고 하며, 검사항목의 정상 범위를 벗어나는 경우가 있는지 찾아내는 것을 "선별(screening)한다"고 한다.

이때의 건강은 "일반적인 의미의 건강"과는 차이가 있다. 일반적인 의미의 건강은 세계보건기구(WHO)에서 정의한 것처럼, 질병이나 장애가 없을 뿐만 아니라, 신체적, 정신적, 사회적 및 영적으로 완전히 안녕한 역동적인 상태를 의미하는 포괄적인 개념이다(Health is a dynamic state of complete physical, mental, social and spiritual well-being and not merely the absence of disease or infirmity).

하지만 "건강검진에서의 건강"은 정해진 검사항목에서 목표질환이 검출되지 않은 경우를 의미하는 좁은 의미의 표현이다.

3) "검진"이란 무엇인가?

의료기구를 이용한 "검사"를 의미한다.

이상과 같은 개념정리에 의해 건강검진을 정확히 표현하자면 다음과 같이 정의할 수 있다.

건강검진(Health Screening)
검진대상 집단에게 일정한 항목의 검사를 시행하여 목표질환을 선별해내는 것.

2. 건강검진의 목적

건강검진의 목적은 "조기발견 조기치료"이다. 증상이 없거나 미약한 초기단계에서 질병을 발견하여, 합병증이나 후유증이 생기지 않도록 초기에 치료하는 것이 건강검진의 목적이다. 이는 예방의학의 범주에 포함되며, 그중에서도 2차 예방에 해당된다.

예방의학은 치료의학에 상대되는 개념이며 3단계로 이루어진다.

① 1차 예방

질병이 발생하기 전에, 환경을 개선하고 병에 대한 저항력을 높이는 등의 노력을 1차 예방이라고 한다. 운동을 통한 체력증강, 식사를 통한 영양 개선, 각종 사고의 예방, 예방접종 등이 포함된다.

② 2차 예방

질병이 일단 발병했을 때, 가능하면 조기에 진단하고 치료하여 병이 더 악화되는 것을 막는 것을 2차 예방이라 한다. 건강검진은 2차 예방에 속한다.

③ 3차 예방

질병이 이미 발병한 후에, 그 후유증의 발생을 예방하여 신체기능에 장애가 오지 않도록 하는 것이다. 재활치료가 여기에 속한다.

3. 건강검진은 어떤 질환을 찾고자 하는가?

건강검진을 통해 찾고자 하는 질환을 "목표질환(Target disease)"이라고 한다. 건강검진으로 사람이 걸릴 수 있는 모든 질병을 다 찾아낼 수는 없다. 검진비용대비 효과를 극대화시키는 질병을 찾아내는 것이 중요하다. 이런 목표질환에 해당되는 질병들의 특성은 다음과 같다.

- 검진대상 집단의 구성원들이 잘 걸리는 질병으로, 한국인의 경우 폐결핵, B형간염 등이 이에 해당된다.
- 조기발견 조기치료로 좋은 결과를 볼 가능성이 높은 질병으로, 예를 들면 위암, 대장암, 자궁경부암, 유방암 등이 이에 해당된다.
- 치료하지 않을 경우 생명에 치명적인 질병으로, 허혈성 심장질환, 각종 암 등이 이에 해당된다.

4. 일반진료와 건강검진의 차이점

일반진료와 건강검진은 같은 의료 인력과 장비를 사용하므로 서로 동일한 과정이라고 오해하기 쉬우나, 그 목적이 서로 다르므로 몇 가지 점에서 차이를 보인다.

1) 치료의학 - 예방의학

일반진료는 치료의학의 범주에 속하지만, 건강검진은 예방의학의 한 분야에 속한다. 서로 목적이 다르므로 그에 따라 시행되는 과정 또한 서로 다르다. 이것에 대한 이해를 확실히 해두어야 건강검진 업무수행에 차질이 생기지 않는다.

2) 환자 - 수검자

일반진료의 대상은 증상을 호소하는 환자이지만, 건강검진의 대상자는 환자가 아닌 일반인이다. 환자의 특성과 건강검진 수검자의 특성은 서로 다르므로 이에 대한 이해가 반드시 필요하다.

환자는 스스로 느끼는 불편함의 원인을 찾아내고 이를 제거하고자 병원을 찾는 반면, 건강검진 수검자는 혹시 모를 질병에 걸려있지 않나 하는 걱정을 해소하기 위해 그리고 현재까지는 건강하다는 것을 증명받기 위해 검진센터를 방문한다. 바라는 바가 다르므로 태도와 행동에 차이가 있다. 건강검진을 담당하는 실무자는 이런 점을 잘 이해하고 있어야 한다.

3) 증상호소 - 검진의뢰

일반진료는 환자 개인의 증상호소로부터 업무가 시작된다. 하지만 건강검진은 수검자의 검진의뢰로부터 업무가 시작된다. 또한 검진의뢰는 개인보다는 집단에 의해 이루어지는 경우가 많다.

4) 탐정 수사 - 체로 거르기

일반진료는 탐정수사와 비슷한 면이 있다. 즉 증상을 호소하며 찾아온 환자에게 의사가 문진과 진찰을 통해 질병의 윤곽을 어느 정도 좁힌 다음에 의료 기구를 사용한 검사를 통해 확실한 진단을 내리고 치료하는 과정이, 마치 사건발생에서부터 실마리를 하나씩 풀어가 결국 범인을 잡는 탐정수사와 비슷하다.

반면 건강검진은 별 차이가 없어 보이는 대상자들에게 검사를 시행해 특이한 것들을 찾아내는 과정이, 마치 강에서 체로 재첩을 골라내는 것과 비슷하다.

이 두 과정의 차이를 도식으로 간단히 표현하면 다음과 같다.

일반진료의 과정: 증상호소 → 문진 및 진찰 → 검사 → 진단 → 치료
건강검진의 과정: 검진 의뢰 → 검사 → 결과판정 → 결과보고

5) 치료 – 판정

일반진료는 치료로 종결되지만, 건강검진의 마지막 과정은 결과판정이다.

표 1-1. 일반진료와 건강검진의 차이

	일반진료	건강검진
의학의 범주	치료의학	예방의학
대상	환자(개인)	수검자(집단)
시작	증상호소	검진의뢰
과정	탐정 수사	체로 거르기
종결	치료	판정

02 건강검진의 종류

건강검진은 검진대상자와 검진목적에 따라 여러 가지 종류가 있다. 이 책에서는 다음과 같은 여러 가지 검진의 종류 중에서 종합검진을 중심으로 하여 설명한다.

1. 종합검진

의료기관의 건강검진센터에서 패키지 항목을 설정하여 수검자에게 제공하는 검진이다. 각 검진센터마다 검사항목에 차이가 있다.

2. 국민건강보험 검진

국민건강보험공단에서 실시하는 건강검진이다.

- 일반건강검진
- 암검진
- 생애전환기건강진단
- 영유아건강검진

3. 특수검진

산업체 근로자 중에서 작업환경측정 결과 유해인자로 판명된 환경에서 작업하는 근로자를 대상으로 실시하는 검진이다.

4. 기타 검진

- 건강진단결과서(보건증): 식당, 위생업소, 유흥업소 종사자를 대상으로 실시하는 검진.
- 채용신체검사: 공무원 채용을 위해 실시하는 검진. 일반기업에서 직원 채용을 위해 실시하기도 한다.
- 자동차운전면허 적성검사: 운전면허를 발급하기 위해 실시하는 검진.
- 학생검진: 학교에 재학 중인 학생들을 대상으로 실시하는 검진.
- 유치원검진: 어린이집과 유치원 원아를 대상으로 실시하는 검진.
- 회화지도자자격 채용신체검사: 외국어 회화지도자를 대상으로 실시하는 검진.
- 국제결혼 건강진단: 국제결혼을 하고자 하는 사람을 대상으로 실시하는 검진.
- 총포소지허가신청자 신체검사: 총포류를 소지하고자 하는 사람을 대상으로 실시하는 검진.
- 화약류제조(관리)보안책임자면허신청자 신체검사: 화약류 관련 업무를 하는 사람을 대상으로 실시하는 검진.
- 선상근무자 건강진단: 선상(船上)근무자를 대상으로 실시하는 검진.

03 건강검진의 과정

앞에서 설명한대로 건강검진의 과정은 일반진료의 과정과는 다르다. 건강검진의 과정은 크게 보아 "검진 전 단계 → 검진 단계 → 검진 후 단계"로 구분되며, 중요 과정은 "검진의뢰 → 검사 → 결과 판정 → 결과 보고"로 이루어져 있다. 이를 각 과정마다 세분하면 다음과 같다.

1. 검진 전 단계

1) 검진의뢰 및 계약
2) 예약

2. 검진 단계

3) 접수, 검진신청서와 문진표 작성, 탈의 및 검진복 착용
4) 검진 실시: 대부분 아래 표의 순서대로 검진이 진행된다.

표 1-2. 일반적인 검진의 과정

1) 문진 2) 기본검사 신체계측 - 키, 몸무게 체성분 검사 혈압측정 시력검사 안압검사 안저촬영 심전도검사(EKG) 동맥경화검사 폐기능검사 청력검사 골밀도검사 자궁경부 도말검사(Pap smear)	3) 진단의학검사: 채혈, 소변검사, 대변검사 등 4) 영상의학검사 흉부촬영 유방촬영 위장조영술 / 대장조영술 초음파검사(복부, 골반, 유방, 전립선, 갑상선, 경동맥) 경두개초음파검사 심장초음파검사 CT MRI MRA 5) 핵의학검사 PET- CT 6) 내시경검사 위내시경검사 대장내시경검사

3. 검진 후 단계

5) 결과 판정

정상, 경계, 재검, 추적관찰, 추가검사, 치료권고 등으로 판정된다.

(1) 정상(normal): 검사결과가 정상범위 내에 있는 경우이다.

(2) 경계(borderline): 정상범위를 약간 벗어났지만 임상적 의의는 없는 경우이다.

(3) 재검(repeat): 검사결과가 비정상이지만 오류가 있을 가능성이 있는 경우로 재검사가 필요한 경우이다.

(4) 추적관찰(follow up): 검사결과에 이상은 있지만 현재 단계에서는 치료가 필요하지 않아 심각한 상태로 변화하는지 추적검사가 필요한 경우이다.

(5) 추가검사(another study): 검사결과에 이상소견이 발견되어 정확한 진단을 위해 추가 정밀검사가 필요한 경우이다.

(6) 치료권고(treatment): 검사결과에 심각한 질환이 발견되어 치료가 필요한 경우이다. 전문과나 상급병원에 의뢰하여 치료를 받도록 한다.

6) 결과 보고

검진결과지를 자택이나 회사로 배송한다. 필요한 경우에는 전화상담이나 내원상담을 통해 수검자가 검진의 결과를 잘 이해하도록 한다.

7) 사후관리

검진데이터의 축적, 다음 검진시기 안내 등이 사후관리 업무이다.

04 건강검진 항목

건강검진은 병원에서 시행 가능한 모든 검사를 다 실시하는 것은 아니다. 검진대상 집단의 성격에 맞게 항목을 정해서 시행해야 한다.

가장 이상적인 항목설정은 개인 맞춤형으로 검진 전에 의사와 상의하여 수검자의 상황에 맞게 정하는 것이 좋지만 현실적으로는 많이 이루어지지 않고 있다. 차선책으로, 이미 정해져 있는 검진항목 패키지에 수검자의 상황에 따라 몇 가지 항목을 추가하는 방법이 비용대비 가장 효율적이다. 예를 들어 흡연자의 경우에 흉부단순촬영만 검진항목에 있다면 흉부CT를 추가하여 폐암에 대한 선별검사를 하게 한다. 또 음주가 심한 경우에 혈액 간기능검사만 검진항목에 있다면 복부초음파를 추가하여 간의 상태를 보다 정밀하게 알아볼 수 있도록 한다.

1. 종합검진의 검사항목

건강검진을 시행하는 의료기관마다 종합검진 패키지상품을 임의로 설정하여 수검자에게 제공하므로 종합검진의 검사항목은 검진기관마다 다르다. 또한 각종 단체와 검진기관 사이에 검진비용과 검사항목을 서로 계약하여 시행하기도 한다.

2. 국민건강보험공단 건강검진

정확한 것은 국민건강보험 사이버민원센터(http://minwon.nhic.or.kr/portal/site/minwon)나, 매년 발간되는 건강검진실시안내 책자에서 확인할 수 있다.

1) 일반건강검진의 검사항목

(1) 진찰, 상담, 신장, 체중, 허리둘레, 체질량지수, 시력, 청력, 혈압측정

(2) 총콜레스테롤, HDL콜레스테롤, LDL콜레스테롤, 트리글리세라이드

(3) AST (SGOT), ALT (SGPT), γ-GTP

(4) 공복혈당

(5) 요단백, 혈청크레아티닌, 혈색소

(6) 흉부방사선촬영

(7) 구강검진

(8) 치매선별검사(만 70, 74세)

2) 암검진의 검사항목

(1) 위암: 위장조영검사, 위내시경검사

(2) 대장암: 분변잠혈반응검사, 대장이중조영검사, 대장내시경검사

(3) 간암: 간초음파검사, 혈청AFP검사

(4) 유방암: 유방촬영

(5) 자궁경부암: 자궁경부도말검사(Pap smear)

3. 특수검진의 검사항목

작업환경측정을 하여 노출된 유해인자(소음, 분진, 유기화합물, 전리방사선, 자외선, 고온, 진동 등)에 따라 검진항목이 다르다.

4. 기타 검진

1) 건강진단결과서(보건증)의 검사항목

음식업: Widal test(장티푸스), 흉부방사선촬영(결핵), HBs Ag/Ab (B형간염), 전염성 피부질환

유흥업: 위의 항목에 추가로 HIV검사(AIDS), VDRL(매독), STD검사(임질)

2) 채용신체검사의 검사항목

신장, 체중, 색신, 혈압, 시력, 청력,

간기능(SGOT, SGPT, γ-GTP), 간염(HBs Ag, HBs Ab),

지질검사(총콜레스테롤), 공복혈당, 매독(VDRL, TPHA), 흉부방사선검사,

혈색소, 소변검사(요당, 요단백), 혈액형(ABO, Rh)

3) 자동차운전면허적성검사의 검사항목

시력, 시야, 삼색식별, 청력, 신체장애 여부

05 건강검진의 주기

질병은 시간의 경과에 따라 발생하므로 검진의 주기를 잘 결정해야 한다. 검진의 주기에 관해 가장 먼저 결정해야 할 사항은 다음 두 가지다.

첫째, 첫 검진을 언제 실시할 것인가?

둘째, 정상 소견이라면 얼마 후에 다시 검사할 것인가?

예를 들어 위내시경검사는 40세 이상에서 2년마다 실시하고, 대장내시경검사는 50세 이상에서 5년마다 실시하도록 권장되고 있다.

검진의 주기를 결정할 때 고려해야 할 사항으로는 다음과 같은 것들이 있다.

1. 질병이 주로 발생하는 연령, 성별, 인종 등 역학적 문제를 고려해야 한다.

심전도 - 젊은이보다 중년 이상의 연령층에서 심혈관계 질환이 호발한다.

골밀도 검사 - 여성, 특히 폐경 이후의 여성에서 골다공증이 호발한다.

B형간염 항원/항체 검사 - 한국인의 유병률이 높다.

2. 질병의 진행속도를 고려해야 한다.

위암은 대장암에 비해 비교적 진행속도가 빠르다.

3. 관련 증상의 유무에 따라 검진주기가 달라져야 한다.

자궁출혈 등 비정상 소견이 있는 여성은 자궁암 검사를 더 자주 해야 한다.

4. 유전적 소인의 가능성이 있다면 관련검사를 더 자주해야 한다.

유방암의 가족력이 있다면 유방검사를 더 자주해야 한다.

5. 유발인자에 노출되어 있다면 관련검사에 주의해야 한다.

흡연하는 사람은 흉부 방사선촬영에 더 주의해야 한다.

질병은 “유전적 소인”과 “유발인자”의 상호작용에 의하여 발생한다. 즉, 유전적 소인이 있는 사람이 유발 인자에 노출되었을 때 질병이 발생한다. 유전적 소인이 있더라도 유발인자에 노출되지 않거나, 유발인자에 노출되었더라도 유전적 소인이 없으면 질병에 잘 걸리지 않는다. 그러므로 건강검진을 시행할 때 유전적 소인이 있는지, 유발 인자에 노출이 되었는지에 유의하여 항목을 설정해야 한다. 질병의 대표적 유발인자로는 다음과 같은 것들이 있다.

- 위암 - 헬리코박터 파일로리
- 대장암 - 식습관
- 간암 - HBV바이러스, HCV바이러스, 알코올
- 폐암 - 흡연
- 유방암 - 여성호르몬
- 자궁경부암 - HPV바이러스

06 목표질환
target disease

질병을 분류하는 기준은 여러 가지가 있다.

질병의 발생 원인에 따라 - 유전성 질환, 감염성 질환, 자가면역성 질환 등

주로 발생하는 연령과 성별에 따라 - 소아과 질환, 부인과 질환, 노인성 질환 등

발생한 장기에 따라 - 심혈관계 질환, 소화기 질환, 호흡기계 질환 등

치료방법에 따라 - 내과적 질환, 외과적 질환 등

건강검진은 검사(혈액검사, 영상의학검사, 내시경검사 등)를 중심으로 이루어지므로, 각 검사를 시행하는 목적을 분명히 하는 것이 중요하다. 어떤 검사를 실시할 때에는 무슨 질환을 찾아내기 위해 검사를 시행하는지를 명확히 해두어야 검사의 진행과 결과판정에 착오가 생기지 않는다. 그러므로 건강검진에서는 검사를 통해 찾아낼 수 있는 질환을 다음과 같이 세 종류로 분류하는 것이 유용하다.

건강검진에서 질병의 분류

1. **목표질환**(Target disease)
   특정검사를 통해 찾아내고자 하는 주요 목표가 되는 질환
2. **주변질환**(Para-target disease)
   목표질환은 아니지만 임상적으로 중요한 의미를 갖는 질환
3. **조우병변**(Incidental lesion)
   정상적인 소견은 아니지만 임상적으로 큰 의미가 없는 질환이나 상태

1. 목표질환(Target disease)

어떤 검사를 통해 찾아내고자 하는 주요 목표가 되는 질환이다. 수검자의 입장에서는 이런 질환이 발견되지 않을까 가장 걱정을 하고, 검사자의 입장에서는 놓치지 않으려고 주의를 기울여야 하는 건강검진의 가장 중요한 질환을 말한다.

건강검진은 선별(screening)검사이다. 건강하다고 추정되는 사람들 중에서 어떤 검사를 통해서 이상소견을 찾아내는 과정이, 마치 강에서 체를 가지고 모래나 재첩을 걸러내는 것과 비슷하다. 일반 진료에서는 의사가 환자에게 문진과 신체검사를 한 다음에 어떤 검사가 적합할 것인지를 결정한다. 즉 어떤 체가 적합할 것인지를 여러 가지 체 중에서 고르는 것이다. 그러나 건강검진에서는 체가 고정되어 있다. 그래서 어떤 검사를 통해 찾아낼 수 있는 질병의 범위가 각각의 검사마다 정해져 있다. 어떤 검사를 통해 찾아낼 수 있고 또는 찾아내야 하는 질병, 어떤 검사를 시행하는 목표가 되는 질병을 목표질환이라고 한다.

대표적인 목표질환의 예를 들면 다음과 같다.

- 위내시경검사 - 위암, 식도암
- 대장내시경검사 - 대장암
- 복부초음파검사 - 간암, 담도암, 췌장암, 신장암
- 흉부촬영 - 폐암, 폐결핵
- 유방촬영 - 유방암
- 자궁경부도말검사 - 자궁경부암
- 심전도검사 - 부정맥, 허혈성 심장질환(협심증, 심근경색)
- 안압검사 - 녹내장
- 안저촬영 - 망막질환, 당뇨병성 망막증, 고혈압성 망막증, 녹내장

2. 주변질환(Para-target disease)

목표질환은 아니지만 임상적으로 중요한 의미를 갖는 질환으로 다음과 같은 경우가 있다.

1) 시간의 경과에 따라 목표질환의 발생 가능성이 높아지는 질환

위내시경검사 - 위축성 위염, 장상피화생

대장내시경검사 - 대장용종(특히 선종성 용종)

2) 목표질환과 상관없지만 반드시 적절한 치료가 필요한 질환
 위내시경검사 - 양성 위궤양, 십이지장궤양, 역류성 식도염
 복부초음파검사 - 담석증

3. 조우병변(Incidental lesion)

정상적인 소견은 아니지만 임상적으로 큰 의미가 없는 질환이나 상태로 다음과 같은 경우가 있다.

1) 치료가 필요 없거나, 약간의 치료로 호전될 수 있는 질환
 위내시경검사 - 가벼운 역류성 식도염, 표재성 위염
2) 추적관찰만 해도 되는 상태
 소변검사 - 요로계통에 특별한 원인이 없는 무증상 혈뇨
 복부초음파검사 - 작은 담낭용종
3) 그냥 두어도 건강과 생명에 전혀 지장이 없는 소견
 복부초음파검사 - 간낭종, 작은 혈관종
 위내시경검사 - 식도 유두종, 작은 혈관이형성

이상과 같이 검사항목마다 목표질환, 주변질환, 조우병변을 명확히 해 두면 검진결과의 판정과 향후 대책, 추후 검사 등의 관리에 매우 유용하다.

건강검진의 주요 목표질환에는 다음과 같은 것들이 있다.

- 암: 위암, 대장암, 자궁경부암, 유방암, 간암, 폐암 등
- 심혈관계 질환: 허혈성 심장질환, 뇌경색 등
- 성인병: 고혈압, 당뇨병, 고지혈증, 고도비만 등
- 감염성질환: 폐결핵, B형간염
- 기타 질환

07 구조검사와 기능검사

의학에서는 인체를 구조(structure)와 기능(function)이라는 두 가지 측면으로 나누어 이해한다. 인체의 구조 즉 어떻게 생겼는가를 설명하는 것이 해부학이고, 인체의 기능 즉 어떻게 작동하는가를 설명하는 것이 생리학이다. 인체의 질병을 치료할 때 구조적인 변화를 주어 치료하는 것이 외과적 치료이고, 기능적인 변화를 주어 치료하는 것이 내과적 치료이다.

인체를 검사할 때에도 마찬가지로 구조검사(structural examination)와 기능검사(functional examination)로 나누어 생각하면 편리하다. 간을 검사할 때 초음파, 복부CT 등을 이용해 그 형태 변화를 관찰하는 것이 구조검사라면, SGOT, SGPT, AFP 등 효소나 단백질의 양을 측정해 그 성능 변화를 관찰하는 것이 기능검사이다. 또한 폐의 구조검사는 흉부 X선촬영이나 흉부CT이고, 기능검사는 폐활량 등 폐기능검사이다. 영상의학검사는 대부분 구조검사에 해당되며, 진단의학검사는 대부분 기능검사에 해당된다.

이처럼 구조검사와 기능검사가 확연히 구분되는 경우도 있지만, 그 구분이 애매한 경우도 많다. 심장초음파검사의 경우 심장의 형태적 변화도 관찰되지만 그 기능 또한 관찰할 수 있기 때문에 구조검사 겸 기능검사라 할 수 있다.

검사법을 구조검사와 기능검사 두 가지로 구분하는 것은 목적에 맞는 검사 방법을 선정하는 데 도움이 된다. 예를 들어 췌장암을 걱정하는 수검자라면, 구조검사인 복부초음파검사나 복부CT검사와 기능검사인 혈청아밀라제와 리파제 그리고 종양표지자인 CA 19-9검사를 권유하면 된다.

08 검진결과의 판정

일반적인 진료는 치료로 종결되지만, 건강검진은 결과의 판정으로 종결된다. 결과의 판정이 건강검진의 과정 중에서 가장 중요한 과정이다. 하지만 검진업무에 참여하는 의료인들은 일반적인 진료에 익숙해 있어서 결과의 판정에 익숙하지 않은 경우가 많다. 건강검진은 일반적인 진료와는 차이가 있다는 점, 특히 결과의 판정이 매우 중요하다는 점을 인식하고 이에 대해 많은 주의를 기울여야 한다.

또한, 이런 문제에 대한 인식은 가지고 있더라도, 의학용어로 되어있는 검진의 결과를 의료인이 아닌 수검자에게 전달하는 것은 쉬운 일이 아니다. 검진의 결과는 의료인에게는 익숙한 용어와 개념으로 되어 있지만, 의료인이 아닌 수검자들에게는 매우 낯설기 때문이다. 실제 검진 결과지를 받아 본 대부분의 수검자는 "도대체 이게 무슨 소리야?" 또는 "도대체 어쩌라는 거야?"라고 생각하게 되는 경우가 많다. 그러므로 검진결과를 판정할 때에는 의료인의 입장이 아닌 수검자의 입장에서 쉽게 이해할 수 있도록 노력해야 한다.

검진결과의 판정 과정은 검진의 결과를 평가하고 그에 따른 권고안을 작성하는 것으로 구분된다. 즉 객관적 데이터와 주관적 소견으로 표현된 검진의 결과를, 중요도에 따라 목표질환, 주변질환, 조우병변 으로 평가하고, 그에 따라 수검자가 어떻게 해야 할지에 대한 권고안을 작성하는 것이다.

검진결과의 판정 과정: 검진의 결과 → 평가 → 권고

1. 검진의 결과

검진을 통해 생성된 수검자의 건강에 관한 정보는 두 종류로 구분할 수 있다. 객관적 데이터와 주관

적 소견이 그것이다. 이 두 가지를 서로 혼동하는 경우가 많은데, 이에 대한 구분을 명확히 해야 다음 단계인 평가가 원활해진다.

1) 객관적 데이터(data)

대개 숫자로 표현되는 결과물을 말한다. 대부분의 진단의학적 검사가 이에 해당된다. 이 정보는 그 결과가 '정해진 범위 안에 있을 경우(within normal limit, WNL)'에 정상이라 하고, 이를 벗어나면 이상 소견이 된다.

이런 종류의 결과물을 평가하기는 매우 쉬울 것으로 오해하기 쉽다. 왜냐하면, 명확하게 정해진 정상범위가 있기 때문이다. 하지만 정상범위를 얼마나 벗어났는지, 다른 데이터와 비교하여 많은 차이가 나는지 등에 따라 평가가 많이 달라질 수 있다.

예를 들어, 간기능검사에서 다른 수치는 모두 정상이며 간초음파검사도 정상인데 빌리루빈만 약간 높게 나온다면 병적 상태가 아닌 것으로 판단해야 한다.

또한, 종양표지자검사에서 정상범위를 약간 벗어난 경우, 실제 악성종양이 있어서인지 아니면 다른 양성질환에 의한 변화인지를 면밀히 검토해야 한다.

2) 주관적 소견(finding)

검진의 결과가 의사의 주관적 판단으로 결정되는 경우를 말한다. 대부분의 영상의학적 검사와 내시경검사가 이에 해당된다. 이 경우에는 "특별한 병적 소견이 없는 경우(non specific finding, NSF 또는 NS)"에 정상이라 하고, 눈에 띄는 특이한 병변이 관찰되면 이상소견이 된다.

이 경우에는 의사에 따라 그 결과와 평가에 많은 차이를 보일 수 있다. 의사마다 경험과 숙달도가 다르기 때문이다. 그런 차이를 줄이기 위해 많은 노력을 기울여야겠지만, 조금이라도 수검자의 생명과 건강에 지장을 줄 수 있는 상황이 의심된다면 추가 정밀검사를 권고하던지 더 경험이 많은 의사에게 의뢰해야 한다.

그리고 정상이 아닌 병변이 보일 때에는 이것이 목표질환인지 아니면 조우병변에 불과한지를 항상 염두에 두고 검사에 임해야 한다.

2. 평가(assessment)

객관적 데이터와 주관적 소견으로 나타난 검진의 결과를 평가할 때에는 정상인지 아닌지, 비정상이라면 얼마나 건강에 영향을 미치는 것인지를 결정해야 한다.

평가의 과정은 다음과 같다.

- 맨 먼저 정상인지 아닌지부터 평가한다.
- 정상과 비정상의 경계에 있을 경우에는 그 평가가 힘들어지는데, 이때에는 다른 데이터나 소견을 종합하여 평가한다.
- 정상이 아닌 경우에는 그 중요도를 결정해야 한다. 이상소견을 보인 결과가 목표질환을 의미하는지 아니면 주변질환이나 조우병변을 의미하는지를 구분해야 한다.

1) 목표질환(Target disease)

특정검사를 통해 찾아내고자 하는 주요 목표가 되는 질환을 말한다. 수검자의 생명과 건강에 큰 지장을 초래할 수 있는 질환으로, 즉각적인 치료가 필요한 질환이다.

2) 주변질환(Para-target disease)

목표질환은 아니지만 임상적으로 중요한 의미를 갖는 질환으로, 반드시 치료나 정기적인 추적관찰이 필요한 질환이다.

3) 조우병변(Incidental lesion)

정상적인 소견은 아니지만 임상적으로 큰 의미가 없는 질환이나 상태를 말하며, 내버려 두어도 상관없거나 시간이 지나 확인만 하면 되는 경우이다.

3. 권고(recommendation)

검진에서 이상소견이나 병변이 발견되었을 때 수검자가 어떻게 해야 할 것인지 설명해주는 것이 권고이다. 권고는 검진결과의 판정에서 가장 중요한 내용이다. 검진기관에서는 권고안으로 검진결과와 그 평가를 간단명료하게 설명해 주어야 한다. 검진결과만 표시하고 권고안이 없거나 또는 권고안이 이해하기 어렵게 표현되어 있다면, 수검자는 “도대체 어쩌라는 것인지?” 혼란에 빠지게 된다.

권고안은 다음과 같이 구분할 수 있다.

1) 정상(normal)

검사결과가 정상범위 내에 있으므로 “안심하십시오.”라는 의미이다. 정상범위를 약간 벗어났지만 임상적 의의는 없는 경우도 여기에 포함된다.

객관적 데이터의 경우 "정상범위 안에 있음(within normal limit, WNL)"을 의미하며, 주관적 소견의 경우 "특이소견 없음(non specific finding, NSF 또는 NS)"을 의미한다.

2) 재검(repeat examination)

검사결과가 비정상이지만 오류가 있을 가능성이 있으므로 "재검사 하십시오."라는 의미이다.

3) 추적검사(follow-up examinaion)

검사결과에 이상은 있지만 현재 단계에서는 치료가 필요하지 않고 심각한 상태로 변화하는지 "추적검사 하십시오."라는 의미이다.

이 경우에는 기간이 중요하다. 3개월, 6개월, 1년 등으로 추적검사가 필요한 기간을 명기해야 한다. 기간을 명기하지 않은 경우에는 통상적인 건강검진 기간인 1-2년 만에 추적검사 하라는 의미이다. 그러므로 그보다 더 빨리 추적검사를 해야 한다면 반드시 그 기간을 명기해야 한다.

4) 추가검사(another study)

검사결과에 이상소견이 발견되어 정확한 진단을 위해 "추가로 정밀검사가 필요합니다."라는 의미이다.

5) 치료(treatment)

검사결과에 심각한 질환이 발견되어 "즉시 치료를 시작하십시오."라는 의미이다. 전문과로 의뢰하거나, 원내에 전문과가 없는 경우 상급병원에 의뢰하여 치료를 받도록 한다.

이상과 같은 권고안 중에서, 한 가지 이상소견에 반드시 한 가지 권고안만 추천되는 것은 아니다. 상황의 경중완급, 즉 얼마나 심한지 그리고 얼마나 빨리 대처해야 하는지에 따라 권고안은 달라질 수 있다. 예를 들어 간기능검사 수치가 증가되어 있는 경우, 검사오류가 의심된다면 재검이 필요할 수도 있고, 질병이 의심된다면 추가정밀검사를 할 수도 있고, 또는 심한 경우에는 즉시 치료를 권고해야 하는 경우도 있다.

하지만 대부분의 검진센터에서는, 많은 업무량을 수행하기 위해 어떤 검사의 어떤 결과에는 어떻게 권고안을 낸다고 정해놓은 경우가 많다. 하지만 상황의 경중완급을 고려하여 적절히 권고안을 작성해야지, 그렇지 않고 천편일률적인 권고안을 내보낸다면 수검자는 혼란에 빠지게 된다.

건강검진에서는 결과의 판정, 특히 그 중에서도 권고가 가장 중요함을 항상 인식하고 있어야 한다.

4. 컬러 체크 시스템(color check system)

이상과 같은 과정에 의해 건강검진의 판정이 이루어지지만, 검진결과서를 받아 본 수검자 입장에서는 "도대제 뭔 소린지?" 하면서 혼란스러워 하는 경우가 대부분이다. 실제로 검진결과 상담을 해보면, 검진결과서가 비교적 정확히 표현되었음에도 수검자는 전혀 이해하지 못하고 있는 경우가 많다.

이 원인은 의료인과 비의료인의 차이에서 비롯된다. 검진결과서는 의료인이 작성하므로 매우 명확하게 설명했다고 생각하지만, 이를 읽어보는 수검자는 의료인이 아니므로 이를 이해하는 데 한계가 있다.

이 간극을 줄이기 위한 노력이 반드시 필요하며, 그 방법의 하나로 "건강검진판정을 위한 컬러 체크 시스템"이 유용하게 사용될 수 있다.

검진기관마다 검진결과서 양식은 다르지만, 대부분 종합결과판정을 맨 앞 페이지에 둔다. 이 종합결과판정의 각 내용을 중요도에 따라 색깔로 표시하면 수검자 입장에서는 받아들이기가 매우 쉬워진다.

건강검진 판정을 위한 컬러 체크 시스템(color check system)

1. **✓레드 체크(red check)**
   즉각적인 행동이 필요한 경우이다. 즉시 치료를 시작하거나, 즉시 추가 정밀검사를 해야 하는 경우이다. 대부분의 목표질환이 이에 해당되며, 일부 주변질환도 포함된다.
2. **✓옐로우 체크(yellow check)**
   즉각적인 행동이 필요하지는 않지만, 반드시 주의를 기울여야 하는 경우이다. 대부분의 주변질환이 이에 해당되며, 목표질환도 심하지 않거나 급하지 않을 경우에는 이에 포함된다. 조우병변이지만 약간의 주의가 필요한 경우에는 이에 포함시켜야 한다.
3. **✓그린 체크(green check)**
   이상소견이지만 크게 신경 쓰지 않아도 되며 정기검진에서 추적관찰만 하면 되는 경우이다. 대부분의 조우병변이 이에 해당된다.

이렇게 검진결과의 종합판정 내용을 각각 3가지 색깔로 구분하여 표시하면 이를 받아 든 수검자는 검진결과를 아주 쉽게 이해할 수 있다. 또한, 검진센터의 직원들도 이 표시를 보고 수검자에게 어떻게 안내를 해야 할지 쉽게 알 수 있다.

검진결과를 3가지로 구분하기는 언뜻 보기에 쉬운 것 같지만, 같은 질환이라도 처한 상황이 서로 달라 애매한 경우가 많이 있다. 그런 경우에 판단 기준은 얼마나 빨리 행동을 취해야 하는가, 얼마나 많이 주의를 기울여야 하는가이다.

예를 들어 소변검사에서 적혈구가 발견되어 혈뇨로 진단된 경우, 다른 아무런 정보가 없다면 우선 옐로우 체크를 하여 추가검사로 그 중요도를 결정하도록 하게 한다. 만약 초음파검사에서 신장결석 소견이 있었다면 레드 체크를 하여 치료를 받게 한다. 하지만 여러 검사에서 다른 동반질환 없이 단순히 경미한 혈뇨만 보인다면 그린 체크를 하여 정기적인 건강검진에서 추적검사만 하도록 한다.

이렇게 판정결과를 색깔로 구분할 경우, 판정하는 의사의 주관이 작용하므로 판정의에 따라 의견차이가 있을 수 있다. 같은 결과인데도 불구하고 서로 다른 권고안이 내려지면 혼동이 있을 수 있다. 그러므로 각 검진기관에서는 상황마다 이를 어떤 카테고리에 포함시킬 것인지 개략적으로 설정해 두는 것이 좋다.

이 모든 과정은 건강검진의 수요자인 수검자에게 검진의 결과를 쉽게 이해시키기 위해서라는 점을 항상 명심해야 한다.

09 건강검진 실무

1. 건강검진의 양면성

건강검진에는 의료적 측면과 서비스적 측면이라는 두 가지 측면이 공존한다. 일반 진료에서도 마찬가지지만, 특히 건강검진을 받으러 온 수검자의 경우는 이 두 가지를 모두 충족시키기를 바란다. 즉 뛰어난 의술로 자신의 건강을 증명 받고자 하는 욕구가 있는 반면, 일반 환자와는 다른 더 친절하고 더 편안한 서비스를 제공받고자 하는 욕구가 공존한다.

이러한 양면성을 이해하지 못하거나 또는 실무에 적용하지 못하면 부실한 건강검진이 될 수 밖에 없다. 즉 의학적 관점에만 치우칠 경우 수검자가 편안함을 느끼지 못할 수도 있고, 반면에 친절한 서비스에만 치중할 경우 의학적 정확성이나 안전성이 부족해질 수도 있다.

크게 보면 의료행위도 서비스의 일종이다. 이 둘은 서로 불가분의 관계가 있으므로, 의학적으로 정확하고 안전하면서도 편안한 검진이 되도록 노력해야 한다.

2. 행정업무의 중요성

건강검진에는 의사, 간호사, 방사선사, 임상병리사 등의 의료인력 외에도 행정업무를 담당하는 인력의 역할이 매우 중요하다. 의료적 업무에만 관심을 두고 행정적 업무의 중요성을 인식하지 못하면 만족할 만한 건강검진이 될 수 없다.

행정업무에는 수검자나 수검자의 집단(주로 직장 단위)과 검진 계약을 맺는 일, 예약 날짜와 시간을 잡는 일, 검진 접수, 문진표의 작성을 돕는 일, 검진의 원활한 진행, 검사결과의 통보(전화 통화, 우편 통보), 검진 후 사후관리 등이 있다. 이런 행정업무를 얼마나 효율적으로 진행하느냐에 따라 수검자의 만족도는 큰 차이를 보인다.

또한 이런 행정업무에는 영업적인 업무도 포함된다. 특히 각 직장마다 건강검진 업무를 담당하는 실무자와의 관계 유지가 중요하다. 이런 직장 내의 검진담당 실무자가 하는 일은 검진기관을 선정하고, 검진계약을 체결하며, 검진실시 계획을 정해 실행하는 것 등이다. 이들과의 업무 협조가 원활해야 검진 업무가 매끄럽게 이루어진다.

3. 건강검진센터의 시설

병원에서 각각의 방은 그 용도에 맞게 설계되어 있다. 예를 들자면, 응급의료센터의 경우 응급환자를 쉽게 맞아들이기 위해 출입구가 구급차의 접근이 용이하도록 되어 있다. 중환자집중치료센터의 경우에는 의료인력이 침상 위의 중환자를 감시하기 쉽도록 위치가 설정되어 있다.

건강검진센터 또한 그 업무에 맞도록 설계되어야 한다. 하지만 기존에 있던 방의 구조만 조금 변경하여 사용하는 경우가 많아 수검자나 검사자가 불편함을 느끼는 경우가 많다. 건강검진센터의 구조는 다음과 같은 조건을 충족하는 것이 좋다.

첫째, 건강검진센터는 순환구조로 되어 있어야 한다.

수검자가 들어와서 나갈 때까지 센터를 한 바퀴 돌고나면 검진이 끝나도록 설계되어 있어야만 수검자나 검사자가 모두 편하다. 그렇지 못하고 검사마다 다른 위치에 있는 방을 다녀와야 한다면, 수검자는 불편하고 이를 관리해야 하는 검진센터 직원 또한 업무량이 많아진다. 특히 초음파검사를 위해 영상의학과를 다녀오는 경우, 자궁경부도말검사를 위해 산부인과를 다녀오는 경우, 치아검진을 위해 치과를 다녀오는 경우가 많다. 규모가 있는 건강검진센터라면 CT, MRI, PET-CT를 제외한 나머지 검사는 모두 검진센터 안에서 순환적으로 이루어지는 것이 좋다.

둘째, 접수는 검진센터 내에서 이루어지는 것이 좋다.

대부분의 병원에서는 일반 환자와 건강검진 수검자의 접수를 동일한 장소에서 받는다. 하지만 건강검진 수검자는 아프지 않은 사람이며, 또한 빨리 검진을 끝내고 다른 일을 하려 한다. 그러므로 일반 환자와 같이 길게 줄을 서서 접수를 받는 것을 불편해 한다. 또한 일반 환자와 접수 내용이 다르므로 업무 효율성 면에서도 접수를 따로 받는 것이 효율적이다.

셋째, 검진센터 내의 각각의 공간은 넉넉하고 여유가 있어야 한다.

일반 진료실도 마찬가지지만, 특히 건강검진은 수검자가 몰리는 시간과 한가한 시간에 차이가 훨씬 심하다. 그래서 같은 넓이의 공간일지라도, 수검자가 많지 않은 한가한 시간에는 넓어 보이지만 수검자가 몰려오는 시간에는 매우 협소해 보일 수 있다. 특히 각 검사실 앞의 대기공간은 여유로워야 한다.

또한 문진표 작성 공간은 생각보다 넓어야 하며, 의자에 앉아서 작성하는 곳과 은행창구처럼 그냥 서서 작성하는 곳이 같이 있으면 편하다. 탈의실은 수검자가 밀리는 시간에 서로 부딪히지 않을 정도로 공간이 넉넉해야 하며, 열쇠는 검사 도중 보관하기 쉬워야 한다. 특히 수면내시경 중에도 분실의 위험이 없도록 해야 한다.

소변검사를 위한 화장실이 따로 있는 것이 좋다. 실제 용변을 위한 화장실과 같이 사용할 경우 불편한 상황이 많이 발생한다. 또한 수검자가 밀려 오랫동안 기다려야 할 때 대기순서를 모니터에 표시해주면 기다리는 지루함이 훨씬 더 줄어든다.

내시경실에는 수검자가 검사 후에 씻을 수 있도록 세면대가 가까이에 있어야 한다. 대장내시경실 내에는 수검자가 검사 전이나 후에 이용할 수 있도록 비데가 설치된 화장실이 같은 공간에 있어야 한다.

이상과 같이 검진센터의 시설을 구성하는 원칙은 수검자의 특성이 일반 환자와는 다르다는 점을 인식하고 이에 맞게 구성해야 한다는 점이다.

4. 증상이 있는 수검자

수검자 중에는 증상을 호소하는 경우가 종종 있다. 가벼운 증상을 참고 지내다가 건강검진을 받는 김에 이야기하는 경우도 있고, 최근에 새로 증상이 나타났지만 일반진료를 받지 않고 건강검진을 받으러 오는 경우도 있다. 심지어 입원중인 환자가 건강검진을 받으러 오는 경우도 종종 있다. 건강검진은 건강한 사람을 상대로 실시하는 것이므로 이런 경우에 난감해질 수도 있다.

증상이 가벼워 보이는 경우라면 우선 건강검진을 받은 후 담당 전문과에서 진료를 받도록 해야겠지만, 만약 증상이 심각해 보이거나 그 경중을 파악할 수 없는 경우라면 건강검진보다는 먼저 전문과 진료를 받도록 해야 한다. 그렇지 않을 경우 환자의 몸에 무리를 주는 검사를 시행할 수도 있고, 또는 건강검진으로 아무 이상이 없다는 판정을 받아 안심을 하고 있다가 병세가 더 심각해질 수도 있기 때문이다. 입원중인 환자라면 현재 치료중인 질병이 건강검진 시행에 영향을 미치지 않을지, 또는 질병으로 인해 건강검진의 결과에 오차를 보이지 않을지를 고려한 후에 실시해야 한다.

건강검진은 건강한 사람을 대상으로 실시하도록 준비되어 있는 것이며, 증상이 있는 수검자는 훨씬 더 주의를 기울여야 함을 항상 유념해야 한다.

5. 건강검진의 연속성

건강검진은 단 한 번에 일회성으로 끝나는 것이 아니다. 매년 또는 그 이상 주기적으로 시행하는 것이다. 그러므로 연속성을 유지하는 것이 중요하다. 그래야만 시간에 따라 변화하는 추이를 관찰할 수 있으며, 나중에 질병에 걸렸을 때 과거력을 쉽게 파악할 수 있다.

이렇게 연속성을 유지하기 위해서는 매번 다른 검진기관을 이용하는 것보다 동일한 검진기관에서 검진하는 것이 좋다. 오랜 기간의 데이터가 축적되어 있어 문제가 생겼을 때 찾아보기 쉽기 때문이다. 또한 검진결과표를 잘 보관하는 것도 중요하다. 설령 다른 검진기관에서 검진을 받았더라도 검진결과표를 꾸준히 모아둔다면, 필요할 경우 과거 데이터를 쉽게 이용할 수 있기 때문이다. 수검자에게 이렇게 검진의 연속성이 중요하다는 것을 설명해주어야 한다.

6. 건강검진 실무자의 사명감

건강검진은 자칫 지루해지기 쉬운 업무이다. 일반적인 진료는 아프다고 호소하는 환자의 문제점을 찾아내어 해결해주므로 보람을 쉽게 느낄 수 있지만, 건강검진은 마치 공장의 생산라인에서 나사를 조립하듯 똑같은 작업을 반복해야하는 단조로움이 있다. 때문에 건강검진 업무에 종사하는 실무자는 일반적인 진료에 종사하는 의료인에 비해 조금 다른 사명감을 가지고 있어야한다.

지루하게 계속되는 채혈 중에 아직 증상이 나타나지 않은 백혈병 환자가 숨어 있을 수도 있다. 계속되는 복부초음파검사 중에 초기 간암환자가 우연히 발견될 수도 있다. 계속 밀려오는 수검자들에게 내시경을 삽입했다 회수하는 중에 증상이 아직 나타나지 않은 조기위암 환자가 발견될 수도 있다. 바로 이런 환자들을 조기에 찾아내 치료함으로써 건강과 생명을 지켜내는 것이 건강검진 실무자의 임무이며 또한 보람이다.

최근 우리나라 5대 암(위암, 대장암, 자궁경부암, 간암, 유방암)의 5년 생존율이 높아지고 있는 것은, 건강검진으로 조기에 발견하여 치료하기 때문이다. 그러므로 업무의 지루함에 나태해지지 말고 항상 긴장감의 끈을 놓지 말아야 한다.

SECTION 2

기본검사

01 문진
02 신체계측과 비만도지수
03 체성분검사
04 혈압 측정
05 시력검사
06 안압검사
07 안저촬영검사
08 심전도검사
09 동맥경화검사
10 폐기능검사
11 청력검사
12 골밀도검사
13 자궁경부 도말검사

기본검사에는 문진, 키와 몸무게의 측정, 시력과 혈압의 측정 등 건강검진의 기본적인 검사항목들이 포함된다. 세부적이고 전문적인 검사이지만 특정 카테고리에 분류되지 않는 검사항목도 기본검사에 포함하여 설명한다.

01 문진

건강검진에서는 의사의 문진이나 진찰보다 의료기계를 사용한 검사가 더 중시된다. 하지만 문진을 통해 검사의 천편일률적이고 기계적인 면을 보완해야 하며, 수검자의 건강에 중요한 정보를 파악해야 한다. 또한 검진항목에 빠져 있지만 수검자에게 꼭 필요한 검사가 있다면 추가로 시행하도록 권고해야 한다. 특이병력이 있는 경우에는 검진기록지에 눈에 잘 띄도록 기록해서 검진에 참가하는 모든 검사자가 쉽게 알아볼 수 있게 해야 한다. 특히 검진항목에 내시경검사가 포함된 경우에는 내시경 시행과 수면유도제 사용에 좋지 않은 영향을 미칠 수도 있는 병력이 있는지 자세히 살펴야 한다.

문진을 모든 검사가 끝난 후에 맨 마지막에 시행하는 경우가 많은데, 문진을 건강상담과 병행해서 하려고 하기 때문이다. 하지만 이는 매우 잘못된 관행이다. 문진은 맨 처음에 시행되어야 하고, 건강상담은 검진이 모두 끝나고 결과가 나온 후에 이루어져야 한다.

문진을 할 때 관심을 가져야 할 사항은 다음과 같다.

- 일반상태 - 전체적인 건강상태
- 과거병력 - 기존 질병, 수술경력, 약물 부작용 등
- 현재의 증상 유무
- 가족력 - 유전 질환 및 유전경향이 있는 질환, 가족의 생활습관과 관련된 질환
- 직업력 - 장시간 컴퓨터 사용 여부, 소음 분진 등 작업환경, 직장 내 스트레스 등
- 생활습관 - 음주, 흡연, 운동 등 개인의 성향, 가족의 성향, 직업 등
- 이전의 건강검진에서 특이소견 여부
- 기타 의학적으로 중요한 사항

02 신체계측과 비만도지수

목표질환 : 비만, 저체중

키와 몸무게를 측정하여 비만도, 체질량지수(BMI)를 평가한다. 또한 이를 기준으로 비만의 여부와 정도를 판정한다.

1. 표준체중법

가장 쉽게 사용할 수 있는 비만도지수로, 키를 측정하여 표준체중을 계산한 다음 현재의 체중을 백분율로 나타내는 방법이다. 단위는 %이다.

표준체중 = (신장cm − 100) × 0.9
비만도(%) = (현재체중×100)/표준체중

[판정]
저체중 : 90% 미만
정상 : 90% 이상-110% 미만
과체중 : 110% 이상-120% 미만
비만 : 120% 이상

예를 들어, 키 175 cm, 체중 83 kg인 사람의 표준체중은 67.5 kg이다.

표준체중 = (175 - 100) × 0.9 = 67.5 kg

이것을 백분율로 나타내면, 67.5 kg = 100%이므로 83 kg은 122.9%이다.

비만도 = (83 × 100)/67.5 = 122.9%

이 사람의 비만도는 "비만"에 해당된다.

2. 체질량 지수법(body mass index, BMI)

체지방량과 관련이 높고 상대적으로 키의 영향을 받지 않아 비만도 측정에 유용한 지수이다. 단위는 kg/m^2이다.

체질량지수(BMI) = 체중(kg)/신장$(m)^2$

[판정]

저체중 : 18.5 미만

정상 : 18.5 이상-23 미만

과체중 : 23 이상-25 미만

비만 : 25 이상-30 미만

고도비만 : 30 이상

예를 들어, 키 175 cm, 체중 83 kg인 사람의 체질량지수(BMI)는 27.1이다.

$BMI = 83/1.75^2 = 27.1\ kg/m^2$

키의 단위에 주의해야 한다(175가 아니라 1.75이다.).

이 사람의 체질량지수는 "비만"에 해당된다.

03 체성분검사

목표질환 : 비만(특히 복부비만), 부종

체성분검사는 인체를 구성하는 수분, 단백질, 지방, 무기질 등 네 가지 체성분을 정량적으로 분석하여 몸의 상태를 파악하는 검사이다. 체성분검사는 근육의 발달정도, 영양상태, 비만 여부 등 신체의 상태를 파악함으로써, 질병을 예방하고 건강을 지키는데 그 목적이 있다.

이러한 구성성분의 비율은 성별, 나이, 개개인의 특성에 따라 차이를 보인다. 건강한 개인은 이들 네 가지 성분이 상호간에 균형을 유지하고 있지만, 건강하지 못한 사람은 이 균형이 깨지고 체성분 상호간의 불균형이 일어난다. 그 결과 지방과다로 인한 비만, 단백질 부족으로 인한 영양결핍, 수분축적으로 인한 부종, 무기질 부족에 의한 골다공증 등이 발생할 수 있다.

이상지질혈증, 고혈압, 당뇨병과 관련된 대사증후군은 자각증상이 없어서 예방이 중요하다. 특히 대사증후군 발생은 비만과 직결되므로 체성분검사를 통해 체지방량을 알고 비만여부를 파악하는 것이 중요하다. 몸의 구성성분을 분석하지 않은 채 비만여부를 몸무게만으로 진단하는 것은 적절하지 않다. 체중은 적게 나가면서 체지방이 많은 마른 비만도 있으므로 체중에 비해 근육이 많은지 지방이 많은지를 체성분검사를 통해 정확히 파악해야 한다. 이를 통해 평소 생활습관의 문제점을 개선해서 지방을 늘릴지 근육을 늘릴지를 정해야 한다.

1. 체성분검사의 원리

체성분검사는 인체에 낮은 교류 전압을 통과시키면 주파수에 따라 일정한 저항이 발생하며 이때 발생되는 임피던스는 인체의 구성성분과 일정한 연관성이 있다는 원리를 이용한 것이다.

인체의 구성성분 중에서 전류를 통과시키는 것은 체수분이므로 전류를 흘려주어 저항값을 측정하면 체수분의 부피를 구할 수 있다. 인체를 다섯 개의 원통, 즉 오른팔, 왼팔, 오른다리, 왼다리와 몸통으로 나누어 각 부위에서 4가지 주파수(5, 50, 250, 500 kHz)에 대한 전기저항을 측정한다. 이때 저주파의 전류는 세포외 수분만 통해 흐를 수 있지만, 고주파의 전류는 높은 투과성으로 인해 세포막을 통과하여 세포내 수분에서도 흐른다. 이를 이용하여 저주파의 전류로 세포외수분을 구하고 고주파의 전류로 총체수분을 구하여, 이 둘의 차이로 세포내 수분을 구할 수 있다.

지방조직은 다른 조직에 비해 수분이 상대적으로 적어 지방량이 증가할수록 전기 전도성은 감소하게 된다.

[검사방법 및 주의사항]

1. 신장, 체중, 연령 등 필수 입력 사항을 입력한다.
2. 체중은 아침 공복에 측정하고, 옷을 매우 가볍게 입은 상태에서 측정해야 한다. 체중 측정에 오차가 발생할 경우 체성분 분석에 오차가 발생한다. 식사를 했다면 2시간 후에 검사받도록 한다.
3. 신체에 부착되거나 주머니에 있는 금속성의 장신구(반지, 목걸이, 팔지), 핸드폰 등을 반드시 제거한 후에 측정해야 한다.
4. 격렬한 운동은 체성분의 일시적인 변화를 가져오므로 안정 상태에서 측정한다. 운동 직후라면 약 1시간 동안 몸을 충분히 안정시킨 후 측정한다.
5. 배뇨나 배변을 한 후에 검사해야 한다. 체내 잔여물이 많을수록 측정이 부정확해진다.
6. 목욕 전에 측정해야 한다. 목욕은 신체 수분의 재배치를 초래하고 땀의 분비량이 많으면 체수분이 일시적으로 변하므로 정밀도에 영향을 미치게 된다.
7. 여성은 생리일에는 검사받지 않는다. 체수분이 일시적으로 증가해 측정에 영향을 준다.
8. 오전에 검사받는 것이 좋다. 오래 서 있을수록 체수분이 하체로 몰리는 경향이 있으며 오후가 될수록 그 현상이 두드러지기 때문이다.
9. 측정 전에 5분 정도 서 있다가 측정해야 한다. 앉거나 누운 자세에서 갑자기 서서 측정하면 수분이 하체로 움직이면서 측정에 영향을 미칠 수 있다.
10. 상온(20-25℃)에서 측정해야 한다. 너무 춥거나 더우면 체성분에 일시적인 변화가 오기 때문이다.
11. 측정할 때에는 항상 올바른 측정 자세를 유지해야 한다. 측정하는 자세가 좋지 않으면 검사결과가 부정확해지기 때문이다. 팔과 다리를 약간 벌린 자세로 검사 받는 것이 중요하다. 팔과 몸통이 닿아 있거나, 양 다리의 넓적다리가 서로 닿아 있으면 하나의 몸통으로 간주되어 측정이 부정확해진다.
12. 양말을 벗고 맨발로 검사기에 올라선 후 발모양 표시 전극에 발바닥을 잘 맞춘다. 발바닥 전체가 고르게 전극에 접촉되어야 한다.
13. 전극을 손으로 감싸 쥐고 팔을 약간 벌린 후 검사 시작 버튼을 클릭한다. 엄지손가락은 위쪽 손전극을 누르고, 나머지 네 손가락은 모두 아래쪽 전극을 감싸야 한다. 손바닥 전체가 고르게 전극에 접촉되어야 한다. 팔꿈치를 펴고 겨드랑이와 몸통이 닿지 않도록 편하게 벌려야 한다.
14. 측정하는 동안에는 말을 하면 안 되고, 측정이 끝날 때까지 동일한 자세를 유지해야 한다.

인체는 체수분, 단백질, 체지방, 무기질로 구성되어 있고 이들의 합이 곧 체중이 된다. 이 4가지 구성 성분을 크게 체지방과 제지방으로 나눈다. 체지방은 추출 가능한 모든 지방을 의미하며 인체가 움직일 수 있는 에너지를 저장하여 제공해주는 역할을 한다. 제지방은 에너지를 소모하고 인체의 기능을 유지하는 역할을 하며, 이를 더 세분하면 체수분, 단백질, 무기질로 구분된다.

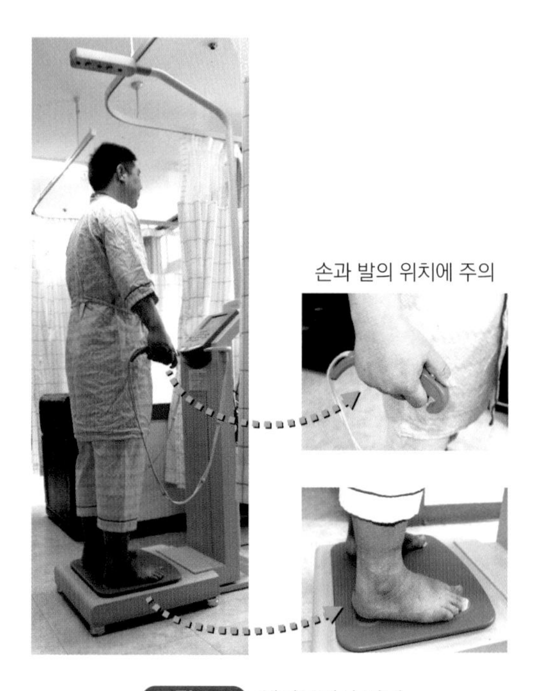

그림 2-1 체성분검사 방법

체중 = 체지방 + 제지방

제지방 = 근육량 + 무기질

근육량 = 체수분 + 단백질

체수분 = 세포내 수분 + 세포외 수분

체지방검사는 기본적으로 세포내수분, 세포외수분, 단백질, 무기질로 구성된 체성분 분석과 근육량, 체지방량, 체지방률, 복부지방율로 구성된 비만진단(근육과 지방 분석)을 측정한다.

체지방검사 기기는 생산되는 회사마다 모델이 다양하므로, 검사항목의 표준치와 그래프에 대한 표준범위 비율을 보여주는 결과가 회사마다 다를 수 있다.

체성분 검사 결과에 대한 해석을 이해하기 위해 실제 검진에서 사용되는 결과지를 그대로 인용했다.

표 2-1. 체성분 비율

	체수분	단백질	무기질	체지방
남자	50-70%	20%	5%	10-20%
여자	45-65%	18%	4%	18-28%

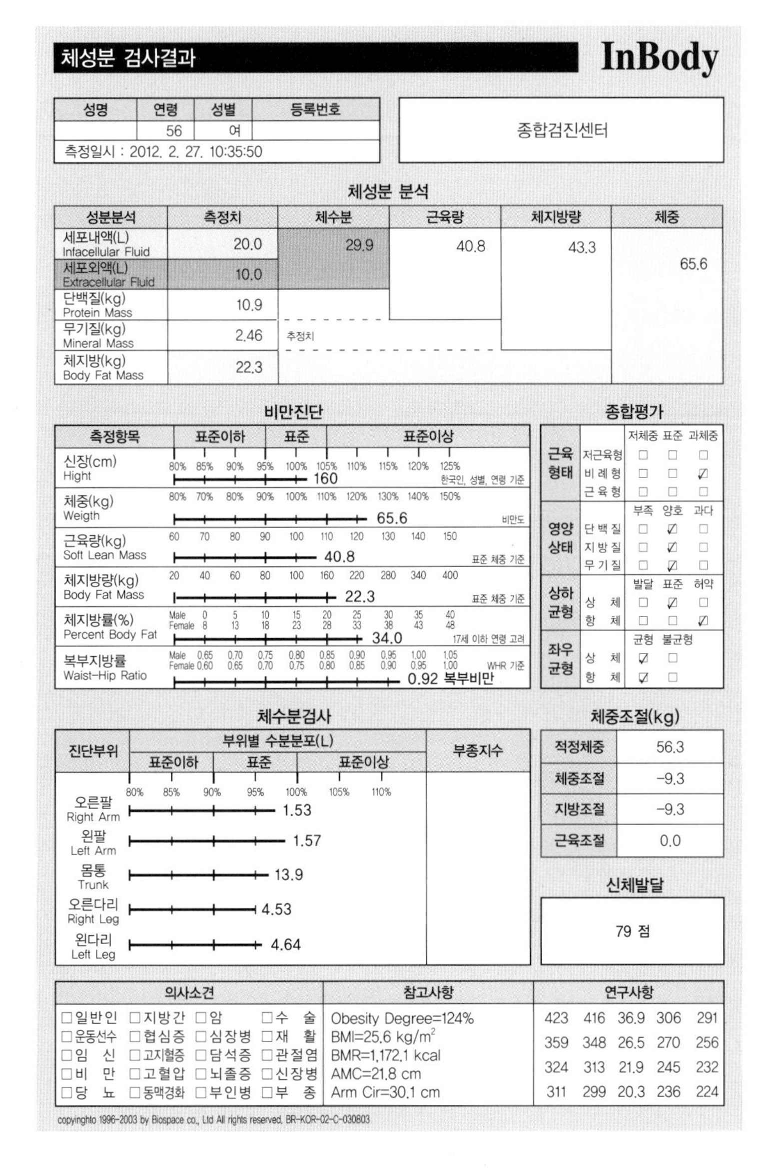

체성분 검사결과 InBody

성명	연령	성별	등록번호
	56	여	
측정일시 : 2012. 2. 27. 10:35:50			

종합검진센터

체성분 분석

성분분석	측정치	체수분	근육량	체지방량	체중
세포내액(L) Infacellular Fluid	20.0	29.9	40.8	43.3	65.6
세포외액(L) Extracellular Fluid	10.0				
단백질(kg) Protein Mass	10.9				
무기질(kg) Mineral Mass	2.46	추정치			
체지방(kg) Body Fat Mass	22.3				

비만진단

측정항목	표준이하 / 표준 / 표준이상	측정값
신장(cm) Hight	80% 85% 90% 95% 100% 105% 110% 115% 120% 125% (한국인, 성별, 연령 기준)	160
체중(kg) Weigth	80% 70% 80% 90% 100% 110% 120% 130% 140% 150% (비만도)	65.6
근육량(kg) Soft Lean Mass	60 70 80 90 100 110 120 130 140 150 (표준 체중 기준)	40.8
체지방량(kg) Body Fat Mass	20 40 60 80 100 160 220 280 340 400 (표준 체중 기준)	22.3
체지방률(%) Percent Body Fat	Male 0 5 10 15 20 25 30 35 40 / Female 8 13 18 23 28 33 38 43 48 (17세 이하 연령 고려)	34.0
복부지방률 Waist-Hip Ratio	Male 0.65 0.70 0.75 0.80 0.85 0.90 0.95 1.00 1.05 / Female 0.60 0.65 0.70 0.75 0.80 0.85 0.90 0.95 1.00 (WHR 기준)	0.92 복부비만

종합평가

		저체중	표준	과체중
근육형태	저근육형	□	□	□
	비례형	□	□	☑
	근육형	□	□	□
		부족	양호	과다
영양상태	단백질	□	☑	□
	지방질	□	☑	□
	무기질	□	☑	□
		발달	표준	허약
상하균형	상체	□	☑	□
	하체	□	□	☑
		균형	불균형	
좌우균형	상체	☑	□	
	하체	☑	□	

체수분검사

진단부위	부위별 수분분포(L) (표준이하 / 표준 / 표준이상: 80% 85% 90% 95% 100% 105% 110%)	부종지수
오른팔 Right Arm	1.53	
왼팔 Left Arm	1.57	
몸통 Trunk	13.9	
오른다리 Right Leg	4.53	
왼다리 Left Leg	4.64	

체중조절(kg)

적정체중	56.3
체중조절	-9.3
지방조절	-9.3
근육조절	0.0

신체발달

79 점

의사소견				참고사항	연구사항				
□일반인	□지방간	□암	□수 술	Obesity Degree=124%	423	416	36.9	306	291
□운동선수	□협심증	□심장병	□재 활	BMI=25.6 kg/m²	359	348	26.5	270	256
□임 신	□고지혈증	□담석증	□관절염	BMR=1,172.1 kcal	324	313	21.9	245	232
□비 만	□고혈압	□뇌졸증	□신장병	AMC=21.8 cm	311	299	20.3	236	224
□당 뇨	□동맥경화	□부인병	□부 종	Arm Cir=30.1 cm					

그림 2-2 체성분검사 결과지

성분분석	측정치	체수분	근육량	체지방량	체중
세포내액(L) Infacellular Fluid	20.0	29.9	40.8	43.3	65.6
세포외액(L) Extracellular Fluid	10.0				
단백질(kg) Protein Mass	10.9				
무기질(kg) Mineral Mass	2.46	추정치			
체지방(kg) Body Fat Mass	22.3				

그림 2-3 체성분 분석

2. 체성분 분석

1) 체수분(total body water, TBW : liter)

체수분은 인체의 가장 많은 체성분으로 보통 약 60%를 차지하고 있지만, 사람마다 체수분량에 차이가 많다. 체지방이 많은 사람의 경우 체수분이 40%뿐이나 근육이 많은 운동선수인 경우는 체수분이 전체 체중의 70%를 차지하기도 한다. 즉 체지방이 많은 사람은 수분 함유량이 적고, 근육이 발달되어 있는 사람은 수분 함유량이 많다.

체수분은 대부분 근육조직을 형성하는 세포에 함유되어 글리코겐과 결합해 근육을 꽉 채우는 역할을 하므로 체내에 수분이 충분치 않으면 에너지원인 글리코겐을 저장할 수 없다.

건강한 사람의 신체 근육은 70% 이상의 수분을 함유하고 있는 반면에, 뼈나 체지방에는 수분이 거의 존재하지 않는다.

체수분은 크게 세포 안의 세포내액(intracellular fluid, ICF)과 세포 밖의 세포외액(extracellular fluid, ECF)으로 구분된다. 세포막 안에 존재하는 수분을 세포내액이라 하고, 세포와 세포 사이의 간질액에 있는 수분과 혈액중의 혈장에 있는 수분을 합하여 세포외액이라고 한다. 세포내액이 60%, 세포외액이 40% 정도를 차지하므로 건강인의 경우 세포내액과 세포외액의 비율이 0.33으로 일정하다. 만약 이 비율이 0.35 이상이면 체수분이 불균형함을 의미하고 부종이 있다고 볼 수 있다.

2) 단백질

단백질은 신체조직의 필수 구성성분으로 근육, 뼈, 면역, 혈액응고 등에 중요한 기능을 한다. 신체의 영양이 결핍되면 단백질이 분해되어 에너지를 공급하기 위한 연료로 쓰이게 된다. 이처럼 단백질은 영양과 밀접한 관계가 있어 근육량을 측정해 영양상태를 판정하는 기준으로 삼는다. 근육은 거의 수분과 단백질로 구성되어 있다.

3) 무기질

무기질은 체내 여러 생리기능을 조절 및 유지한다. 체수분에 용해되어 있는 소량의 이온성분을 제외하고 대부분의 무기질은 뼈와 치아에 존재한다. 사람이 정상적으로 성장하고 건강을 유지하는 데 필요한 무기질은 대략 열네 종으로 알려졌다. 무기질량은 체성분검사에서 직접 잴 수는 없고, 골밀도검사 장비로 측정이 가능하므로 체성분검사에서 무기질량이 기준치에 비해 크게 저하된 경우에는 골밀도검사를 해서 골다공증의 위험성을 평가하는 것이 좋다.

3. 비만 진단(근육과 체지방 균형을 평가)

1) 신장(height : cm)과 체중(weight : kg)

표준신장을 남자는 172 cm, 여자는 160 cm으로 하고 이것을 100% 기준으로 삼는다. 표준범위를 95-105%로 하며, 그래프의 길이는 한국인 표준신장에 대한 수검자 신장의 비율을 나타낸다. 45세 이후에는 연령을 고려하여 해마다 0.2 cm씩 줄어든 신장을 표준신장으로 한다.

표준체중은 수검자의 신장에 따른 이상적인 수치를 의미한다. 성별 연령별 BMI법을 기준으로 남성은 22, 여성은 21을 적용하고 이것을 100% 기준으로 삼는다. 표준범위를 90-110%로 하며, 그래프의 길이는 BMI법을 기준으로 한 표준체중에 대한 수검자 체중의 비율을 나타낸다.

2) 근육량(soft lean mass : kg)

근육량은 신체에서 무기질과 체지방을 제외한 부분을 말하며, 체수분과 단백질로 구성되어 있다. 숫자는 수검자의 현재 근육량을 나타내고, 표준 근육량은 수검자의 신장을 기준으로 한 표준체중에 대하여 남자는 78%, 여자는 체중의 72%를 적용하고 이것을 100% 기준으로 삼는다. 표준범위를 90-110%로 하며 그래프의 길이는 수검자의 표준체중에서 표준 근육량에 대한 수검자의 현재 근육량의 비율을 나타낸다.

3) 체지방(body fat mass : kg)

체지방은 몸속에 있는 지방의 양을 말한다. 지방은 섭취한 영양분에서 쓰고 남은 영양분을 몸 안에 축적해 놓았다가 필요할 때에 분해하여 에너지원으로 사용하는 에너지 저장창고 역할을 한다. 또한 체온유지, 신체 보호의 역할을 수행한다. 특히 인지질, 콜레스테롤, 필수지방산 등은 세포막을 구성하는 데 반드시 필요하다.

체지방은 체성분검사로 직접 재는 것이 아니고 체중에서 제지방을 제외한 나머지로 구한다.

숫자는 수검자의 현재 체지방량을 나타내고, 표준범위는 수검자의 체중과 체지방률이 표준(남자는 10-20%, 여자는 18-28%)일 때의 적정 체지방량으로 계산하여 설정한다. 표준범위를 80-160%로 하며, 그래프의 길이는 표준범위(표준체지방률일 때의 적정 체지방량)에 대한 수검자의 현재 체지방량의 비율을 나타낸다. 체지방량이 표준범위를 크게 넘어설 경우 비만으로 진단한다.

4) 체지방률(body fat percentage : %)

체중에 대한 체지방량의 비율을 말하고, 표준체시방률을 남자의 경우 15%, 여자의 경우 23%로 적용하고 이것을 100% 기준으로 삼는다. 숫자는 수검자의 현재 체지방률을 나타내고, 표준범위를 남자는 10-20%, 여자는 18-28%로 한다. 그래프의 길이는 표준체지방률에 대한 수검자의 현재 체지방률의 정도를 나타낸다. 즉 수검자의 현재 체중에 대한 현재 체지방의 비율이다.

체지방률이 표준보다 높은 경우는 "비만"에 해당되고, 체지방률이 표준보다 낮은 경우는 "저체지방"에 해당된다.

5) 복부지방률(waist-hip ratio)

허리둘레와 엉덩이둘레를 실제로 측정하여 그 비율(복부지방률)로 체지방의 분포 상태를 판단할 수 있지만, 체성분검사를 통해서도 복부지방률을 제공받을 수 있다.

체지방은 크게 피하지방(subcutaneous fat)과 내장지방(visceral fat)으로 구분된다. 피하지방은 근육과 피부 사이에 존재하는 지방으로 피하지방은 남성보다 여성이 많다. 내장지방은 복강 내 장기에 존재하는 지방으로 성인이 되어 비만해지는 경우 흔히 내장지방이 많아진다. 이렇게 내장지방이 많아지면 고혈압, 심혈관 질환, 당뇨병 등 성인병의 발생이 높아진다. 여성보다 남성에서 내장지방의 비율이 높은 편이다.

내장지방과 피하지방의 비율은 비만정도와 운동량에 따라 개인차가 크다. 내장지방은 축적되기 쉬운 반면 적절한 운동과 식이 조절을 해 주면 개선하기도 쉽다. 피하지방은 분해 속도가 느린 대신 내장지방으로부터 유리지방산 공급을 받지 못하면 늘지도 않는다. 적절히 운동하고 식이를 조절해 내장지방을 제거하면 피하지방도 잘 생기지 않는다.

복부지방률은 복부의 피하지방과 내장지방의 분포 비율을 말하고, 지방이 복부에 얼마나 집중되어 몰려 있는지를 보는 것인데 복부의 내장지방 상태를 잘 반영한다.

표준 복부지방률을 남자의 경우 0.80, 여자의 경우 0.75로 적용하고 이것을 100% 기준으로 삼는다. 숫자는 수검자의 현재 복부지방률을 나타내고, 표준범위를 남자는 0.75-0.85, 여자는 0.70-0.80으로 하며, 그래프의 길이는 표준 복부지방률에 대한 수검자의 현재 복부지방률의 정도를 나타낸다. 즉 수검자의 현재 복부의 피하지방과 내장지방의 분포 비율이다.

일반적으로 복부지방률이 남자의 경우 0.9 이상, 여자의 경우 0.85 이상인 경우에 복부비만(abdominal obesity)라고 한다. 복부 비만이 있으면 내장 지방이 많음을 나타낸다. 복부에 지방이 많을수록 체중이 증가된 상태로 꽤 오래 유지되었다는 것을 의미하고, 복부지방이 높을수록 살을 빼기가 어렵다고 볼 수 있다.

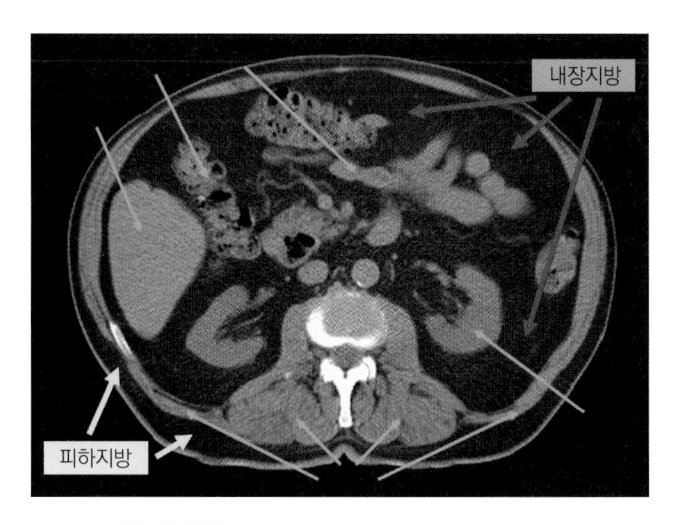

그림 2-4 피하지방과 내장지방의 비교(복부CT)

4. 체수분검사

1) 부위별 체수분 분석(부위별 근육량을 평가)

숫자는 수검자의 오른팔, 왼팔, 몸통, 오른다리, 왼다리의 체수분량을 나타내고, 표준범위를 80-120%로 하며 그래프의 길이는 각 부위별로 체수분의 이상량에 대한 수검자의 현재 체수분량의 비율을 나타낸다. 부위별 체수분량은 근육량과 비례하므로 신체의 상하좌우 균형을 간단하게 판단할 수 있다. 즉 왼다리의 그래프 길이가 오른다리의 그래프 길이보다 길다면 왼다리가 오른다리보다 근육량이 더 많다는 것을 의미한다.

2) 세포외액비(extracellular water ratio, EWR)

체수분에서 세포외액이 차지하는 비율로, 검사기기 제조회사에 따라 부종지수(edema index)라고 말하기도 한다. 정상범위는 남녀 모두 30-35%(부종지수로는 0.30-0.35)로, 정상인의 경우 이 수치는 매우 일정하지만 체수분이 불균형해질 경우 수치가 증가 또는 감소한다. 만약 이 비율이 0.35 이상이면 세포외액이 과다해졌음을 의미하고 몸이 붓는 부종이 있음을 의미한다.

5. 종합평가

근육형태, 영양상태, 상하좌우 균형을 평가한다.

1) 근육형태(체형 평가)

수검자의 체중(과체중, 표준, 저체중)에 따라 근육량이 적절한지를 "저근육형/비례형/근육형"으로 각각 구분한다. 일반적으로 체중이 늘어나면 근육량과 체지방량이 6:4 비율로 동시에 늘어나는 것이 적당하지만, 체시방량의 증가에 비해 근육량의 증가가 따라가지 못하면 "저근육형"이 되고, 저근육형 비만으로 진단한다. 근육량과 체지방량이 균형적이면 "비례형"으로 진단하고, 체지방량에 비해 근육량이 많으면 "근육형"으로 진단한다.

2) 영양상태

단백질, 지방, 무기질량을 평가한다.

근육이 부족하거나 영양상태가 나쁜 경우 단백질 부족이 일어나고, 단백질량이 표준치의 90% 이하이면 "단백질 부족"으로 판정한다.

지방량이 표준 체지방량의 160% 이상이면 "지방과다"로, 80% 이하이면 "지방부족"으로 판정한다.

무기질량이 체중의 약 3.5% 이하이면 "무기질 부족"으로 판정한다. 무기질량이 기준치에 비해 부족한 경우에는 골다공증의 위험성이 증가하므로 골밀도 검사를 해보는 것이 좋다.

3) 상하좌우 균형 평가

오른팔, 왼팔, 몸통, 오른다리, 왼다리의 체수분량을 나타내고, 부위별 체수분량은 근육량과 비례하므로 신체의 상하좌우 균형을 판단할 수 있다.

상체와 하체의 균형을 평가하여 상체가 하체에 비해 허약한지, 하체가 상체에 비해 허약한지를 알 수 있고, 상체와 하체 중에서 허약한 부위를 찾아 적절한 운동 처방을 해 줄 수 있다.

양팔과 양다리의 균형을 각각 평가하면 좌우 양쪽 중에서 어느 쪽 팔다리가 더 근육량이 많은지 찾을 수 있다. 일반적으로 오른팔을 많이 사용하는 사람은 오른팔의 근육량이 왼팔에 비해 많다.

6. 체중조절에 대한 권고

권고되는 체중조절은 단순히 체중을 늘리거나 줄이는 것만을 목적으로 두지 않고, 체중을 체성분별로 적절히 조절하여 체성분을 최적화하기 위함이다. 체중조절에 대한 권고의 내용은 다음과 같다.

- 적정체중 : 의학적으로 가장 이상적인 체중을 말한다.
- 체중조절 : 적정체중이 되기 위해 조정해야할 체중의 정도를 말한다.
- 지방조절 : 적정체중이 되기 위한 적절한 체지방량의 감소(-로 표시) 혹은 증가(+로 표시)의 정도를 말한다.

- 근육조절 : 적정체중이 되기 위한 적절한 근육량의 감소(-로 표시) 혹은 증가(+로 표시)의 정도를 말한다.

7. 기타 참고가 되는 항목

1) 제지방(fat free mass, FFM : kg)

체중에서 지방조직을 제외한 신체의 모든 조직(뼈, 근육, 수분, 무기질 등)을 말한다. 운동선수들의 경우 같은 체중을 가진 일반인에 비해 제지방의 비율이 높다. 제지방량이 많을수록 기초대사량이 증가된다.

2) 기초대사량(basal metabolic rate, BMR : kcal)

기초대사량은 정상적인 신체기능과 체내 항상성을 유지하고 자율신경계의 활동을 위해 필요한 최소한의 에너지를 말한다. 주로 심장박동, 호흡, 체온조절 등을 수행하는 데 필요한 에너지를 의미한다. 성인의 하루 소모 에너지는 약 1,600-2,600kcal 정도이며 기초대사량은 하루 소모 에너지의 60-70%를 차지한다. 기초대사량은 근육, 나이, 성별, 체지방량, 영양상태, 호르몬 균형상태 등에 의해 영향을 받는다.

3) 체표면적(body surface area, BSA : m^2)

신체의 총 면적을 말하고, 같은 연령과 신장을 가진 사람이라도 체표면적이 높을수록 피부를 통한 에너지의 손실이 크기 때문에 기초대사량도 증가된다.

04 혈압 측정

목표질환 : 고혈압

혈압은 혈액이 혈관에 미치는 압력을 수은주의 높이로 나타낸 것이며, 단위는 mmHg 이다. 즉 혈압이 100 mmHg이라면 이는 혈관 내의 압력이 수은주를 100 mm 올릴 수 있는 정도임을 의미한다.

심장이 수축할 때의 혈압을 수축기혈압, 심장이 이완할 때의 혈압을 이완기혈압이라고 한다. 혈압을 표기할 때는 수축기혈압을 먼저, 이완기혈압을 나중에 표기한다. 수축기혈압이 120 mmHg 이고, 이완기혈압이 80 mmHg 이면 120/80 mmHg 로 표기한다.

[검사방법 및 주의사항]

1. 혈압측정 전에 5-10분 정도 편히 의자에 앉아서 안정하게 한다.
2. 운동 직후, 음주상태, 흡연 15분 이내에 측정하면 평소 혈압과 다르게 나오므로 주의한다.
3. 측정하는 팔의 옷을 완전히 걷어 올리고, 걷어 올린 옷이 상완부를 압박하지 않도록 주의한다.
4. 혈압을 측정하는 팔의 위치가 심장과 같은 높이가 되도록 하고 손바닥이 위로 오도록 한다.
5. 압박대(cuff)에서 완전히 공기를 빼어 수은주가 "0"에 있는지 확인한다.
6. 압박대가 상완동맥(brachial artery)을 완전히 덮고 하단은 팔꿈치 안쪽의 2 cm 아래까지 오도록 하며, 압력밸브에 연결된 줄이 팔의 내면에 오면서 상완동맥과 평행이 되도록 감는다. 압박대는 상박길이의 2/3 정도가 적당하다.
7. 맥박이 만져지는 전박부위의 상완동맥에 청진기를 갖다 대고, 압박대 압력이 수축기혈압보다 대략 20-30 mmHg 정도 높게 올라가도록 공기를 주입한다.
8. 압력밸브를 서서히 풀면서 맥박이 뛰는 소리를 청진한다. 첫 번째 맥박 소리가 들리는 곳이 수축기혈압이며, 마지막으로 뚜렷한 소리가 들리는 곳이 이완기혈압이다.
9. 혈압측정이 끝나면 남아 있는 공기를 빨리 제거하고 압박대를 풀어 수검자를 편안하게 해준다.

백의 고혈압(white coat hypertension)

병원에서 혈압을 측정하려고 하면 환자가 긴장하여 심장박동수가 증가하고 혈압이 평상시보다 올라가는 경우가 가끔 있는데 이를 백의 고혈압이라고 한다. 실제는 정상 혈압인 수검자가 고혈압으로 판정될 수도 있다. 고혈압을 진단할 때에는 이 현상을 염두에 두어야 한다.

고혈압

고혈압은 매우 흔하면서도 심각한 합병증을 일으키는 치명적인 질병이다. 그럼에도 불구하고 상당히 진행되기 전까지는 뚜렷한 증상이 없어서 환자의 약 절반은 자신이 고혈압인지 알지 못하고 있으며, 알고 있는 경우라도 약 절반에선 제대로 치료를 받지 않고 있다.

우리나라의 30세 이상 성인에서 약 30%가 고혈압 환자라고 하며, 세 사람 중 한 사람은 고혈압의 합병증으로 사망하는, 어찌 보면 암보다 더 위험한 질병인데도 일반인들은 증상이 경미하므로 상당기간 치료하지 않고 방치하는 경우가 많다.

젊은 사람은 혈관 벽이 얇고 탄력이 좋으므로 심장에서 뿜어낸 혈액의 압력을 충분히 완충할 수 있지만, 나이를 먹어갈수록 차츰 혈관 벽이 두꺼워지고 탄력이 떨어지므로 혈압이 높아지게 된다. 그러므로 고혈압의 발생은 효과적인 예방조치를 시행하지 않을 경우 나이가 많아질수록 증가한다.

1. 고혈압의 진단

혈압은 항상 변화하고 있으므로 고혈압으로 진단을 내리기는 쉽지 않다. 단 한 번의 혈압측정으로 고혈압이라고 진단하기에는 무리가 있다. 그러므로 정확한 혈압측정과 반복측정이 중요하다(표 2-2).

표 2-2 고혈압의 분류 (단위 : mmHg)

분류		수축기 혈압		이완기 혈압
정상혈압		120 미만	그리고	80 미만
혈압증가		120-129	그리고	80 미만
고혈압 전단계		130-139	또는	80-89
고혈압	1단계	140-159	또는	90-99
	2단계	160 이상	또는	100 이상
수축기 고혈압 (isolated systolic hypertension)		140 이상	그리고	90 미만

(대한고혈압협회 고혈압치료 가이드라인, 2018)

2. 고혈압의 합병증

고혈압의 합병증이 발생하는 기전은 다음 2가지이다.

첫째, 혈관 내 압력의 증가 : 뇌출혈, 좌심실비대, 심부전, 신부전, 대동맥박리 등

둘째, 동맥경화 촉진 : 뇌경색, 관상동맥질환(협심증, 심근경색), 부정맥, 말초혈관질환 등

고혈압은 전신의 혈관을 모두 침범하지만 특히 심각한 합병증을 초래하는 경우는 다음과 같다.

1) 뇌혈관질환 - 뇌출혈, 뇌경색

뇌졸중은 고혈압의 합병증 중 한국인에게 가장 많이 발생하는 것으로, 뇌혈관이 터지거나(뇌출혈), 막혀서(뇌경색) 발생한다.

2) 관상동맥질환 - 협심증, 심근경색

심장 자체에 혈액을 공급해주는 관상동맥에 동맥경화증이 진행되어 관상동맥이 좁아지거나(협심증), 혈전에 의해 관상동맥이 막혀서(심근경색) 발생한다. 이때 주로 나타나는 증상은 가슴부위에 나타나는 통증이다. 고혈압 환자는 정상인보다 3배 정도 관상동맥질환의 발생빈도가 높다. 심근경색증은 발병 즉시 환자의 약 35%가 사망하며, 병원에 도착한 환자의 약 1/3 가량도 여러 가지 합병증으로 사망하는 치명적인 질환이다.

3) 심부전증

고혈압을 치료하지 않고 방치하면 좌심실에 부담을 주어 좌심실이 두꺼워지고(좌심실 비대), 심장이 커지게 된다. 이로 인해 어느 정도까지는 견딜 수 있지만 시간이 지나면서 심장 기능이 떨어져 체내에 필요한 혈액량을 공급하지 못하게 된다.

4) 부정맥

고혈압은 심방세동 등의 부정맥을 일으킬 수 있다. 이러한 심방세동은 뇌졸중을 일으킬 수 있는 중요한 원인 중 하나이므로 고혈압 환자에서 심방세동 등의 부정맥이 동반된 경우 아스피린 등의 적절한 항응고제요법이 필수적이다.

5) 대동맥 박리

고혈압의 합병증 중에서 가장 치명적인 합병증의 하나이다. 혈관내피세포의 손상이 동반되어 있는 고혈압 환자에서 혈압이 갑자기 상승하게 되는 경우에 대동맥이 찢어질 수 있으며, 신속히 큰 병원으로 이송하여 적절한 치료를 받지 않는 경우 사망하는 경우가 많다.

6) 신부전증

고혈압이 장기간 계속되면 신장의 모세혈관이 높은 압력에 손상을 받아 결국 노폐물을 배설해 주는 기능을 잃어버리고, 만성 신부전증으로 진행하게 된다.

7) 고혈압성 망막증

높은 압력에 망막의 모세혈관이 견디지 못하고 출혈이 되면서 망막의 기능이 상실하게 되어 시력이

떨어지고 결국은 실명하게 되는 무서운 합병증이다.

3. 고혈압의 치료와 예방

1) 생활습관 개선

운동요법, 식이요법 등의 생활습관 개선은 혈압을 떨어뜨리고, 항고혈압제의 작용을 증가시키고, 합병증 발생을 예방한다. 다음의 여러 가지 방법 중에서 체중감량과 염분제한에 의한 혈압 강하효과가 가장 크다.

(1) 체중감량

비만은 체내의 혈액량을 증가, 교감신경 활성도를 증가, 인슐린 저항성을 증가시킨다. 표준체중을 초과한 모든 고혈압 환자들은 칼로리 섭취를 제한하고, 신체활동을 증가시킴으로서 체중감량을 시도해야 한다.

(2) 염분제한

1일 8-10 g 이하로 섭취하도록 한다. 우리나라 성인의 1일 평균 염분 섭취량은 15 g정도로 짜게 먹는 경향이 있으므로, 고혈압 환자의 경우 다소 싱겁게 먹도록 해야 한다.

(3) 식이요법

포화 지방산이나 지방의 섭취를 제한하고, 과일, 채소, 칼륨과 칼슘의 섭취를 권장한다.

(4) 유산소 운동

지속적인 유산소운동은 체중감량, 교감신경 활성도 감소, 이뇨 및 혈관확장 효과, HDL-콜레스테롤의 증가, 인슐린 감수성의 개선 효과가 있다. 무산소 운동(보디빌딩, 윗몸 일으키기 등 근력운동)보다는 유산소 운동(걷기, 달리기, 자전거타기, 수영, 체조 등)이 권장된다. 심장병 등 위험인자가 있는 경우는 운동처방 전에 운동부하검사 등 정밀검사가 필요하며, 혈압이 매우 높은 경우는 약물로 고혈압을 안정시킨 후 유산소 운동을 시작한다.

(5) 술

소량 음주자는 비음주자보다 혈압이 약간 낮아 관상동맥 질환의 이환율과 사망률도 낮지만, 과도한 알코올 섭취는 고혈압과 뇌졸중의 위험인자이다. 과음하던 사람이 갑자기 금주하면 혈압이 일시적으로 올라가지만 수일 후에는 혈압이 떨어진다.

(6) 금연

흡연은 관상동맥 질환의 위험인자의 하나이며, 혈압을 상승시킨다. 흡연 후 혈압의 일시적 증가(약30분 지속)는 흡수된 니코틴이 교감신경계를 자극하기 때문이다. 따라서 고혈압 환자는 반드시 금연하도록 해야 한다.

(7) 기타 - 스트레스, 카페인

스트레스는 일시적으로 혈압을 상승시킬 수 있으나, 고혈압 환자 치료에서 스트레스 조절의 역할은 아직 불분명하다. 카페인은 일시적으로 혈압을 올릴 수 있으나 지속적인 고혈압을 일으키지는 않는다.

2) 약물치료

생활습관개선과 함께 적절한 약물요법을 사용한다.

고혈압 환자를 치료할 때 목표혈압은, 합병증이나 동반질환이 없는 경우에는 140/90 mmHg 이하가 되도록 유지하며, 당뇨병이나 신장질환이 있는 경우에는 130/80 mmHg 이하가 되도록 유지한다.

05 시력검사

목표질환 : 굴절이상(특히 근시)

시력은 물체의 존재와 그 형태를 시각으로 인식하는 능력을 말한다. 시력검사는 물체의 상이 수정체를 통해 눈 안으로 들어와 망막에 얼마나 올바르게 맺는지를 검사하는 것이다.

안구는 카메라와 비슷한 구조로 되어 있다. 안구와 카메라의 구조를 서로 비교해 보면 다음과 같다.

- 수정체 - 렌즈 : 빛을 모으는 기능
- 홍채 - 조리개 : 빛의 양을 조절
- 망막 - 필름 : 물체의 상이 맺히는 부위
- 안구 - 어둠상자 : 외부광선을 차단
- 눈꺼풀 - 셔터 : 광선의 노출과 차단을 조절

시력저하는 눈의 가장 외부인 각막부터 뇌의 시야중추에 이르기까지의 과정에 이상이 생겼을 때 발생한다. 다음과 같은 원인이 있다.

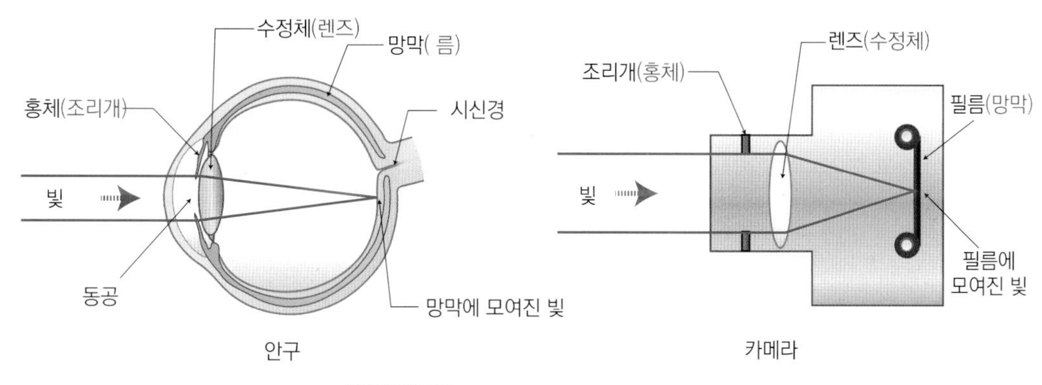

그림 2-5 안구의 구조와 카메라의 구조

① 굴절이상 – 근시, 원시, 난시 등 수정체의 굴절이 잘못된 경우
② 안구의 이상 – 포도막염, 맥락막염, 백내장, 녹내장, 당뇨병성 망막증, 고혈압성 망막증 등
③ 시신경의 이상 – 시신경염, 시신경 위축 등
④ 뇌의 시야중추에 이르는 경로의 이상
⑤ 기타

1. 시력검사의 종류

1) 일반 시력검사

벽에 걸린 시력표를 수검자가 보고 시력을 측정한다. 일반적이고 기본적인 검사방법이며 건강검진에서도 주로 이 방법으로 시력을 검사한다.

2) 정밀 시력검사

정확한 표현은 "굴절 및 조절검사"라 하고, 안과에서 띠 모양의 불빛을 내는 검영기(skiascope, retinoscope)를 사용해 검사한다. 수검자가 먼 곳을 보게 하고, 검영기로 수검자의 눈에 빛을 보내 망막에서 반사되어 나오는 빛의 모습을 분석하여 굴절이상을 측정한다.

3) 자동굴절검사기(autorefractometer)

검영기를 사용하는 굴절검사를 자동화시킨 기구로, 수검자가 불빛을 주시하면 자동으로 굴절력이 측정된다.

2. 시력측정의 기준

시력검사를 할 때 쓰는 시력표에서 "C"자 모양의 고리를 "Landolt ring"이라 하는데, 국제안과학회에서는 1909년과 1929년에 이 고리를 기준으로 하여 시력을 측정하는 방법을 제정하였다.

시력측정의 기준

C자 모양의 Landolt ring(직경 7.5 mm, 폭 1.5 mm, 간격 1.5 mm)을 표준시표로 하여, 이것을 5m 거리에서 보고 그 간격의 방향을 알아맞히고 그보다 작은 시표를 식별하지 못하는 사람의 시력을 1.0으로 정한다. 이 시력표로 측정한 정상시력은 1.2-1.5이다.

5 m 거리에서 최소시각이 1분이 되는 눈(1.5 mm의 간격을 식별하는 눈)의 시력은 1.0 이다.
5 m 거리에서 최소시각이 2분이 되는 눈의 시력은 0.5 이다.
5 m 거리에서 최소시각이 10분이 되는 눈의 시력은 0.1 이다.
5 m 거리에서 최소시각이 30초(1/2분)가 되는 눈의 시력은 2.0 이다.
참고로, 각도의 단위 1도는 60분이며, 1분은 60초이다.

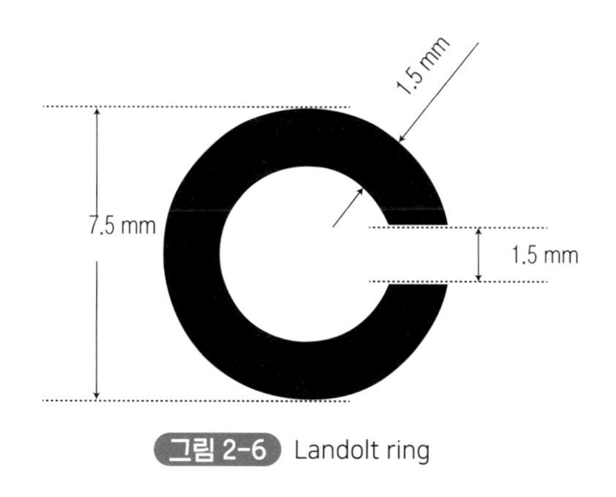

그림 2-6 Landolt ring

시력은 최소시각에 반비례한다. 시력을 나타내는 수는 정상시력의 백분율(%)을 의미하는 것이 아니므로 주의해야한다.

3. 시력측정의 방법

1) 시력표를 이용한 시력측정

시력표를 수검자가 읽게 해서 시력을 측정한다. 우리나라에서는 한천석 시력표(5m용/3m용)가 많이 사용되었으나, 1994년에 국제표준화기구(ISO)에서 새롭게 표준이 결정됨으로써 요즘은 이 표준에 맞는 진용한 시력표도 사용되고 있다.

[검사방법 및 주의사항]

1. 시력표는 수검자의 눈높이와 비슷한 위치에 맞춘다.
2. 시력표는 고르게 조명되어 있어야 하고, 조명은 200룩스(Lux)로 한다.
3. 수검자가 시력표에 따라 5m 또는 3m의 측정거리에서 시력표를 읽게 한다.
4. 눈가리개로 검사하지 않는 쪽의 눈을 가릴 때, 너무 세게 누르면 다음에 검사할 때 잘 보이지 않으므로 눈에 닿지 않게 살짝 가려야 한다.
5. 안경을 쓴 사람은 나안시력과 교정시력 모두를 검사한다.
6. 시력표의 큰 시표부터 점차 작은 시표를 읽게 하여 읽을 수 있는 최소시표가 어디인지를 찾아내어 그 시표 옆에 있는 숫자를 시력으로 표시한다. 시력표의 가장 큰 글씨만을 볼 수 있다면 시력은 0.1 이다.
7. 우안부터 먼저 검사하고, 다음에 좌안을 검사한다.

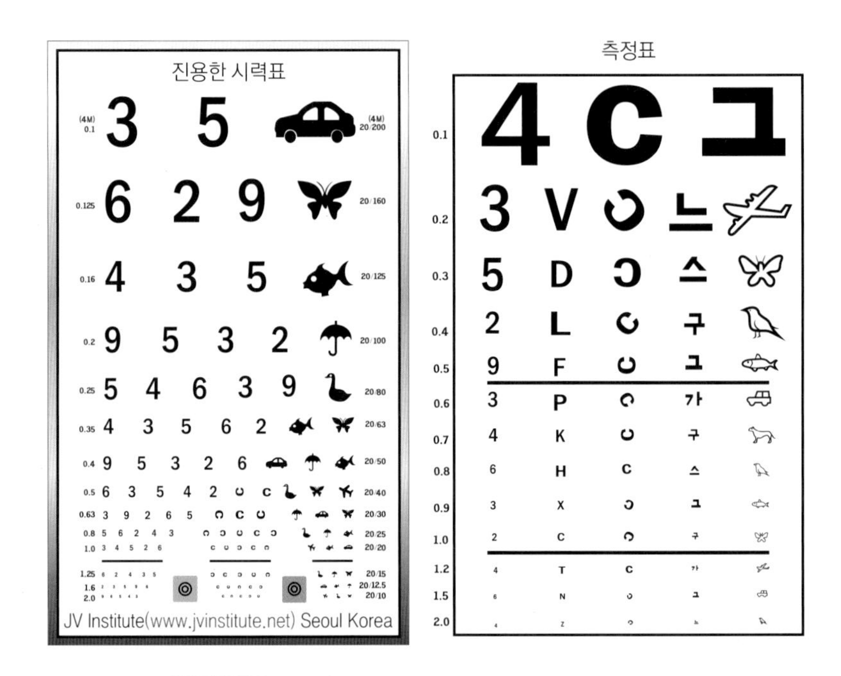

그림 2-7 진용한 시력표(왼쪽)와 한천석 시력표(오른쪽)

2) 시력표를 전혀 읽지 못할 때의 시력측정

시력표의 가장 큰 글씨인 시력 0.1의 글자도 안보이면 다음과 같은 방법으로 시력을 측정한다.

(1) 5m 거리의 시력표로 검사할 때, 1m씩 앞으로 이동하면서 가장 큰 글씨를 읽도록 한다.

4m에서 0.1 글자를 알아맞히면, 4m/5m × 0.1 = 0.08 시력

3m에서 0.1 글자를 알아맞히면, 3m/5m × 0.1 = 0.06 시력

2m에서 0.1 글자를 알아맞히면, 2m/5m × 0.1 = 0.04 시력

1m에서 0.1 글자를 알아맞히면, 1m/5m × 0.1 = 0.02 시력

(2) 안전수지(FC, finger count)

1m 앞에서도 시력표의 가장 큰 글씨가 안보이면, 1m 위치에서 검사자의 손가락을 수검자의 눈앞에 보여주며 손가락의 개수를 알아차릴 때까지 피검자에게 점점 가까이 다가선다. 수검자가 눈앞의 손가락을 셀 수 있으면, 시력은 안전수지에 해당된다. 만일 수검자가 검사자의 손가락을 50 cm 앞에서 몇 개인지 알아맞히면, "안전수지 50 cm"로 평가하고, "FC/50 cm" 로 표시한다.

(3) 안전수동(HM, hand movement)

검사자의 손가락 개수를 알아맞히지 못하면, 피검자의 눈앞에서 손을 흔들어 본다. 수검자가 눈앞의 손이 흔들림을 느낀다면, 시력은 "안전수동"으로 평가하고, "HM"으로 표시한다.

(4) 광각유(LP(+), light perception(+))

손의 흔들림을 느끼지 못한다면, 수검자의 눈에 불빛을 비추어본다. 수검자가 불빛이 있음을 느낀다면, 시력은 "광각유"로 평가하고, "LP(+)"로 표시한다.

(5) 광각무(LP(-))

불빛마저도 느끼지 못하면, 시력이 측정되지 않는 것이고, 이는 완전한 실명을 의미한다. 시력은 최저수치인 "광각무(zero, 맹(盲))"에 해당된다. "LP(-)"로 표시한다.

가장 좋은 시력										**가장 나쁜 시력**
2.0 >	1.5 >	1.0 >	0.5 >	0.1 >	0.08 >	0.02 >	FC/ cm >	HM >	LP(+) >	LP(-)

시력을 기록할 때에는 "우안시력 / 좌안시력"의 순서로 표시하는 것이 의사들이 오랫동안 사용해온 의학적 관례이다. 즉 우안시력이 0.5, 좌안시력이 0.7이면 "0.5 / 0.7"으로 기록한다. 환자를 직접 대면하고 진찰할 때에는 이렇게 기록하는 것이 편하고 착오가 잘 생기지 않기 때문이다. 하지만 이런 관례와 편리성을 모르고 반대로 "좌안시력 / 우안시력"으로 기록하는 경우도 있으므로 주의해야 한다. 정확히 하기 위해 "우안시력 0.5 / 좌안시력 0.7"로 기록하는 것도 한 가지 방법일 수 있다.

마이너스 시력?

가끔 "마이너스(-) 시력"이라고 하는 경우가 있는데, 이것은 안경렌즈의 디옵터(diopter, D)를 시력과 혼동한 것이다. 시력의 최저수치는 "0" 이고, 시력에 (-)란 없다.

시력을 측정할 때 수검자가 시력표를 읽는 정도를 측정하는 방법은 주관적인 시력에 해당되므로, 객관적인 시력을 나타내기 위해 디옵터라는 용어를 사용한다. 우리가 흔히 말하는 시력은 시력표를 이용한 수치이고, 디옵터와는 별개의 개념이다.

디옵터는 렌즈의 굴절력을 표시하는 척도로, 일반적으로 안경렌즈의 도수라고 생각하면 된다. 디옵터는 초점거리(m로 표시)의 역수를 말하고, 초점거리가 짧을수록 굴절력은 강하다.

근시, 원시, 난시의 정도를 디옵터(D)로 표시한다.

오목렌즈의 경우는 (-)로 표시하고, 볼록렌즈의 경우는 (+)로 표시한다.

근시는 오목렌즈로 교정하므로 렌즈도수 앞에 (-)로 표시한다.

원시는 볼록렌즈로 교정하므로 렌즈도수 앞에 (+)로 표시한다.

정시안의 디옵터는 "0"이다.

즉 정시안을 기준으로 하여 근시는 마이너스(-)로 원시는 플러스(+)로 표현하며, 그 정도를 아라비아 숫자의 크기로 나타낸다. -3.0D의 근시란 -3.0D의 오목렌즈를 써야 망막에 가장 정확한 상을 맺는 상태란 뜻이다. 그러므로 "마이너스(-) 시력"이라는 표현은 잘못된 것이며, "오목렌즈를 사용하는 근시안"이 올바른 표현이다.

4. 굴절이상의 종류

눈에는 수정체의 조절작용이 있어 먼 곳을 볼 때나 가까운 곳을 볼 때나 망막에 정확하게 초점을 맺을 수 있다. 하지만, 눈에 생기는 여러 가지 원인에 의해 눈에 들어오는 빛이 망막에 초점을 제대로 맺지 못하면 상이 흐려지게 된다. 이런 상태를 굴절이상(근시, 원시, 난시)이라고 한다.

1) 정시(emmetropia)

안경이나 렌즈 없이도 외부로부터 들어오는 광선이 망막에 정확하게 초점이 맺어서 물체가 선명하게 보이는 정상적인 시력상태를 말한다.

2) 근시(myopia)

안구의 앞뒤 길이가 정상보다 길거나 각막이나 수정체의 굴절력이 강해지면, 멀리 있는 물체에서 반사된 빛이 망막 바로 위가 아니라 망막 앞쪽에 초점이 맺힘으로써 물체의 모습이 선명하게 보이지 않는 상태이다. 가까운 곳은 잘 보이나 먼 곳은 잘 안 보이지 않는다. 오목렌즈를 착용해서 초점을 뒤로 밀어주어야 한다.

3) 원시(hyperopia)

안구의 앞뒤 길이가 정상보다 짧거나 각막이나 수정체의 굴절력이 약해지면, 근시와 반대로 가까이 있는 물체에서 반사된 빛이 망막 뒤쪽에 맺힘으로써 물체의 모습이 선명하게 보이지 않는 상태이다. 먼 곳은 잘 보이지만 가까운 곳은 잘 보이지 않는다. 볼록렌즈를 착용해서 초점을 앞으로 당겨주어야 한다.

4) 난시(astigmatism)

각막이나 수정체가 고르지 못하면, 빛이 눈에 들어갈 때 모든 방향의 굴절력이 일정하지 않으므로 망막에 맺히는 초점이 한 곳에 일치하지 못해서 물체의 모습이 흐리게 보이는 상태이다. 이때는 가까운 곳이나 먼 곳에서 모두에서 물체의 모습이 흐리게 보인다. 원주렌즈를 착용해야 한다. 난시는 근시나 원시와 함께 생기는 경우가 많다.

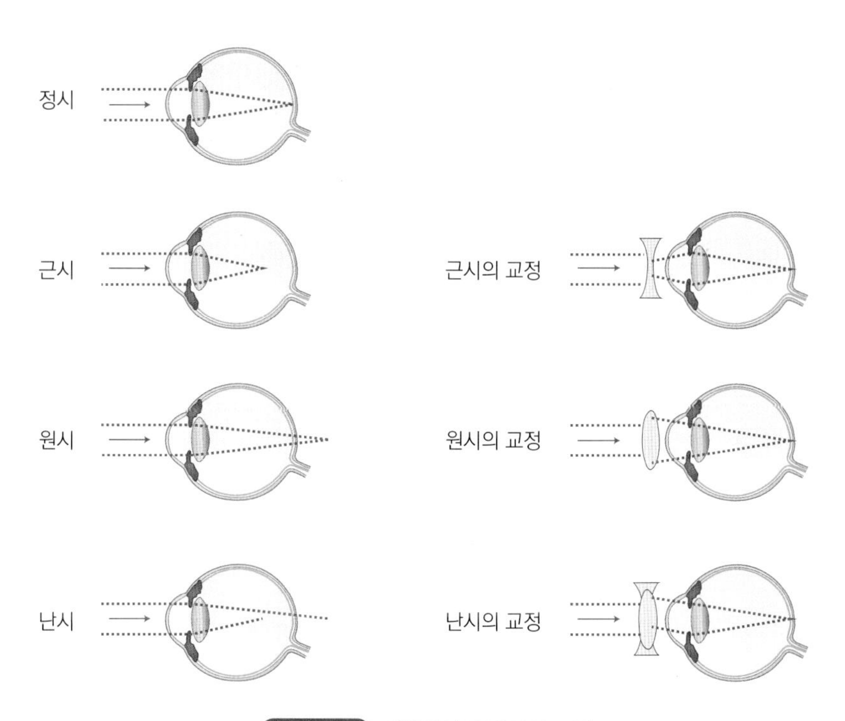

그림 2-8 시력이상의 종류와 교정

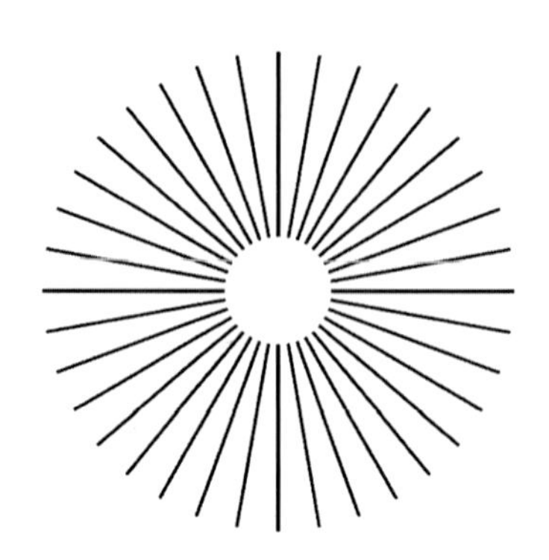

• 방사선의 중심을 한 눈으로 본다.
• 주위에 있는 선의 폭이 균일하지 않거나, 특정 선이 진하게 보인다면, 난시가 있을 가능성이 높다.

그림 2-9 시력표에서 난시를 검사하는 법

5. 나안시력(맨눈시력)과 교정시력

시력을 측정할 때 안경을 착용하지 않고 맨눈으로 검사했을 때의 시력을 나안시력이라 하고, 안경이나 렌즈 등으로 굴절이상을 교정하고 검사했을 때의 시력을 교정시력이라 한다.

교정시력을 기록할 때에는 보통 괄호 안에 기록한다. 즉 우안의 교정시력이 1.0이고 좌안의 교정시력이 1.2이라면 "(1.0/1.2)"으로 기록한다.

나안시력과 교정시력에 차이가 있으면 안경을 착용해야 한다. 교정시력이 정상이면 안경을 끼고 일상생활을 정상적으로 할 수 있으므로 일반 시력검사에서는 교정시력도 중요하다. 나안시력이 좋지 않아도 교정시력이 1.0이상으로 좋으면 굴절이상(근시, 원시, 난시)에 의한 시력감소인 경우가 많고, 대체로 이런 경우에는 망막과 시신경에도 크게 이상이 없다. 교정시력이 나쁘면 안경이 안 맞거나, 다른 질병이나 약시를 의심해 보아야 한다.

저하된 시력을 교정하는 방법은 안경이나 렌즈 등을 이용하여 일시적으로 굴절이상을 교정하는 방법과 반영구적으로 수술을 통해 굴절이상 특히 근시를 해결하는 굴절교정수술이 있다. 굴절교정수술에는 방사상 각막절개술, 라식, 라섹, 엑시머(Excimer)수술, 안구 내 렌즈삽입술 등이 있다.

06 안압검사

목표질환 : 녹내장(특히 만성 개방각 녹내장)

안압검사는 안구 내부의 압력을 측정하는 것이다. 혈압이 혈관 속의 압력이라면, 안압(intraocular pressure, IOP)은 안구 속의 압력이다. 안압이 낮은 경우에는 심한 탈수상태, 망막박리, 안구위축 등을 의심하고, 매우 높을 때는 녹내장을 의심한다. 안압검사는 녹내장의 조기진단에 중요한 검사이다.

1. 안압의 조절

안구는 공막(sclera)이라고 불리는 탄탄한 섬유질에 의해 둘러싸여 있어서 마치 두꺼운 공과 같은 모양이다. 동그란 안구의 형태를 유지하기 위해서는 안구 내부에 적절한 압력이 유지되어야 한다. 안구 내부에는 각막과 수정체사이의 공간에 방수(房水, aqueous humor)라고 하는 투명한 액체가 적당량 들어있어서 적절한 안압을 유지한다. 즉 동그란 안구의 모양을 유지하는 것은 안구 내부에서 분비되는 방수 때문이다. 방수는 눈의 형태를 유지하고 각막과 수정체에 영양을 공급한다.

각막의 뒤와 홍채의 앞에 있는 공간을 전방(anterior chamber), 홍채의 뒤와 수정체의 앞에 있는 공간을 후방(posterior chamber)이라고 한다. 방수는 홍채 뒤쪽의 모양체에서 매일 조금씩 생성되어 후방으로 분비된 후 동공을 거쳐 전방으로 들어간다. 여기서 방수는 각막과 홍채가 만나서 이루는 우각에 있는 슬렘관(Schlemm's canal)을 통과하여 방수정맥으로 배출되어 눈 외부로 나간다.

이렇게 방수는 끊임없이 생성되고 배출되면서 순환하고 있다. 방수가 너무 많이 생성되거나 흐름에 장애가 생겨 배출이 적어질 경우에는 안구 내부의 압력이 올라가게 된다. 이런 과정을 통해 안압이 상승되어 녹내장이 발생되면 시신경을 손상시켜 시야장애를 일으키고 실명에 이르게 된다. 반대로 안압이 너무 낮으면 안구 자체가 작아지는 안구 위축이 올 수 있다.

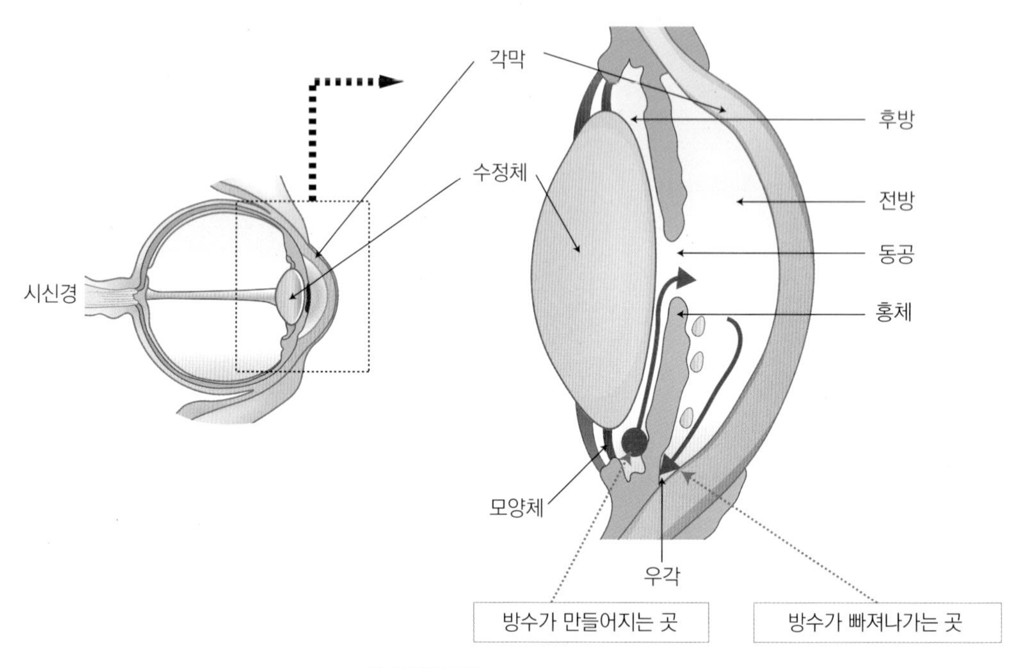

그림 2-10 방수의 생성과 배출

2. 안압계의 종류

1) 비접촉식 안압검사

검사기구를 각막에 직접 접촉하지 않고 공기를 분사하여 안압을 측정한다. 각막을 마취하지 않고 간단히 검사할 수 있어서 안압측정의 1차 검사로 이용된다. 흔히 자동안압검사라고도 하며, 공기 안압계가 비접촉식 안압검사이다.

공기 안압계

압축공기를 뿜어 각막의 표면반사가 변화되는 정도를 측정한다. 측정방법이 쉬워 건강검진센터에서 많이 사용하지만 오차가 큰 편이다.

2) 접촉식 안압검사

눈에 점안 마취제를 점안한 후 검사기구를 직접 눈에 접촉하여 안압을 검사한다. 비접촉식 안압검사보다 정확하므로, 1차 안압검사에서 이상을 보여 보다 정밀하게 안압을 측정해야 할 때 이용된다. 함입 안압계와 압평 안압계가 있다.

(1) 함입 안압계

안압계 추의 무게에 의해 각막이 눌려 들어가는 정도를 측정한다. 비교적 측정이 쉽지만 공막의 경도에 의한 오차가 있다.

(2) 압평 안압계

안압계를 각막의 표면에 수직으로 대고 각막의 일정한 면적을 편평하게 만드는데 필요한 힘을 측정한다. 오차가 적어 가장 정확하다.

[검사방법 및 주의사항]

건강검진센터에서는 주로 비접촉식 공기 안압계를 이용한다.

1. 압축공기가 뿜어 나와 눈을 자극하므로 수검자가 놀라지 않도록 미리 설명을 해주어야 한다.
2. 검사를 하는 동안에는 눈을 깜박이지 않도록 한다.
3. 렌즈를 착용하고 있다면 제거하고 검사한다.
4. 검사대의 턱받이에 턱을 댄 후 이마를 바짝 붙인다.
5. 시선은 정면을 향하여 적색 불빛을 바라보게 한다.
6. 동공에 삼각점이 맞춰지면 초점이 맞았음을 의미하므로 시작버튼을 눌러 안압을 측정한다.
7. 시작버튼을 누르는 순간 눈으로 압축공기가 뿜어지면서 안압이 측정된다. 같은 방법으로 반대쪽 눈의 안압을 측정한다.
8. 검사 후에는 잠시 눈에 이상한 느낌이 있을 수 있으므로 문지르지 말고 기다리도록 설명한다.

정상 안압은 10-21 mmHg, 양안의 차이는 3 mmHg 이하이다.
22 mmHg 이상 또는 양안의 차이가 5 mmHg 이상이면, 녹내장을 의심하고 안과로 의뢰한다.

녹내장(glaucoma)

녹내장은 방수가 안구 밖으로 배출되지 못하고 막혀서 안압이 올라가는 것으로, 시신경이 눌리거나 시신경으로의 혈액공급에 장애가 발생한다. 이로 인해 시야결손이 나타나고 말기에는 시력을 상실하기도 한다.

과거에는 높아진 안압에 의해 시신경이 손상된다고만 생각했다. 하지만 안압이 높지 않더라도 녹내장이 발생하는 경우가 있어서, 전자를 "고안압 녹내장", 후자를 "정상안압 녹내장"으로 분류한다. 우리나라에서는 만성 개방각 녹내장과 정상안압 녹내장이 대부분이다.

1. 정상안압 녹내장

안압이 정상인데도 녹내장으로 인해 시야가 좁아지고 시신경의 손상이 진행되는 질환이다. 시신경의 조직이 약해서 대부분의 사람에게는 영향을 주지 않는 정도의 안압으로도 시신경이 눌려 손상을 일으키거나, 또는 시신경으로 공급되는 혈류량이 감소하여 발생한다고 추측된다.

치료는 안압을 더 떨어뜨려야 한다. 안압을 낮추면 녹내장의 진행 속도가 감소하므로 안압을 낮추는 것이 중요하다.

2. 고안압 녹내장

1) 폐쇄각 녹내장(angle closure glaucoma)

급성 폐쇄각 녹내장이라고도 한다. 급성 질환이므로 건강검진센터에서는 보기 힘들다.

갑자기 상승한 후방의 압력 때문에 홍채가 각막 쪽으로 튀어나오면서 우각 부위가 눌려 발생한다. 우각은 각막의 후면과 홍채의 전면이 이루는 각을 말하는데, 우각이 눌리면 방수의 배출구가 갑자기 막히게 되므로 안압이 빠르게 상승하게 된다. 이렇게 압력이 오르면서 시신경에 손상을 주어 시력 손실을 가져온다.

초기에는 주로 야간에 눈의 통증과 불빛 주위로 달무리가 보이는 등 가벼운 증상이 나타날 수 있다. 이는 밤이 되면 동공이 확장되고 홍채가 두꺼워져 우각이 닫히기 때문이며, 이런 증상은 자고 나면 사라진다.

안압이 급격히 증가하면 전형적인 급성증상이 나타나는데, 심한 안구통증, 두통, 구토 등이다. 이때 48시간 이내에 안압을 조절하지 않으면 영구적으로 실명을 할 수도 있는 응급질환이다.

치료는 발견 즉시 정맥주사, 점안액, 경구약 투여 등으로 안압을 조절해야 한다. 압력이 떨어지면 바로 레이저로 홍채에 작은 구멍을 뚫어 방수가 빠져나오도록 하는 레이저 홍채절제술을 시행한다. 예방 차원에서 정상인 반대쪽 눈도 함께 치료한다.

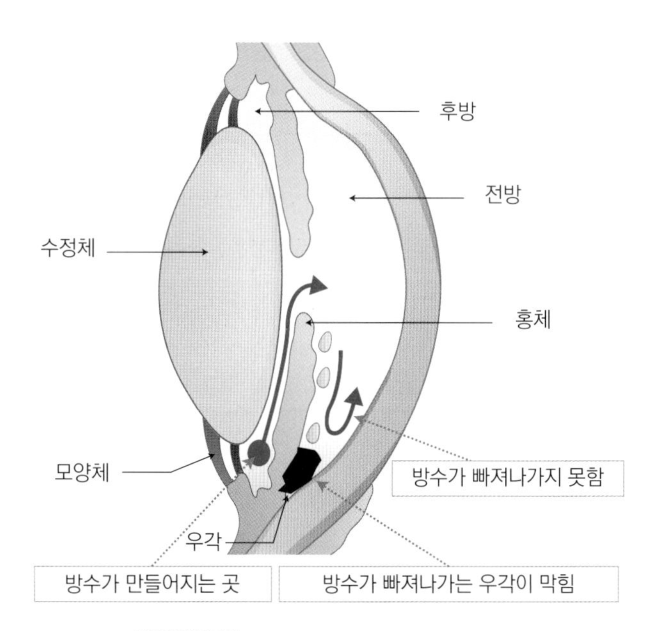

그림 2-11 급성 폐쇄각 녹내장의 발생기전

2) 개방각 녹내장(open angle glaucoma)

만성 개방각 녹내장이라고도 한다. 건강검진센터에서 안압측정을 하는 주요목표가 되는 목표질환이다.

방수는 우각 뒤에 있는 그물 모양의 섬유주를 통해 배수되는데, 그 섬유주가 서서히 막히므로 발생하는 녹내장이다. 방수가 배출되는 우각부위가 눌리지 않고 열려있어서 정상적인 형태를 유지하지만, 방수는 정상적으로 빠져나가지 못하기 때문에 발생한다. 대부분 수년에서 수십 년에 걸쳐 매우 서서히 진행되므로 시력이 서서히 떨어지고 안구통증은 거의 없다.

초기에는 주변시력을 담당하는 시신경 부위가 중심시력을 담당하는 시신경 부위보다 먼저 손상 받으므로 시력감소와 시야결손을 잘 느끼지 못한다. 녹내장이 진행되면서 가장자리의 시야가 보이지 않아서 물체에 부딪히기도 하고, 심해지면 중심부위의 시야까지 손상되므로 바로 앞에 있는 물체도 보기 힘들어진다. 시신경이 심하게 손상되는 말기에 가면 시력을 잃게 된다.

녹내장으로 인해 한번 손상된 시신경은 대부분의 경우 원상태로 회복되지 않으므로, 조기에 발견하고 치료해야 한다. 안압을 낮추면 녹내장의 진행 속도가 떨어지므로 안압을 낮추는 것이 중요하다. 안약과 수술(레이저 홍채 절제술, 섬유주 절제술)을 통해 적절히 치료하면 더 이상 시력이 손상되는 것을 막을 수 있다.

만성 개방각 녹내장은 조기에 발견하여 치료하면 대부분의 경우에 별 문제 없이 평생을 살아갈 수 있다. 중년 이후에 발생위험이 높아지므로, 40세 이상이 되면 1-2년마다 정기적으로 안압검사를 하는 것이 좋다.

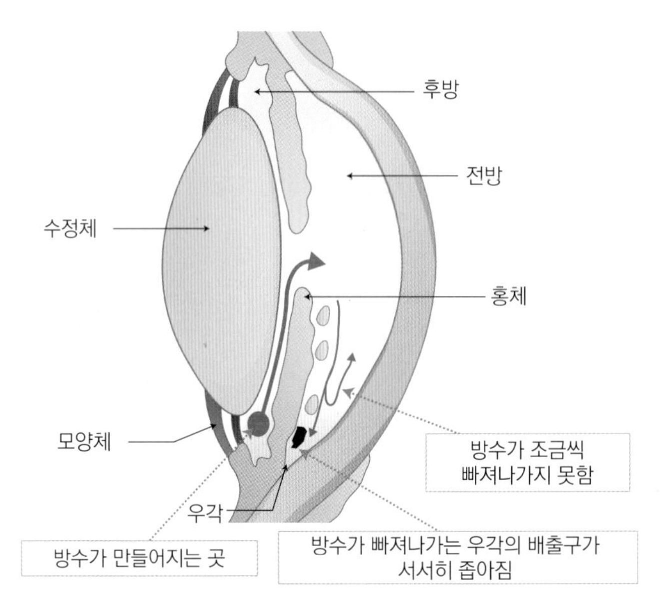

그림 2-12 만성 개방각 녹내장의 발생기전

3. 녹내장의 진단

안압검사가 녹내장의 진단에 중요하기는 하지만, 안압은 측정하는 방법에 따라 오차가 많고 같은 사람에서도 시간에 따라 다르게 나오므로 안압만으로 녹내장을 진단하기는 곤란하다. 다음 세 가지 검사를 통해 녹내장의 유무와 진행정도를 종합적으로 진단한다.

1) 안압검사

안압계로 안구 속의 압력을 측정한다.

2) 시야검사

자동시야검사계로 시야가 좁아졌는지, 아니면 특정 시야 부분을 잘 보지 못하는지 등을 검사한다.

3) 시신경유두검사

안저촬영기로 안압에 의한 시신경의 손상 정도를 검사한다.

07 안저촬영검사

목표질환 : 당뇨병성 망막병증, 고혈압성 망막병증, 녹내장, 망막정맥 폐쇄

안구의 가장 안쪽인 안저(fundus)를 안저촬영용 카메라로 촬영하여 병변의 유무를 검사하는 방법이다. 안저촬영 검사로 관찰할 수 있는 구조물은 다음과 같다.

- 망막(retina) : 안저의 가장 표층으로 빛을 감지한다. 카메라의 필름에 해당된다.
- 망막혈관 : 인체 내부의 혈관(동맥, 정맥)을 외부에서 직접 관찰할 수 있는 유일한 곳이다.
- 시신경 유두(optic disc) : 망막에 맺힌 상을 뇌에 전달하는 시신경이 시작되는 부위이다.
- 황반(macula) : 빛이 들어올 때 초점을 맺는 망막의 중심부이다.
- 유리체(초자체, hyaline body) : 안구의 형태를 유지하기 위해 투명한 물질로 구성된다.
- 수정체(lens) : 카메라의 렌즈에 해당, 백내장이 있으면 혼탁해진다.

1. 안저촬영검사의 필요성

1) 고혈압과 당뇨병에서 망막의 손상 정도를 진단

고혈압, 당뇨병 환자는 시간이 지남에 따라 망막에 합병증이 발생되지만, 매우 서서히 진행된다. 정기적인 안저촬영 검사를 함으로써 망막이 심하게 손상되기 전에 망막의 합병증을 발견 할 수 있다.

특히 고혈압, 당뇨병에 의한 망막의 변화는 검사 당시의 망막상태만을 보여주는 것이 아니라, 질병이 시작된 과거부터 현재까지 누적된 장기적인 망막의 변화를 보여준다. 즉 검사 당일에는 혈압이나 혈당이 정상이더라도 안저에서 고혈압성 또는 당뇨병성 망막 변화가 발견될 수 있다.

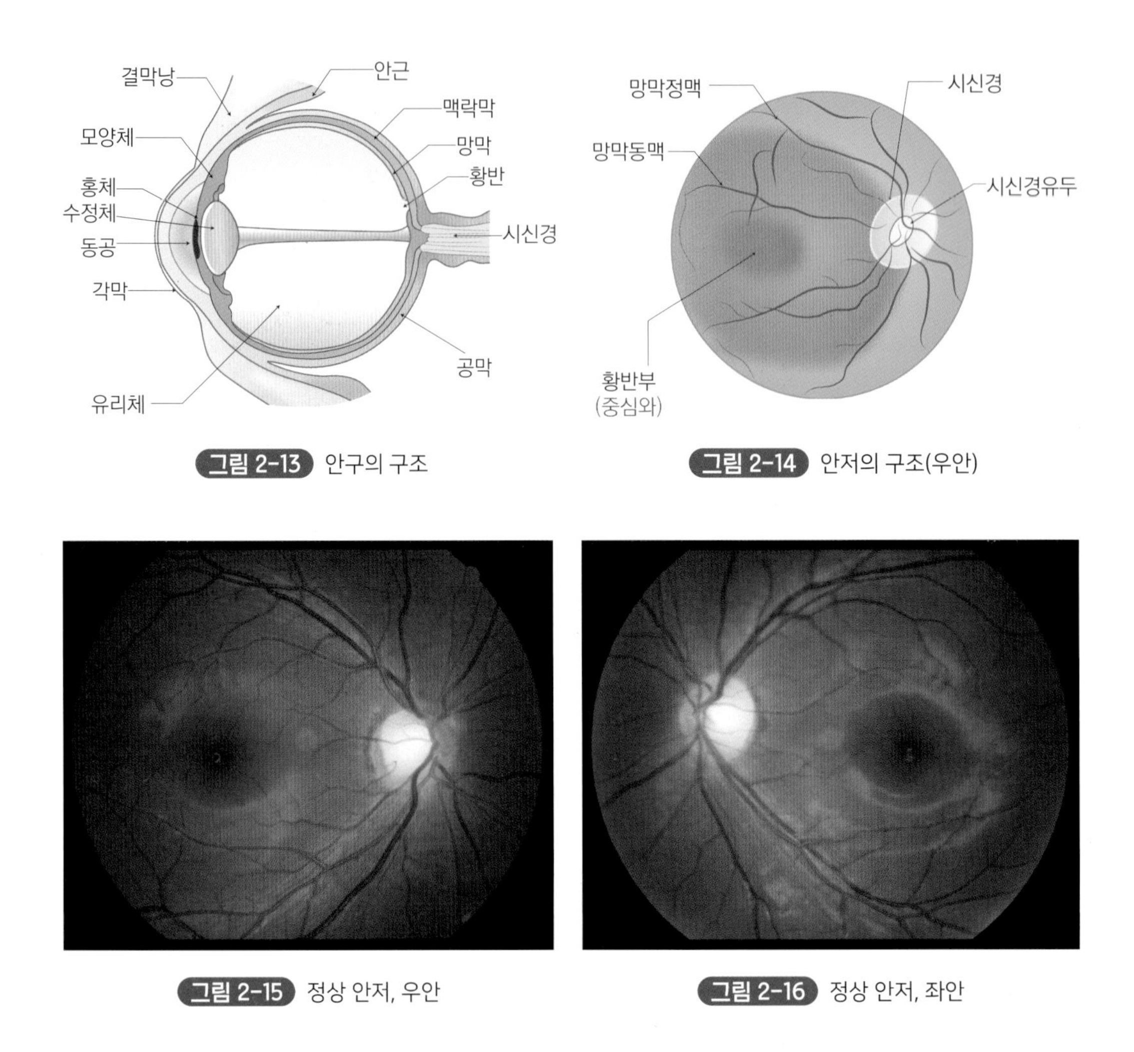

그림 2-13 안구의 구조

그림 2-14 안저의 구조(우안)

그림 2-15 정상 안저, 우안

그림 2-16 정상 안저, 좌안

2) 녹내장의 진단

녹내장은 안압이 높아져 발생하며, 시신경 유두의 변화로 시야가 좁아지는 것이 주요 증상이다. 진단되어 치료하더라도 현재의 상태에서 더 이상 진행되는 것을 늦출 수는 있지만 이미 생긴 시야 손상을 정상으로 되돌리기가 어렵다. 그러므로 안압검사와 안저촬영 검사를 정기적으로 시행하여 조기에 발견하는 것이 매우 중요하다.

[검사 방법 및 주의사항]

1. 콘택트렌즈를 사용하는 수검자는 렌즈를 제거하고 검사한다. 소프트렌즈나 연속착용 콘택트렌즈는 착용한 상태에서 촬영이 가능하지만, 하드렌즈는 사진의 주변이 백색으로 나타나는 플레어 현상이 발생할 수 있으므로 반드시 제거해야 한다.
2. 결막염 등 감염성 안질환이 있는 환자는 검사를 연기한다.

3. 촬영을 할 때 플래시의 밝은 빛 때문에 눈이 부셔 수검자가 놀랄 수 있으므로 미리 설명해 안심시켜야 한다.
4. 검사가 끝난 후 보름달 모양의 잔상이 나타나 놀랄 수도 있으므로 미리 설명해 안심시켜야 한다.
5. 수검자의 턱을 턱받침대에, 이마를 이마받침대에 고정하고 수검자의 눈높이를 맞춘다.
6. 수검자의 눈동자가 움직이지 않도록 수검자에게 정면의 주황색 불빛을 바로 보게 한 후 검사자는 눈 앞쪽 위치를 맞춘다.
7. 녹색의 눈고정표을 보게 한 후 초점을 맞춘다.
8. 초점이 맞춰지면 검사자는 수검자에게 "천천히 두세 번 눈을 깜박이고, 눈을 크게 뜨세요."라고 지시한 후 촬영을 한다. 촬영버튼을 누를 때는 조작핸들을 가볍게 잡고, 촬영버튼을 엄지로 가볍게 누른다.
9. 촬영은 단시간에 끝내는 것이 좋고, 한쪽 눈을 촬영이 끝나고 잠시 눈을 가볍게 감고 있게 하면 동공이 잘 열려서 반대쪽 눈을 촬영하기가 쉽다.
10. 3-5분 후 반대쪽 눈도 같은 방법으로 촬영한다.
11. 촬영이 끝난 후, 안저사진을 확인하여 촬영이 잘못되지 않았는지 확인한다.
    1) 안저사진에 속눈썹이나 플레어 등에 의한 백색 반사가 들어 있는지?
    2) 시신경 유두와 망막 혈관이 적절한 위치로 촬영되었는지?
    3) 혈관이 선명하게 보이게 초점이 맞았는지?
12. 이상이 발견되면 재촬영을 하고, 이상이 없으면 검사를 마친다.

2. 산동제의 사용

안저검사를 할 때는 동공이 적절히 확대되어 있어야 검사가 가능하다. 대부분의 수검자는 산동제(동공확대 약물)가 없어도 검사가 가능하다. 아주 드물게 동공이 확대되지 않아 검사가 힘든 수검자가 있는데, 이때는 산동제을 점안하여 동공을 확대시킨 후에 검사한다.

산동제를 점안한 후 동공이 확대되기까지는 사람에 따라서 약30분에서 1시간 정도의 시간이 소요된다. 검사 후 동공확대 지속시간은 약물에 따라 다르나, 일반적으로 6시간 정도 지속될 수 있다.

1) 산동제 사용의 금기증

녹내장 환자는 산동제 투여를 금해야 한다. 노인, 전립선 비대, 심기능 부전, 벨라도나 알칼로이드에 감수성이 있는 환자도 산동제 투여에 주의해야 한다.

2) 기타 주의할 사항

동공이 확대되면 검사 당일에는 초점이 잘 맞지 않아 글씨를 보기 힘들 수 있고, 눈이 침침하거나 눈이 부시는 경우가 있으므로 정상으로 회복될 때까지 운전이나 위험한 기계조작 등은 하지 않도록 설명한다. 동공이 확대되어 있으므로 태양광선이나 강한 빛을 직접 보지 않도록 설명한다. 선글라스를 착용하게 하는 것도 좋은 방법이다.

3. 망막 정밀검사

안저촬영 검사에서 이상 소견이 보이면 안과에 의뢰하여 망막 정밀검사를 실시한다.

1) 형광 안저촬영

환자의 혈관에 형광색소를 정맥주사한 후, 카메라로 빠르게 연속 촬영하여 망막혈관의 구조와 혈액 순환을 관찰한다.

2) 시야검사

눈이 볼 수 있는 범위 즉 시야를 측정해서, 시야가 좁아졌는지 아니면 특정 시야 부분을 잘 보지 못하는지 등을 판단한다.

3) 시신경 전위유발검사

시신경을 빛으로 자극한 다음, 뇌의 시각피질에서 나타나는 전기적 변화를 분석하여 눈부터 시각피질까지 경로에 이상이 있는가를 판단한다.

4) 안구광학 단층촬영(OCT)

시신경 주변부를 단층촬영(CT)하여, 시신경 섬유층의 두께를 단면영상으로 보여준다.

고맙습니다. 건강검진 안저촬영검사

저는 44세 여자입니다. 3년 전에 종합검진을 받은 이후로 몸에 특별한 이상 없이 잘 지내 왔습니다. 금년 들어 주위의 가까운 친구들에게 이런저런 병이 생기는 걸 보고 큰맘 먹고 3년 만에 다시 종합검진을 하게 됐습니다. 아버지가 고혈압으로 치료를 받고 계십니다.

종합검진을 하면서 혈압이 140/90 mmHg라는 말을 듣고 약간 놀랐습니다. 그동안 특별히 불편한 곳도 없었고, 목욕탕이나 은행 같은 데 가서도 비슷한 또래의 여자들이 전자혈압계로 혈압을 재는 것을 보면서도 나와는 무관한 일로 여겨 항상 지나쳤었습니다.

며칠 후 병원에서 연락이 왔습니다. 안저촬영 검사에 이상이 있으니, 병원을 방문해 달라고.

걱정되는 마음에 잠을 설치고 다음날 병원을 방문했습니다. 의사선생님 말이 안저에 불꽃모양의 출혈이 생겼다고 했습니다. 이런 소견은 아마도 고혈압에 의한 망막출혈로 추정된다고 하시면서, 아버님이 고혈압이 있으면 그 자녀가 고혈압이 발생한 확률이 약 30% 정도 된다며 안과 정밀검사를 권하셨습니다. 또한 현재는 증상도 없고 혈압도 아주 높지는 않지만 약물치료를 권하셨습니다.

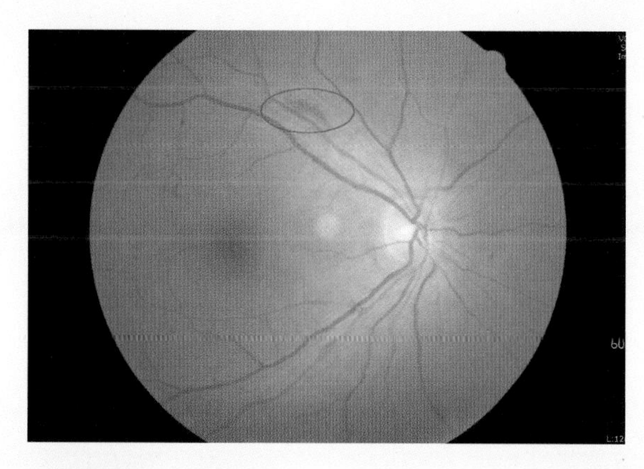

그림 2-17 안저촬영사진. 고혈압 초기, 불꽃모양의 망막 출혈

고혈압 환자는 대부분 혈압약을 복용하다가 합병증으로 눈에 이상이 생겨 눈 치료를 받는다는데 경우에 따라서는 실명까지도 할 수 있다고 합니다. 저의 경우는 조용히 진행하는 낮은 고혈압으로 남들보다 먼저 눈의 합병증이 오고 있었고, 조기에 발견이 되어 눈의 합병증도 예방하고 고혈압 치료도 조기에 할 수 있어서 다행이라더군요. 종합검진 덕분에 큰 병을 예방할 수 있어서, 고맙습니다.

08 심전도검사
Electrocardiography, EKG

목표질환 : 부정맥, 허혈성 심장질환(심근경색, 협심증), 심방과 심실의 비대

인체의 각 장기에는 미약하지만 전류가 흐르고 있다. 이중에서 심장에 흐르는 미세한 전기의 흐름을 손목, 발목, 가슴에 부착한 전극을 통해 측정하여 그래프로 나타낸 것이 심전도검사이다.

심장의 구조를 기능에 따라 나누면 심방과 심실을 형성하는 심근, 심장의 전기현상에 주로 관여하는 전기전도계, 혈액의 흐름을 일정한 방향으로 유지시키는 판막, 심장자체의 영양과 산소공급을 담당하는 관상동맥, 그리고 심장을 싸고 있는 심낭으로 나눌 수 있다.

심장은 일하거나 쉴 때는 물론 수면 중에도 쉬지 않고 계속 박동하여 끊임없이 온몸에 혈액을 돌게 해주는 펌프의 역할을 해야 하므로, 신체의 다른 부위의 조직과는 아주 다른 특수한 근육으로 만들어져 있다. 또한 심장박동을 일으키기 위해 전기를 발생시키고 이를 전달하는 특수한 전기전도계를 가지고 있다. 이 전기전도계의 기능을 검사하기 위한 방법이 심전도이다.

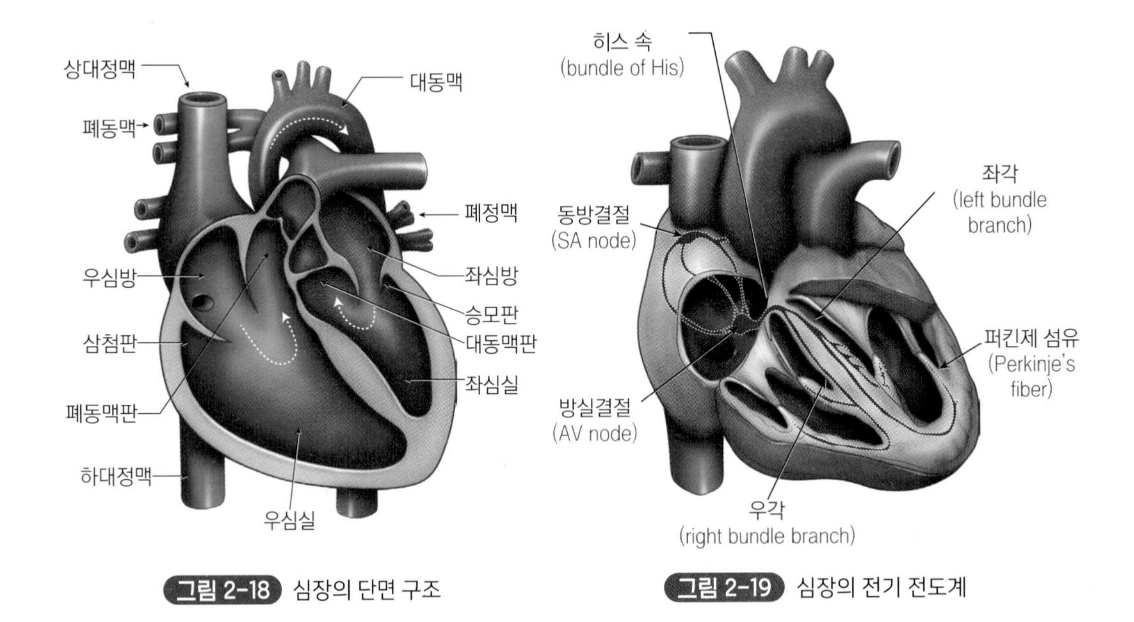

그림 2-18 심장의 단면 구조

그림 2-19 심장의 전기 전도계

1. 심장의 전기전도계

심장의 전기전도계는 동방결절, 심방근육, 방실결절, 히스-퍼킨제 섬유, 그리고 심실근육으로 구성되어 있다.

1) 동방결절(sino-atrial node, SA node)

전기적 자극이 자발적으로 시작되는 곳으로, 상대정맥과 우심방이 만나는 곳에 위치하고 있다. 전기적 자극을 발생시키는 기능을 자동능(autonomicity)이라 하는데, 심장의 조직에서 자동능이 가장 강한 곳이 동방결절이다. 동방결절은 안정상태일 때 분당 60-100회 정도로 규칙적인 전기신호를 생성한다.

2) 심방근육

동방결절에서 시작된 전기적인 흥분은 심방의 근육을 따라 전파되어 심방이 수축한다. 이 과정이 심전도 상에서 "P파(P wave)"로 나타난다. 심전도의 P파는 동방결절에서 심방까지의 전기적 활성을 반영하는 것으로, P파의 이상 소견이 나타나면 동방결절에서 심방까지의 전기전달에 이상이 있음을 뜻한다.

3) 방실결절(atrio-ventricular node, AV node)

심방을 흥분시킨 전기는 방실결절을 통해서 심실로 전달된다. 정상적으로 심방과 심실 간에 전기를 전달하는 유일한 통로는 방실결절이다. 방실결절은 동방결절 다음으로 자동능이 강한 조직이다.

특징적으로 방실결절은 전기가 지나갈 때 전달 속도가 느려지는 지연전도(decremental conduction)의 성질을 갖고 있다. 이 과정이 심전도상에서 "PR 간격(PR interval)"로 나타난다. 심장의 다른 조직(심방, 심실, 히스-퍼킨제 섬유)은 전기가 지나갈 때 전기 전달 속도가 빠르다.

4) 히스-퍼킨제 섬유(His-Purkinje fiber)

방실결절을 통과한 전기는 좌각(left bundle branch, LBB) 및 우각(right bundle branch, RBB)을 포함한 히스-퍼킨제 섬유(His-Purkinje fiber)를 통해 좌심실과 우심실의 근육에 전달된다.

5) 심실근육

히스-퍼킨제 섬유를 지난 전기적 자극은 심실의 근육을 따라 전달되어 심실을 수축시킨다. 이 과정이 심전도 상에서 "QRS 파(QRS complex)"로 나타난다.

2. 심전도 측정방법

전극을 사지에 4개(양측 손목과 발목), 왼쪽 가슴에 6개, 총 10개의 전극을 붙이고 측정한다. 이를 "표준 12 유노법"이라 한다.

표준 12 유도법

1. 사지 유도

1) 쌍극유도 : 두 점간의 전위차를 기록

Ⅰ : RA(−) → LA(+)

Ⅱ : RA(−) → LL(+)

Ⅲ : LA(−) → LL(+)

2) 단극유도 : 한 점에서의 전위 변화를 기록

aVR : RA

aVL : LA

aVF : LL

2. 흉부 유도(단극유도)

V1 : 흉골의 우측 경계, 4번째 늑간

V2 : 흉골의 좌측 경계, 4번째 늑간

V3 : V2와 V4사이의 중간지점

V4 : 좌측 쇄골의 중앙선, 5번째 늑간

V5 : 좌측 전액와선, 5번째 늑간

V6 : 좌측 액와 중앙선, 5번째 늑간

[검사방법 및 주의사항]

1. 수검자를 침상에 반듯이 눕히고 편안하게 안정시켜 근육긴장에 의한 오류(artifact)가 생기지 않게 한다.
2. 수검자의 몸에 금속물질을 제거한다.
3. 전극이 닿는 부위 즉 손목과 발목 및 왼쪽 가슴을 노출시키고 거즈에 생리식염수나 깨끗한 물을 적셔서 바른다.
4. 접지가 잘 되어 있는지 확인하고 검사를 시작한다.
5. 기준선(base line)이 흔들리지 않게 반듯이 기록되는지 확인한다.

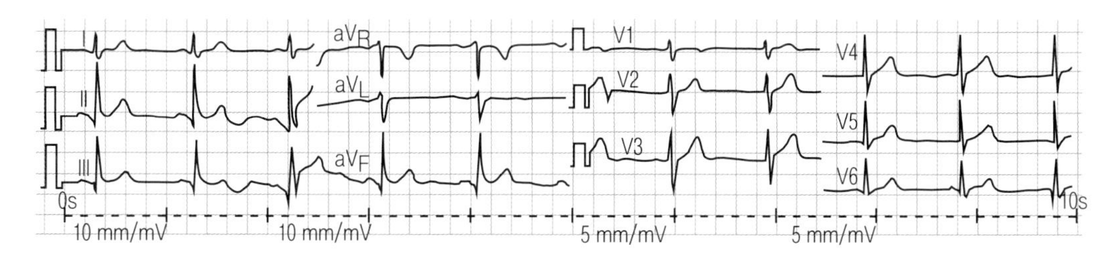

그림 2-20 정상 심전도 - 표준 12유도법

부정맥(arrhythmia)

부정맥은 동방결절에서 심근까지 전기 자극이 전달되는 경로에 이상이 생겨 발생하는 심장의 비정상적인 율동을 말한다.

안정된 상태에서 동방결절은 전기적 자극을 분당 60-100회 정도의 빠르기로 발생시켜 심실로 전달되도록 한다. 이러한 자동능은 운동, 흥분, 스트레스 상황에서는 심박동수가 빨라지고, 수면이나 안정상태에서는 심박동수가 느려진다. 이와 같은 정상적인 생리반응과는 다르게 동방결절에서 심근까지 전기자극이 전달되는 경로에 이상이 생겨 심장의 박동이 비정상적으로 뛰는 현상을 부정맥이라고 한다.

부정맥에는 여러 종류가 있다. 심장박동이 규칙적일수도 불규칙적일 수도 있으며, 심장박동수는 빠르거나 느리거나 또는 정상일 수도 있다. 또한 증상과 혈역학적(hemodynamic) 장애의 여부에 따라 치료가 필요 없는 경우도 있으며, 적절한 응급치료를 하지 않으면 발생 즉시 사망에 이르는 심각한 경우도 있다.

1. 서맥성 부정맥

정상 심박수는 분당 60-100회인데 심박수가 분당 60회 이하일 때를 서맥(bradycardia)이라고 한다.

1) 동성 서맥(sinus bradycardia)

심장의 전기자극 전달은 정상인데, 심장박동수만 60회 보다 적은 경우이다. 대부분 증상이 없고 혈역학적으로 정상이므로 특별한 치료가 필요 없다.

2) 동결절 기능부전(sick sinus syndrome)

심장에서 맥박수를 조절하는 기관인 동방결절(SA node) 즉 페이스메이커에 이상이 생겨 전기적 신호를 잘 만들어 내지 못해 맥박이 느려진다.

3) 방실차단(AV block)

동방결절에서 발생된 전기적 신호가 정상적으로 전달되다가 방실결절(AV node)에서 이상이 생겨 그 이후의 전도로에 전기적 신호가 잘 전달이 되지 않는 경우이다. 가슴통증, 숨가쁨 등의 혈역학적 이상 증상이 없다면 특별한 치료는 필요치 않다.

차단의 심한 정도에 따라 다음과 같이 분류된다.

(1) 1도 전도장애 : 전기자극이 정상보다 시간이 더 지연되어 심실에 도달한다. 심전도의 PR간격이 0.20초 이상이다.

(2) 2도 전도장애 : 전기적 자극이 가끔 중간에 차단되는 상태이다.

Mobitz type 1 : 점진적으로 PR간격이 증가하다가 전기적 자극이 차단된다.

Mobitz type 2 : 선행하는 PR간격의 변화 없이 갑자기 전기적 자극이 차단된다.

(3) 3도 전도장애(완전 방실차단) : 심실과 심방사이에 전기적 자극의 전도가 완전 중단 된 상태이다. 맥박은 분당 40-55회 정도이다.

4) 각차단(bundle branch block, BBB)

방실결절과 His bundle을 통해 전해온 전기자극이 우각이나 좌각에서 차단된 경우이다.

(1) 우각차단(right bundle branch block, RBBB)

방실결절에서 내려온 전기신호가 우심실로 전도되는 우각에서 지체된 경우로, 대부분 혈역학적 장애를 일으키지 않으며 임상적 의미가 없는 경우가 많다.

(2) 좌각차단(left bundle branch block, LBBB)

전기 신호가 좌각에서 지체된 경우로, 원인이 되는 기저질환에 의해 발생하는 경우가 많으므로 이에 대한 확인이 필요하다.

2. 빈맥성 부정맥

심박수가 분당 100회 이상으로 빠른 경우를 빈맥(tachycardia)이라 한다. 생리적으로 운동, 힘든 육체노동, 정신적 흥분 등에 의해 맥박은 분당 150회 정도까지도 증가될 수 있다. 그러나 이런 원인이 없이 갑자기 발생되는 100회 이상의 맥박은 비정상적인 빈맥이라 할 수 있다.

빈맥은 크게 심실의 윗부분에서 발생되는 심실상성 빈맥과 심실에서 발생되는 심실성 빈맥으로 나눈다.

1) 심실상성 빈맥(supra-ventricular tachycardia)

(1) 동성 빈맥(sinus tachycardia)

운동이나 긴장, 흥분 등에 의해 정상적으로 나타나는 빈맥이다.

(2) 접합부 빈맥(junctional tachycardia)

심방-심실 접합부에서 자동능(automaticity)이 나타날 때, 즉 비정상적인 페이스메이커에서 전기적 자극이 발생한다.

(3) 방실결절 회귀성 빈맥(atrioventricular nodal reentry tachycardia)

방실결절 내에 기능적인 차이로 인해 전기흐름이 작은 회로를 형성하여 일으키는 빈맥이다.

(4) 방실 회귀성 빈맥(atrioventricular reenty tachycardia)

방실결절 내가 아닌 다른 곳에 심방과 심실을 연결하는 부회로가 있어, 이 부회로와 방실결절 간에 회로가 형성되어 발생되는 빈맥이다.

(5) WPW 증후군(Wolff-Parkinson-White syndrom)

동방결절에서 발생된 전기파는 방실결절을 통해 심실로 전달되어야 하나, WPW증후군에서는 비정상적인 전기회로(부회로)가 선천적으로 존재하여 심방과 심실사이를 바로 연결하고 있다. 따라서 동방결절에서 발생된 전기파는 방실결절을 거쳐 심실로 전달되기 전에 부회로에 의해 심실에 먼저 도착하게 된다.

증상이 없는 경우도 많지만 증상이 나타날 경우 혈역학적으로 심각한 경우가 많으므로, 건강검진에서 우연히 발견될 경우 위험성에 대해 설명해주고 내과진료를 받도록 해야 한다.

(6) 심방성 빈맥(atrial tachycardia)

심방의 근육에서 자동능이 항진되어 생기는 빈맥이다.

(7) 심방 조동(atrial flutter)

심방 내에서 큰 회로가 발생되어 생기는 빈맥이다.

(8) 심방 세동(atrial fibrillation)

심방 전체가 균일하게 수축하지 않고 심방의 각 부분이 무질서하고 가늘게 떨고 있는 상태이다. 고혈압, 심장판막 질환, 심부전증 등 좌심방에 비정상적인 부하가 가해지는 질환, 갑상선 기능항진증 등에서 나타나며, 원인질환 없이도 나타날 수도 있다.

발작적으로 심방 세동이 발생되면 가슴이 두근거리거나 답답하고, 어지럽고, 숨이 차는 증상이 있을 수 있다. 하지만 대부분의 만성적인 심방 세동을 가진 환자들에선 증상이 없는 경우가 많다. 이 경우 부정맥 자체에 의한 증상보다는 뇌경색의 발생가능성이 높아지게 된다.

심방 세동이 있으면 심방의 수축이 이루어지지 않으므로 심방 내에 혈액이 저류된다. 그 결과 혈전이 생성되어 그 혈전의 일부가 떨어져 나가 뇌 동맥이 막히면서 뇌경색이 발생할 가능성이 높아진다.

심방 세동의 치료법으로는 다음과 같은 방법이 있다.

① 전기 충격, 항부정맥 약제 : 정상리듬으로 전환시킨다.

② 항응고 요법 : 혈전, 색전 및 뇌경색 발생을 예방한다. 아스피린, 와파린 등을 사용한다.

③ 전극도자절제술(radiofrequency catheter ablation) : 약물 치료에 효과가 없는 비교적 나이가 적은 환자에서 사용된다.

2) 심실성 빈맥(ventricular tachycardia)

동방결절대신 심실에서 발생하는 전기 신호에 의하여 심실수축이 유발된다. 심장이 너무 빨리 박동하여 심장이 충분한 혈액으로 채워지지 않아 몸으로 순환하는 혈액이 부족하게 되는 초응급 상황이다. 심장마사지 및 전기충격을 시행해야 한다.

3) 심실 세동(ventricular fibrillation)

심장의 수축 없이 심실이 가늘게 떨고 있는 상황으로 즉각적인 치료가 없으면 바로 사망하는 응급상태이다.

허혈성 심장질환(ischemic heart disease)

심장 자체에 혈액을 공급하는 관상동맥이 좁아지거나 또는 일부분이 막혀서 발생하는 초응급 질환이다. 협심증과 심근경색이 대표적이다. 대부분 증상이 급하게 발생되어 응급실을 찾게 되는 질환이므로 건강검진센터에서 새로 발견되는 경우는 보기 힘들다.

1. 협심증(angina pectoris)

관상동맥의 일부분이 동맥경화 등의 원인으로 좁아지는 질환이다.

2. 심근경색(myocardial infarction)

관상동맥의 일부분이 혈전에 의해 막혀서 심장근육의 일부에 혈액공급이 중단되는 질환이다.

09 동맥경화검사

목표질환 : 동맥경화증

동맥경화검사는 혈압을 측정할 때처럼 양쪽 상지와 하지에 각각 압박대(cuff)를 감고 상지와 하지의 맥파속도 및 동맥혈압의 차이를 측정하여, 동맥경화와 동맥협착의 정도를 판단하여 동맥경화증을 조기에 진단하는 검사이다.

죽상동맥경화증은 죽상경화증과 동맥경화증을 합친 표현으로, 죽상동맥경화증을 흔히 줄여서 동맥경화증이라고 부르기도 한다. 심장, 뇌, 창자와 같이 생명에 중요한 장기에 대한 혈액공급에 장애가 있을 정도로 동맥이 좁아진 상태이다. 죽상동맥경화증은 보통 장기로 가는 혈액공급이 감소될 때까지는 어떠한 증상도 일으키지 않고 수십 년에 걸쳐 악화가 지속되는 장기적인 질병이다.

동맥을 이루는 벽은 세 가지 층으로 이루어져 있다. 이 세 층은 바깥부터 외막, 중막, 그리고 내막이라고 한다. 죽상동맥경화증에 의한 혈관벽의 변화는 내막과 중막의 두 가지 변화에 기인한다.

- 죽상경화증(atherosclerosis)
  마치 대나무의 내부처럼 동맥의 변화가 동맥 전체에 생기지 않고 부분 부분에 생기는 것으로, 동맥의 벽을 이루는 세 층 중에서 맨 안쪽에 있는 내막에 변화가 일어난 것이다. 동맥의 내막에 지방과 세포의 덩어리인 죽종(atheroma)이 생겨 혈관 내경이 좁아지므로 혈액의 흐름이 방해된다. 따라서 심장, 뇌, 창자 등에 혈액이 부족한 증상이 나타난다.
- 동맥경화증(arteriosclerosis)
  동맥 전체에 일정하게 변화가 생기는 것으로, 동맥벽의 세 층 중에서 중막에 변화가 일어나 섬유화가 진행되고 혈관의 탄력성이 떨어진 것이다. 그 결과 수축기 혈압이 올라가고 결국 심장의 근육이 커지고 두터워지는 심근비대가 일어난다.

죽상경화증을 일으키는데 가장 중요한 것은 고콜레스테롤혈증이며, 동맥경화증을 일으키는데 가장 중요한 역할을 하는 것은 고혈압과 노화현상이다.

[검사의 순서 및 주의사항]

1. 검사 전 금식은 필요 없다. 단, 검사 전 약 3시간 동안은 음식물이나 커피는 금한다.
2. 검사 전에 몸에 착용하고 있는 금속물질이나 장신구를 제거한다.
3. 5분 이상 누운 자세에서 안정을 취한 후 검사를 시작한다.
4. 심전도(ECG)를 측정하기 위해 양쪽 손목에 심전도 전극을 부착한다.
5. 심음도(PCG)를 측정하기 위해 흉골의 왼쪽 가장자리 제2 늑간에 동그란 마이크로폰을 올려놓는다.
6. 사지의 혈압과 맥파를 측정하기 위해서 양쪽 상완동맥과 후경골동맥의 위치에 센서가 내장된 압박대(cuff)를 감는다.
7. 상완 압박대를 감을 때 맨살이나 얇은 옷 위에 감을 수는 있으나, 두꺼운 옷이나 옷을 걷어 올린 채 감으면 안 된다. 이때 상완에서 상완동맥의 맥박이 강하게 촉지되는 부위와 압박대의 주황색선이 일치되도록 압박대를 감는다.
8. 발목 압박대를 감을 때, 발목 안쪽의 복숭아뼈 위쪽 1-2 cm에서 후경골동맥의 맥박이 강하게 촉지되는 부위와 압박대의 하늘색선이 일치되도록 압박대를 감는다.
9. 심전도와 심음도의 기록이 안정된 상태임을 확인한 후, 약 2분 내외의 시간 동안 지속해서 사지의 혈압과 맥파를 측정한다.
10. 총 검사 시간은 약 10분 정도 소요된다.

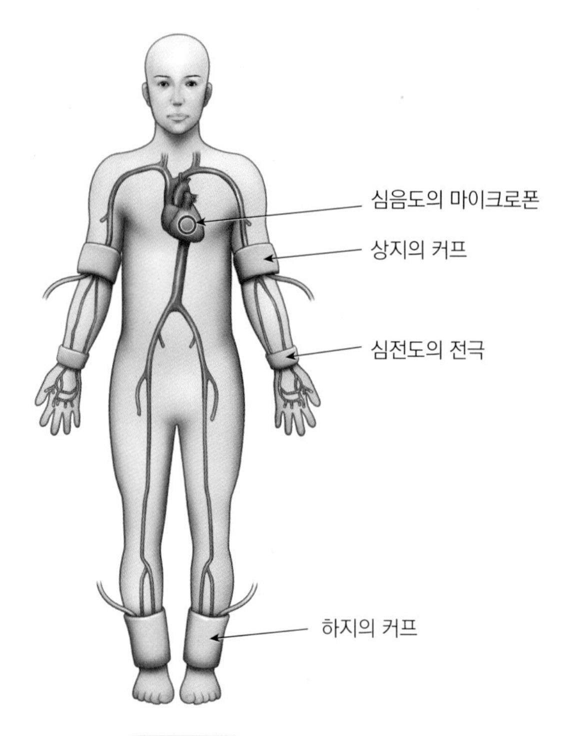

그림 2-21 동맥경화 검사의 방법

동맥경화검사는 두 가지로 시행되는데, 동맥경화도검사와 동맥협착도검사이다.

1. 동맥경화도 검사

혈관이 각종 위험인자들의 영향을 받아 손상을 받게 되면 혈관의 경화(sclerosis) 정도는 점점 높아지게 된다. 즉, 혈관경화도는 혈관손상이 심한 정도를 반영한다고 볼 수 있다. 혈관경화도 검사는 혈관손상의 위험이 높아 적극적인 개입이 필요한 무증상 혈관손상을 인지하는 수단으로 이용될 수 있다. 그러므로 고혈압, 당뇨병, 고지혈증이 있는 환자에서 조기에 동맥경화증의 상태를 평가하기 위해 동맥경화도 검사를 권장하고 있다. 또한 동맥경화도 검사 결과는 연령과 깊은 관계가 있어서 혈관의 노화도 및 혈관 나이를 평가할 수 있다.

동맥경화도 검사는 맥파속도(pulse wave velocity, PWV)로 동맥의 경화 정도를 측정한다. 맥파의 전파속도가 빠를수록 혈관의 경화도는 증가되어 있고, 혈관의 탄성도는 감소되어 있는 것으로 간주한다. 동맥경화도 검사를 하는 목적은 심혈관의 총위험부담을 정량화하여 향후 심혈관질환의 위험도를 평가하는 지표로서 활용하는 것이므로, 동맥경화도 검사의 결과를 근거로 10년 이내 뇌졸중과 관상동맥질환의 발병률을 평가할 수 있다.

심음도에서 측정된 제2심음(심실확장기의 시작 직후에 대동맥 판막과 폐동맥 판막이 닫히면서 생기는 심음)을 기준으로, 양측 상지에 있는 상완동맥과 하지에 있는 후경골동맥에서 맥파전파시간(pulse transit time, PTT)을 측정한 후, 이 두 동맥의 맥파전파시간의 차이를 구한다. 혈관의 길이는 키에 따라 변하므로 수검자의 키를 근거로 내장된 공식을 이용해 자동산출된 혈관의 길이를 구한다. 상완에서 발목까지 혈관의 길이는 “0.5934 × 키(cm) + 14.4014” 의 공식으로 구해진다.

동맥경화도에 해당되는 맥파속도(PWV)는 맥파가 진행된 혈관의 길이를 맥파전파시간의 차이로 나누어 구할 수 있다.

동맥경화도 검사 : 맥파속도(pulse wave velocity, PWV)
PWV = 혈관의 길이 / 맥파전파시간(PTT)의 차이

[PWV의 해석]

1400 cm/sec 이하 : 정상

1400-1600 cm/sec : 가벼운 정도의 동맥경화

(비만, 흡연, 운동부족, 스트레스 등의 생활습관과 고령이 이에 해당된다.)

1600-2100 cm/sec : 중간 정도의 동맥경화

(동맥경화증의 원인이 되는 고혈압, 당뇨병, 고지혈증 등에 대한 치료가 필요하다.)

2100 cm/sec 이상 : 심한 정도의 동맥경화

2. 동맥협착도 검사

동맥협착도 검사는 발목-상완 지수(ankle-brachial index, ABI)로 동맥의 협착(stenosis) 정도를 측정한다. 발목에서 측정한 혈압과 상완에서 측정한 혈압의 차이를 비교하여 동맥의 협착 정도를 알 수 있다.

동맥협착도 검사 : 발목-상완 지수(ankle-brachial index, ABI)
ABI = 발목 수축기혈압 / 상완 수축기혈압

[ABI의 해석]

0.9 초과 : 정상

0.9 이하 : 동맥폐색을 의심한다.

0.8 이하 : 동맥폐색의 가능성이 있다.

0.5-0.8 : 1곳의 동맥폐색이 있다.

0.5 미만 : 여러 곳의 동맥폐색이 있다.

ABI가 0.9 이하이면 증상의 유무에 관계없이 말초동맥질환인 폐색성 동맥경화증를 의심하고, 심혈관질환에 의한 사망률이 3-6배 증가한다. 하지통증을 호소하는 환자에서 ABI 검사를 하면, 환자의 약 50%에서 하지혈관의 동맥경화가 진행되고 있는 것으로 나타난다.

ABI검사는 민감도와 특이도가 높지만, 고령의 환자, 만성신부전 또는 당뇨병을 가진 환자에서는 동맥이 석회화되기 때문에 위음성을 보일 수 있다.

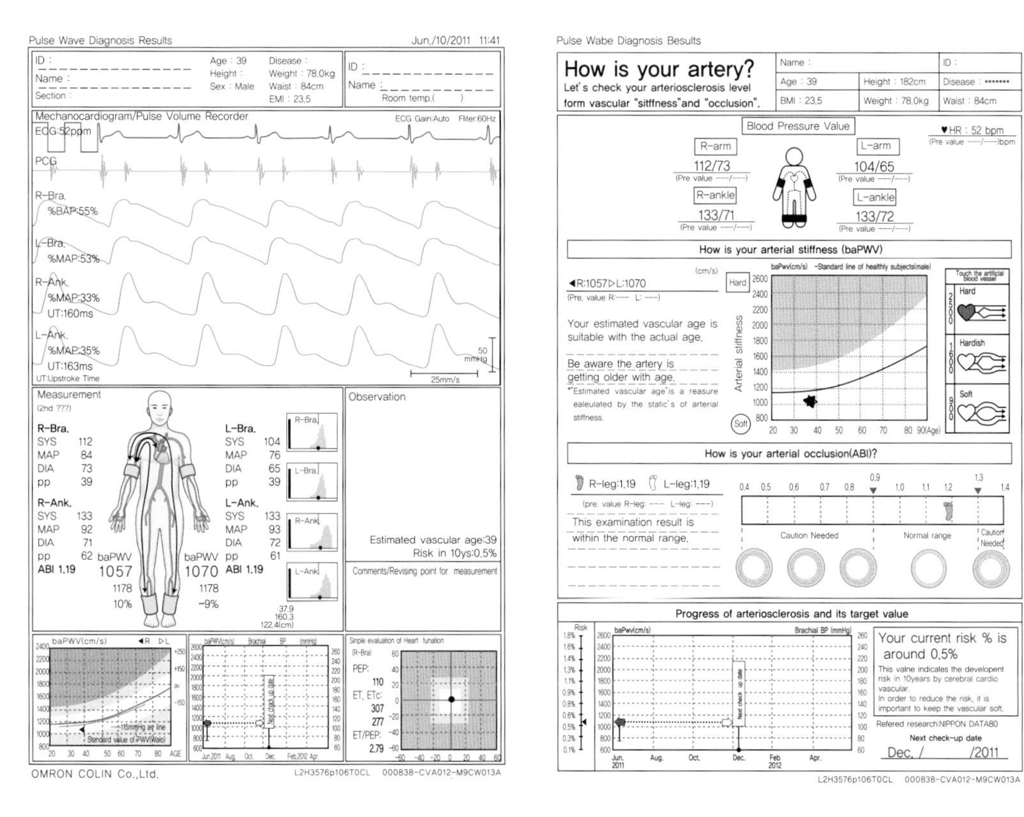

그림 2-22 동맥경화 검사

동맥경화증(arteriosclerosis)

동맥경화는 노화현상의 하나로 나이를 먹으면 누구나 자연히 진행되지만, 현대인은 육식을 주로 하는 식생활, 흡연, 과도한 음주, 운동부족, 비만, 스트레스 등으로 인해 동맥경화현상이 더 일찍 더 빠르게 진행하여 심각한 합병증을 초래한다. 현재 우리나라에서도 동맥경화와 관련된 심혈관계 합병증이 급속도로 증가하고 있다.

1. 동맥경화증의 위험인자

노인, 남자, 심장질환 돌연사의 가족력, 흡연, 복부비만, 고혈압, 당뇨병, 고지혈증(높은 LDL콜레스테롤, 낮은 HDL콜레스테롤) 등이다.

2. 동맥경화증의 증상

동맥경화에 의해 혈관의 내강이 좁아지면 관련된 여러 장기로의 혈액공급이 감소하지만 어느 정도까지는 불편한 증상이 나타나지 않는다. 그러다 어느 한계 이상으로 좁아지면 비로소 그 말초에 혈액순환의 장애가 일어나서 증상이 나타나게 된다.

주로 머리가 무겁거나 아프고, 어지럽기도 하고, 잠을 잘 못자거나, 쉽게 피로해지고, 발이 아프거나, 걸으면 다리를 절기도 한다.

3. 동맥경화증의 합병증

동맥은 전신에 분포되어 있으므로 동맥경화증의 합병증은 전신에 나타날 수 있다. 특히 다음과 같은 경우가 임상적으로 중요하다.

1) 심장으로 가는 혈관이 좁아지면 허혈성 심장질환(협심증, 심근경색)이 발생한다.
2) 뇌로 가는 혈관이 좁아지면 일과성 뇌허혈 발작, 뇌졸중(뇌경색, 뇌출혈)이 발생한다.
3) 눈으로 가는 혈관이 좁아지면 시력감소, 실명이 발생한다.
4) 신장으로 가는 혈관이 좁아지면 고혈압, 신부전이 발생한다.
5) 다리로 가는 혈관이 좁아지면 간헐적 파행증, 하지괴사가 발생한다.

폐색성 동맥경화증(arteriosclerosis obliterans)

동맥경화증에 의하여 말초동맥이 점차로 좁아지다가 결국 혈류가 폐색되어 이 동맥에 의해 혈액을 공급받는 조직에 허혈이 발생하는 질환이다.

가장 특징적으로 나타나는 증상은 간헐적 파행증(intermittent claudication)이다. 일정한 거리를 걷는 등의 운동을 하면 근육의 통증 때문에 운동을 멈추게 되고, 안정을 취하면 통증이 사라진다. 하지만 다시 같은 양의 운동을 반복하면 통증이 다시 시작된다. 휴식 상태에서는 충분한 혈액이 공급되지만, 걷기 등의 운동을 하면 근육에 혈액공급이 부족해져 통증, 경련, 감각이상, 피로 등이 발생하기 때문이다.

이러한 증상은 좁아진 병소의 위치에 따라 다르게 나타난다. 대동맥과 장골동맥에 발생하면 둔부나 대퇴부에서, 대퇴동맥 부위에 발생하면 장딴지에서, 더 아래쪽의 혈관에 발생하면 발목이나 발에 증상이 나타난다.

질병이 진행됨에 따라 안정을 취하고 있을 때에도 통증이 있어서 저리거나 화끈거리기도 하고, 통증으로 인해 수면 중에도 깨어날 수 있다. 최종적으로 폐색된 곳 이하의 부위에서는 혈관의 맥박을 느낄 수 없고, 발이 차고, 청색증 등이 나타난다. 폐색이 심해지면 하지에 궤양이나 괴사가 발생해 다리를 절단할 수도 있다. 폐색성 동맥경화증의 75%는 허혈성 심장질환이나 뇌혈관의 동맥경화를 함께 합병하고 있다.

치료는 고혈압, 당뇨병, 고지혈증 등을 철저하게 관리하고, 하루에 30-45분 가볍게 걷는 것이 좋다. 증세가 악화되거나 안정을 취할 때에도 통증이 있는 경우에는 경피적 풍선혈관성형술, 스텐트 삽입술, 혈관우회수술 등의 혈관재관류 수술을 고려한다.

고맙습니다. 건강검진 동맥경화검사

저는 55세 남자입니다. 매년 종합검진을 해왔고, 검사결과에 특별한 문제가 없었기 때문에 이번에도 의례적으로 검진에 임했습니다. 올해는 전에 해보지 않았던 동맥경화검사를 추가로 해봤습니다.

평소 하루에 2갑 정도 흡연을 하고, 고혈압, 당뇨병, 고지혈증 등은 없었습니다. 수년 전부터 걸으면 다리가 불편해져서 잠시 쉬었다가 걸어야 했고 최근에는 휴식 시에도 다리에 통증이 약간 있었지만, 운동을 안 해서 그런 거겠지 하고 대수롭지 않게 생각하고 지냈습니다.

동맥경화검사에서 발목-상완지수가 0.63이 나와 폐색성 동맥경화증이 의심된다며 정밀검사를 권유받았습니다. 정상치는 0.9 이상이어야 한다고 했습니다.

걱정스런 마음으로 혈관MDCT 검사를 했습니다. 검사 결과 외장골동맥의 혈관이 매우 좁아진 것으로 나왔습니다. 이대로 방치했으면 심각한 합병증이 올 수 있는 위험한 상황이었다고 합니다.

수술을 무사히 마치고 현재는 의사선생님의 권유에 따라 금연, 규칙적인 운동, 올바른 식습관을 유지하면서 건강한 혈관을 유지하기 위해 즐겁고 긍정적인 마음으로 생활하려고 노력하고 있습니다. 이렇게 무서운 질병을 조기에 찾아준 종합검진이 고맙습니다.

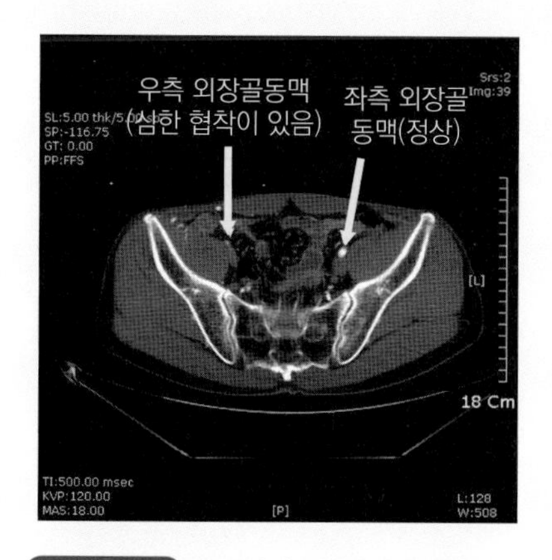

그림 2-23 CT 영상 - 외장골 동맥의 협착

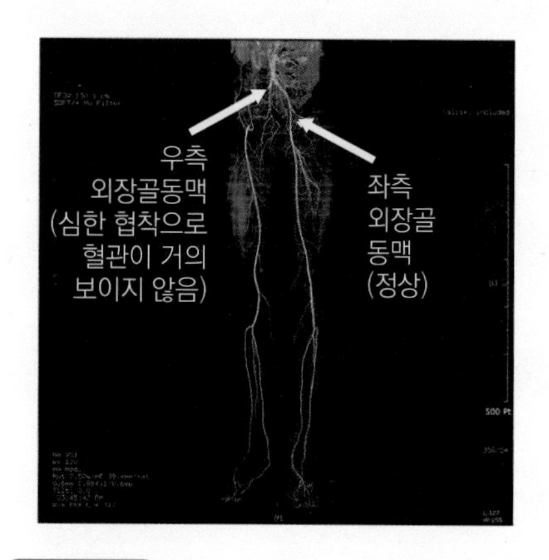

그림 2-24 MDCT 영상 - 외장골 동맥의 협착

10 폐기능검사
Pulmonary Function Test, PFT

목표질환 : 폐기능 장애(제한성, 폐쇄성, 혼합성)

폐의 호흡기능은 환기, 확산, 관류 등 3단계로 구분되며 각각의 기능을 측정하는 방법이 있지만, 건강검진에서는 주로 환기 기능에 대한 검사를 시행한다. 그러므로 폐기능검사라고 하면 환기기능검사를 의미한다. 폐기능검사는 호흡되는 공기의 양과 속도를 폐활량계(spirometer)를 이용해서 측정한 후, 수검자의 호흡능력 특히 폐의 환기기능이 얼마나 적절하게 잘 이루어지는지를 측정하는 검사이다.

폐기능검사를 시행하는 목적은 다음과 같다.

- 방사선 검사에 정상소견을 보이는 호흡기질환의 진단(기관지천식 등)
- 호흡기 질환이 가벼운지 심한지에 대한 정도 판정
- 수술 전에 폐기능 상태가 수술 및 마취에 견딜 수 있는지에 대한 평가
- 치료 효과의 판정
- 직업성 폐질환 등에서 장애의 정도에 대한 객관적인 평가

폐의 구조

폐는 가슴의 좌우 양쪽에 2개가 있고, 그 가운데에 심장이 있다. 코와 입을 통해 들어온 공기는 기관(trachea)을 거쳐, 좌우 양쪽의 기관지(bronchus)로 분지되어 각각 양쪽의 폐로 들어간다. 폐 내부로 들어온 각각의 기관지는 15-16번의 분지를 반복한 후 종말세기관지(terminal bronchiole)로 되어 폐포(alveoli)와 연결된다.

폐포의 벽에는 모세혈관이 밀접하게 분포하고 있다. 폐포와 모세혈관 사이에 존재하는 공간을 간질(interstitium)이라고 하는데, 이곳의 두께는 0.5 μm로 매우 얇다. 이 간질을 통해 폐포와 모세혈관 사이에 산소를 공급하고 이산화탄소를 배출하는 가스교환이 이루어진다.

폐를 둘러싸고 있는 막을 흉막(또는 늑막, pleura)이라고 한다. 폐의 아래는 횡격막에 접해 있고, 앞에서 뒤까지는 흉골, 늑골, 늑연골, 늑간근육, 흉추로 구성된 흉곽으로 쌓여있다.

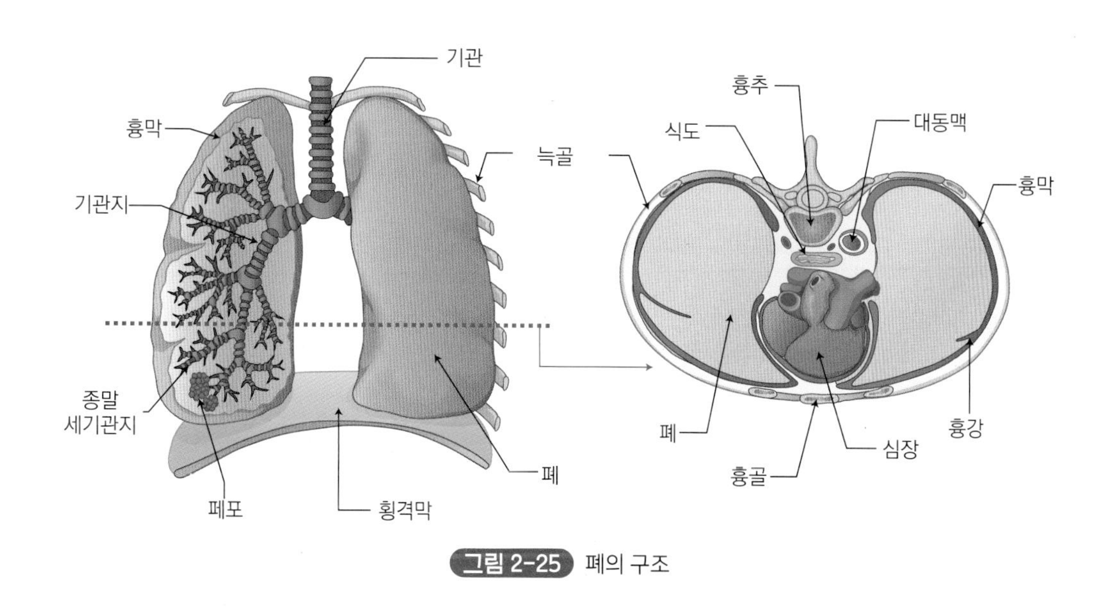

그림 2-25 폐의 구조

폐의 호흡과정

폐의 기본적인 기능은 호흡(respiration)이다. 세포의 대사과정에서 생성된 이산화탄소를 혈액에서 체외로 배출시키고, 세포의 대사과정에 필요한 산소를 흡입하여 폐에서 혈액으로 보낸다.

폐는 숨을 내쉴 때 수축되고 숨을 들이마실 때 팽창되어야한다. 하지만 폐는 스스로 수축과 팽창을 하지 못하므로 폐 주변에 있는 늑골과 횡격막의 운동에 의해 공간이 넓어졌다 좁아졌다 하면서 폐의 수축과 팽창이 이루어진다.

숨을 들이마실 때는 횡격막은 아래로 내려가고, 이에 맞춰 흉골 하단이 올라가며, 각 늑골들은 좌우로 벌어져 공간이 넓어지므로 폐가 부풀어 공기가 폐 속으로 들어간다.

폐와 흉곽은 탄력성을 가지고 있어서 흡기에 의해 확장된 상태에서 다시 평형상태로 전환되려는 특징으로 인해 호기가 일어난다. 숨을 내쉴 때는 횡격막이 위로 올라가고, 흉골 하단이 아래로 내려가며, 각 늑골들은 아래로 처져 공간이 좁아지므로 폐가 오그라들어 공기가 폐 밖으로 나간다.

폐의 호흡과정은 3단계로 구분된다.

① 환기(ventilation)

외부의 공기를 기도를 통해 폐포까지 들여보내는 흡기(inspiration)와 폐 내부의 공기를 폐 밖으로 내보내는 호기(expiration)과정이다. 환기기능검사는 폐에서 공기를 출입시키는 능력을 측정한다.

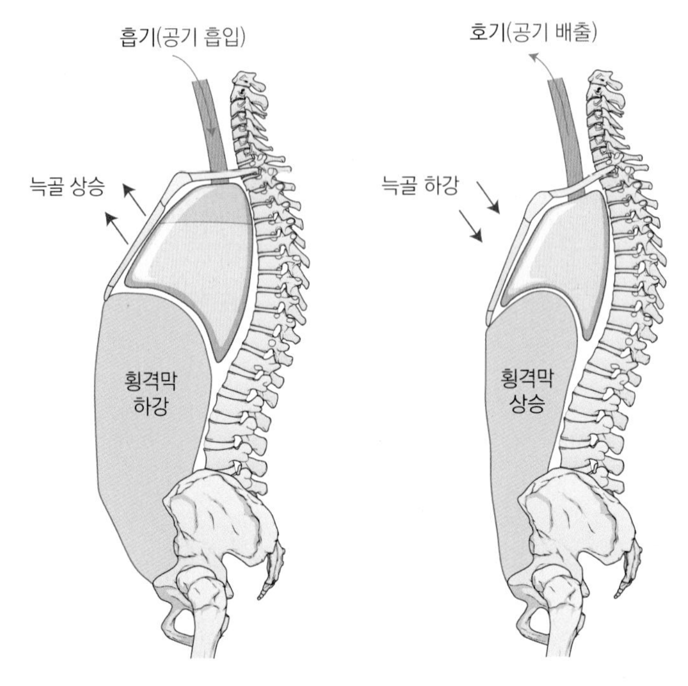

그림 2-26 흡기와 호기의 비교

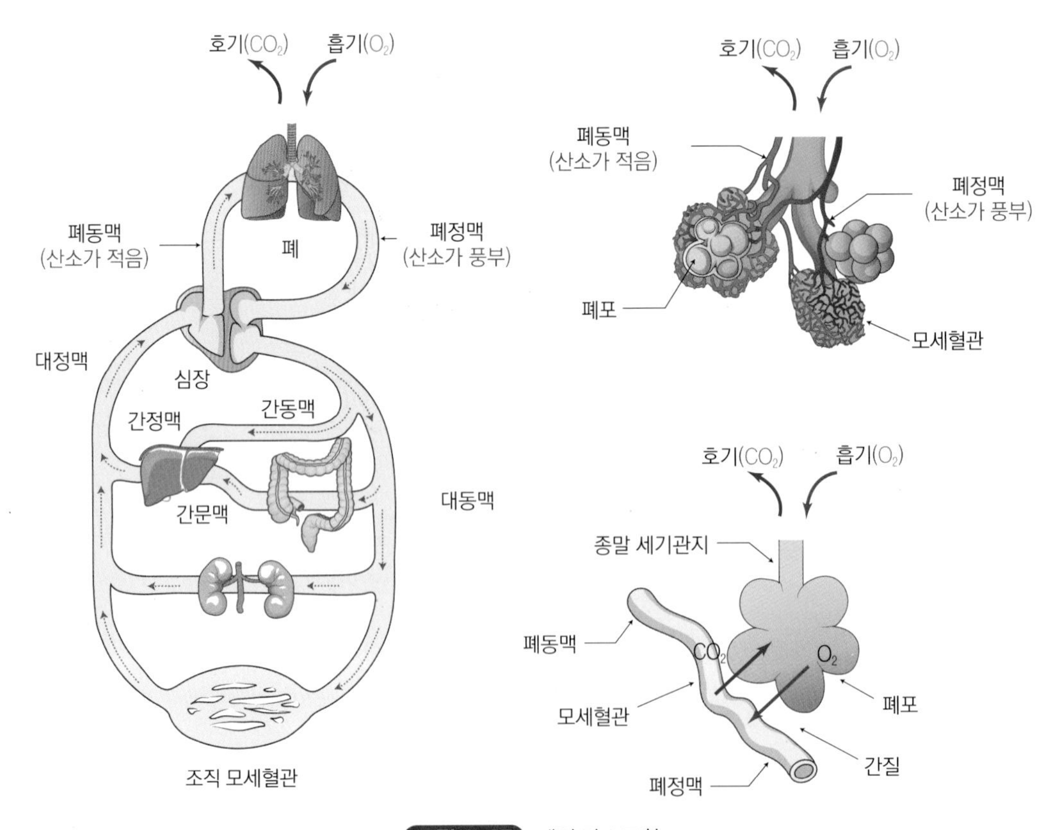

그림 2-27 폐의 가스교환

② 확산(diffusion)

폐포막과 모세혈관막 사이에서 상대적으로 분압이 높은 쪽에서 낮은 쪽으로 산소와 이산화탄소의 가스교환이 일어난다. 확산기능검사는 동맥혈의 혈액가스를 검사한다.

③ 관류(perfusion)

폐포벽의 모세혈관에 혈액이 공급되는 과정이다. 관류기능검사는 심장카테터를 이용해서 심방, 심실내의 혈액산소 함유량을 측정한다.

건강검진에서의 폐기능검사는 폐활량을 측정하는 환기기능검사가 주로 시행되고 있다.

[폐기능검사의 시행]

폐기능검사는 먼저 정적 폐용적을 측정하고, 다음으로 기류속도를 측정하는 2단계 검사를 진행한 후에 결과를 판정한다.

1. 정적 폐용적(static lung volume)을 측정하는 검사

폐용적은 폐 안에 있는 가스의 양을 측정하는 것이다. 폐활량계를 이용하여 수검자가 평상시의 보통 호흡(tidal volume)을 하다가 숨을 최대한도로 끝까지 들이마신 후, 시간에 관계없이 가능한 만큼 끝까지 천천히 내쉬고 다시 보통 호흡으로 돌아오는 과정에서 폐용적을 구할 수 있다. 수검자가 내쉰 공기량을 기록지의 수직축에, 시간은 수평축에 기록하여 그래프를 얻는다.

폐용적은 4가지 용적과, 이들의 조합으로 이루어진 4가지 용량으로 분류한다.

4가지 용적(volume)

- 평상 호흡기량(1회 호흡량, tidal volume, TV)
- 흡기 예비량(inspiratory reserve volume, IRV)
- 호기 예비량(expiratory reserve volume, ERV)
- 잔기량(residual volume, RV)

4가지 용량(capacity)

- 흡기용량(inspiratory capacity, IC)
- 폐활량(vital capacity, VC)

- 기능적 잔기 용량(functional residual capacity, FRC)
- 총 폐용량(total lung capacity, TLC)

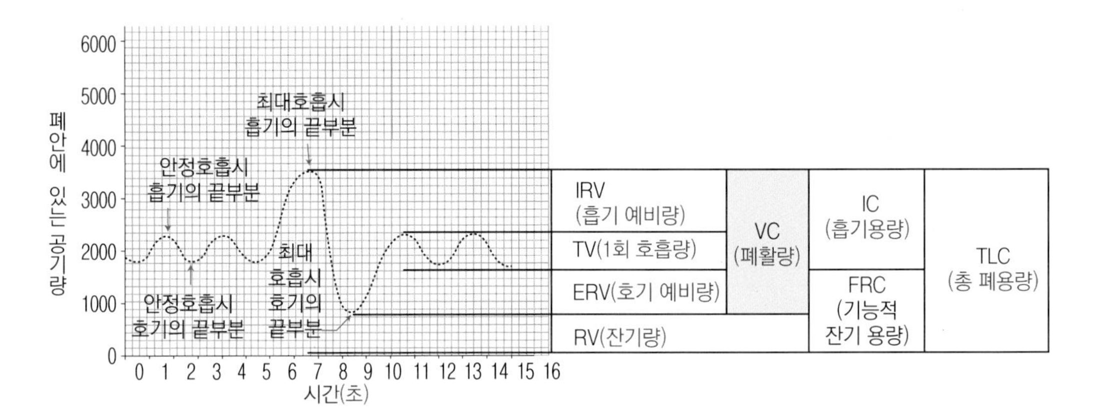

그림 2-28 폐용적과 폐활량 곡선

폐용적의 분류

- 1회 호흡량(평상 호흡기량, tidal volume, TV)

  안정 호흡상태에서 1회 호흡운동으로 폐로 흡입되거나 배출되는 공기량. 정상치 기준은 500 ml 정도이다.

- 흡기 예비량(inspiratory reserve volume, IRV)

  안정 호흡상태에서 1회 호흡량을 흡입한 후에 다시 최대로 흡입할 수 있는 공기량. 정상치 기준은 3,100 ml 정도이다.

- 호기 예비량(expiratory reserve volume, ERV)

  안정 호흡상태에서 1회 호흡량을 배출한 후에 다시 최대로 배출할 수 있는 공기량. 정상치 기준은 1,200 ml 정도이다.

- 잔기량(residual volume, RV)

  숨을 최대로 배출한 후에도 폐에 남아있는 공기량. 정상치 기준은 1,200 ml 정도이다.

- 흡기용량(inspiratory capacity, IC)

  안정 호흡상태에서 최대로 흡입할 수 있는 공기량. 흡기 예비량과 1회 호흡량을 합한 용적(IC = IRV + TV)

- 폐활량(vital capacity, VC)

  숨을 최대로 흡입한 후에 최대로 배출할 수 있는 총공기량. 흡기 예비량, 1회 호흡량, 호기 예비량을 모두 합한 용적(VC = IRV + TV + ERV)
- 기능적 잔기 용량(functional residual capacity, FRC)

  안정 호흡상태에서 배출한 후에 폐에 남아있는 공기량. 호기 예비량과 잔기량을 합한 용적(FRC = ERV + RV)
- 총 폐용량(total lung capacity, TLC)

  숨을 최대로 흡입했을 때 폐에 들어있는 공기량. 폐활량(흡기 예비량 + 1회 호흡량+ 호기 예비량)과 잔기량을 모두 합한 용적(TLC = IRV + TV + ERV + RV)

2. 기류속도(air flow rate)를 측정하는 검사

수검자가 숨을 최대한 빠르게 숨을 들이마신 후 최대한 빠르고 세게 숨을 내쉬게 하여 최대 노력성 호기곡선(maximal effort expiratory spirogram)을 측정한다. 용적-시간 곡선(volume-time curve), 유량-용적 곡선(flow-volume curve) 등으로 분석한다.

이 검사는 노력의존성 검사로 수검자의 적극적인 협조와 노력 여하에 따라 정확도가 결정되므로, 적절한 검사결과를 얻기 위해 수검자는 검사자의 설명을 잘 듣고 이에 따르도록 해야 한다.

이 검사 결과를 토대로 폐쇄성 폐질환과 제한성 폐질환을 감별하고 질병의 정도를 평가한다.

1) 용적-시간 곡선(volume-time curve)

노력성 폐활량을 측정할 때 수검자가 숨을 최대한도로 빠르게 숨을 들이마신 후 최대한 빠르고 세게 숨을 내쉬게 하여 수검자가 내쉰 용적(공기의 양)을 기록지의 수직축에, 시간을 수평축에 기록하여 시간변화에 따른 용적의 변화를 나타낸다.

노력성 폐활량(FVC), 1초간 노력성 호기량(FEV1), 노력성 호기 중간유량(FEF25-75%) 등의 지표를 구할 수 있다.

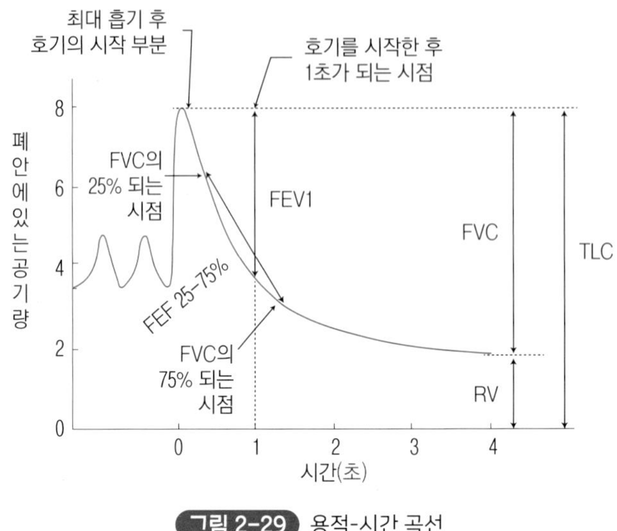

그림 2-29 용적-시간 곡선

(1) 노력성 폐활량(forced vital capacity, FVC)

수검자로 하여금 숨을 최대로 들이 쉬게 한 다음 최대의 노력으로 숨을 끝까지 내쉬게 했을 때 내쉰 공기의 총량이며, L로 표기한다. 노력성 폐활량은 흡기 예비량, 1회 호흡량, 호기 예비량을 합친 것이다(FVC = IRV + TV + ERV).

정상 성인의 폐활량은 남자 4.8 L 이상, 여자 3.2 L 이상이다. 10세 후반에서 20세 초반까지 증가하고, 그 이후에 35세에서 40세까지 유지되다가, 이후 매년 25-30 ml 씩 감소된다.

(2) 1초간 노력성 호기량(forced expiratory volume at one second, FEV1)

수검자로 하여금 숨을 최대로 들이 쉬게 한 다음 최대의 노력으로 숨을 끝까지 내쉬게 했을 때 첫 1초 내에 내쉰 공기의 양으로, L로 표기한다. 즉 FEV1은 첫 1초간 얼마나 빨리 숨을 내쉴 수 있느냐를 보는 지표이다. 첫 1초간 2 L를 내쉬었다면 FEV1은 2 L로 기록된다.

정상은 남자 3.0 L 이상, 여자 2.0 L 이상이다.

수검자의 노력에 따른 영향을 받으며, 이상 소견을 보이면 폐활량이 정상에 비해 감소되어 있음을 알 수 있다. 중심성 대기도 폐쇄(central large airway obstruction)가 있음을 확인할 수 있으므로 폐기능검사에서 가장 많이 사용되는 지표 중의 하나이다.

(3) 노력성 호기 중간유량(mean forced expiratory flow during the middle half of the FVC, FEF25-75%)

노력성 폐활량의 초기 및 말기의 25%를 제외한 중간 50%의 기량을 소요된 시간으로 나누어 측정된 평균 공기 속도를 말하고, L/sec로 표기한다. 수검자의 노력에 따른 영향을 별로 받지 않으며, 말초성 소기도 질환(peripheral small airway disease)의 진단에 이용되는 지표이다.

(4) 1초간 노력성 호기량의 노력성 폐활량에 대한 비(FEV1/FVC)

기도폐쇄의 유무를 확인하는 유용한 지표이며, 보통 정상인은 노력성 폐활량의 70% 이상을 첫 1초에 내쉴 수 있다. 즉 FEV1/FVC가 0.7(백분율로 표시하면 70%) 이상이 된다. 반면에 노력성 폐활량에 비교하여 첫 1초에 내쉬는 양이 70% 보다 적다면 이는 숨을 내쉴 때 기도에 장애가 있음을 시사한다.

2) 유량-용적 곡선(flow-volume curve)

노력성 폐활량을 측정할 때 수검자가 내쉰 용적(공기의 양)을 기록지의 수평축에, 유량을 수직축에 기록하여 시간경과에 따른 용적 및 유량 변화를 동시에 측정하고, 폐기능의 형태변화를 시각적으로 나타내 준다.

폐쇄성 폐질환, 상기도 폐쇄 및 소기도 질환(small airway disease)의 진단에 유용하다.

수검자가 총폐활량(TLC)에서 잔기량(RV)으로 호기하는 과정을 상부에, 잔기량에서 총폐활량으로 흡기하는 과정을 하부에 나타낸다. 호기하는 과정에서 시작하여 흡기하는 과정으로 이동할 때 시계방향으로 이동하며, (+)값은 호기를 그리고 (-)값은 흡기를 표시한다.

호기과정의 곡선의 초기부분은 노력의존 부분이고, 노력성 폐활량의 처음 1/3에 해당되는 부분으로 급경사를 이루며 정점에 달하고 그 후 서서히 감소한다. 정점 이후 잔기량(RV)까지 완만한 경사는 비노력의존 부분으로 진단적 가치가 높다.

흡기과정의 곡선은 노력의존 부분으로, 모양은 대칭이며 정점은 중간부에 위치한다. 흡기과정의 유량은 중앙부 대기도 폐쇄시 감소한다.

유량-용적 곡선을 통해 FEV1, FVC, FEF 25%, FEF 75%, 그리고 노력성 폐활량을 측정할 때 가장 빠른 시점의 호기속도에 해당되는 최고호기속도(peak expiratory flow, PEF) 등의 지표도 측정할 수 있다.

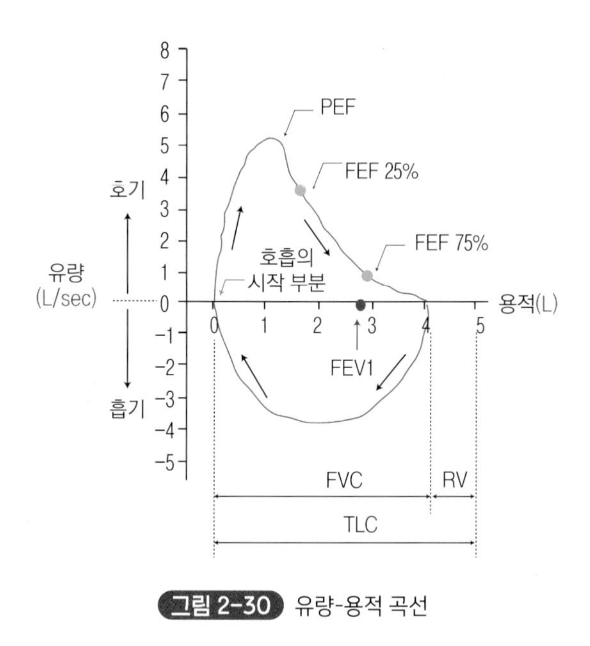

그림 2-30 유량-용적 곡선

[검사방법 및 주의사항]

1. 검사 전 준비사항

1) 감염을 예방하기 위해 정기적으로 검사기기의 소독과 멸균을 시행한다. 특히 마우스피스와 호흡관은 수검자가 공동으로 사용하지 않도록 한다.
2) 흉통, 감기, 귀의 질환, 폐렴, 기관지염 등 호흡기 감염이 있는 경우에는 증상이 없어진 후에 검사를 실시한다(특히 질병의 평가가 아니라 건강검진이 목적인 경우).
3) 가슴이나 눈, 목, 복부, 심장 등의 수술을 받은 경우에는 4주 이후에 검사를 실시한다.
4) 검사 전 4시간 이내에 음주를 피한다.
5) 검사 전 1시간 이내에 흡연을 피한다.
6) 검사 전 30분 이내에 과격한 운동을 피한다.
7) 금식을 할 필요는 없지만 식사 후 바로 검사를 하게 되면 호흡이 불편하므로 검사 2시간 전에는 과식을 하지 않도록 한다.
8) 감기약이나 천식약 등으로 기관지확장제를 복용한 경우에는 약 효과가 없어진 뒤 1시간 후에 검사를 실시한다.
9) 가능하면 흉부나 복부를 압박하지 않도록 몸에 꼭 끼는 옷(넥타이, 두터운 외투, 벨트)은 피하고, 편한 복장을 하도록 한다.
10) 틀니나 치과 보형물은 제 위치로 고정 후 검사하거나, 검사 전에 미리 빼서 보관한다.

2. 검사 방법

1) 폐활량계(spirometer)에 나이, 성별, 키, 몸무게, 인종을 입력한다. 폐활량계에는 이미 나이, 성별, 키, 몸무게, 인종들에 의해 산출된 폐기능의 정상 예측치가 정해져 있으므로, 수검자의 데이터를 입력하면 폐기능의 정상 예측치를 알 수 있다.
2) 수검자의 협조와 노력 여하에 따라 검사의 정확도가 결정되므로 적절한 검사결과를 얻기 위해 수검자는 검사자의 설명을 잘 듣고 이에 따르도록 해야 한다.
3) 폐기능검사 중에는 심호흡을 반복하게 되므로 약간의 두통이나 어지러움이 있을 수 있으므로, 만약 검사 중에 호흡곤란이 발생하거나 휴식이 필요하면 검사자에게 알리도록 한다.
4) 검사를 하기위해 밀폐된 투명한 플라스틱 박스 안으로 들어가 검사를 하는 경우도 있으며, 이 공간은 밀폐되어 있으므로 습기가 높고 내부의 온도가 높아서 더울 수 있음을 알려준다.
5) 수검자는 상체를 약간 앞으로 기울인 편안한 자세로 의자에 앉는다. 이때 턱은 약간 올리고 고개는 살짝 뒤로 젖힌다. 검사가 끝날 때까지 이 자세를 유지한다. 성인에서 서서 검사를 한 경우가 앉은 경우보다 FEV1치가 크다.
6) 코로 숨이 새지 않도록 하기 위해 코를 코집게(nose clip)로 물린 후, 입에 마우스피스를 물고 폐활량계와 연결된 파이프를 통해 오로지 입으로만 숨을 쉬게 한다. 이때 마우스피스는 이빨로 살짝 물고 입술로 꽉 조여 마우스피스 사이로 공기가 새 나가지 않아야 한다. 피리를 불듯이 입술로만 물지 않도록 한다. 혀는 마우스피스 밑에 놓아 마우스피스의 개구부를 막지 않도록 한다.
7) 가슴을 펴고 단 한 번에 숨을 최대한 빠르게 깊숙이 들이 마신 다음, 약 1초간 숨을 멈춘다. 최대한 빠르고 세게, 온 힘을 다하여 '아' 또는 '하'를 발음하는 상태로 폭발하듯이 숨을 내쉰다. 숨을 내 쉴 때 더 이상 공기가 나오지 않더라도 검사자가 그만하라고 할 때까지는 계속 숨을 내쉬도록 격려해야 한다. 보통 최소 6초 이상 내쉬어야 한다.
8) 검사자가 "그만"이라고 말하면 정상적으로 숨을 들이쉬고 내쉬면 된다. 그 전에 숨을 들이마시면 안 된다.
9) 위와 같은 과정을 최소한 3회 이상 반복 시행하여 검사의 재현성을 확인한다.
10) 검사자는 정확한 검사가 되도록 검사의 시작부터 끝까지 큰 목소리와 동작을 이용하여 수검자를 독려해야한다.

[폐기능검사의 결과 판정]

1. 정상 폐기능은 FVC, FEV1, FEV1/FVC 등 폐기능검사지표가 모두 정상인 경우를 말한다.

폐기능검사결과는 검사지표의 측정치와 함께, 정상 예측치에 대한 비율도 같이 표시된다. 폐기능은 나이, 성별, 키, 몸무게, 인종 등에 따라 달라지므로, 폐활량계에는 각 지표에 따라 산출된 폐기능의 정상 예측치를 미리 정해놓는다. 수검자의 실제 폐기능의 측정치가 표본이 되는 정상 예측치의 몇 %가 나왔느냐에 따라 호흡기계 기능의 비정상 유무를 판단하게 된다.

FVC는 정상 예측치의 80% 이상이면 정상으로 간주한다.

FEV1, FEV1/FVC는 70% 이상이면 정상으로 판정한다.

2. 폐쇄성 폐기능장애, 제한성 폐기능장애, 혼합성 폐기능장애에 대한 평가를 위해, 용적-시간 곡선에서 FVC, FEV1, FEV1/FVC 등을 살펴본다.

제한성 폐기능장애는 FVC가 감소된 것으로, 폐 자체의 손상이나 흉곽의 이상으로 폐의 용적이 감소되는 경우이다.

폐쇄성 폐기능장애는 FEV1이 감소된 것으로, 기도가 좁아져 숨을 내쉬는 것에 장애가 있는 경우이다.

혼합성 폐기능장애는 폐쇄성 폐기능 장애와 제한성 폐기능 장애가 함께 있는 상태이다.

이 검사 지표의 판정은 FEV1/FVC → FVC → FEV1 순으로 한다.

1) FEV1/FVC가 70% 이상으로 정상이고 FVC도 80% 이상으로 정상이면, 정상으로 판정한다.
2) FEV1/FVC가 70% 이상으로 정상이고 FVC가 80% 이하로 감소되어 있으면, 제한성 폐기능장애로 판정한다.
3) FEV1/FVC가 70% 이하로 감소되어 있으면 폐쇄성 폐기능장애로 판단한다. 이때 FVC가 80% 이상으로 정상이고 FEV1이 70% 이하로 감소되어 있으면, 폐쇄성 폐기능장애로 판정한다.
4) FEV1/FVC가 70% 이하로 감소되어 있고, FVC가 80% 이하로 감소되어 있으면 혼합성 폐기능장애로 판정한다. 하지만 수검자가 검사할 때 노력을 충분히 하지 않았거나, 수검자의 호흡근육이 약해진 경우에도 혼합성 폐기능장애의 소견을 보일 수 있다.

3. 위의 결과에서 이상 소견이 있을 때 다음으로 유량-용적 곡선을 확인한다.

유량-용적 곡선은 정상인에서도 개인에 따라 용적과 유량의 절대치는 다를 수 있으나 그 곡선의 형태는 비슷하므로, 폐질환을 시각적으로 진단할 수 있다. 폐기능 장애에 따른 유량-용적 곡선의 모양을 살펴보면 다음과 같다.

1) 제한성 폐기능장애가 있는 경우, 곡선의 키가 작고 폭이 좁은 형태를 보인다.
2) 폐쇄성 폐기능장애가 있는 경우, 곡선이 하방으로 급격하게 치우쳐서 상방으로 오목한 형태를 보인다.

   폐기능검사의 결과를 판정할 때, 폐기능검사가 정상이라고 해서 아무 문제가 없다는 것을 의미하지는 않는다는 점을 유의해야 한다. 실제로 흡연을 하는 만성기관지염 환자가 폐기능검사를 하면 정상으로 나오는 경우가 많고, 또한 폐에 큰 종양이 있는데도 실제 폐기능검사는 정상으로 나오기도 한다. 그러므로 이 결과 만으로 진단을 내릴 수는 없고 증상과 이학적 소견, 영상의학검사 등을 종합해서 판정해야한다.

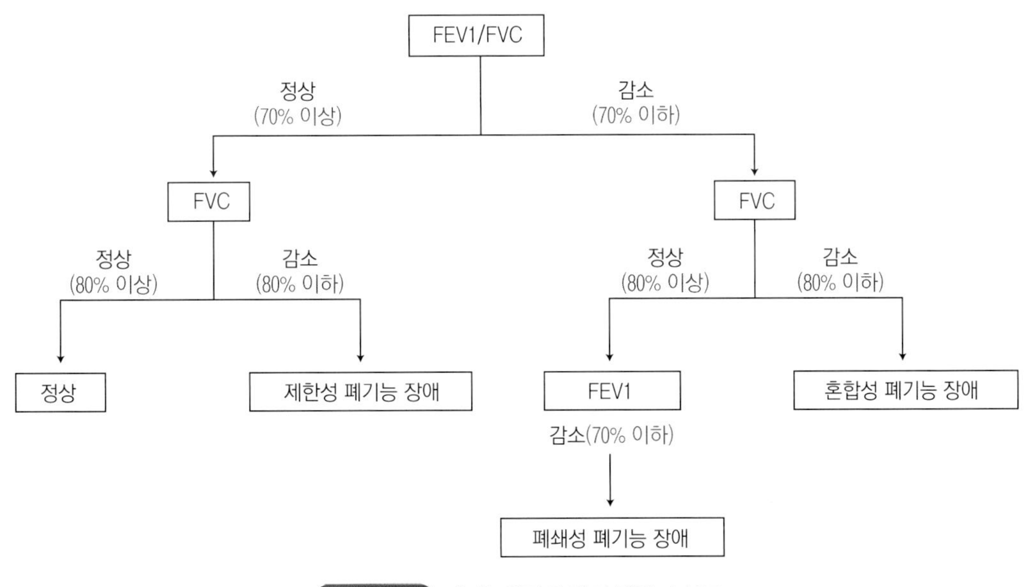

그림 2-31 폐기능검사의 결과 판정 순서도

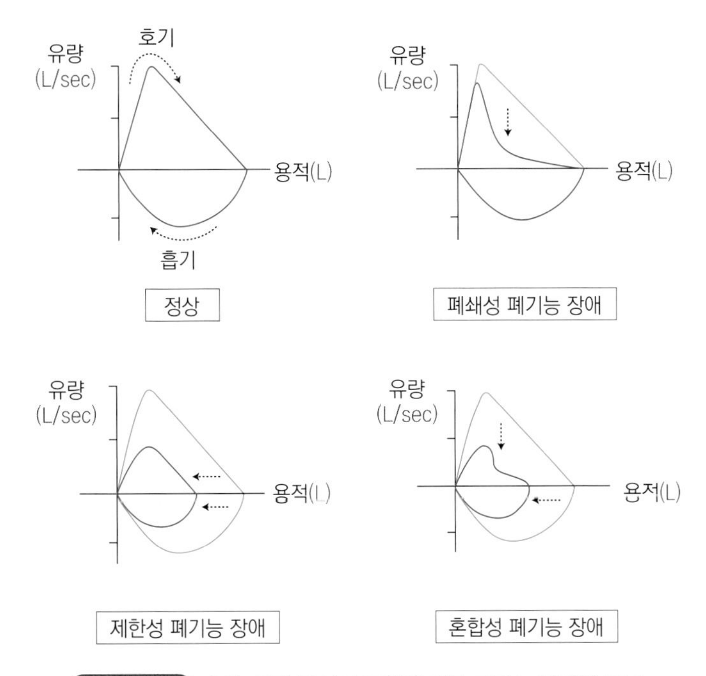

그림 2-32 유량-용적 곡선의 모양에 따른 폐기능 장애의 구분

[폐기능 감소의 정도 판정]

폐기능의 이상 소견에 관계없이 폐기능 감소의 정도를 가장 잘 나타내주는 지표는 FEV1이다. 그래서 폐기능 이상의 정도를 결정하거나 호흡기 장애판정과 관련하여 FEV1이 가장 많이 참고지표로 이용된다.

표 2-3. 폐기능 감소의 정도

FVC	FEV1	판정	대책
80% 이상	70% 이상	정상	
70-80%	60-70%	경도장해	일상생활 주의
55-70%	40-60%	중등도장해	증상이 있으면 치료
30-55%	25-40%	고도장해	반드시 치료, 관리
30% 이하	25% 이하	초고도장해	안정, 치료, 관리

폐기능 장애(pulmonary dysfunction)

폐기능 장애는 폐활량(FVC)과 1초간 노력성 호기량(FEV1)의 변동에 따라 제한성, 폐쇄성, 그리고 혼합성으로 분류한다.

1. 제한성 폐기능장애(restrictive pulmonary dysfunction)

폐의 용적이 감소되는 경우로, 폐 자체의 손상이나 흉곽의 이상으로 인해 발생한다. FVC는 80% 이하로 감소된다. FEV1은 FVC의 감소에 따라 2차적으로 다소 감소할 수 있으나 비교적 정상을 유지한다. 따라서 FEV1/FVC은 정상으로 나오거나 오히려 증가할 수도 있다.

1) 간질성 폐질환(interstitial lung disease)

폐포와 모세혈관 사이에 존재하는 간질에 염증과 섬유화가 발생하여, 폐용적이 감소하고 가스교환에 장애가 발생하는 질환이다. 특발성 폐섬유증(idiopathic pulmonary fibrosis), 진폐증 등이 있다.

2) 늑막 유착, 기흉, 흉강 삼출액 등 흉막 질환

3) 신경 및 근육 질환

4) 무기폐, 폐종양, 폐낭종 등

표 2-4. 폐활량 검사결과와 폐기능장애의 유형

판정	FVC	FEV1	FEV1/FVC
정상	정상	정상	정상
제한성 폐기능 장애	낮음	낮거나 정상	높거나 정상
폐쇄성 폐기능 장애	낮거나 정상	매우 낮음	낮음
혼합성 폐기능 장애	낮음	낮음	낮음

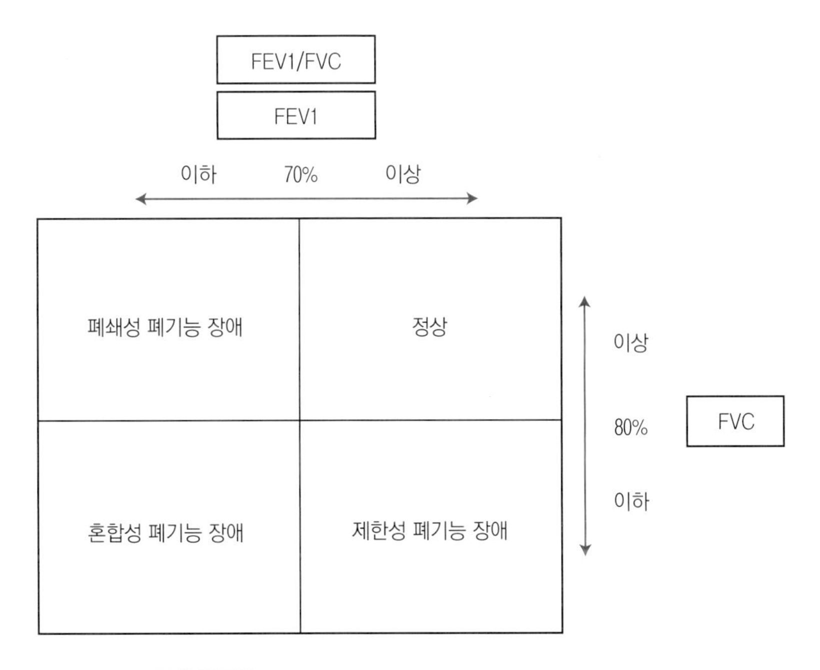

그림 2-33 폐활량 검사결과와 폐기능장애의 유형

2. 폐쇄성 폐기능 장애(obstructive pulmonary dysfunction)

기도가 좁아져 숨을 내쉬는 것에 장애가 있는 경우이다. 폐쇄성 폐기능장애가 있으면 숨을 천천히 내쉴 때보다 빠르고 세게 내쉴 때 더 잘 나타나므로 FEV1은 70% 이하로 감소된다. FVC, FEV1/FVC은 대개 정상이지만, 경우에 따라 FVC도 감소할 수 있으나 FEV1의 감소보다는 훨씬 덜하므로 FEV1/FVC도 감소할 수 있다.

1) 기관지 천식(bronchial asthma)

기관지를 비롯한 기도가 숨 쉴 때 들어오는 여러 가지 자극 물질에 의해서 쉽게 과민반응을 일으키는 만성 염증성 질환이다. 기도의 안쪽에 있는 점막에 만성적으로 염증이 생겨 기도의 벽이 부어오르고, 기관지 점막의 상피가 손상과 회복을 반복하면서 기관지가 좁아진다. 또한 기도 내로 점액 분비물을 많이 방출하므로, 천명(호흡할 때 쌕쌕거리는 소리)을 동반한 기침과 호흡곤란이 발작적으로 나타난다. 자연히 혹은 치료에 의해 일단 호전이 되면 대부분의 경우 거의 정상상태로 회복이 된다. 하지만 여러가지 자극에 의하여 반복적으로 자주 재발하는 특징이 있다.

2) 만성 폐쇄성 폐질환(chronic obstructive pulmonary disease, COPD)

시간이 지남에 따라 폐가 손상되면서 기침, 가래, 호흡 곤란 등의 증상을 보이고 점점 호흡이 힘들어지는 기도의 만성질환이다. 대표적으로 만성 기관지염과 폐기종이 있다.

(1) 만성기관지염(chronic bronchitis)

기관지의 만성적인 염증으로 점액을 생성하는 분비선들이 커져 지나치게 많은 점액을 만들어내므로 객담을 동반하는 기침을 일으킨다. 이 기침이 1년에 적어도 3개월 이상, 2년 연속으로 지속된다.

(2) 폐기종(emphysema)

폐포들이 비정상적으로 늘어나고 폐포간 벽이 파괴되면서, 폐의 탄력성이 감소하고 폐의 산소와 이산화탄소의 교환 능력이 감소되어 호흡곤란이 일어난다.

3. 혼합성 폐기능 장애(mixed pulmonary dysfunction)

제한성 폐기능 장애와 폐쇄성 폐기능 장애가 같이 있는 경우이다.

FVC, FEV1, FEV1/FVC 모두가 감소된다.

1) 중증의 폐결핵

2) 기관지 확장증

11 청력검사

목표질환 : 난청

청력은 귀를 통해 소리를 듣는 능력을 말한다. 사람이 들을 수 있는 최대가청주파영역은 20-20,000 Hz 정도이지만, 평상시 대화에 사용되는 회화음은 250-3000 Hz 정도이다.

1. 귀의 구조

사람의 귀는 크게 외이, 중이, 내이 등 3부분으로 구분된다.

외이(external ear)는 밖으로 노출되어 소리를 모으는 나팔 모양의 이개(auricle)와 이 소리를 중이로 전달하는 외이도(external auditory canal)로 되어있다.

중이(middle ear)는 고막과 고실로 되어 있다. 고막(tympanic membrane)은 외부 공기와의 방어벽 역할을 하며, 동시에 외이도에서 전달된 소리를 증폭하여 고실내의 이소골로 전달한다. 고실(tympanic cavity)은 고막과 내이 사이의 공간이며, 그 안에 3개의 이소골(auditory ossicles) 이 있어 소리를 내이로 전달한다. 중이는 외부와 밀폐되어 있지만, 이관(auditory tube, Eustachian tube)을 통해 코와 연결되어 있어 내부압력을 조절한다.

내이(inner ear)는 그 구조가 매우 복잡하여 미로(labyrinth)라고도 하며, 3부분 즉 전정(vestibule), 반고리관(semicircular canal), 와우(cochlea)로 되어있다. 이소골을 통해 전달된 음파가 와우의 난원창(oval window)을 통해 내이로 전달된다.

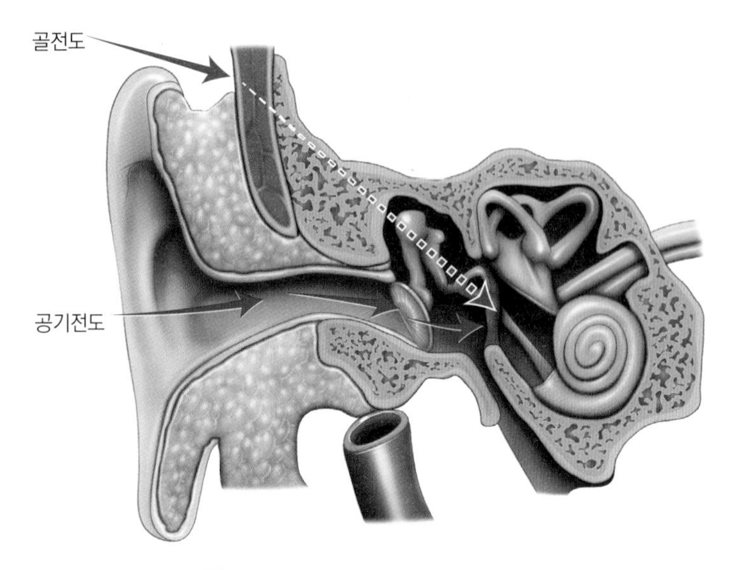

그림 2-34 귀의 구조와 소리의 전도 - 공기전도, 골전도

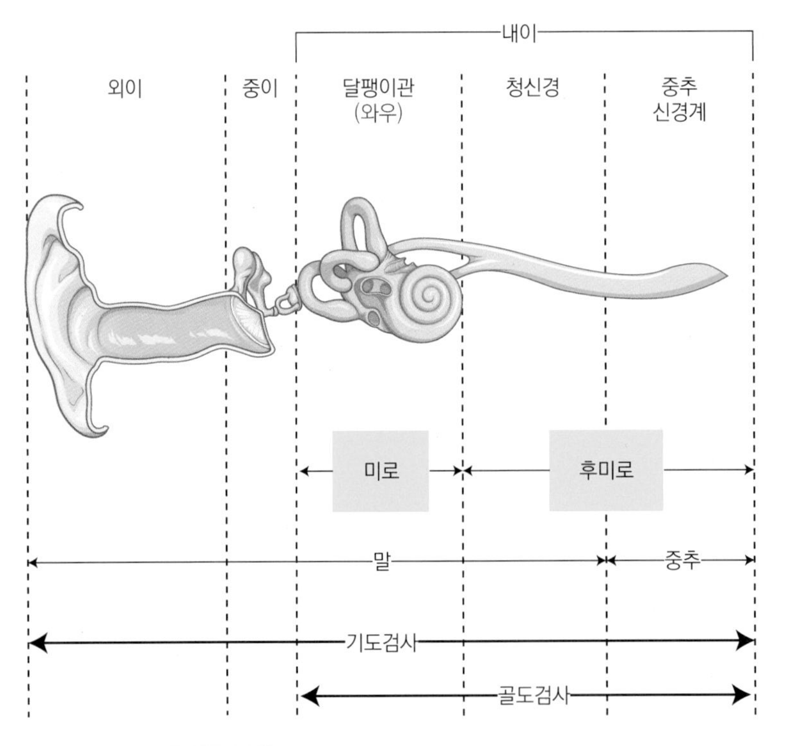

그림 2-35 청력검사의 범위 - 기도검사, 골도검사

2. 소리의 전도

외부의 음파는 2개의 경로를 통해 내이로 전달된다.

1) 공기전도(air conduction)

음파가 외이도로 들어와 고막을 진동시키고, 그 진동이 이소골 연쇄(ossicular chain)를 거쳐서, 내이의 난원창(oval window)으로 들어가는 경로이다.

2) 골전도(bone conduction)

음파가 고막을 거치지 않고 두개골을 통해 직접 내이로 들어가는 경로이다.

내이로 전달된 소리는 청신경을 통해 중추신경으로 전달된다.

3. 청력검사

청력검사는 외부에서 들려오는 음파를 귀를 통해 듣고 뇌에서 인식하기까지의 능력을 검사하는 것이다. 다음과 같은 여러 가지 방법들이 있지만, 건강검진에서는 순음청력검사로 청력장애를 선별한다.

- 음차검사(소리굽쇠검사, tuning fork test)
- 순음청력검사(pure tone audiometry, PTA)
- 자기청력계기검사(Bekesy audiometry)
- 누가현상검사(tests for recruitment phenomenon)
- 청각피로검사(tone decay test)
- 언어청력검사(speech audiometry)
- 임피던스 청력검사(impedence audiometry, tympanometry)
- 유발반응청력검사(evoked response audiometry)
- 이음향방사검사(otoacoustic emissions test)

4. 순음청력검사(pure tone audiometry, PTA)

순음청력검사는 소음이 차단된 공간에서 헤드폰을 통해 각 주파수(Hz)에 따라 일정 강도(dB)의 소리(순음)를 들려주어 수검자가 이를 들을 수 있는지를 측정하여 청력역치를 검사하는 방법이다. 청력역치(threshold)란 자극을 준 후 수검자가 약 51% 이상 반응하는 가장 약한 소리를 말한다.

청력이 나쁜 쪽의 귀를 검사할 때, 반대쪽의 잘 듣는 귀가 소리를 들어서 청력이 더 좋은 것처럼 보이는 경우가 있는데, 이를 음영효과(shadow effect)라고 한다. 순음청력검사시 양쪽 귀의 청력 차이가 많이 나는 경우에 차폐를 해야 하는 이유가 된다.

차폐(masking)란 청력이 나쁜 쪽의 귀를 검사할 때, 반대쪽의 잘 듣는 귀가 반응하지 않도록 소음을 주어 차단시키는 방법을 말한다. 차폐는 양쪽 귀의 청력이 음감쇄현상보다 더 많이 차이가 날 때 시행한다.

음감쇄현상(interaural attenuation)이란 기도청력검사를 할 때 한쪽 귀에 음자극을 주면 두개골을 통해서 음이 전달되어 반대쪽 귀에서도 음을 듣게 되는데, 이러한 전달과정에서 음이 약해지는 현상을 말한다. 공기전도에서는 약 40-50 dB이 음감쇄 되며, 골전도에서는 약 10 dB이 음감쇄 된다.

[검사방법 및 주의사항]

1. 수검자는 청력검사 부스에 편안히 앉아 헤드폰을 착용한다.
2. 반응스위치를 손에 들고 소리가 들리면 반응스위치를 누르도록 설명한다.
3. 좋은 쪽 귀부터 검사를 시작하며, 어느 쪽이 더 좋은지를 모를 때에는 우측 귀부터 검사를 시작한다.
4. 검사는 1000, 2000, 3000, 4000, 6000, 1000, 500, 250 Hz 순으로 검사하며, 옥타브 사이에 20 dB 이상 차이가 날 경우 반옥타브에서도 검사한다.
5. 순음자극을 줄 때 그 지속시간은 1-2초 정도, 자극과 자극 사이의 간격은 불규칙적이어야 한다.
6. 청력역치의 측정(수정상승법)은 30 dB에서 시작하여 들을 때까지 20 dB씩 올린다.
7. 수검자가 반응을 하면, 반응을 멈출 때까지 다시 10 dB씩 강도를 줄인다. 반응이 멈추면, 검사신호에 대한 반응이 관찰될 때까지 강도를 다시 5 dB씩 강도를 올린다. 수검자가 신호음을 듣게 되면, 음을 10 dB씩 줄인다.
8. 청력역치가 측정될 때 까지 "10 dB 하강, 5 dB 상승" 과정을 반복한다. 청력역치는 "수검자가 한 신호수준에서 최소한 3번의 검사 중 적어도 2번은 검사음에 반응을 보일 수 있는 가장 낮은 수준"을 의미한다.
9. 기도청력검사가 끝나면 귀 뒤 유양돌기 부위에 골도청력검사용 자극기를 부착하고 골도청력검사를 시행한다.
10. 기도청력을 검사할 때 양쪽 귀 사이의 음감쇄 수준은 40-50 dB정도 이므로, 그 이상 차이가 나면 차폐검사를 해야 한다.
    1) 차폐음의 수준은 보통 차폐하는 귀(잘 듣는 귀)의 기도역치보다 10-15 dB 높게 시작한다. 검사측 귀(잘 못 듣는 귀)의 기도역치보다 20-30 dB 낮으면 된다.

Unmasked(Masked)							
	500	1000	2000	3000	4000	6000	
LA	( )	( )	( )	( )	( )	( )	검사자: (인)
RA	( )	( )	( )	( )	( )	( )	
LB	( )	( )	( )	( )	( )		Audiometer: GSI 67
RB	( )	( )	( )	( )	( )		
Masking Range							
	500	1000	2000	3000	4000	6000	
LA							
RA							
LB							
RB							

1. Pure Tone Audiogram(순음청력검사표)

	250	500	1000	2000	4000	8000Hz
-10						
0						
10						
20						
30						
40						
50						
60						
70						
80						
90						
100						
110						

		Air		Bone	
Unmasked	R	O	O	〈	〈
	L	x	x	〉	〉
Masked	R	△	△	[	[
	L	□	□	]	]
Rel.	R				
	L				

2. Pure Tone Average(평균순음역치)

	3분법	4000Hz	비고
L			
R			

3. Otoscopy(이경검사)

L	
R	

4. Tympanometry(중이검사)

L					
R					

그림 2-36 청력검사표

2) 첫 차폐음 수준에서 검사측 귀의 기도자극음에서 반응을 하면 차폐음을 5-10 dB씩 올리고, 반응을 안 하면 검사측 귀의 기도 자극음 강도를 5 dB씩 올린다.
3) 반대측 귀를 차폐한 상태에서의 검사측 귀의 기도역치는, 반대측 귀의 차폐음 수준을 올릴 때 3번 연속 반응한 검사측 귀의 자극음의 강도를 말한다.

[청각도 표시방법]

우측 귀의 청력은 적색, 좌측 귀은 청력은 청색으로 표시한다.

비차폐 : 기도역치 우측 O 좌측 ×

골도역치 우측 〈 좌측 〉

차폐 : 기도역치 우측 △ 좌측 □

골도역치 우측 [좌측]

[청력장애의 정도]

정상 : 25 dB 이하

경도 난청 : 26-40 dB

중등도 난청 : 41-55 dB

중등고도 난청 : 56-70 dB

고도 난청 : 71-90 dB

농(deafness) : 91 dB 이상

난청(청력장애, hearing disturbance)

난청 또는 청력장애는 여러 가지 원인에 의해 청각이 감소되거나 소실되는 질환을 말하며, 원인에 따라 선천성과 후천성으로 구분된다.

1. 선천성 난청

유전, 임신 초기의 풍진이나 기타 바이러스 감염, 산모의 키니네 복용, 분만손상 등으로 출생 때부터 난청인 경우를 말한다.

2. 후천성 난청

소아기에는 이관염, 아데노이드증식증, 비인두염, 중이염 등이 원인인 경우가 많다. 성년기에는 반복되는 상기도감염, 음향 외상, 약물중독증, Meniere병, 내이염, 청신경종양 등이 원인이 된다. 사춘기 여성에서 진행성으로 시작하여 임신 및 수유로 인해 난청이 악화될 때는 이경화증(osteosclerosis)이 원인인 경우도 있다.

1) 난청의 발생 양상에 따라 다음과 같이 구분할 수 있다.

(1) 돌발성 난청(sudden hearing loss) : 갑자기 발생하는 난청으로 원인불명인 경우가 많으며, 외상, 중독성 내이장애 등에 의한 경우도 있다.

(2) 진행성 난청(progressive hearing loss) : 난청이 시간에 따라 심해지는 경우이다.

2) 청력장애가 발생하는 병변의 부위에 따라 다음과 같이 분류된다.

(1) 전음성 난청(conductive hearing loss) : 소리를 전달하는 기관인 외이와 중이에 병변이 있는 경우이다. 중이염이 전음성 난청을 일으키는 대표적인 질환이다.

(2) 감각신경성 난청(sensorineural hearing loss) : 소리를 전기적 에너지로 바꾸어 중추로 전달하는 기관인 내이와 청신경에 병변이 있는 경우이다. 미로성 난청(cochlear hearing loss)와 후미로성 난청(retrocochlear hearing loss)로 구분된다.

(3) 혼합성 난청 : 두 가지 이상이 혼합된 난청을 혼합성 난청이라 한다.

소음성 난청은 주로 직업적으로 소음에 노출될 때 발생하는 난청으로, 감각신경성 난청의 일종이다. 질병의 초기에는 특징적으로 고음부인 4,000 Hz에서 청력 감소가 시작되는데, 이때는 가청범위 밖이므로 난청의 발생을 잘 모르고 지내는 경우가 많다. 질병이 진행되면 점차 3,000 Hz, 2,000 Hz로 파급되어 일상생활에서도 불편함을 느끼게 된다. 그러므로 소음이 심한 환경에서 일하는 작업자는 주기적인 청력검사가 필요하다.

노인성 난청(presbycusis)은 나이가 들어가면서 점차 청력이 감소되는 질환이다.

심인성 난청(psychogenic hearing loss)은 심리적인 원인에 의해 갑자기 청력이 소실되는 질환이다.

12 골밀도검사
Bone Mineral Densitometry, BMD

목표질환 : 골다공증

골밀도란 뼈가 얼마나 단단한지 그 정도를 나타내는 것이다. 정상적인 젊은 성인에 비해 골밀도가 얼마나 감소되어 있는지를 평가하여 골다공증의 정도를 파악하고 골절의 위험도를 예측하는 검사이다. 골밀도 수치가 높을수록 뼈가 단단함을 말한다.

1. 골밀도 검사방법

1) 방사선을 이용하는 방법

(1) 단순 방사선촬영

척추, 대퇴골 경부, 중수골과 종골 등을 검사할 수 있지만, 주로 척추에서 단순 방사선촬영을 하여 골소실의 정도를 점수화하여 구분한 Saville index로 평가한다. 30% 이상의 골량 감소가 있어야만 진단이 가능하므로 조기 진단이 어렵다.

(2) 단일광자흡수법(single photon absorptiometry, SPA)

손목이나 발뒤꿈치 등 말단 부위만 측정이 가능하기 때문에, 임상적으로 관심이 있는 부위인 척추와 고관절부를 측정하지 못하는 단점이 있다.

(3) 정량적 전산화단층촬영(quantitative CT, Q-CT)

정밀도가 DEXA보다 떨어지고, CT를 이용하므로 방사선 노출이 비교적 많다.

(4) 이중에너지 방사선흡수법(dual energy X-ray absorptiometry, DEXA)

1%의 골소실만 있어도 측정이 가능하다. 정밀도가 높고 재현성이 좋아 골밀도 측정의 표준 장비로 이용되고 있다.

2) 초음파를 이용하는 방법

정량적 초음파측정법(quantitative ultrasonogram, Q-US)

초음파가 뼈를 통과하는 속도를 통해 골밀도를 측정하는 방법으로, 주로 종골을 이용한다. 정확도가 낮아 선별검사 때 주로 이용된다.

이상의 검사방법들 중에서 Q-US가 측정이 간편해 선별검사로 많이 사용되었지만 정확도가 낮아, 현재는 DEXA가 표준방법으로 가장 많이 이용되고 있다.

2. 골밀도 측정부위

골절 위험도예측을 위하여 가장 많이 측정되는 표준 부위는 골다공증성 골절이 흔히 발생되는 요추부와 대퇴골 부위이다. 이 두 부위에서 모두 측정하는 것이 권장되지만, 건강검진에서는 주로 요추부만 검사하고 있다. 두 부위에서 측정된 골밀도 중 낮은 수치를 기준으로 진단한다.

1) 요추 골밀도 측정

요추 골절의 발생을 예측하는데 유용하며, 요추 1번에서 4번까지 측정해서 그 평균치를 기준으로 진단한다.

2) 대퇴골 골밀도 측정

대퇴골 골절의 발생을 예측하는데 유용하며, 대퇴골 전체, 경부 두 곳의 골밀도 중 낮은 부위를 택하여 진단한다. 좌, 우 대퇴골 중 어떤 부위를 측정해도 좋으나 가능하면 병소가 없는 부위를 선택한다.

3. 결과 판정

골밀도 수치는 나이, 성별, 종족간의 정상 평균치와 비교하여 평가된다. 수검자의 골밀도를 젊은 성인과 비교(T-score)하거나, 같은 연령의 사람들과 비교(Z-score)하여 골밀도의 정도를 수치화한다. 요추 1번-4번까지의 평균값으로 판정하고, 표준편차로 나누어 표시한다.

1) T-score

젊은 성인의 평균적인 최대골밀도와 수검자의 골밀도를 비교한 값이다. 즉, 건강한 젊은 성인과의 골밀도 차이를 의미한다.

골밀도가 정상적인 젊은 성인의 평균치에서 1표준편차 이내로 감소된 경우를 "정상"으로 판정한다. 즉, T-score가 -1.0 이상이면 정상이다.

T-score가 -1.0이란 의미는 "100명 중에서 뼈 상태가 좋지 않은 하위 15명 이하"를 의미하고, -2.5는 "하위 0.6명 이하"를 의미한다. 음의 값(-)이 클수록 골밀도는 더 감소되어 뼈가 약해 골절위험도가 증가한다.

골다공증의 진단기준(세계보건기구, WHO)

T-score
정상 : -1.0이상
골감소증 : -1.0 ~ -2.5
골다공증 : -2.5미만
심한 골다공증 : -2.5미만이고, 비외상성 골절이 있는 경우

Name:	Sex: Female	Height: 158.0cm
Patient ID:	Ethnicity: Asian	Weight: 60.0kg
DOB:		Age: 45

Referring Physician:

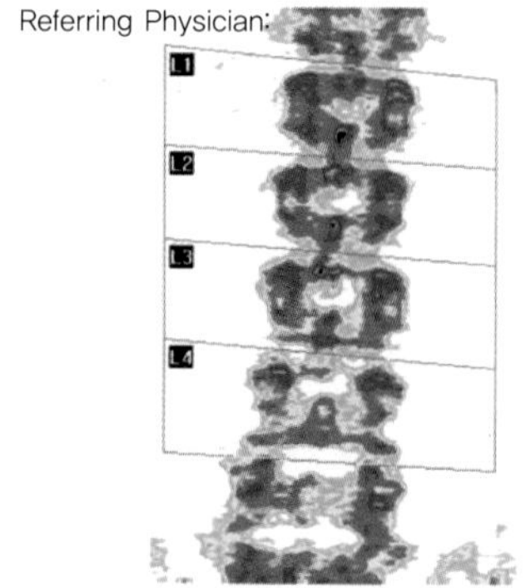

k=1.115, d0=45.3
115×150

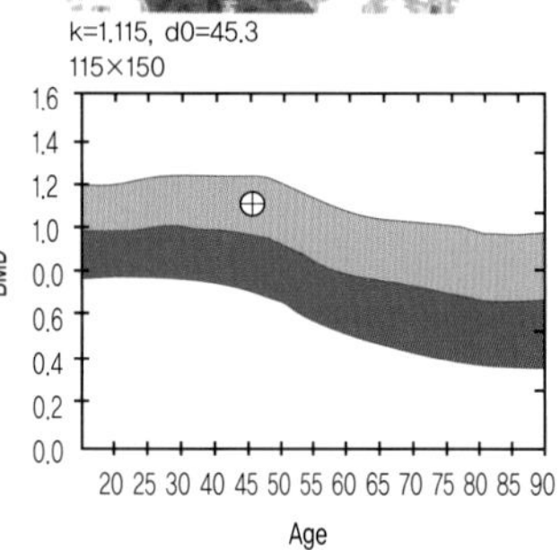

Reference curve and scores matched to Asian Female
Source: Native Japancse Reference Data

Scan Information:
Scan Date: ID:
Scan Type: fLumbar Spine
Analysis:
Lumbar Spine
Operator:
Model: QDR 4500W(S/N 50020)
Comment:

DXA Results Summary:

Region	Area (cm²)	BMC (g)	BMD (g/cm²)	T-Score	PR(%)	Z-Score	AM(%)
L1	14.67	15.30	1.043	1.2	115	1.2	119
L2	15.93	18.67	1.172	1.7	120	1.7	123
L3	18.25	20.48	1.122	0.8	109	0.9	112
L4	20.71	22.91	1.106	0.2	103	0.5	106
Total	69.56	77.36	1.112	0.9	111	1.0	114

Total BMD CV 1.0%, ACF=1.031, BCF=1.011, TH=6.646
WHO Classification: Normal
Fracture Risk: Not Increased

Phyalcian's Comment:

그림 2-37 요추 부위에서의 골밀도 검사

2) Z-score

수검자와 같은 연령대의 평균적인 최대골밀도와 피검자의 골밀도를 비교한 값이다.

Z-score가 -2.0 이하 이면 "연령기대치 이하(below the expected range for age)"라고 한다.

Z-score가 -2.0보다 클 경우는 "연령기대치 이내(within the expected range for age)"라고 한다.

임상에서 치료의 결정에는 T-score를 사용한다. 폐경 이후의 여성과 50세 이상의 남성에서는 T-score에 따라 골다공증을 진단한다. 소아, 청소년, 폐경 전 여성과 50세 이전 남성에서는 T-score를 사용하지 않고 Z-score를 사용한다.

4. 10년 내 골절위험도(10-year fracture risk)

세계보건기구에서 제시한 골다공증의 진단기준은 골절 발생을 예측함에 있어 예민도가 낮아 골다공증 치료의 기준으로 적합하지 않은 경우가 많다. 그래서 이를 보완하려는 목적으로 2008년에 골다공증의 임상적 위험인자들과 대퇴골 경부 골밀도를 함께 고려하여 "10년 내 골절위험도(10-year fracture

Name:	Sex: Female	Height: 158.0cm
Patient ID:	Ethnicity: Asian	Weight: 60.0kg
DOB:		Age: 45

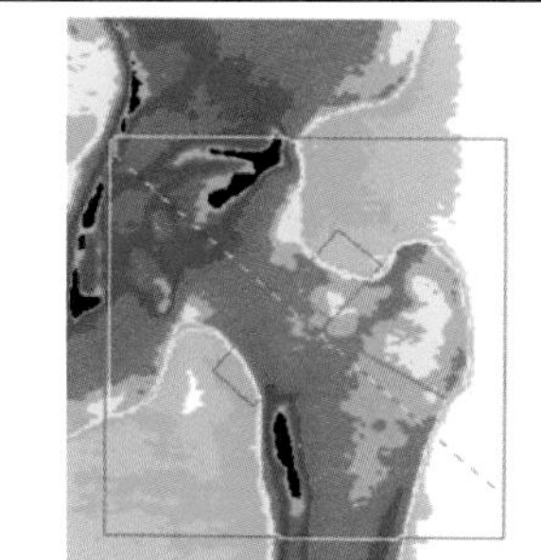

k=1.119, d0=49.1
101×103

Scan Information:
Scan Date: ID:
Scan Type: f Left Hip
Analysis:
Left Hip
Operator:
Model: QDR 4500W(S/N 50020)
Comment:

DXA Results Summary:

Region	Area (cm²)	BMC (g)	BMD (g/cm²)	T-Score	PR(%)	Z-Score	AM(%)
Neck	5.02	3.95	0.787	-0.2	98	0.3	104
Troch	10.47	7.64	0.730	0.9	114	1.2	118
Inter	17.27	19.32	1.119	0.8	112	1.0	114
Total	32.76	30.91	0.911	0.8	111	1.0	114
ward's	1.26	0.0.89	0.9711	0.4	106	1.3	124

Total BMD CV 1.0%, ACF=1.031, BCF=1.011, TH=5.229
WHO Classification: Normal
Fracture Risk: Not Increased

BMD: 1.6, 1.4, 1.2, 1.0, 0.0, 0.6, 0.4, 0.2, 0.0
Age: 20 25 30 40 45 50 55 60 65 70 75 80 85 90

Phyalcian's Comment:

Reference curve and scores matched to Asian Female
Source: Native Japancse Reference Data

그림 2-38 대퇴골 부위에서의 골밀도 검사

risk)"를 산출하는 방법이 고안되었다.

웹사이트 "www.shef.ac.uk/FRAX"를 방문하여 FRAX짊(WHO Fracture Risk Assessment Tool)화면에 각 환자의 인종과 임상정보를 입력하면 10년 내 골절위험도가 산출된다. 이 위험도를 기준으로 골다공증 치료지침을 정하기도 한다.

여기에 입력하는 임상정보는 "연령, 성별, 신장과 체중, 이전의 골절력, 부모의 대퇴골 골절력, 현재 흡연 여부, 스테로이드 사용 유무, 류마티스 관절염 유무, 이차성 골다공증, 알코올 일일 3단위 이상 섭취, 대퇴골 경부 골밀도" 등 이다. 최근에 한국인을 대상으로 한 계산도 가능하도록 추가되었다.

골다공증의 치료 여부를 결정하는 데 도움을 줄 수 있을 것으로 전망되지만, 임상적으로 흔히 사용하는 척추 골밀도와 생화학적 골표지자에 대한 언급이 없는 등의 문제점이 있으므로 이를 고려하여 골절위험도를 평가해야 한다.

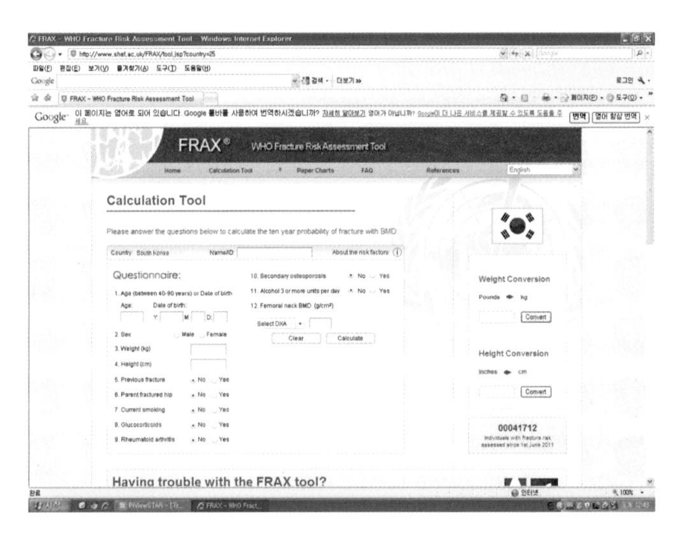

그림 2-39 10년 내 골절위험도의 산출을 위한 웹사이트 화면

[검사방법 및 주의사항]

1. 검사 시간은 10분에서 20분 정도이다.
2. 검사에 의한 위험성이나 고통이 없지만, 검사가 진행되는 동안 움직이지 말아야 한다.
3. 요추에 대해 골밀도 검사를 하는 경우 65세 이상에서는 퇴행성 변화로 오히려 높게 측정되는 오차가 흔히 발생하므로, 압박골절이나 퇴행성변화가 있는 부위를 배제한 후 진단한다. 65세 이상에서는 대퇴골에서 골밀도를 측정하는 것이 바람직하다. 단, 대퇴골 측정은 척추보다는 정밀도가 낮다는 단점이 있다.
4. T-score는 요추 1번에서 4번까지의 평균값으로 판정하는데, 측정한 요추 각각의 값이 현저한 차이(1 표준편차 이상)가 나는 경우 그 부위에 퇴행성 변화나 압박골절과 같은 소견이 있는지 확인해야 하며 검사에 부적합한 경우에는 평균치 계산에서 제외해야 한다.

5. X-선을 이용한 검사이므로 임산부는 검사하면 안 된다.
6. 검사에 방해가 되는 금속류나 각종 장신구 등을 제거한 후 검사를 시행한다.
7. 최근 조영제를 이용한 검사(상부위장관조영술, 대장조영술 등)를 받았던 경우에는 체내에 남아있는 조영제로 인한 부정확한 결과를 초래할 수 있으므로 2-6일이 지난 뒤에 검사한다.
8. 최근 핵의학검사(PET-CT 등)를 받았던 경우에는 1-2일이 지난 뒤에 검사한다.
9. 심한 척추변형, 요추에 금속이 삽입된 수술을 한 경우에는 검사를 하기 어렵다.
10. 방사선 노출에 대한 정보를 제공해야 한다. 골밀도 검사로 인한 방사선 피폭정도는 매우 낮지만, 이를 최소화하기 위해 노력해야한다. 골밀도검사(DEXA)의 방사선 피폭량은 약 0.01 mSv(밀리시버트) 정도이다. 참고로 흉부 X선 1회 촬영에서의 방사선 피폭량은 0.1 mSv 정도이다.

골다공증(osteoporosis)

인체의 뼈에서는 정상적으로 뼈의 생성과 파괴가 동시에 일어나고 있다. 파골세포(뼈 파괴세포)가 오래된 뼈를 제거하는 것을 "골흡수"라 하고, 조골세포(뼈 재생세포)가 새로운 뼈를 생성하는 것을 "골형성"이라 한다. 골흡수와 골형성이 평형을 유지하면서 "골교체"가 지속적으로 이루어져 뼈의 강도가 균형을 유지한다.

골다공증은 골흡수와 골형성에 불균형이 발생해 뼈의 전체 골량이 감소되고 뼈의 구조가 취약해지면서 가벼운 충격에도 쉽게 골절을 일어나는 질환이다. 골다공증은 예방할 수 있고 골절이 발생하기 전에 진단하고 치료할 수 있는 질병이다.

1. 골다공증의 분류

1) 일차성 골다공증

폐경으로 인한 제1형 골다공증과 노화로 인한 제2형 골다공증으로 분류하지만, 거의 같은 시기에 병합되어 진행되므로 정확히 분류하기는 어렵다.

(1) 폐경기성 골다공증(제1형 골다공증)

여자에서 폐경기 후에 주로 발생하며, 척추골절을 잘 일으킨다. 골형성 속도보다 골흡수 속도가 빨라서 발생한다.

여성에 있어서 폐경기 전까지는 골흡수 현상을 강력히 저지하는 에스트로겐이라는 호르몬이 분비됨으로 골의 흡수가 억제되나, 폐경이 되면서 이 호르몬이 감소되어 급속한 골흡수 및 골소실이 발생하게 된다. 특히 폐경 후 첫 5-10년간에 급격한 골소실이 일어나 심한 골다공증을 초래하게 된다.

(2) 노인성 골다공증(제2형 골다공증)

65세-70세 이상의 노인들에게 잘생기며, 대퇴골 골절을 잘 일으킨다. 골흡수 속도보다 골형성 속도가 줄어들어 발생한다.

에스트로겐과 무관하게 남녀 구분 없이 나이가 많아짐에 따라 골을 만드는 조골세포가 줄어들게 되고, 또한 신장에서의 활성 비타민 D생성의 부족으로 인해 소장에서 칼슘의 재흡수가 저하되어 발생한다.

2) 이차성 골다공증

특정 질병이나 수술, 약물 복용 등에 의해 발생한다.

2. 골다공증의 증상

골다공증은 조용하게 진행되어 증상이 거의 없다. 골다공증이 심해지면 초기에는 척추나 골반, 손목 등에 둔한 통증을 호소할 수 있다.

점차 골다공증이 심해지면 사소한 충격에도 쉽게 골절이 일어난다. 또 골다공증이 있는 줄 모르고 생활하다가 골절이 생긴 후에야 골다공증이 심하다는 것을 알게 되는 경우도 있다.

골다공증으로 인해 골절이 잘 발생하는 부위는 척추, 골반주위, 손목이다. 특히 골반 주위의 뼈(주로 대퇴골 경부골절이나 대퇴전자부 골절)는 일단 골절이 발생하면 수술을 하더라도 거동에 심각한 장애를 초래한다.

3. 골다공증의 진단

1) 골밀도 검사

간편하고 정확한 진단이 가능하며 초기의 작은 변화도 찾아낼 수 있어서, 임상적으로 골다공증의 진단에 가장 유용한 기준으로 사용되고 있다.

2) 생화학적 골표지자 측정

골대사 상태를 평가하기 위하여 혈액 및 소변에서 측정한다. 생화학적 골표지자는 골흡수나 골 형성과정에서 유리되는 골의 기질성분을 지칭하는 것으로, 골교체율을 반영하는 지표이다. 골절 위험도의 예측, 골다공증 치료에 대한 반응의 평가 등에 사용되고 있다. 흔히 사용되는 생화학적 골표지자는 다음과 같다.

골흡수 표지자 : DPD, NTX, CTX

골형성 표지자 : BSALP, OC

4. 골다공증의 치료

T-score가 -2.5이하면 약물치료의 대상이 된다. 골다공증 치료의 목표는 일정수준 이상으로 골량을 증가시키거나, 골소실의 진행을 막는 것이다. 골다공증 치료약제로는 골흡수 억제제와 골형성 촉진제 2종류가 있는데, 이 중에서 골흡수 억제제가 주로 사용되고 있다.

1) 골흡수 억제제

파골세포에 의한 과도한 골흡수를 막고 골밀도를 증가시킴으로써 골절을 감소시킨다.

비스포스포네이트, 에스트로겐, 칼시토닌, 칼슘, 비타민 D, 선택적 에스트로겐수용체 조절제(selective estrogen receptor modulator, SERM)등이 있다.

비스포스포네이트나 칼시토닌 약제들은 흔히 칼슘과 비타민 D제제를 같이 복용한다.

2) 골형성 촉진제

조골세포의 수와 기능을 증가시켜 골생성을 촉진하고 골밀도를 증가시킴으로써 골절을 감소시킨다.

부갑상선호르몬, 불소제제, 성장호르몬, 성장인자 등이 있다. 현재 부갑상선호르몬이 임상에서 사용되고 있다.

5. 골다공증의 예방

골다공증이 심해지면 살짝 부딪히거나 넘어지기만 해도 골절이 발생할 수 있기 때문에 조기진단과 치료가 중요하다. 평소에 뼈의 건강관리를 꾸준히 해서 골다공증이 발생하지 않도록 주의해야 한다.

1) 정기적인 검사

정기적으로 골밀도검사를 한다. 특히 폐경 후 여성과 60대 이상 노령인 경우 적어도 1년에 1회씩 검사를 하는 것이 좋다.

2) 칼슘 복용

50세 이후의 성인에게 하루 1,200 mg의 칼슘을 복용해야 한다. 체내 칼슘의 99%가 골격에 포함되어 있고, 칼슘섭취가 불충분하면 혈청 칼슘을 정상으로 유지하기 위해 골흡수가 발생되어 골밀도의 감소가 일어날 수 있다.

3) 비타민 D3 복용

50세 이상의 성인에서 하루 800 IU의 비타민D3를 복용해야 한다. 혈액검사를 통해 혈청 25(OH)D 농도가 비타민D 충분상태인 30 ng/mL (75 nmol/L) 이상으로 유지하는 것이 좋다. 햇볕을 쬐면 피부에서 비타민D가 활성화돼 칼슘 흡수를 도와준다. 하루에 30분 정도는 햇볕을 쬐어주는 것이 좋다.

4) 운동

1주 3회, 1회 30분 이상 운동을 하도록 한다. 사람의 신체는 중력을 받게 되면 뼈가 튼튼해지므로 조깅, 걷기, 배드민턴, 춤, 체조, 자전거타기 등의 체중부하운동이나 근육강화운동을 해야 한다. 운동을 중단하면 운동의 이익이 없어지기 때문에 평생 적절히 운동을 하는 것이 좋다.

5) 절주, 금연 등 생활습관개선

되도록 음주는 절제하고, 금연을 해야 하며, 탄산음료나 커피의 섭취를 줄이는 것이 좋다.

6) 낙상방지를 위해 시력과 청력을 교정하고, 어지럼증을 일으키는 약제의 사용을 가급적 피한다.

고맙습니다. 건강검진 골밀도검사

저는 48세 여자입니다. 아이 둘을 혼자서 키우느라 생활에 여유가 없이 지내왔지만, 2년 마다 건강보험공단에서 해주는 건강검진은 꼭 받아왔습니다. 이번에는 큰 맘 먹고 종합검진을 했습니다.

평소에 무릎이 시리고 피로감을 가끔 느끼는 것 말고는 그다지 불편한 곳은 없었습니다. 복용중인 약도 없습니다. 친구들 중에는 벌써 폐경이 왔다고 하는데, 아직 월경도 규칙적으로 하고 있습니다.

검진결과 가벼운 고지혈증과 약간의 빈혈이 있고, 골밀도 검사에서 골다공증이 있으며, 혈액검사에서 비타민D가 많이 부족하다고 했습니다. 현재 상태로 폐경을 맞이하면 뼈가 더 급속히 약해지면서 가벼운 충격에도 척추, 고관절, 손목관절에 골절이 생길 수도 있다고 했습니다.

골다공증 약을 복용하면서 비타민D와 칼슘을 병행해서 복용하고 있습니다. 의사선생님의 권유대로 하루 30분 이상 운동을 하고 있고, 하루에 1리터 이상 물을 마시고 있습니다.

골다공증은 거의 증상이 없어서 모르고 지내다가 골절이 생길 수도 있어서 골밀도 검사를 정기적으로 해보는 것이 필요하다고 했습니다. 조금 일찍 골밀도 검사를 했었더라면 좋았을 거라고 후회도 됐지만, 지금부터라도 뼈를 튼튼하게 하려는 노력을 하고 있습니다. 갑작스런 골절 없이 살 수 있도록 골다공증을 미리 발견해준 검진이 고맙습니다.

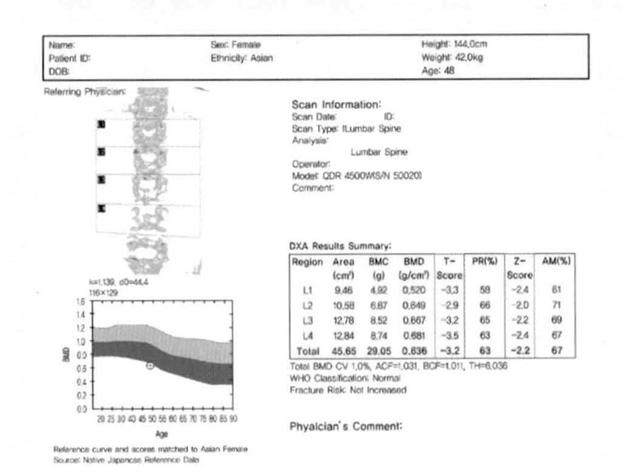

그림 2-40 요추 부위에서의 골밀도검사 -골다공증(T-score; -3.2, Z-score; -2.2)

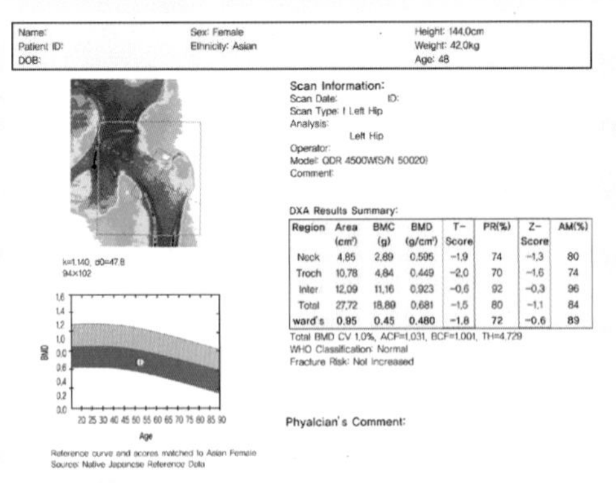

그림 2-41 대퇴골 부위에서의 골밀도검사 -골감소증(T-score; -1.5, Z-score; -1.1)

13 자궁경부 도말검사
pap smear

목표질환 : 자궁경부암

주변질환 : 질의 감염성 질환

자궁경부의 분비물을 채취하여 현미경용 슬라이드에 도말(smear)하여 자궁경부 세포의 이상 유무를 관찰하는 검사로, 1941년 Dr. George Papanicolaou에 의해 처음 고안되었다. "파파니콜로 도말검사(Papanicolaou smear)" 또는 줄여서 "Pap smear"라고 하며, 우리말로는 "자궁경부 도말검사" 또는 "자궁경부 세포진 검사"라고 한다. 자궁경부암 검사의 대표적 선별검사이므로 "자궁경부암 검사"라고 부르는 경우도 많다.

이 검사의 목적은 자궁경부의 전암성 병변을 조기에 파악해서 침윤성 자궁경부암으로 진행되는 것을 막는 것이다. 하지만 이 검사에서 이상소견이 나왔다고 바로 자궁경부암으로 진단을 내릴 수는 없다. 자궁경부 도말검사는 선별검사이며, 여기에서 이상소견이 나올 경우에는 조직검사로 확진한다.

여성 생식기의 구조

여성의 생식기는 주로 생식과 관련되는 내부 생식기와, 성행위와 관련되는 외부 생식기로 나누어져 있다. 내부 생식기는 난소, 나팔관, 자궁, 질로 이루어진다.

자궁의 좌우에 각각 1개씩 존재하는 난소(ovary)는 난자의 생산과 여성 호르몬을 분비하는 역할을 한다. 난소와 자궁을 연결해 주는 나팔관(fallopian tube)은 복강 내부로 열려 있다. 난소에서 배란이 일어나면 배출된 난자가 들어와 나팔관의 끝부분의 약 1/3지점에서 주로 수정이 이루어진다. 자궁(uterus)은 태아가 출생할 때까지 머무는 장소로, 자궁의 윗부분은 나팔관에, 아랫부분은 질에 연결되어 있다. 질(vagina)은 정자를 받아들여 수정을 할 수 있게 하는 역할을 한다.

자궁은 앞쪽에는 방광이, 뒤쪽에는 직장이 위치하고 있으며, 이들은 골반뼈로 둘러싸여 보호되고 있다. 자궁은 태아가 착상해서 성장하는 자궁체부(corpus uteri)와 태아를 출산할 때 통로가 되는 자궁경부(cervix uteri)로 구성되어 있다.

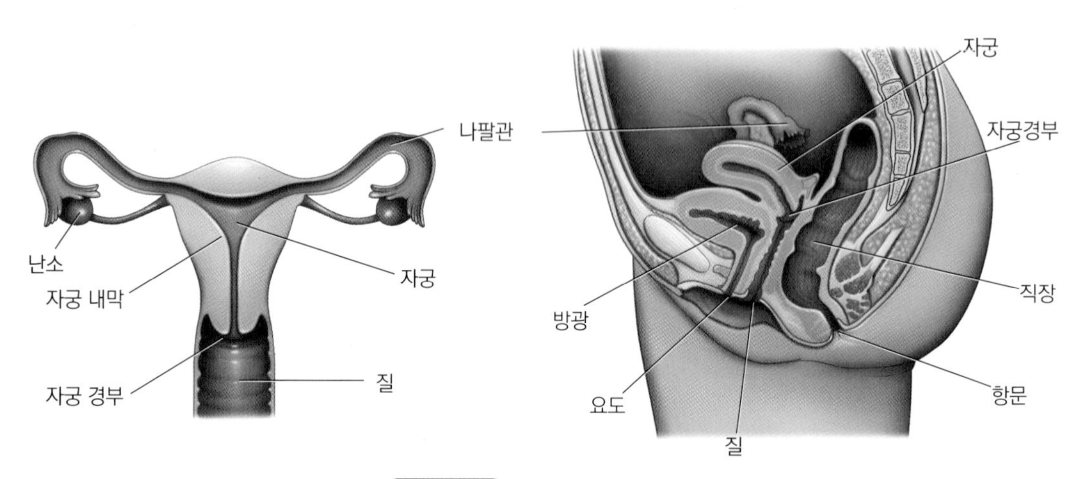

그림 2-42 여성 생식기의 구조

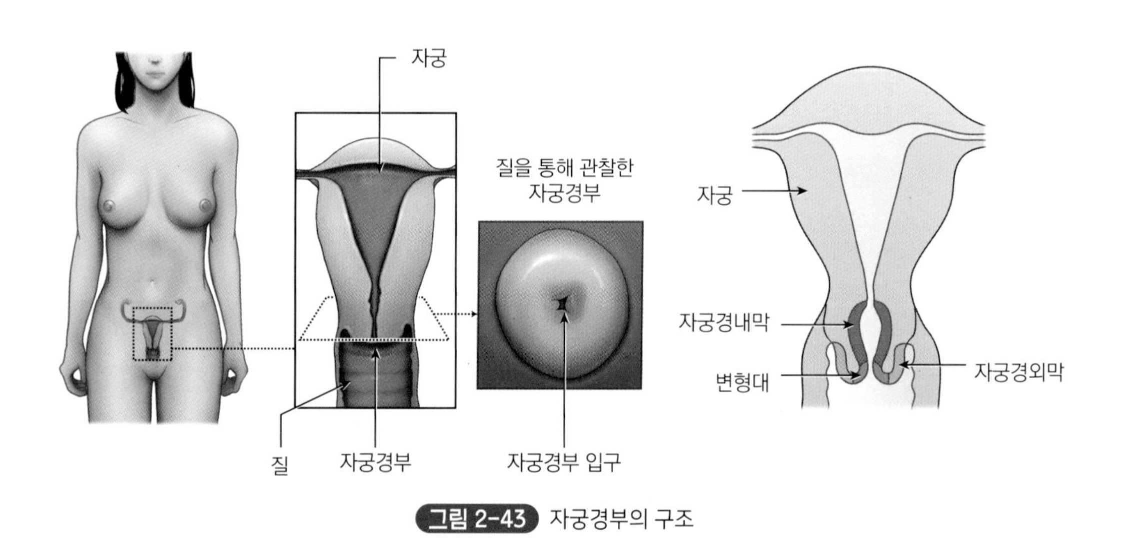

그림 2-43 자궁경부의 구조

자궁경부의 구조와 기능

자궁경부는 자궁의 아래쪽에 위치한 튜브 형태의 좁은 부분으로 질의 상부와 연결되어 있다. 전체 길이의 절반은 질경을 이용할 경우 눈으로 볼 수 있으며, 나머지 절반은 질 위쪽으로 위치해 있어서 여성의 내부 생식기와 외부환경 사이를 연결한다. 자궁경부는 자궁이 감염되는 것을 방어해주고, 여러 종류의 점액을 분비해서 정자가 자궁으로 들어갈 수 있도록 도움을 준다. 또한 수정 후 세균의 감염으로부터 태아를 보호한다.

자궁경부는 두 종류의 상피로 이루어져 있다. 자궁경 질부(exocervix)을 덮는 편평상피와 자궁경 내막(endocervix)의 표면을 이루는 원주상피이다. 두 상피가 만나는 부위를 편평-원주상피 접합부(squamo-columnar junction, SCJ)라고 부른다. 사춘기, 임신기, 폐경기에 따라서 자궁경부의 편평-원주상피 접합부의 위치가 변하는데, 원주상피가 점진적으로 편평상피로 대체된다.

편평-원주상피 접합부가 움직인 자궁경부 부위를 변형대(transformation zone)라고 한다. 이 변형대가 자궁경부암의 주요원인으로 생각되는 인유두종 바이러스(human papilloma virus, HPV)에 의한 감염에 취약한 지점이며, 자궁경부암이 가장 빈번히 발생하는 곳이다. 이러한 이유로 자궁경부 도말검사를 하는 과정에서 가장 세밀하게 검사해야 하는 부위가 변형대이다.

1. 자궁경부 도말검사의 시행시기

자궁경부암은 정상적인 세포가 어느 날 갑자기 암세포로 돌변하는 것이 아니라, 오랜 기간 동안 서서히 암으로 진행되는 것이다. 정상세포가 암의 전단계인 "자궁경부의 상피내 신생물(cervical intraepithelial neoplasia, CIN)"이 되었다가 암세포로 발전하기까지는 수년에서 약10년의 기간이 소요되므로, 자궁경부 도말검사를 정기적으로 받게 되면 자궁경부암을 초기단계에서 진단할 수 있다. 또한, 자궁경부암은 초기에 발견하여 치료하면 거의 95% 이상이 치유될 정도로 완치율이 높기 때문에 자궁경부 도말검사를 통해 조기에 발견하는 것이 매우 중요하다.

- 성교를 시작한 여성은 아무런 증상이 없더라도 최초 성관계를 가진지 3년 이내에 검사를 시작하는 것이 좋다.
- 성경험이 있는 여성은 나이에 상관없이 1년에 1번씩 검사를 하는 것이 좋다.
- 폐경이 된 후에도 정기적인 검사를 하는 것이 좋다.
- 자궁경부암으로 자궁절제술을 받은 경우, 질로 암세포가 전이되는지를 조사하기 위해 수술 후 3개월, 6개월 간격으로 점차 시기를 늘려가며 검사를 하는 것이 좋다.

자궁경부 도말검사를 정기적으로 받지 않아도 되는 경우는 다음과 같다.

- 65세 이상이면서 이전의 자궁경부 도말검사에서 정상으로 결과가 나온 여성.
- 자궁경부까지 제거된 자궁절제술을 받아서 자궁경부가 없는 여성(하지만, 자궁경부가 보존된 자궁절제술을 받은 경우에는 최소한 2-3년마다 정기적인 자궁경부 도말검사를 하는 것이 좋다.).

2. 기타 자궁경부 검사법

자궁경부 도말검사는 간편하고 비용이 적게 드는 장점이 있지만, 그 정확도가 떨어지는 단점이 있다. 자궁경부에 염증이 있거나 검사 방법이 잘못된 경우에는 정상인 사람이 이상소견으로 판정(위양성)될 수도 있으며, 암이 있는데도 놓치는 확률(위음성)이 30% 정도가 된다. 그러므로 자궁경부 도말검사는 선별검사로만 이용되며, 좀 더 정확한 진단을 위해 다음과 같은 방법들이 이용되고 있다.

1) 자궁경부 액상세포검사(liquid-based cytology, LBC)

자궁경부에서 채취한 검체를 액상 고정액과 함께 슬라이드에 도말하여 현미경으로 관찰하는 검사 방법이다. 이 검사는 검체에서 혈액, 점액, 염증세포 등 검사에 부적절한 이물질을 제거하여 진단에 필요한 세포만을 선택적으로 관찰할 수 있고, 또한 검체를 채취 즉시 고정하므로 검체가 마르지 않는 장점이 있어서 자궁경부암 검사의 정확도가 개선되었다.

2) 질확대경(colposcope)을 이용한 조직검사

질경을 삽입하여 자궁경부의 변형대를 모두 볼 수 있도록 노출시킨 후에, 생리식염수나 솜으로 자궁경부의 점액을 제거하고 3% 초산용액을 바른다. 그런 다음 밝은 빛 아래서 특수한 확대경으로 자궁경부를 약 10-40배까지 확대하여 세밀하게 관찰하면서 비정상 소견을 보이는 부위를 확인한다. 동시에 가장 심한 병변 부위를 파악하여 그 부위를 선택적으로 조직검사하는 조준생검(punch biopsy)을 병행할 수 있다.

3) 자궁경부 확대촬영술(cervicography)

질경을 삽입하여 자궁경부의 변형대를 모두 볼 수 있도록 노출시킨 후에 자궁경부에 5% 초산을 바른다. 20-30초 후에 105 mm 특수카메라로 자궁경부를 최대 50배까지 확대 촬영한 후, 이 사진을 숙련된 전문가가 판독한다.

검사 시 상처가 나지 않고 통증이 전혀 없다는 장점이 있지만, 자궁경부의 안쪽에서 암이 진행하는 경우는 찾기 어렵다는 단점이 있다. 자궁경부 확대촬영술 단독으로는 민감도가 적당하지 않으므로, 자궁경부 도말검사와 병용해서 사용하는 것이 추천된다.

4) HPV DNA 검사

자궁경부 세포의 변화와는 관계없이, 자궁경부에 암을 유발하는 고위험군의 인유두종 바이러스의 감염여부를 확인할 수 있다. 이 검사는 세포의 암성변화 이전에 암으로 발전할 위험도를 예측할 수 있는 검사이다.

3. 인유두종 바이러스(human papilloma virus, HPV)

자궁경부암은 거의 모두 HPV의 감염과 관련되어 있고, HPV는 거의 대부분 성관계를 통해 전파된다. HPV에 감염될 위험은 첫 성경험과 함께 시작되며, 이후 성생활을 하는 여성은 생애 전반에 걸쳐 감염될 가능성이 있다. HPV는 질 및 자궁경부의 편평상피세포에 서식한다.

HPV가 인체 내에 들어오면 90% 정도는 대략 6개월에서 2년 내에 저절로 치유된다. 나머지 10% 정도는 계속 자궁경부에 남아 있게 되는데, 특히 자궁경부의 변형대가 HPV 감염에 취약한 곳이다. 이 변형대에 HPV의 감염이 지속되면 정상 자궁경부세포가 긴 시간동안 서서히 변화되면서 전암성 단계인 자궁경부 이형성과 상피내암을 거쳐 자궁경부암으로 진행한다. 보통 7-20년 동안 전암성 단계를 거치므로 조기진단을 할 수 있는 기간이 비교적 긴 편이고, 자궁경부 이형성까지는 서로 가역적이므로 조기검사가 중요하다.

HPV 감염 여부를 검사하는 방법은 현재 약 22종의 HPV유전형 각각에 대한 감염 여부를 확인할 수 있는 "HPV DNA chip 검사법"이 널리 상용화되어 있다.

1) 자궁경부 도말검사와 HPV검사

자궁경부 도말검사와 HPV검사가 모두 음성인 경우에 비해, 자궁경부 도말검사는 음성이지만 HPV검사가 2년 이상 지속적인 양성을 보인 경우에는 HSIL (High-grade squamous intraepithelial lesion, 고등급 편평상피내병변)의 발병 가능성이 300배 이상 높고 이 위험도는 HPV유전형과 관련이 있다.

자궁경부 도말검사가 음성이고 HPV검사가 음성인 경우에는 3년 후에 재검진을 시행한다. 자궁경부 도말검사가 음성이고 HPV검사가 양성인 경우에는 6-12개월 마다 주기적으로 자궁경부 도말검사와 HPV검사를 시행하는 것이 권장되고 있다.

2) HPV 유전형

HPV 유전형은 현재까지 약 200여 종이 넘게 있고, 이 중 약 20여 종이 항문-생식기의 병변과 관계가 있는 것으로 보고 있다. 흔히 저위험군과 고위험군 HPV형으로 분류된다.

(1) 저위험군 HPV형

주로 양성종양을 일으키는 것으로, HPV 6, 11, 34, 40, 42, 43, 44, 54, 61, 70, 72, 81형이 대표적이다. 이중에서도 HPV 6, 11형이 양성 사마귀(benign condyloma)의 발생에 관련이 있다.

(2) 고위험군 HPV형

주로 암이나 전암성 병변을 일으키는 것으로, HPV 16, 18, 31, 33, 35, 39, 45, 51, 52, 56, 58, 59, 66, 68, 69, 73, 82형이 대표적이다. 이중에서도 HPV 16, 18형이 자궁경부암의 70%에서 원인이 된다고 알려져 있다.

하지만 고위험군 HPV형에 감염이 되어도 아무 증상이 없거나 또는 저절로 없어지는 경우도 있다.

3) HPV 예방 백신

최근에는 HPV 감염의 예방과 치료를 위한 백신이 개발되어 국내에 사용되고 있다. 시바릭스(Cervarix)는 HPV 16형과 18형의 감염예방을 위한 2가 백신이고, 가다실(Gardasil)은 HPV 16형, 18형, 6형, 11형의 감염예방을 위한 4가 백신이다.

자궁경부암 예방백신은 접종 후 그 효과가 점점 증대되어 5년 이후에 최대효과를 나타낸다. 따라서 가장 이상적인 경우는 첫 성경험을 하기 5년 전 쯤에 맞으면 좋다. 왜냐하면 성생활을 활발히 시작하면 HPV에 감염될 가능성이 있고, 일단 감염되면 백신의 효과가 떨어지기 때문이다.

현재 미국 식약청에서 권장하는 기준은 가다실은 9-26세, 서바릭스는 10-25세의 여성을 대상으로 접종한다. 어린 나이에 접종할수록 예방효과가 뛰어난 것으로 알려져 있다. 특히 18-26세 여성은 HPV 감염이 발생하기 전에 즉 첫 성경험을 하기 전에 접종할 것을 권고하고 있다.

최근에 개정된 임상 접종지침에서는, 서바릭스를 26-55세 여성도 접종 권고대상으로 포함시켰고, 가다실도 27-45세의 중년 여성에게도 접종 권고대상으로 포함시켜, 의사의 판단 하에 주사를 맞도록 권장하고 있다.

백신은 어깨에 근육주사로 6개월에 걸쳐 총 3회 접종한다. 가다실(4가 백신)은 0, 2, 6개월에 접종하며, 서바릭스(2가 백신)은 0, 1, 6개월에 접종한다.

[검사방법 및 주의사항]

1. 검사방법

1) 수검자는 하의를 모두 벗고 산부인과용 진찰대에 눕는다.
2) 질 안으로 질경(speculum)을 삽입해서 자궁경부를 노출시킨다. 질과 자궁경부에 출혈이 일어나지 않도록 주의해야 한다. 질경을 삽입할 때 입으로 깊이 숨을 쉬도록 하게 하면 안정이 되고 불편감을 줄일 수 있다.
3) 브러쉬를 이용하여 자궁경부의 세포를 채취한다. 자궁경부에 점액 혹은 냉(leukorrhea)이 있어 검체 채취가 어려우면 솜을 이용하여 부드럽게 닦아내어 질 분비물만을 채취하지 않도록 한다.
4) 막대기 모양과 솔 모양의 2가지 브러쉬를 동시에 사용하여 자궁경부의 2군데를 검사해야 한다. 먼저 질 쪽을 향해 노출되어 있는 자궁경부의 외부 부분을 넓적하게 생긴 막대기 브러쉬(spatula)를 사용하여 검사하는데 브러쉬를 360°로 두 번 돌려서 검체를 얻는다. 다음에 자궁경 내막과 자궁경 질부사이의 자궁경부 터널 부분에 크리스마스트리 모양으로 생긴 솔 브러쉬(cytobrush)를 집어넣어 검사하는데 브러쉬를 가볍게 180° 돌려서 검체를 얻는다. 근래에는 한 개의 브러쉬로 두 가지 기능을 할 수 있게 되어 있는 개량형도 있다.

5) 2군데에서 각각 채취한 자궁경부 세포들을 유리 슬라이드 위에 균일하게 도말한다.
6) 도말된 유리 슬라이드를 가능한 빨리 95% 에탄올에 넣어 고정시킨다.
7) 마지막으로 염색을 하고 현미경으로 관찰한다.

2. 검사의 주의 사항

1) 검사에 가장 적절한 시기는 월경이 끝난 후 1주가 지나기 전이 좋다.
2) 월경을 하고 있거나 염증이 생겨 분비물이 많은 경우에는 검사를 피하는 것이 좋다.
3) 검사하기 전 적어도 24시간 이내에는 성관계를 피하고, 질 세척(뒷물), 탐폰, 탈취제 등은 사용하지 않아야 한다.
4) 검사하기 전 1주 이내에는 질에 적용하는 크림이나 약제(질정이나 살정제)는 사용하지 않는 것이 좋다. 이런 경우에는 이물질이 상피세포를 가려 검사의 정확성을 떨어뜨린다.
5) 외상이 생기지 않도록 내진을 하기 전에 검체를 채취하는 것이 좋다.
6) 검체를 채취하기 전에는 조직검사를 행하지 말아야 한다. 혈액의 적혈구가 도말되어 판독이 어려워질 수 있기 때문이다.

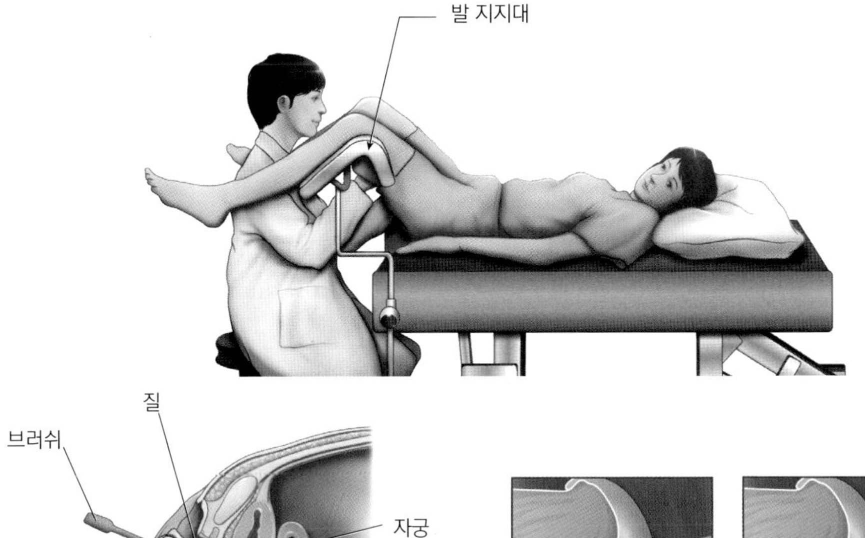

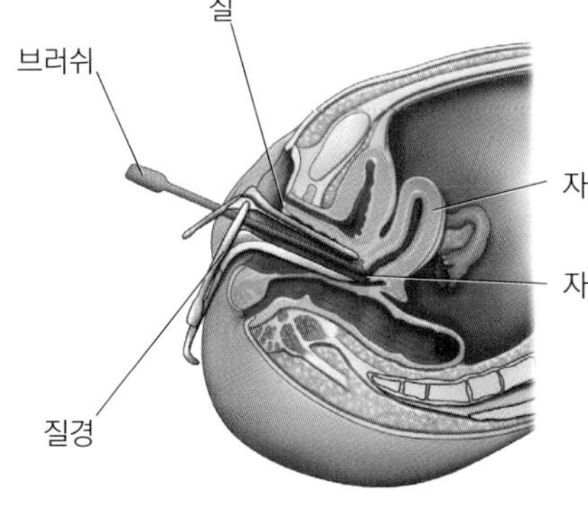

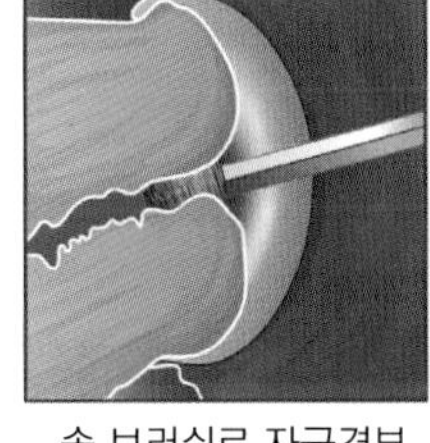
솔 브러쉬로 자궁경부 터널을 검사한다.

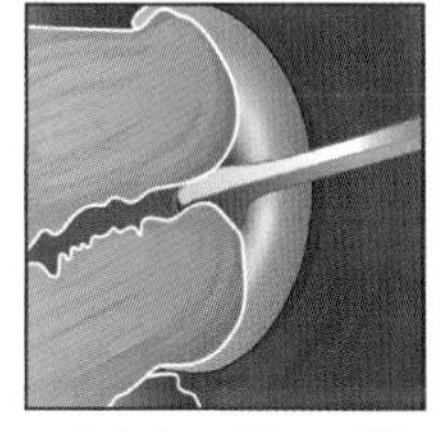
막대기 브러쉬로 자궁경부 외부를 검사한다.

그림 2-44 자궁경부 도말검사의 자세와 방법

[자궁경부 도말검사의 판독]

고전적인 Pap 분류와 The Bethesda System 이 사용되고 있다.

1. 고전적인 Pap 분류

검사결과를 세포양상에 따라 class 1에서 class 5까지 5단계로 나눈다.

Class 1 : 정상(Normal)

Class 2 : 염증(Inflammation)

Class 3 : 이형성(Dysplasia)

Class 4 : 상피내암(CIS)

Class 5 : 암(Cancer)

2. The Bethesda System(TBS)

고전적인 Pap 분류는 위음성률이 높고, 병리의사에 따라 진단이 조금씩 차이가 나는 단점이 있었다. 용어의 통일, 발암과정에서 인유두종 바이러스(HPV)의 연관성, 그리고 검사결과에 따른 임상적인 처치의 기준을 설정할 필요성이 대두되었다.

그래서 1988년에 미국 국립암연구소(National Cancer Institute, NCI)) 주관으로 세포병리학자, 부인종양학자 및 보건의료관계자 등이 미국의 메릴랜드주에 있는 베데스다(Bethesda)에서 모여 "The Bethesda System"을 제정했다. 그 후 2001년에 일부 사항이 개정되어 "The Bethesda System 2001" 이 현재까지 사용되고 있다. 이 분류법은 자궁경부암의 발생에 인유두종 바이러스의 감염이 중요한 역할을 한다는 점을 기본 원칙으로 해서 좀 더 엄격한 진단과 치료를 고려한 것이다.

The Bethesda System 은 크게 3부분으로 구성되어 있다.

The Bethesda System(TBS)

I. Specimen adequacy(검체의 적정성)
  1. Satisfactory for evaluation(평가하기에 적절한 검체)
  2. Unsatisfactory for evaluation(평가하기에 부적절한 검체)
    ☞ 보고서에 꼭 필요한 부분으로, 적정한 검체가 아니면 검사결과가 부정확하게 나온다.
II. General categorization(일반 분류)
  1. Negative for intraepithelial lesion or malignancy(상피내 병변이나 악성이 없음)
  2. Epithelial cell abnormality(상피세포 이상)
  3. Other(기타)
III. Interpretation & result(결과 판정)
  1. Negative for intraepithelial lesion or malignancy(상피내 병변이나 악성이 없음)
    ☞ 상피세포의 이상이 관찰되지 않는 경우를 말하며, 양성 감염 소견이 있는 경우에는 감염원을 기술하도록 한다.
    1) Organisms(미생물에 의한 변화)
      - 트리코모나스(Trichomonas Vaginalis), 칸디다 진균종(Candida Species), 방선균 종(Actinomyces species), 단순포진 바이러스(Herpes simplex virus), 세균성 질증(Bacterial vaginosis)
    2) Other non-neoplastic findings(기타 원인에 의한 변화) : Reactive cellular change(반응성 세포변화) 에 해당됨.
      - Inflammation(염증), Radiation(방사선 치료), Intrauterine contraceptive device(IUD, 자궁내 피임기구), Atrophy(질 위축)을 포함.
  2. Epithelial cell abnormalities(상피세포 이상)
    1) Squamous cell(편평상피세포의 이상)
      ① ASC : Atypical squamous cells(비정형 편평세포)
      ASC-US : ASC of undetermined significance
      ASC-H : ASC cannot exclude high-grade squamous intraepithelial lesion
      ② LSIL : Low-grade squamous intraepithelial lesion(저등급 편평상피내병변)
      : human papilloma virus(HPV) / mild dysplasia / cervical intraepithelial neoplasia 1(CIN 1) 를 포함.
      ③ HSIL : High-grade squamous intraepithelial lesion(고등급 편평상피내병변)
      : moderate & severe dysplasia / carcinoma in situ(CIS) / cervical intraepithelial neoplasia 2 & 3(CIN 2 & CIN 3) 를 포함.
      ④ Squamous cell carcinoma(편평상피세포암)
    2) Glandular cell(선세포의 이상)
      ① Atypical glandular cells(AGC)(비정형 선상피세포) endocervical, endometrial, 또는 not otherwise specified를 명시.
      ② glandular cells favor neoplastic endocervical 또는 not otherwise specified를 명시.
      ③ Endocervical adenocarcinoma in situ(AIS)(상피내 선암)
      ④ Adenocarcinoma(선암)
  3. Other(기타)
    Endometrial cells in a women ≥ 40 years of age
    (40세 이상에서 자궁내막 세포가 발견되는 경우)

표 2-5. 자궁경부 세포 검사법의 비교 분류

Pap 분류	WHO 분류	CIN System	The Bethesta System
class I	정상	정상	정상
class II	atypia(비정형)	reactive atypia (반응성 비정형)	ASCUS
		HPV(인유두종 바이러스)	LSIL
		koilocytotic atypia* (스푼세포성 비정형)	
class III	Mild dysplasia (경도의 자궁경부 이형성)	CIN I (자궁경부의 상피내 신생물, 분화도 Ⅰ)	
	Moderate dysplasia (중등도의 자궁경부 이형성)	CIN II (자궁경부의 상피내 신생물, 분화도 Ⅱ)	HSIL
	severe dysplasia (중증의 자궁경부 이형성)	CIN III (자궁경부의 상피내 신생물, 분화도 Ⅲ)	
class IV	CIS(carcinoma in-situ) (자궁경부의 상피내 암종)	CIS(자궁경부의 상피내 암종)	
class V	SCC(squamous cell ca) (자궁경부의 편평세포암)	SCC(자궁경부의 편평세포암)	SCC

* koilocytotic atypia(스푼세포성 비정형)란 인유두종 바이러스에 감염된 생식기 세포에서 나타나는 특징적인 세포학적 변화를 말한다.

[검사결과에 따른 적절한 처치]

1. ASCUS

ASCUS 는 편평상피세포내 병변(squamous intraepithelial lesion, SIL)은 의심되지만 LSIL과 HSIL 범위를 만족시키지 못하는 비정상 세포들을 말한다.

ASCUS 진단을 받은 경우에는 자궁경부 도말검사를 3-6개월 간격으로 반복 시행한다. 연속된 2번의 검사에서 정상을 보이면 1년에 1번씩 정기검사를 권하고, 만약 ASCUS 이상의 소견을 또 보이면 HPV DNA 검사를 시행한다. 이때 음성을 보이면 3개월 후 재검을 하고, 양성을 보이면 질확대경을 이용한 조직검사를 시행한다.

ASC-H 에서는 ASC-US 에 비해 중증의 자궁경부 이형성(severe dysplasia)의 빈도가 높다. ASC-H 진단을 받은 경우에는 높은 빈도에서 CIN 2, 3 가 진단되고 고위험군 HPV 가 70% 이상에서 확인되므로, 바로 질확대경을 이용한 조직검사를 시행하는 것이 좋다.

2. LSIL

LSIL은 인유두종 바이러스에 의한 세포변화(스푼세포성 비정형, koilocytotic atypia), 경도의 자궁경부 이형성(mild dysplasia)와 자궁경부의 상피내 신생물 I (CIN I)을 포함하는 것을 말한다.

LSIL 소견이 있을 때는 자궁경부암인 경우보다는 다양한 종류의 HPV가 감염된 상태이다.

대부분 2년 이내에 CIN 초기 단계에서 소멸되는 경우가 대부분이나, 일부의 경우에는 진행된 상태의 CIN, 또는 HSIL이나 그 이상의 병변으로 진행하는 경우도 있기 때문에 추가적인 검사를 필요로 한다. 4-6개월 간격으로 자궁경부 도말검사를 시행해서 ASC-US 이상의 결과가 나오면 질확대경을 이용한 조직검사를 시행한다.

3. HSIL

HSIL은 중등도와 중증의 자궁경부 이형성(moderate and severe dysplasia), 자궁경부의 상피내 암종(CIS, carcinoma in-situ)과 자궁경부의 상피내 신생물 II, III (CIN II, III)을 포함하는 것을 말한다.

HSIL은 자궁경부암에서 발견되는 고위험군 또는 중등도 위험군 HPV가 발견되며, 자연적으로 치유되기보다는 상피내암으로 유지되거나 자궁경부암으로 진행되는 경우가 많다.

이와 같은 세포 소견이 나온 환자에서는 바로 질확대경을 이용한 조직 검사로 추가 진단이 필요하며, CIN II, III 이상으로 판정된 경우는 환상투열요법(loop electrosurgical excision procedure, LEEP)이나 한랭식원추절제술(cold knife conization)으로 치료를 시행한다.

자궁경부암

1. 원인 인자

1) 인유두종 바이러스(human papilloma virus, HPV)

성 접촉에 의한 인유두종 바이러스 감염이 가장 중요한 원인이다.

2) 연령

20세 이전에는 드물고, 30세 이후부터 발병이 증가하여 50대에 정점을 나타내다가, 그 이후에는 발병률이 거의 일정하다.

3) 인종

서구에 비해 남미, 아프리카, 아시아 지역에서 발생 빈도가 높다.

4) 사회경제적으로 저소득 계층

5) 성행위

16세 이전의 조기 성 경험자, 성교 파트너가 많은 여성, 아이를 많이 낳은 경험 등이 발병 위험 요인이다.

6) 성교 파트너의 특성(고위험 남성)

남성 배우자의 난잡한 성생활

7) 기타

흡연, 경구피임약의 장기 복용, 성병, 면역기능 저하, 정기검진을 받지 않은 여성, 영양소 결핍, 비만 등

2. 증상

자궁경부암 초기에는 특별한 증상이 없다. 그러므로 조기진단을 위하여 매년 정기적인 자궁경부 도말검사를 시행하는 것이 중요하다.

자궁경부암이 진행되면 가장 흔한 증상이 비정상적인 질 출혈이다. 특히 성교 후 출혈을 동반하는 경우가 많다. 그 외 질 분비물의 증가, 간헐적인 질 출혈 등이 발생할 수 있다.

병이 더욱 진행된 경우에는 냄새가 심한 질 분비물의 증가, 골반의 통증, 지속적인 질 출혈로 인한 빈혈 증상, 얼굴이나 손발의 부종, 체중감소 등이 발생할 수 있다. 또한 자궁경부의 병변이 방광이나 직장으로 침범할 경우 방광 출혈이나 직장 출혈 등을 유발할 수 있다.

3. 진단

자궁경부 도말검사는 선별검사이다. 자궁경부암의 확진은 오직 조직검사로만 가능하다.

자궁경부암 중에서 가장 많은 조직형은 편평상피세포암이므로, 이 경우 종양표지자인 SCC항원이 매우 유용한 혈청표지자이다. 그러므로 치료 전과 치료 중 그리고 추적관찰 중에 SCC항원의 수치를 측정한다.

4. 치료

자궁경부암으로 진단되면 치료는 암의 병기와 환자의 개인 상황에 따라 다르다.

원추절제술, 근치적 자궁적출술, 방사선요법, 항암 화학요법이 포함되며, 이 방법들을 단독 사용하거나 병용할 수 있다.

5. 예후

조기에 진단되어 치료하면 완치가 가능하지만, 자궁경부를 넘어 전이된 경우는 완치가 어려울 뿐만 아니라 치료에 따른 부작용으로 고통을 겪게 된다.

SECTION 3

진단의학검사

- 검사결과의 해석
- 혈액
- 혈액검사 방법
- 채혈
- 혈액검사의 종류

01 혈액질환검사
02 철분대사검사
03 혈액응고검사
04 혈액형검사
05 간기능검사
06 신장기능검사
07 혈당검사
08 지질대사 검사
09 통풍검사
10 전해질검사
11 바이러스성 간염검사
12 갑상선기능검사
13 췌장기능검사
14 종양표지자검사
15 염증반응검사
16 AIDS 검사
17 매독검사
18 류마티스인자검사
19 소변검사
20 대변검사

진단의학검사는 혈액, 소변, 대변 등으로 시행하는 검사로 예전엔 "임상병리검사"라고 하였다. 수검자 입장에서는 소변 채취와 채혈만으로 끝나는 비교적 간단한 검사지만, 검사의 내용은 검사항목의 수와 종류에 따라 차이가 많이 난다. 검사 수일 전부터 과음을 삼가고, 검사 전날 간단한 저녁식사 후 다음 날 검사할 때까지 금식해야 한다.

금식을 하지 않을 경우에 다음과 같은 문제점이 있다.

- 혈당, 콜레스테롤 등 여러 가지 혈액 성분의 농도가 변화한다.
- 복부초음파검사에서 담낭이 보이지 않는다.
- 위내시경, 위장조영술을 시행할 때 음식물로 인해 검사가 불가능해진다.

검사결과의 해석

HEALTH SCREENING MEDICINE

혈액검사에서 검사결과는 수치로 표시되는 경우가 많다. 검사결과의 참고치(정상범위)는 나이와 성별에 따라 다르고, 측정하는 원리와 장비에 따라 차이가 있으며, 검사실 마다 다르므로 검사결과를 해석할 때는 주의를 요한다.

- "정상치"는 많은 정상인의 검사수치를 통계적 방법으로 계산하여, 평균값을 중심으로 표준편차의 약 2배 많거나 적은 범위를 포함한다. 100명 중에 95명이 나타낼 수 있는 범위이다. 즉 건강한 사람이면서도 이상치를 나타낼 수 있는 확률이 5%라는 의미이다. 정상치를 크게 벗어날 때는 질환이 있음을 의미할 수 있다.
- 검사수치가 정상치를 벗어난다고 해서 꼭 질환을 의미하는 것은 아니기 때문에 정상치라는 용어 대신에 "참고치"라는 용어를 사용하는 것이 좋다.
- 단 한 번의 검사결과가 정상범위를 벗어난다고 해서 이상이 있다거나 질환이 있다고 할 수는 없다. 정상범위에 있지만 연령이나 성별에 따라 결과치가 다르게 나올 수 있고, 같은 사람이라도 측정한 날이나 시각, 계절, 식사, 운동, 임신 등의 조건에 따라 측정치가 생리적인 변동을 보인다. 또한 검사실마다 측정하는 원리와 장비에 따라 결과치가 다를 수 있다.
- 건강한 사람도 측정치가 개인에 따라 차이가 있으므로, 개인의 정상치를 올바로 진단하기 위해서는 2-3번 반복한 검사결과의 변화를 바탕으로 정상치를 해석하는 것이 중요하다.
- 검사항목에 이상이라고 표시되더라도, 하나의 검사항목만으로 결과를 해석하기는 어려움이 있어서 몇 가지 검사 결과를 종합하여 진단해야 한다.

1. 양성과 음성

검사결과를 양성과 음성으로 표시할 때, 양성(陽性, positive)은 "있다"는 뜻으로 검사에서 어떤 물질이 검출된다는 의미이다. 양성은 (+)로 표시한다. 음성(陰性, negative)은 "없다"는 뜻으로 검사에서 어떤 물질이 검출되지 않는다는 의미이다. 음성은 (-)로 표시한다.

참고로, 양성과 악성은 종양의 특성을 나타내는 말로, 양성(良性, benign)은 "좋다"는 뜻이며 어떤 종양이 암이 아니므로 악성화하지 않는다는 의미이다. 악성(惡性, malignancy)은 "나쁘다"는 뜻이며 어떤 종양이 내버려둘 경우 사람을 사망하게 할 수도 있는 암이라는 의미이다.

그러므로 의학용어에서 "양성"이라 할 때는, "positive"를 의미하는지, "benign"을 의미하는지 잘 구분해야한다.

2. 검사결과의 정확성

검사를 통해 진단을 할 때 환자가 가지고 있는 질병을 놓치거나 가지고 있지 않은 질병을 있다고 하는 경우에는 오진이 되므로, 진단을 위해 이용하는 검사는 정확성을 가져야 한다.

정확성은 주로 신뢰도와 타당도를 기준으로 평가된다. 신뢰도는 반복적으로 측정했을 때 일관되게 같은 결과가 나오는가로 평가된다. 타당도는 측정한 결과가 실제 참값에 얼마나 가까운가로 평가된다. 진단검사의 정확성은 주로 타당도를 기준으로 평가된다.

타당도는 4가지로 평가되는데, 민감도, 특이도, 양성예측도, 음성예측도이다.

표 3-1. 진양성, 위양성, 진음성, 위음성

		진단하고자 하는 질환		합계
		질환 있음	질환 없음	
진단검사 결과	양성	A(진양성)	B(위양성)	A+B
	음성	C(위음성)	D(진음성)	C+D
합계		A+C	B+D	

진양성(true positive) : 질환이 있는 환자가 검사결과에서 양성으로 나온 경우이다.

위양성(false positive) : 질환이 없는 정상인이 검사결과에서 양성으로 나온 경우이다.

위음성(false negative) : 질환이 있는 환자가 검사결과에서 음성으로 나온 경우이다.

진음성(true negative) : 질환이 없는 정상인이 검사결과에서 음성으로 나온 경우이다.

1) 진단에 사용되는 검사가 얼마나 정확한지, 검사를 개발하는 개발자 입장에서 평가한다.

(1) 민감도(sensitivity) = A ÷ (A+C)

질환이 있는 사람을 검사결과에서 양성으로 검출하는 능력으로, 병이 있는 환자를 병이 있다고 판단하는 정도이다. 위음성(C)이 적을수록 민감도는 높다.

(2) 특이도(specificity) = D ÷ (B+D)

질환이 없는 사람을 검사결과에서 음성으로 검출하는 능력으로, 병이 없는 사람을 병이 없다고 판단하는 정도이다. 위양성(B)이 적을수록 특이도는 높다.

2) 진단에 사용되는 검사가 얼마나 유용한지, 검사를 사용하는 의료진 입장에서 평가한다.

(1) 양성예측도(positive predictive value) = A ÷ (A+B)

진단검사에서 양성으로 나온 결과 중에서, 실제로 질환이 있을 확률을 의미한다.

(2) 음성예측도(negative predictive value) = D ÷ (C+D)

진단검사에서 음성으로 나온 결과 중에서, 실제로 질환이 없을 확률을 의미한다.

3. 진단검사에 있어서 민감도, 특이도, 예측도의 중요성

병원에서 검사를 한 후에 질병이 없다는 진단을 받았는데 몇 달 후 중병이 발견된다면 그 검사는 민감도가 매우 낮은 검사이다. 또한 검사를 한 후에 질병이 있다는 진단을 듣고 치료를 받았는데 뒤늦게 질병이 없다는 사실이 밝혀진다면 그 검사는 특이도가 매우 낮은 검사이다.

극단적으로 질병이 있거나 없거나 상관없이 모든 사람에게 양성을 보여 주는 검사가 있다면 이 검사는 민감도가 100% 이기는 하지만 질병이 있는 사람을 찾아내는 검사로서 가치가 없다. 질병이 없는 사람을 검사해서 모두 음성으로 판정해야 특이도가 100% 에 이르는 좋은 검사이지 질병이 없는 사람을 수시로 양성으로 판정하는 검사는 효용가치가 떨어질 수밖에 없다.

민감도가 낮은 검사는 해당 질환의 발견이 어려우므로 조기진단의 기회를 놓치게 하고, 특이도가 낮은 검사는 수검자에게 걱정과 불필요한 정밀검사를 하게끔 한다. 예측도가 낮은 검사는 검사결과의 해석에 혼동을 초래한다.

그러므로 질병을 진단하기 위해서 사용되는 검사법은 높은 민감도와 특이도 및 높은 예측도를 가져야만 한다. 환자의 입장에서는 민감도가 100%이면서 동시에 특이도도 100%인 검사방법이 있다면 좋겠지만, 실제로 그런 검사법은 없으므로 이런 특성을 잘 알고 검사결과를 판정해야한다.

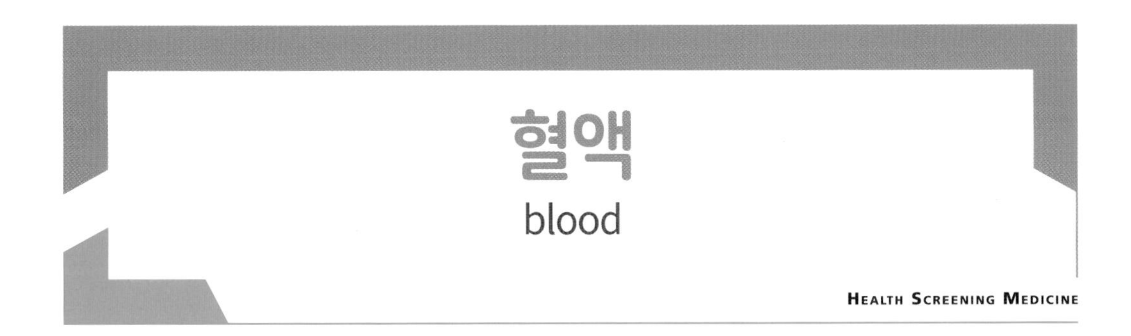

1. 혈액의 기능

혈액의 주요 기능은 몸 안의 세포에 필요한 산소와 영양소를 공급하고, 세포의 대사작용에 의해 발생하는 이산화탄소와 노폐물을 배출하는 역할을 한다.

1) 운반 작용

인체 각 조직으로 영양소를 운반한다.

조직에 산소를 전달하고 이산화탄소를 배출한다.

인체의 여러 조직에서 나오는 노폐물을 적당한 배설기관으로 운반한다.

내분비계에서 만들어진 호르몬을 목표기관까지 운반한다.

2) 조절 작용

몸 안에서 발생하는 열을 체내에 고루 분포시켜 체온을 유지한다.

체내 삼투압과 수분 평형에 관여한다.

몸의 수소 이온 농도(pH)를 유지한다.

혈당을 유지한다.

체내의 수분량이 과다하면 신장, 폐, 피부 등으로 운반해 물을 배설하게 한다.

3)방어 작용

백혈구의 아메바 운동에 의해 식균작용을 한다.

림프구의 항체생성을 통해 세균감염에 저항한다.

혈액응고를 통해 출혈을 방지한다.

2. 혈액의 구성

혈액의 모든 성분을 하나도 제거하지 않은 전체성분을 전혈(whole blood)이라고 한다. 혈액(전혈)은 액체성분인 혈장과 세포성분인 혈구로 구성된다.

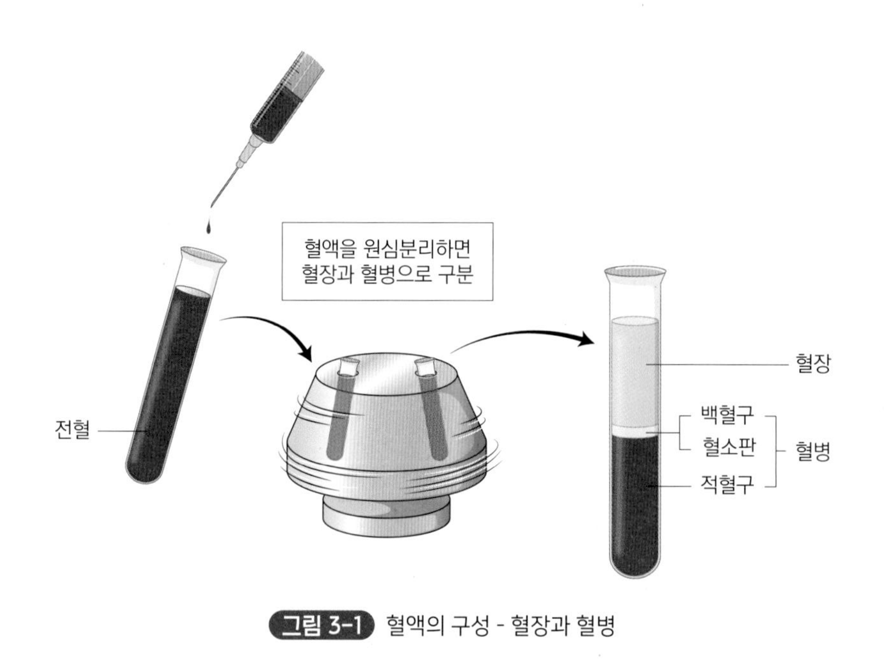

그림 3-1 혈액의 구성 - 혈장과 혈병

혈액(전혈) = 혈장 +혈구

혈장 = 혈청 + 피브리노겐

혈구 = 적혈구 + 백혈구 + 혈소판

혈액을 채취한 후 시험관에 넣어 세워두면, 응고인자 즉 피브리노겐(fibrinogen, 섬유소원)을 포함하고 있기 때문에 쉽게 응고되어 상하 2층으로 분리된다. 비중이 적은 혈장(plasma)은 상층에 위치한 채 황색을 띠고, 무거운 고형층 즉 혈병(blood clot)은 아래층에 위치한 채 적색을 띈다.

혈장은 혈액 중에서 혈구가 제거된 액체를 말하고, 혈병은 적혈구, 백혈구, 혈소판 등 세포성분과 피브리노겐으로 구성되어 있다. 혈청(serum)은 혈장 성분 중에서 피브리노겐이 제거된 액체를 말한다. 이 혈액을 원심분리하면 2층 사이에 흰색의 띠가 보이는데, 이것을 완충층(buffy coat)이라고 하며 백혈구와 혈소판이 모여 있다.

1) 혈장의 구성성분

(1) 물 : 전체의 90%를 차지한다. 세포간 체액과 세포내 체액을 보충한다.

(2) 단백질 : 혈장의 7%를 차지한다. 알부민, 글로불린(항체 등), 수송 단백질(지단백, lipoprotein), 트랜스페린(transferrin), 세룰로플라스민(cerulloplasmin)) 등

(3) 영양분 : 아미노산, 당, 지질

(4) 호르몬 : 인슐린, 에리스로포이에틴(erythropoietin) 등

(5) 무기질 이온 : 나트륨, 칼륨, 칼슘 등의 양이온과 염소, 인산, 중탄산염 등의 음이온

(6) 그 외에 비타민, 효소 등

혈장의 염은 전해질을 공급하여 혈액의 알칼리 반응을 유발하고, 완충제로서 작용하는 탄산염과 인산염을 일정하게 사용하여 체내에 유입된 산과 염기를 중화시킨다. 정상적인 혈액의 pH는 7.4로 약알칼리성이다.

혈장의 단백질은 알부민, 글로불린, 피브리노겐 등으로 구성되어 있다.

알부민(albumin)과 글로불린(globulin)은 혈액의 삼투압을 유지하는 역할을 한다. 알부민은 헤모글로빈의 분해산물인 빌리루빈을 운반하고, 글로불린을 포함하고 있는 지단백질은 콜레스테롤을 운반한다.

글로불린은 알파, 베타, 감마의 세 종류가 있다. 알파와 베타 글로불린은 간에서 합성된다. 감마 글로불린은 림프계통에서 합성되며, 인체가 질병에 저항하여 면역을 가질 수 있도록 하는 항체로서의 역할도 한다.

피브리노겐(fibrinogen)은 트롬빈(thrombin)에 의해 불용성의 피브린(fibrin)으로 전환되어 혈액응고에 중요한 역할을 한다.

프로트롬빈(protrombin)은 글로불린의 일종이며, 비타민K에 의해서 간에서 생성된다. 혈소판에서 유래된 트롬보플라스틴(thromboplastin)이나 트롬보키나아제(thrombokinase)에 작용에 의해 혈액응고과정에서 필수적인 효소인 트롬빈이 된다.

2) 혈구의 종류

혈구에는 적혈구, 백혈구, 혈소판이 있다.

이들 세포들은 조혈기관인 골수에 존재하는 조혈모세포(hemotopoietic stem cell)로부터 분화된다. 수명이 다된 혈구는 주로 비장이나 간, 골수에서 파괴된다.

(1) 적혈구(erythrocyte, red blood cell, RBC)

세포핵이 없다. 골수에서 처음 생산될 때에는 핵을 포함하고 있지만, 순환하는 혈액에 들어가기 전에 핵이 소멸된다. 이것은 적혈구 세포 자체에 의한 산소소모를 최소한으로 하기 위한 것으로 여겨진다. 양면의 가운데가 오목한 원반형으로 되어 있어, 표면적을 증가시켜 헐색소를 최대로 이용할 수 있고 좁은 모세혈관을 비교적 쉽게 통과할 수 있다.

적혈구는 골수에서 생산되고, 말초혈액으로 유리되어 약 120일간 순환을 한 후에, 수명을 다하면 주로 비장에서 그리고 소량은 간과 골수에서 파괴된다.

적혈구의 주요 기능은 폐에서 조직으로 산소를 운반하고, 조직에서 나온 이산화탄소를 폐로 운반하는 것이다.

헤모글로빈은 산소분압이 높은 호흡기관에서 산소와 가역적으로 결합하고, 분압이 낮은 조직세포에서는 산소를 해리하여 조직세포에 산소를 공급하는 역할을 한다. 이와 같이 헤모글로빈은 산소분자를 주고받는 일을 하므로 "호흡 색소"라고도 한다.

한편, 헤모글로빈은 세포에서 방출되는 이산화탄소와도 결합하여 이산화탄소를 체외로 내보낸다. 이때 이산화탄소는 산소와 달리 헴 구조의 다른 부분에 결합하므로 헤모글로빈은 산소와 이산화탄소를 동시에 처리할 수 있게 된다.

적혈구는 혈색소 즉 헤모글로빈(hemoglobin, Hb)을 포함하고 있는 혈구로, 산소를 운반하기 위해 특화된 세포이다. 적혈구에서 대부분의 산소를 운반하는 물질은 철 이온을 가진 헤모글로빈이고, 헤모글로빈은 산소와 결합하는 성질이 있다.

적혈구의 95%는 헤모글로빈이 차지한다. 혈액이 붉은 색을 띠는 이유는 적혈구속에 있는 헤모글로빈의 색이 붉기 때문이다. 헤모글로빈을 혈색소(血色素)라 하는 이유도 색깔이 붉기 때문이다.

헤모글로빈은 철분을 함유하고 있는 네 개의 헴(heme)과 한 개의 글로빈(globin)으로 구성되어 있고, 글로빈은 각각 알파와 베타로 불리는 네 개의 단백질 사슬($\alpha 2\beta 2$) 로 이루어져 있다. 헤모글로빈은 글로빈이 96%, 헴이 4%를 차지한다.

헤모글로빈 = 헴 + 글로빈

헴 = 철(Fe) + 산소(O_2)

1 g Hb = 1.34 ml 의 산소(O_2)와 결합한다.

1 g Hb = 3.35 mg 의 철(Fe)을 포함한다.

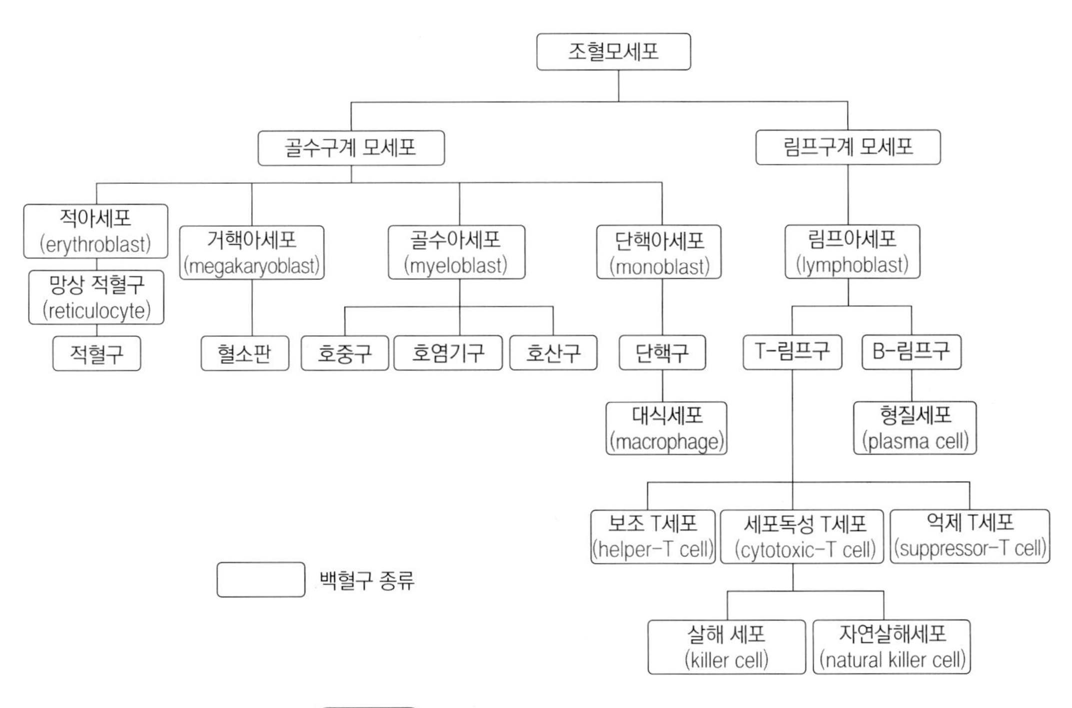

그림 3-2 조혈모세포로부터 혈구세포로의 분화

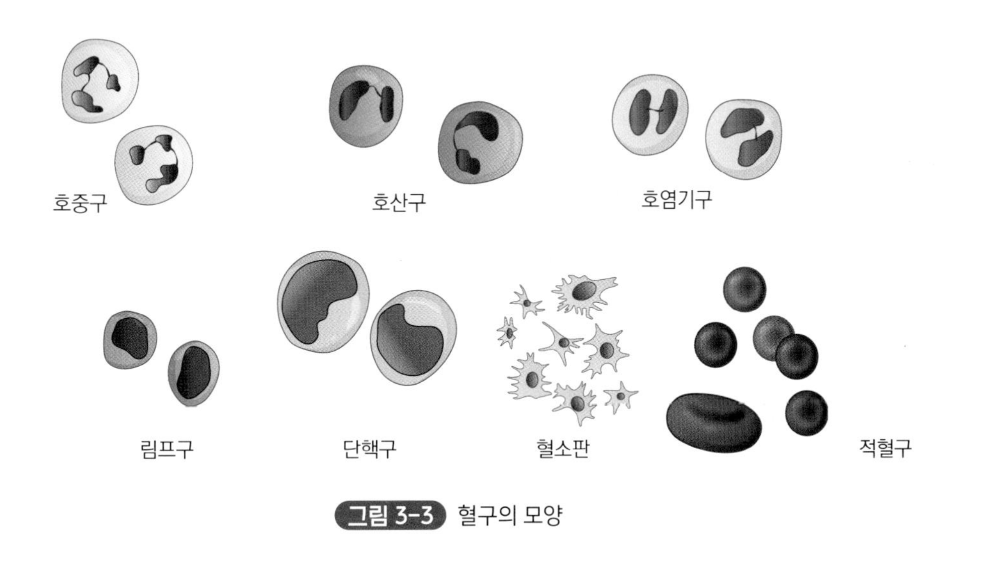

그림 3-3 혈구의 모양

(2) 백혈구(leukocyte, white blood cell, WBC)

세포핵이 있다. 혈액을 원심분리 했을 때 혈장층과 적혈구층 사이에 층을 형성하며, 이 층이 흰색을 띄기 때문에 백혈구라고 한다.

백혈구의 주요 기능은 병원균의 침입으로부터 인체를 방어하는 것이다. 식균작용, 항체생산, 사멸되었거나 상처 난 조직을 제거한다.
피부나 점막에는 많은 세균들로부터의 침입을 막아주는 구조가 존재한다. 그러나 이들 조직이 손상을 받거나 기능이 약해져서 세균들이 체내로 침입해 들어오면, 혈액이나 체액 속에 있는 감염을 방어하는 메커니즘이 작동하여 병원균을 공격한다. 이때 세균을 공격하는 세포가 백혈구, 그 중에서도 특히 호중구와 림프구이다.
백혈구는 모세혈관의 벽을 빠져 나와 자유로이 구석구석의 조직에 드나들 수 있기 때문에 병원균이 침입하더라도 곧 그것을 막을 수가 있다.
병적인 상태에 있거나 외부환경에서 충격이 가해지면 백혈구 수치가 증가한다.
백혈구는 여러 가지 세포로 구성되어 있어서 크기와 기능이 각기 다른 혈구들의 집합이다. 염색했을 때 과립이 있는가에 따라 2종류로 분류된다. 무과립성 백혈구는 알갱이가 염색되지 않으며, 과립성 백혈구는 세포 내에 알갱이가 염색된다. 과립성 백혈구는 핵이 여러 개의 분엽(lobe)으로 되어 있어, 다형핵 백혈구(polymorphonuclear leukocyte, PMNL)라고도 한다. 또한, 백혈구는 염색되는 특징에 따라 5종류의 세포로 세분된다.

■ 백혈구의 종류

- 과립성 백혈구(granulocyte)
  호중구(neutrophil)
  호산구(eosinophil)
  호염기구(basophil)
- 무과립성 백혈구(agranulocyte)
  림프구(lymphocyte)
  단핵구(monocyte)

호중구는 중간 크기로 중성 색소에 친화성이 높은 과립이 있다. 호산구는 중간 크기로 산성 색소에 친화성이 있는 주황색의 큰 과립을 갖고 있다. 호염기구는 중간 크기로 염기성 색소에 친화성이 있다. 림프구는 작고 둥글고 과립이 없다. 단핵구는 크기가 크고 불규칙한 모양의 핵을 갖고 있다.

이들 백혈구세포들은 골수의 조혈모세포(hematopoietic stem cell)라는 공통의 조상세포에서 유래된다.
과립성 백혈구는 골수의 골수아세포(myeloblast)로부터 생성되고, 혈액 속으로 나온 다음에도 핵을 가지고 있다.

림프구는 골수의 림프아세포(lymphoblast)로부터 생성된다. 이들 중에서 일부 세포는 흉선으로 이동하여 T림프구로 분화되고, 일부 세포는 B림프구로 분화된다. T림프구는 혈액 속을 순환하다가 림프절(lymph node)과 비장에 모여 있다가 다시 혈액 속을 순환하는 것을 반복하며, 세포면역(cellular immunity)을 담당한다. B림프구는 림프절과 비장에 모여 있다가 항원이 들어오면 항체를 생산하는 형질세포(plasma cell)로 분화되어, 체액면역(humoral immunity)을 담당한다.
단핵구는 골수의 단핵아세포(monoblast)로부터 생성된 후, 혈액 내에서 1-2일 정도 머물렀다가 조직 내로 들어가 대식세포(macrophage)가 된다.

(3) 혈소판(platelet)

세포핵이 없다. 혈소판은 모양이 일정하지 않은 부정형이다.
혈소판의 주요 기능은 혈관이 손상되었을 때 혈액을 응고시켜 혈액의 손실을 막고 혈관의 재생을 돕는 것이다.

혈소판은 골수 안에 있는 거핵아세포(megakaryoblast)에서 생성된다. 이후 세포질의 분열 없이 핵분열만이 일어나, 큰 핵을 가진 거핵세포(megakaryocyte)가 된다. 각 거핵세포의 세포질은 혈소판으로 모두 떨어져 나가서 약 400개 정도의 혈소판을 만들고, 남은 핵은 대식세포에 의해 포식된다.
혈소판의 2 /3는 순환 혈액에서 발견되며 나머지 1 /3은 비장에 있다.

혈소판 수가 6만개/mm^3 이하이면 약간의 상처에도 출혈할 수 있다. 2만개/mm^3 이하이면 자연적 출혈의 위험이 커진다.

표 3-2. 혈구세포의 수명

적혈구	120일
과립성 백혈구	혈관 내(6-10시간), 혈관 외(4-5일)
단핵구	8.4일
림프구	길게 4-20년(T 세포) 짧게 3-4일(B 세포)
혈소판	7-10일

혈액검사 방법

혈액은 가만히 세워두어도 응고되어 혈병과 혈청이 분리되지만, 보다 잘 분리하기 위해서는 혈액을 담아놓은 시험관을 원심분리 한다. 아무런 성분이 첨가되지 않은 시험관의 경우 응고에 걸리는 시간이 60분 정도이다. 최근에는 응고활성화제와 분리겔이 포함되어 있는 시험관을 이용하여 응고시간을 30분 정도로 단축시켜 보다 신속한 검사가 가능하다.

혈청은 각종 효소, 호르몬, 항원, 항체 등이 포함 되어 있어 여러 가지 검사에 다양하게 이용되고 있다. 혈청을 사용하는 검사는 항원-항체 결합을 기본원리로 하는 면역화학적인 방법으로 검사한다. 이 방법의 원리는 측정하고자 하는 물질과 이에 반응하는 시약 사이에 항원-항체 결합이 일어나면 에너지를 흡수하여 에너지가 높은 흥분상태(excited state)로 된다. 흥분상태의 분자 또는 원자가 다시 기저상태(ground state)로 되돌아오면서 높아진 에너지 준위 만큼의 빛을 발산하는데, 이 빛을 검출기로 감지하여 측정하고자 하는 물질의 양을 측정한다.

검사하고자 하는 항목에 따라 필요한 혈액의 종류(전혈, 혈청, 혈장 등)가 다르므로 용도에 맞는 시험관을 선택해야 하고, 검사에 필요한 혈액의 종류에 따라 채혈량이 다르다.

1. 항응고제

전혈이나 혈장을 사용하는 검사를 할 때는 응고인자 즉 피브리노겐(fibrinogen)을 포함하고 있어서 쉽게 응고되므로 채혈을 할 때 항응고제가 첨가된 시험관을 사용하고, 원심분리기로 3,000 rpm에서 20분쯤 원심분리하면 혈장을 사용한 검사를 할 수 있다. 항응고제의 종류에는 다음과 같은 것들이 있다.

1) EDTA(Ethylene diamine tetraacetic acid)

혈액중의 Ca과 착화결합으로 제거되어 응고를 방지한다. 혈소판의 군집을 막는데 가장 우수하여 정확한 혈소판수를 셀 때 좋다.

2) Sodium citrate

혈액중의 Ca와 결합하여 Calcium citrate의 불용성 침전물을 만들어 응고를 방지한다. 주로 혈액응고 검사에 사용된다.

표 3-3. 혈액검체의 종류와 항응고제

검체	항응고제	검사 종류
혈청	없음	혈액 생화학검사 면역혈청학적 검사
혈장	3.2% Sodium citrate	혈액응고검사
전혈	EDTA	총혈구검사(CBC), ESR, 혈액형검사
	Heparin	특수검사

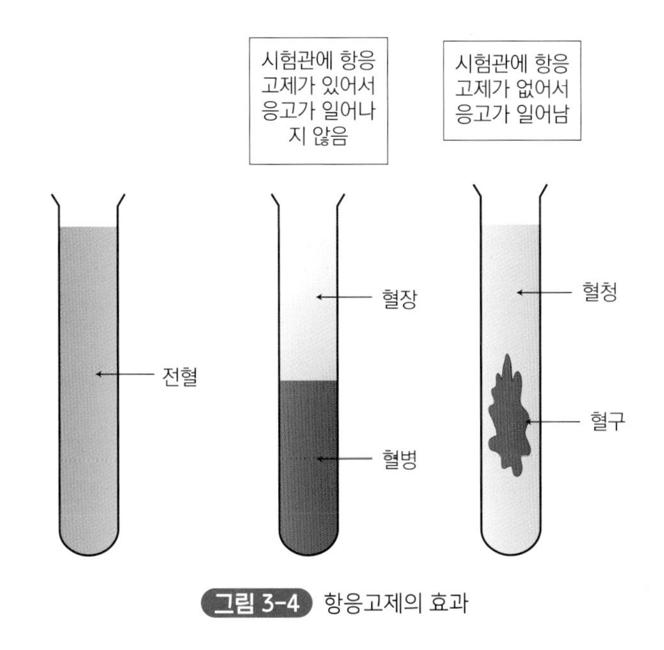

그림 3-4 항응고제의 효과

3) 헤파린(heparin)

혈액응고 과정 중 thrombin의 형성을 방해하거나 또는 중화시킴으로써 대개 24시간 동안 응고를 방지한다. 적혈구 용혈을 최소화하는 이상적 항응고제이다.

2. 시험관

혈청을 사용하는 검사를 할 때에는 검사종류에 따라 일반 시험관이나 첨가제를 넣은 시험관을 각기 용도에 맞게 사용한다.

1) 일반 시험관(plain tube)

시험관 안에 첨가제를 넣지 않는 것으로, 정상적인 혈액의 응고 과정을 통해 혈청(serum)을 얻고자 할 때 사용한다. 실온에서 약 60분 정도 방치하여 자연 응고시킨 후 원심분리 한다. 원심분리기가 없으면 실온에서 상단에 분리된 혈청을 신속하게 분리한다.

생화학검사, 혈청검사, 혈액은행 검사 등에 사용된다.

2) SST 시험관(serum separate tube)

시험관 안에 첨가제를 넣은 것으로, 혈액의 응고과정을 촉진하여 빠르게 혈청을 얻고자 할 때 사용한다. 시험관 벽에는 silica particle이 붙어 있어서 혈액이 들어오면 응고가 촉진되고, 시험관 밑에는 gel이 들어있어서 혈청과 세포성분이 섞이는 것을 방지한다.

혈액을 채취한 후 시험관을 5회 정도 천천히 뒤집어 혈액과 silica particle이 충분히 섞이도록 하여, 응고되도록 30분 정도 세워둔 다음 3000 rpm에서 7분간 원심분리 하여 혈청을 분리한다.

채혈
blood sampling

HEALTH SCREENING MEDICINE

혈액검사를 위해 정맥, 동맥, 모세혈관에서 혈액을 채취하는데, 건강검진에서는 주로 "정맥혈"을 검사한다.

1. 정맥혈의 채혈

1) 채혈시기

운동, 식사, 정신적 스트레스 등에 의해 검사결과가 달라질 수 있으므로, 채혈은 일반적으로 아침 공복에 하는 것을 원칙으로 한다.

2) 채혈량

- 전혈을 사용하는 검사 : 검사에 필요한 양만큼 채혈한다.
- 혈청, 혈장을 사용하는 검사 : 검사에 필요한 양의 3배 이상 채혈해야 한다. 미량의 혈청(예, 0.1 ml)이 필요한 경우에도 시험관 1개에 최소 2-3 ml의 전혈을 넣어야 한다.
- 혈액응고 검사 : 3.2% sodium citrate tube에 전혈 약 3 ml를 넣는다.

3) 채혈 혈관

주로 정중요측피정맥(median cephalic vein)을 사용한다.

2. 채혈의 순서 및 주의사항

1) 채혈 전 20-30분간은 안정을 취하는 것이 좋다.

2) 채혈을 할 때는 반드시 수검자의 이름을 물어서 확인해야 한다. 검체용기에 이름, 등록번호 등의 인적사항을 기록한다.
3) 채혈은 보통 전완부 정맥에서 실시하는데 이때 반흔이 있거나, 유방절제술을 실시한 쪽의 정맥은 피해야 한다.
4) 채혈하고자 하는 팔을 심장위치와 같은 높이에 올려놓게 하고, 힘을 뺀 상태로 손바닥이 위로 향하게 한다. 어깨부터 손목까지 직선이 되도록 하고, 받침대를 팔꿈치 부위에 받친다. 채혈을 시작할 때 수검자에게 미리 "따끔할 거예요"라고 이야기를 해서 놀라지 않도록 한다.
5) 알코올 솜으로 채혈할 부위의 피부를 중심으로부터 바깥쪽으로 향하여 원을 그리면서 2-3회 또는 깨끗해질 때까지 소독한다. 채혈부위에 알코올이 마르지 않았을 때 채혈을 하면 검체가 용혈될 수 있으므로 알코올이 완전히 마른 후에 채혈을 실시한다.
6) 채혈하고자 하는 부위의 상부 8-10 cm 에 압박대를 묶고, 피검자에게 주먹을 쥐게 한다. 압박붕대를 오래 묶으면 혈액이 농축되므로 2분 이상 묶지 않도록 하고, 2분 안에 채혈을 마치지 못한 경우 압박대를 풀었다 다시 묶어 주어야 한다. 압박대는 잡아당기면 잘 풀릴 수 있게 묶는다.
7) 혈관을 눈으로 그리고 촉진으로도 확인하여 적당한 정맥을 고른다. 좀 더 쉽게 정맥이 부풀어 오르게 하려면 피검자에서 주먹을 몇 번 쥐었다 펴게 한다.
8) 검사자는 오염되지 않도록 소독장갑을 착용한다.
9) 혈액을 쉽게 채취하기 위해 주사기의 플런저를 몇 번 잡아당겨 보아 부드럽게 움직이는지 확인한다.
10) 혈관을 고정하기 위하여 주사기를 들지 않는 손의 엄지손가락으로 혈액을 채취할 정맥의 1-2 cm 먼 쪽의 피부를 살짝 누르며 잡아당긴다.
11) 주사바늘의 경사면을 위로 향한 채 피부 표면에 약 30도 각도로 부드럽게 정맥을 찌른다.
12) 채혈이 완료되면 알코올 솜이나 거즈를 채혈부위에 대고 주사바늘을 조심스럽게 뽑은 후 채혈부위를 눌러 지혈시킨다.
13) 수검자에게 채혈부위를 5분 정도 압박하게 한다. 채혈부위를 문지르면 지혈에 방해가 되고 멍이 들 수 있으므로 문지르지 않게 한다.
14) 채혈 당일에는 채혈한 팔로 무거운 물건을 들거나, 과격한 운동, 사우나 등의 행동을 삼가도록 하고, 평소보다 물을 더 마시도록 설명한다.
15) 채혈 후에는 시험관에 기록한 수검자의 이름과 병력번호를 다시 확인한다.
16) 주사바늘과 주사기는 분리해서 정해진 수거함에 각각 버린다.

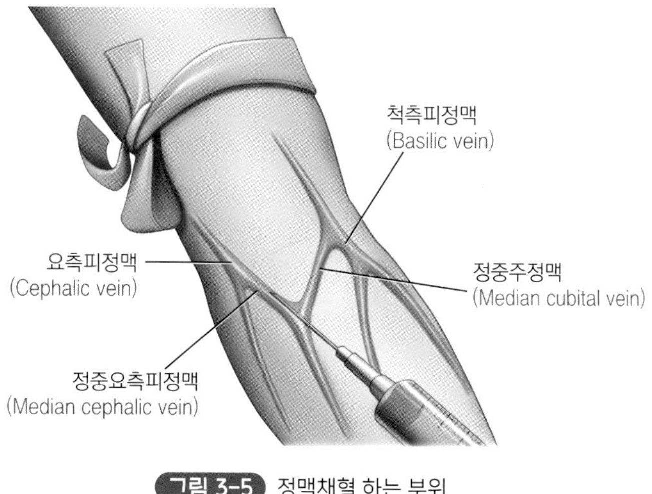

그림 3-5 정맥채혈 하는 부위

기타 주의사항

1) 혈액검체는 채혈 후 즉시 검사를 시행해야 하지만, 당일에 검사가 어려운 경우에는 냉장 보관해야 한다.
2) 혈청검사를 위해 채혈한 경우, 처음 전혈상태의 혈액은 반드시 실온(25-37℃)에서 30분 정도 보관해야 하고, 그 후에 원심분리해서 혈청을 분리해야 한다. 만일, 전혈상태에서 냉장보관(4℃)하게 되면 1시간에 약 0.2 mmol/L 정도 혈청 칼륨(K)이 증가할 수 있고, 혈청을 분리하지 않고 오랜 시간 방치한 후에 혈당을 측정하면 시간당 7%씩 혈당치가 감소되므로 주의해야 한다.
3) 전혈이나 혈장을 사용하는 검사를 위해 채혈한 혈액을 시험관에 주입할 때는 시험관에 항응고제가 첨가되어 있으므로, 항응고제와 검체를 충분히 혼합하되 거품이 생기지 않도록 하면서 10회 정도 위아래로 뒤집어서 섞는다. 충분히 혼합되지 않으면 눈에 잘 보이지 않는 미세응고가 생겨 CBC, PT, APTT 등 관련 검사에서 큰 오차가 발생할 수 있다.

3. 채혈 기구

일반주사기와 진공채혈관이 사용된다.

1) 일반 주사기로 채혈할 때

(1) 주사기 내로 혈액이 흡인되는지 확인하여 정맥 내에 주사바늘이 들어갔음이 확인됐으면 압박대를 푼 후에 혈액을 채취한다. 흡인을 너무 빨리하면 피가 잘 나오지 않거나 적혈구의 용혈로 검사 결과에 변동이 생길 수 있으므로 거품이 발생하지 않도록 적당한 속도로 채혈한다.

(2) 주사기를 들고 있는 손으로 잘 지탱하면서 다른 손으로 플런저를 당겨 원하는 양만큼 채혈을 시작한다. 플런저를 당길 때 주사기를 잘 고정하는 것이 중요하다.

(3) 채혈된 혈액은 신속하게 채혈 시험관에 주입한다. 이때 빠른 속도로 주입하는 경우 혈구가 깨지면서 용혈현상이 일어날 수 있으므로, 주사바늘은 빼고 주사기 입구를 시험관의 벽에 댄 채로 시험관 벽을 따라서 천천히 주입한다. 항응고제가 들어있는 시험관에 먼저 주입하고 나중에 일반 시험관에 주입한다.

2) 진공채혈관으로 채혈할 때

(1) 홀더가 달린 주사기 내로 혈액이 흡인되는지 확인하여 정맥 내에 주사바늘이 들어갔음이 확인됐으면 혈액을 채취한다. 진공채혈관을 홀더에 삽입하여 혈액이 관내의 음압에 의해 저절로 흘러나오도록 한다. 일반주사기를 사용할 때와는 다르게 홀더에서 진공채혈관을 뽑고 나서 압박대를 풀도록 한다.

(2) 진공채혈관은 채혈 목적에 따라 적당한 압력으로 내압이 조정되어 있으므로 일정량의 혈액이 얻어지면 더 이상 혈액이 나오지 않는다.

(3) 혈액이 더 이상 흘러나오지 않으면 홀더로부터 진공채혈관을 뺀다. 만약 여러 종류의 검체가 필요한 경우에는 적절한 진공채혈관을 홀더에 다시 삽입하여 채혈한다.
여러 가지 검체용기가 필요할 때에 다음과 같은 순서대로 채취한다.
① 혈액배양용 검체
② 항응고체가 함유되어 있지 않은 검체
③ 항응고제가 함유된 채혈관 : 항응고제의 채혈순서는 citrate tube, heparin tube, EDTA tube의 순서로 한다.

4. 채혈과 관련하여 발생할 수 있는 문제

혈액을 채취하기 전에 과거에 채혈로 인해 혈관-미주신경 반사에 의한 실신이 있었는지, 쉽게 멍이 들거나 지혈이 잘 되지 않는 경우가 있었는지 등을 물어보아야 한다.

1) 피하출혈

주사바늘의 부정확한 삽입, 채혈도중 바늘이 움직여 혈관을 손상시킨 경우, 채혈 후 지혈이 부적절한 경우에 발생한다.

더 출혈이 되지 않도록 채혈부위를 압박하고, 채혈부위를 심장보다 높게 한다. 처음에는 즉시 냉찜질을 실시하고, 24시간 후부터 온찜질을 하면 빨리 흡수가 된다. 출혈부위가 완전히 흡수되는 데는 약 1-2주 정도가 걸린다.

2) 혈관-미주신경 반사(vaso-vagal reflex)에 의한 실신

팔에서 채혈을 하거나, 정맥주사를 맞다가, 또는 한의원에서 침을 맞다가 스르르 몸에 힘이 빠지면서 의식을 잃고 쓰러지는 사람들이 가끔 있다.

혈관의 자극으로 미주신경(부교감신경)이 활성화되어 그 결과 혈압과 맥박이 떨어져 뇌로 가는 혈류가 감소하기 때문에 생긴다.

이런 현상이 생기면 당황하지 말고 다음과 같이 처치하여 뇌로 가는 혈류를 증가시켜 주면 쉽게 회복된다.

혈관-미주신경 반사(Vaso-vagal reflex)에 의한 실신의 처치

① 수검자가 바닥에 떨어져 머리나 다른 곳을 다치지 않도록 부축한다.
② 침대나 바닥에 반듯이 눕히고, 머리를 낮추고 다리를 심장높이 이상으로 올려준다.
(leg up, head down)
③ 옷의 단추, 혁대, 양말 등 몸을 조이는 것들을 느슨하게 풀어준다.
④ 이상의 처치로 의식이 회복되지 않으면, 혈압을 측정하고 정맥주사로 혈관을 확보한다.

제일 중요한 점은 의식을 잃고 쓰러지는 순간 다치지 않도록 주의해야 한다는 것이다. 심혈관계 질환이 없는 사람이라면 이런 처치만으로도 수 분 안에 완전히 회복된다. 채혈을 하는 간호사나 임상병리사는 반드시 이것을 숙지하고 채혈에 임해야한다.

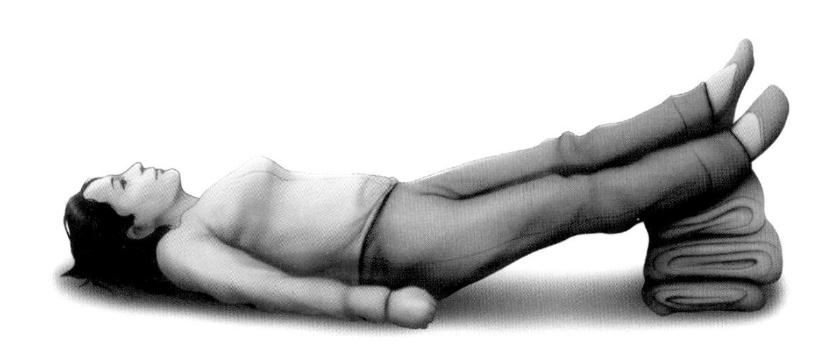

그림 3-6 혈관-미주신경 반사에 의한 실신의 처치

5. 혈액 채취 조건에 따른 성분의 변화

표 3-4. 혈액 채취 조건에 따른 성분의 변화

검체채취 조건		성분 변화
용혈	증가	LDH, Fe, AST, ALT, K
	감소	Bilirubin
식사	증가	Glucose, Lipid, TG(중성지방)
	감소	FFA(유리 지방산), K, P
운동	증가	CK, ALP, AST, ALT, LDH
	감소	Glucose, TG
성별	남 > 녀	Hb, Fe, Uric acid
	남 < 녀	Cholesterol, TIBC
혈액 방치	증가	Ammonia, pH, CO_2
	감소	O_2, Bilirubin, Glucose
혈청분리를 하지 않고 실온에 방치 밀폐해서 방치하면 : Ammonia 증가 개방해서 방치하면 : Ammonia 감소		

혈액검사의 종류

1. 혈액일반검사

1) 총혈구검사(CBC)
2) 혈색소량(Hemoglobin)
3) 적혈구용적률(Hematocrit)
4) 혈액응고검사 - 출혈시간(BT), 프로트로빈시간(PT), APTT
5) 혈액형검사 - ABO, Rh

2. 혈액생화학검사

1) 간기능검사 : AST, ALT, GTP, Bilirubin, Total protein, Albumin, LDH, ALP 등
2) 신장기능검사 : BUN, Creatinine 등
3) 혈당검사 : Glucose, HbA1c 등
4) 지질검사 : Total Cholesterol, HDL-cholesterol, LDL-cholesterol, TG 등
5) 통풍검사 : Uric acid 등
6) 전해질검사 : Na, K, Cl, Ca, P 등
7) 심장질환검사 : CPK, LDH, AST, ALT 등

3. 면역혈청학적 검사

1) 바이러스 검사 : B형간염(HBs Ag, HBs Ab, HBe Ag, HBe Ab), HCV, HIV검사 등

2) 내분비호르몬 검사 : T3, T4, TSH, Free T4, C-Peptide, β-hCG 등

3) 종양표지자 검사 : AFP, CEA, CA19-9, PSA, CA125 등

4) 감염증 혈청검사 : ASO, CRP, VDRL, TPHA 등

5) 자가면역질환 : Anti-TPO Ab, RF 등

6) 뇌혈관질환의 조기 검사 : Homocystein 검사

7) 심장질환검사 : CK-MB, Troponin-I, Myoglobin 등

01 혈액질환검사 - 총혈구검사
Common Blood Count, CBC

목표질환 : 빈혈, 백혈병, 특발성혈소판감소성자반증(ITP)

〈검사 항목〉

적혈구 수(RBC count)

혈색소(헤모글로빈, Hemoglobin)

적혈구용적률(헤마토크리트, Hematocrit)

적혈구 지수(RBC indices)

1. 평균적혈구용적(MCV)
2. 평균적혈구혈색소(MCH)
3. 평균적혈구색소농도(MCHC)
4. 적혈구용적분포, 적혈구 크기의 변이도(RDW)

백혈구 수(WBC count)

백혈구 감별검사(WBC differential count)

혈소판 수(platelet count)

총혈구검사(CBC)는 혈액 속의 세포성분인 적혈구, 백혈구, 혈소판 등 혈구의 수와 혈색소(hemoglobin, Hb), 적혈구용적률(hematocrit, Hct), 적혈구 지수(RBC index) 등 다양한 항목들을 검사한다. 예전에는 혈구 수를 측정할 때 계수판(counting chamber)과 현미경 등을 이용해서 검사자가 직접 계산을 했으나, 요즘에는 자동혈구측정기를 이용하여 빠른 시간 내에 정확하게 측정할 수 있게 되었다. 검사에는 혈액(전혈) 3 ml가 필요하다.

CBC 에서 다음과 같은 결과가 나오면 위험신호(panic value)이다.

- 적혈구 : 2,000,000개 이하, 또는 8,000,000개 이상

- Hb : 7.0 g/dl 이하, 또는 18.0 g/dl 이상
- 백혈구 : 2000개 이하, 또는 200,000개 이상
- 혈소판 : 20,000개 이하, 또는 1,000,000개 이상

1. 적혈구 수(RBC count)

혈액 1 mm^3(=μl) 속에 있는 적혈구 숫자를 의미한다. 빈혈의 여부 및 그 원인을 알기 위한 가장 기본적인 검사이다.

- 임상참고치
  남 : 430-580만 개/mm^3
  여 : 390-500만 개/mm^3
- 적혈수 수 증가
  적혈구증가증, 폐기종, 심한 운동 후, 탈수상태(구토, 설사), 고산지역 주민 등
- 적혈구 수 감소
  각종 빈혈(철결핍성 빈혈, 출혈, 골수에서의 적혈구 생산부족, 체내에서 적혈구 파괴증가 등)

적혈구증가증(polycythemia)

비정상적으로 헤모글로빈 농도와 적혈구 숫자가 증가하는 상태로, 다음의 두 종류가 있다.

1. 원발성 적혈구증가증(진성 다혈구증, polycythemia vera)
   원인은 알려져 있지 않으며 드물게 발생한다.
2. 2차성 적혈구증가증
   조직에 저산소증이 일어나는 경우 보상작용으로서 일어난다. 고산지역의 주민, 심장과 폐의 만성질환에서 발생한다.

2. 혈색소(헤모글로빈, Hemoglobin, Hb)

적혈구에 포함된 산소운반물질이다. 혈액의 산소결합능은 헤모글로빈 농도와 직접 비례한다. 총 헤모글로빈 농도는 각 적혈구당 헤모글로빈 개수에도 일부 영향을 받지만, 주로 혈액 내의 적혈구 수에 비례한다.

과거에는 Hb을 측정할 때, 육안으로 혈액의 색깔을 비교해 보는 비색법도 있었으나, 요즘에는 광전비색계를 이용한 Cyanmethemoglobin법을 사용함으로써 정확하게 분석해 내고 있다.

- 임상참고치
  남 : 13-17 g/dl
  여 : 12-16 g/dl
- 헤모글로빈 증가
  적혈구증가증, 흡연, 코골이, 탈수
- 헤모글로빈 감소
  빈혈, 백혈병

3. 적혈구용적률(헤마토크리트, Hematocrit, Hct)

전체 혈액의 부피에 대해 적혈구가 차지하는 부피를 비율(%)로 나타낸 것이다. 혈액을 원심분리 했을 때 원래의 혈액의 높이와 침강된 혈구층의 높이를 비교하는 것인데, 이때 상층과 하층 사이에서 흰색의 띠가 보이는 완충층(buffy coat)은 Hct에 포함시키지 않는다.

모든 적혈구의 크기가 정상이라면 적혈구 수와 Hct는 비례하지만, 적혈구의 크기가 작거나(microcytic), 크거나(macrocytic) 하면 적혈구 수와 Hct는 비례하지 않는다.

Hct는 빈혈이나 적혈구증가증에 대한 검사에서 적혈구 수, Hb 검사보다 오차가 더 적은 검사이다.

Hb, Hct, 혈중 철, 혈중 페리틴이 낮은 정상치에 있는 사람은, 높은 정상치에 있는 사람이나 정상치보다 높은 수치인 사람보다 더 건강하고 활동적이라고 한다.

- 임상참고치
  남 : 38-52%
  여 : 36-46%
- 헤마토크리트 증가
  진성다혈구증, 폐기종, 탈수상태(구토, 설사), 선천성 심질환, 고산지역 주민(만성적인 저산증)
- 헤마토크리트 감소
  각종 빈혈, 만성 질환

4. 적혈구 지수(RBC indices)

1) 평균적혈구용적(mean corpuscular volume, MCV)

적혈구 수로 헤마토크리트 수치를 나눈 값이다. 적혈구 1개의 평균용적에 해당되고, 적혈구 크기의 변화를 알 수 있다. MCV 값을 보고 빈혈의 종류를 알 수 있다.

MCV의 단위 : fL, femtoliter, 1fL = 10-15 L

- 정상(normocytosis) : 최적 범위, 90±8 fL,
- 소구성(microcytosis, MCV 감소) : 80 fL 이하
  - 철 결핍성 빈혈, thalassemia
  - 비타민 B6 결핍성 빈혈
  - 내부 출혈
- 대구성(macrocytosis, MCV 증가) : 100 fL 이상
  - 거적아구성 빈혈(비타민 B12 또는 엽산결핍성 빈혈)
  - 저위산증
  - 비타민C 결핍

2) 평균적혈구혈색소(mean corpuscular hemoglobin, MCH)

적혈구 수로 혈색소량 수치를 나눈 값이다. 적혈구 1개당 Hb의 평균무게에 해당되고, Hb무게의 변화를 알 수 있다. 적혈구의 Hb함량이 변하면 적혈구의 색이 변한다. 주로 MCV와 함께 빈혈의 종류를 알 수 있다.

MCH의 단위 : pg, picogram, 1 pg = 10-12 g

- 정상(normochromia) : 30±3 pg,
- 저색소성(hypochromia, MCH 감소) : 27 pg 이하
  - 철 결핍성 빈혈
  - 비타민B6 결핍성 빈혈
  - 내부 출혈
- 고색소성(hyperchromia, MCH 증가) : 33 pg 이상
  - 비타민B12 또는 엽산 결핍성 빈혈
  - 저위산증

3) 평균적혈구색소농도(mean corpuscular hemoglobin concentration, MCHC)

헤마토크리트로 혈색소량 수치를 나눈 값이다. 적혈구에 들어 있는 Hb농도에 해당되고, Hb농도의

변화를 알 수 있다.

MCHC의 단위 : g/dl

- 정상(normochromia) : 33±2 g/dl
- 저색소성(hypochromia, MCHC 감소) : 31 g/dl 이하
  - 철 결핍성 빈혈
  - 비타민 B6 결핍성 빈혈
- 고색소성(hyperchromia, MCHC 증가) : 35 g/dl 이상
  - 비타민 B12 또는 엽산 결핍성 빈혈
  - 저위산증

적혈구의 혈색소 농도는 37 g/dl 이상이 되면 결정화되기 때문에, MCHC는 37 g/dl 이상을 넘는 경우는 거의 없다.

4) 적혈구용적분포, 적혈구 크기의 변이도(red cell volume distribution width, RDW)

크기가 다른 적혈구가 얼마나 다양하게 존재하는지, 즉 대소부동증(anisocytosis) 상태를 수치화한 것이다. 결과치가 작을수록 비슷한 크기의 혈구들로 구성되어 있는 것이고, 클수록 크기가 다양한 혈구들이 분포하고 있다는 것을 의미한다.

RDW의 단위 : %

- 정상 : 13-15%
- 증가 : 16% 이상(대소부동증이 있음을 의미)
  - 철결핍성빈혈, 거대적아구성 빈혈(비타민 B12 또는 엽산 결핍)
  - 철결핍성빈혈과 거대적아구성 빈혈이 동시에 있는 경우, MCV는 정상범위에 있지만, RDW는 증가된다.
    만성질환에 의한 빈혈환자에서는 증가하지 않기 때문에, 철결핍성빈혈과의 감별에 유용하다.
- RDW가 정상 하한치의 이하로 감소되는 경우는 없다.

5. 백혈구 수(WBC count)

혈액 1 mm^3(=μl)속에 들어있는 백혈구 숫자를 의미한다. 염증의 지표로 중요하다.

- 임상참고치 : 4,000-10,000개/mm^3
  (성별, 나이, 시간대 별로 다르다.)

- 백혈구 수 증가

  급성 또는 만성 백혈병, 급성 감염증, 기타 식사, 운동, 정신적 영향 등.
- 백혈구 수 감소

  재생불량성빈혈, 과립구감소증, 악성빈혈, 비장기능항진, 항암화학치료, 항암방사선치료 등

6. 백혈구 감별검사(WBC differential count)

백혈구는 여러 가지의 세포로 구성되어 있어서 크기와 기능이 다른 혈구의 집합이다. 염색했을 때 세포내에 알갱이(과립)가 염색되는지에 따라 2가지로 분류되며, 이는 다시 염색되는 특징에 따라 5종류의 세포로 세분된다. 이 중에서 호중구는 모양에 따라 다시 2종류로 구별된다. 백혈구를 각각 종류별로 구분하여 백분율(%)로 나타낸 것을 백혈구 감별검사라고 한다.

■ 백혈구의 분류

1. 과립성 백혈구(granulocyte)
   1) 호중구(neutrophil)
      (1) 간상호중구(band form neutrphil)
      (2) 분절호중구(segmented neutrophil)
   2) 호산구(eosinophil)
   3) 호염기구(basophil)
2. 무과립성 백혈구(agranulocyte)
   1) 림프구(lymphocyte)
   2) 단핵구(monocyte)

표 3-5. 백혈구 감별검사의 참고치

간상호중구(band form neutrphil)	2 - 6%
분절호중구(segmented neutrophil)	50 - 75%
림프구(lymphocyte)	20 - 44%
단핵구(monocyte)	2 - 9%
호산구(eosiniphil)	1 - 5%
호염기구(basophil)	0 - 2%

1) 호중구(neutrophil)

세균에 감염 되었을 때 제일 먼저 그 부위로 집결해서 식균작용을 나타내는 중요한 백혈구이다.

호중구는 분화단계의 초기 즉 미성숙 단계에는 띠 모양의 형태를 가진 핵으로 보이다가, 성숙될수록 점차 핵의 엽(lobe)의 수가 증가한다.

미성숙 단계의 백혈구는 간상호중구(band form neutrophil)라고 한다.

성숙 단계의 백혈구는 분절호중구(segmented neutrophil)라고 한다.

좌측이동(shift to left)

간상호중구가 말초혈액에 증가한 상태를 말한다. 아직 성숙되지 않은 백혈구가 골수에서 바로 말초혈액으로 나오는 것을 뜻한다. 급성감염 등 상황이 급할 때 아직 성숙되지 않은 어린 백혈구를 내보내기 때문이다. 심한 빈혈이나 백혈병 등 질병의 예후가 좋지 않은 것을 의미한다.

- 호중구 증가
  대부분의 세균감염, 독성(화학, 약물), 자극, 괴사, 출혈, 용혈, 수술 및 화상, 악성종양, 만성골수성백혈병, 생리적 원인, 외상, 스트레스, 격렬한 운동
- 호중구 감소
  세균성감염(장티프스, 브루셀라), 바이러스성 감염(수두, 홍역, 풍진, 인플루엔자), 악성빈혈, 비장기능항진증, 만성중독(납, 수은, 비소, 몰핀, 알코올), 원인미상의 호중구감소증, 항암화학치료, 항암방사선치료 등

2) 림프구(lymphocyte)

골수에서 합성되어 염증과정의 초기 및 말기에 염증부위로 이동해서 면역 글로불린 및 세포성 면역 등에 의한 면역반응에 중요한 역할을 한다.

신체는 단백질대사의 독성 부산물을 제거하거나 파괴할 때 림프구를 사용한다. 림프구가 증가하면 과다한 독성물질이 신체에 존재할 가능성이 있고, 감소하면 감염의 위험이 있다.

- 림프구 증가
  생리적 증가(소아기), 바이러스성 감염(수두, 홍역, 풍진, 인플루엔자), 만성 감염, 결핵, 림프구성 백혈병, 갑상선중독증
- 림프구 감소
  급성감염의 초기, 호지킨병(Hodgkin's disease), 방사선 조사, 스테로이드의 투여, 스트레스 등

3) 단핵구(monocyte)

감염이 있을 때 신체의 이차 방어선으로 작용한다. 염증의 초기 3일 동안은 호중구가 더 활동적이다. 그 후에 단핵구가 출현하여 호중구의 5배 이상에 해당하는 식균작용을 담당한다.

단핵구는 혈액 내에서 24시간 정도 지나면 순환계를 떠나서 조직으로 이동하여 대식세포(macrophage)가 된다. 대식세포는 빠른 속도로 죽은 세포, 미생물, 순환혈액 내 입자물질 등을 식세포 작용으로 처리한다.

- 단핵구 증가
  급성감염후 회복기, 세균감염(결핵, 아급성심내막염), 단핵구성백혈병, 전신성홍반성낭창(SLE), 원충감염(말라리아, 아메바성 이질)
- 단핵구 감소
  패혈증, 악성빈혈

4) 호산구(eosiniphil)

기생충 또는 알러지나 과민 반응이 있을 때 작용하는 세포이다. 단백질 대사산물의 파괴 및 제거 기능이 있고, 항원-항체 복합체를 소화할 수 있고, 염증 말기에 활성화된다.

- 호산구 증가
  알러지(기관지천식, 담마진), 피부질환, 기생충감염
- 호산구 감소
  급성감염의 초기, 급성중독, 내분비질환 및 호르몬 투여

5) 호염기구(basophil)

호염기구는 탐식기능이 있고, 세포질 과립에는 히스타민, 헤파린, 세로토닌이 들어 있다. 정상적으로 비만세포(mast cell)는 말초 혈액에서 볼 수 없다.

조직염증의 치유단계에서 숫자가 증가하며, 호염기구는 염증과정에서 항응고제인 헤파린 및 기타 혈액 응고를 방지하는 물질을 방출하여 혈액응고와 응고 방지계의 균형을 유지하는데 중요한 역할을 하고 있다.

- 호염기구 증가
  만성골수성백혈병, 만성질환(궤양성대장염), 고지혈증
- 호염기구 감소
  갑상선기능항진증, 감염과 출혈을 동반하는 급성 스트레스

7. 혈소판 수(platelet count)

혈액 1 mm^3 속에 있는 혈소판 숫자를 의미한다. 혈소판수의 증가는 임상적으로 큰 문제를 일으키

지는 않으나 지나치게 높게 되면 혈액이 응고되어 혈관폐색을 일으킬 수 있고, 지나치게 낮게 되면 지혈이 잘 되지 않거나 염증이 치료되지 않는다.

- 임상 참고치 : 150,000-400,000개/mm^3, 변동이 많다.
- 혈소판 수 증가
  일차적 증가(병적 증가) : 원발성 혈소판증가증, 진성 다혈구증, 만성과립구성 백혈병
  이차적 증가(생리적 증가) : 급성 출혈, 운동 후, 임신이나 월경 중
- 혈소판 수 감소
  재생불량성빈혈, 방사선노출, 백혈병, 암의 전이, 다발성골수종, 거대적아구성 빈혈, 전신성홍반성낭창, 특발성혈소판감소성자반증(ITP), 미만성혈관내응고(DIC), 패혈증, 만성 출혈, 약물, 알코올, 비장기능 항진

1) 혈소판 수 감소

60,000개/mm^3 이하이면, 약간의 상처에도 출혈할 수 있다.
20,000개/mm^3 이하이면, 자연적 출혈의 위험이 커진다.

2) 혈소판분포계수(platelet distribution width, PDW)

크기가 다른 혈소판이 얼마나 다양하게 존재하는지, 즉 대소부동증(anisocytosis) 상태를 수치화한 것이다.

결과 값이 작을수록 비슷한 크기의 혈구들로 구성되어 있는 것이고, 클수록 크기가 다양한 혈구들이 분포하고 있다는 것을 의미한다. 혈소판 기능의 평가와 생성의 변화를 예측해 보는 자료로서 사용된다.

- 정상 : 9.6-14.4%
- 혈소판 분포계수 증가
  거대적아구성빈혈, 재생불량성빈혈, 만성골수성백혈병, 특발성혈소판감소증, 혈소판이영양증

백혈병(leukemia)

백혈구가 비정상적으로 증식하는 혈액의 암이다. 제대로 성숙하지 못한 백혈구 즉 백혈병 세포가 골수 내에 급속히 증식하기 때문에, 정상적인 백혈구, 적혈구, 혈소판을 제대로 만들어 낼 수 없는 상태가 된다. 백혈구의 비정상적인 증식에 비해 정상적인 백혈구 세포의 수는 극히 적어지게 되어 면역기능을 제대로 수행할 수 없게 된다.

백혈구증가증(leucocytosis)은 백혈병과는 다르며, 감염에 대한 반응으로 정상적인 백혈구의 수가 증가하는 것이다.

백혈병은 크게 네 부류로 나뉜다.

세포의 분화정도에 따라 급성과 만성으로 구분된다.

세포의 기원에 따라 골수성과 림프구성으로 구분된다.

- 급성 골수성 백혈병(acute myelogenous leukemia, AML)
- 급성 림프구성 백혈병(acute lymphocytic leukemia, ALL)
- 만성 골수성 백혈병(chronic myelogenous leukemia, CML)
- 만성 림프구성 백혈구(chronic lymphocytic leukemia, CLL)

성인에서 주로 발생하는 백혈병은 급성골수성백혈병(AML)과 만성골수성백혈병(CML)이다.

소아에서는 급성림프구성백혈병(ALL)이 가장 흔하다.

우리나라에서는 만성림프구성백혈병(CLL)은 서양에 비해 극히 드물게 나타난다.

1. 급성 백혈병

급성백혈병은 골수성이든 림프구성이든 그 발병 증상은 비슷하게 나타난다. 골수에 백혈병 세포가 증식하여 골수의 공간을 차지하고 정상 조혈세포의 기능을 억제하게 되므로, 정상 백혈구 감소에 따른 감염 및 발열, 적혈구 감소에 따른 빈혈, 그리고 혈소판 감소에 따른 출혈 등이 나타날 수 있다.

환자는 피로, 창백, 감기 증상이 계속되고 코피, 치과 치료 후 지혈이 되지 않고, 여성의 경우 월경이 멈추지 않는 증상 등이 나타날 수 있다.

혈액검사에서 혈색소, 백혈구, 혈소판이 모두 감소되어 있는 경우가 많다. 병이 진행하면 골수에서 증식하던 백혈병세포가 혈액으로 나오므로 백혈구의 수치가 높게 나타난다. 이때의 백혈구는 정상 백혈구가 아니고 백혈병세포 백혈구이다.

확실한 진단은 골수검사를 시행하여 골수에 백혈병세포가 증식되어 있는 것을 확인하는 것이다.

과거에는 급성백혈병은 진단 후 수주에서 수개월에 사망했지만, 현재는 대부분의 환자에서 생명의 연장이 가능하고 일부 환자에서는 완치도 가능하다.

1) 급성 골수성 백혈병(acute myelogenous leukemia, AML)

성인에서 주로 발생하며, 골수 내에서 비림프구 계통의 비정상적인 미성숙 백혈구세포가 생산되어 정상적인 혈구의 생산을 방해하는 암이다. 나이가 많을수록 발병률이 증가한다.

치료는 항암제 치료 후, 가능하면 골수이식을 해야 한다.

2) 급성 림프구성 백혈병(acute lymphocytic leukemia, ALL)

주로 소아에서 많이 발생하며, 골수 내에서 림프구 계통의 비정상적인 미성숙 백혈구세포가 생산되어 분열을 계속하는 암이다.

치료는 항암제를 사용하는 것이 원칙이다.

2. 만성 백혈병

1) 만성 골수성 백혈병(chronic myelogenous leukemia, CML)

조혈모세포의 이상으로 모든 단계의 골수구계 세포가 증식되는 암이다. 만성골수성백혈병세포는 급성백혈병세포보다 분화가 상대적으로 좋고 정상 백혈구에 가깝기 때문에, 급성 백혈병보다 증상이 덜 하다. 급성 백혈병과는 달리 서서히 진행되고 초기증상이 거의 없이 피로감을 느끼는 정도라서 조기발견이 어렵다.

증상이 없는 상태로 건강검진에서 혈액소견 이상이 발견되어 진단되는 경우가 흔하다. 병이 더 진행하면 빈혈, 백혈구의 증가, 우상복부가 답답하고 혹이 만져지는 비장 종대 등의 증상이 올 수 있다.

혈액검사에서 백혈구가 증가해 있다. 백혈구 수는 100,000-500,000 /mm^3 정도이다. 50-70%가 비정상적 형태이며, 10-20%가 골수세포이다. 급성백혈병과 달리 만성백혈병의 경우 혈소판의 증가가 나타난다. 환자의 95%에서 필라델피아 염색체(philadelphia chromosome)가 발견된다. 확실한 진단은 골수검사로 한다.

LAP(leukocyte alkaline phosphatase)검사로 CML과 leukemoid reaction을 감별한다. leukemoid reaction은 심한 감염으로 백혈구가 증가하는 현상을 말한다. LAP 증가는 leukemoid reaction, 진성다혈구증, Down 증후군, 세균감염증, ALL 등에서, LAP 감소는 CML, 발작성야간성혈색소뇨증(PNH), 급성간염, 전염성단핵구증 등에서 볼 수 있다.

병의 진행에 따라 만성기, 급성기로 나눌 수 있다. 만성기는 평균 3년 정도이고, 급성기에 들어가면 대부분의 환자가 6개월 이내에 사망한다.

치료는 만성기에는 경구용 항암제로 약간의 생존기간 연장을 기대할 수 있지만, 급성기로의 전환을 막을 수는 없다. 따라서 현재로서는 골수이식이 유일한 치료방법이다.

2) 만성 림프구성 백혈구(chronic lymphocytic leukemia, CLL)

우리나라에서는 비교적 드물게 발생하며, 혈액 속에서 성숙한 림프구가 현저하게 증가하는 암이다.

림프선이 특징적으로 확장되어 있으며 비장에서는 좀 덜하다.

백혈구수는 100,000 /mm^3 까지 증가(90%가 비정상적으로 작은 임파구)되어 있다

치료는 대개는 경구용 항암제로 잘 조절된다.

02 철분대사검사 -빈혈검사

목표질환 : 빈혈(특히 철결핍성 빈혈)

〈검사 항목〉

혈청 철(Fe)

혈청 페리틴(ferritin)

총철결합능(TIBC)

적혈구의 생성과 파괴

1. 적혈구의 생성(erythropoiesis)

적혈구의 생성은 골수(bone marrow)에서 일어난다. 골수의 조혈모세포(hematopoietic stem cell)가 분열하여, 적아세포(erythroblast), 정적아세포(normoblast), 망상적혈구(reticulocyte), 적혈구(erythrocyte, RBC)로 단계적으로 변화한다.

정적아세포 시기까지는 핵이 존재하지만, 정적아세포의 헤모글로빈 농도가 35%가량의 축적되면 정적아세포의 핵은 퇴행 및 방출되어 망상적혈구가 된다.

망상적혈구는 핵이 빠져나간 미성숙한 적혈구로, 골수에서 말초혈액으로 나와 1일 정도 지나야 완전히 성숙한 적혈구로 분화된다. 그래서 망상적혈구는 정상인의 말초혈액에서도 소량 존재하며, 말초혈액 내 망상적혈구량은 골수의 적혈구생성 활성도를 평가하는 중요한 척도가 된다.

2. 적혈구의 생성에 관여하는 요소

1) 저산소증(hypoxia)이 있으면 골수의 적혈구생성을 자극한다.

적혈구 수치가 감소되어 신장의 산소공급이 부족해지면, 사구체인접기구(juxtaglomerular apparatus)에서 REF(renal erythropoietic factor)라는 효소가 혈중으로 유리된다. 이 효소가 혈장단백에 작용하여 erythropoietin(적혈구조혈인자)을 형성한다. erythropoietin은 골수의 조혈모세포를 자극함으로써 적아세포에서 혈색소의 합성을 촉진시킨다.

erythropoietin은 주로 신장에서 생성되고 간에서 활성화된다.

그 외 남성호르몬(androgen)과 갑상선호르몬은 골수의 조혈작용을 항진시킨다. 반면 여성호르몬은 골수의 조혈작용을 억제시킨다.

2) 비타민 B12, 엽산(folic acid), 철(Fe), 비타민 B6, 구리(Cu), 코발트(Co)가 적혈구를 성숙시키는 과정에 필요하다.

(1) 비타민 B12, 엽산 : DNA 합성에 필수적이다. 이들의 결핍으로 DNA 합성장애가 발생하면 세포의 성숙에 문제를 일으켜 적혈구, 백혈구, 혈소판이 쉽게 파괴된다.

(2) 철 : 정적아세포를 헤모글로빈으로 채워서 적혈구가 성숙하게 하는데 필요하다.

(3) 코발트 : 비타민 B12의 구성성분, 조혈조직에 산소부족을 유발하여 erythropoietin 생성을 촉진시킨다.

반면에 납(Pb)은 헤모글로빈의 합성과정을 방해하여 용혈의 원인이 된다.

3. 노화 적혈구의 파괴

적혈구의 수명은 약 120일이다. 적혈구가 오래되면 딱딱해지고 깨지기 쉬워져서 파괴되는데, 이렇게 적혈구가 파괴되는 현상을 용혈(hemolysis)이라고 한다.

1) 혈관외 용혈(extravascular hemolysis)

전체 적혈구 파괴의 90% 정도가 이에 해당되며, 세망내피계(reticuloendothelial system, RES)에서 일어난다. 헤모글로빈은 헴(heme)과 글로빈(globin)으로 분해되고, 철은 혈색소 생성에 재이용된다.

헴은 빌리루빈으로 착색되어 간을 거쳐 담즙에 포함되어 장으로 분비된다. 장에서는 그것을 유로빌리노겐(urobilinogen)으로 대사해서 변으로 배출한다.

혈관외 용혈이 증가하면, 혈청내 빌리루빈이 증가하고, 소변의 유로빌리노겐이 증가한다.

글로빈은 아미노산으로 대사되어 혈중으로 분비된다.

2) 혈관내 용혈(intravascular hemloysis)

전체 적혈구 파괴의 10% 이내가 이에 해당된다. 혈관내 용혈로 혈색소가 혈류에 방출되면, 혈장단백인 합토글로빈(haptoglobin)에 결합되어 Hb-Haptoglobin 복합체가 된다. 이 복합체는 분자량이 커서 신장의 사구체를 통과하지 못하므로 요를 통해 배출되지 않고 간세포에 의해 제거된다. 혈관 내 용혈이 증가하면 결국 haptogloblin이 감소한다.

미결합 유리혈색소(free Hb)은 신장의 사구체를 통과하여 소변으로 방출되는데 이것을 혈색소뇨(hemoglobinuria)라고 한다.

빈혈(anemia)

적혈구 수 또는 적혈구 내의 혈색소(Hb)농도가 나이와 성별에 따른 정상범위 보다 낮아, 인체 각 조직으로의 산소운반능력이 저하된 경우를 빈혈이라 한다.

1. 빈혈의 기준

성별, 연령, 지리적 고도 등에 따라 다르지만, 보통 Hb 농도를 기준으로 다음과 같이 정의된다.

성인 남성 : 13 g/dl 이하

성인 여성 : 12 g/dl 이하

생후 6개월 – 6세의 어린이, 임산부 : 11 g/dl 이하

6-14세 소아 : 12 g/dl 이하

2. 빈혈의 증상

빈혈에 의한 증상은 원인에 관계없이 비슷하다.

가벼운 빈혈은 거의 증상이 없거나, 얼굴이 창백해지고, 쉽게 피로하고, 현기증, 쇠약감 등을 느낀다.

빈혈이 심해지면, 산소운반능력이 떨어져 폐와 심장의 과도한 운동을 필요로 하므로, 숨이 가빠지고 가슴이 뛰는 것을 느낀다.

빈혈이 더욱 진행되면, 심장이 확장되다가 심부전이 올 수도 있다.

3. 빈혈의 원인과 분류

1) 혈액의 손실

(1) 급성출혈

외상, 심한 코피, 토혈, 객혈, 출산후 출혈 등 급성으로 심한 출혈이 있을 때 발생한다.

적혈구의 크기는 정상(normocytic)이며, 헤모글로빈의 양도 정상(normochromic)이다.

(2) 만성출혈

만성 소화성궤양, 소화관 종양, 월경, 치질, 기생충 등 만성적인 출혈이 있을 때 발생한다. 만성출혈로 인한 적혈구 감소가 있으면 철의 손실량이 증가되어 철결핍성 빈혈이 발생한다. 만성출혈에 의한 빈혈은 모두 철결핍성빈혈이라고도 할 수 있다.

적혈구의 크기가 작고(microcytic), 헤모글로빈의 양도 정상보다 적다(hypochromic).

2) 혈액생성의 감소(조혈기능의 저하)

적혈구나 헤모글로빈의 생성에 필요한 다양한 인자의 흡수결핍(영양장애), 또는 적혈구를 생산하는 골수에 영향을 주는 질환(골수기능 저하)에 의해 일어난다.

(1) 철결핍성 빈혈(iron deficiency anemia, IDA)

철의 섭취나 흡수 부족 때문에 발생한다.

(2) 거대적아구성빈혈(megaloblastic anemia) 또는 악성빈혈(pernicious anemia)

비타민 B12의 결핍, 엽산의 결핍으로 발생한다. 비타민 B12는 위점막의 벽세포에서 분비되는 내인자(intrinsic factor)에 의해 체내로 흡수된다. 내인자가 부족하면 비타민 B12의 흡수장애가 일어난다. 비타민 B12 결핍의 원인은 나이가 들어갈수록 빈도가 증가되는 위축성 위염, 위절제술, 항생제 장기사용, 당뇨약(metformin)이나 제산제, 위산분비억제제의 장기투여, 만성 알코올 섭취 등이 있다.

비타민 B12와 엽산이 결핍되면 골수의 적혈구 생산이 제대로 이루어지지 않고, 적아세포대신 병적으로 큰 거적아세포(megaloblast)가 나타난다. 특징적으로 이런 환자들은 무산증(achlorhydria)을 가진다.

적혈구의 크기가 크고(macrocytic), 헤모글로빈의 양이 정상보다 많다(hyperchromic).

(3) 임신성 빈혈

철요구량 증가 때문에 발생한다.

(4) 소화관 질환에 의한 빈혈

흡수장애증후군, 위의 종양성 질환, 만성설사 때문에 발생한다.

(5) 골수에 영향 미치는 요인에 의한 빈혈

화학적 독성물질, 방사선 조사, 백혈병, 재생불량성빈혈 때문에 발생한다.

재생불량성 빈혈(aplastic anemia)은 골수가 위축되면서 지방조직으로 바뀌어 골수기능이 저하되는 질환이다. 골수에서 혈액세포의 생산이 실패하여 적혈구, 백혈구, 혈소판이 모두 함께 감소된다. 빈혈 뿐 아니라, 혈소판 감소로 인한 출혈경향, 백혈구 감소에 의한 감염이 함께 문제가 된다.

3) 혈액파괴의 증가(용혈성 빈혈, hemolytic anemia)

적혈구가 혈액순환 도중에 많이 파괴되고 헤모글로빈이 혈액으로 배출되는 현상을 "용혈"이라고 한다. 이때에는 대상성으로 적혈구의 생성이 항진되며, 담즙색소가 과다하게 생성되어 용혈성 황달이 흔히 발생한다.

검사에서 망상적혈구의 증가, LDH 상승, 간접빌리루빈의 상승, haptoglobin의 감소, 소변의 hemosiderin의 증가가 나타난다.

(1) 적혈구의 선천적 결함(적혈구 자체의 이상 때문)

① 유전성 구상적혈구증(hereditary spherocytosis)

② 겸상적혈구성 빈혈(sickle cell anemia) : 정상적으로는 혈색소를 구성하는 글로빈(globin)의 β-chain의 N말단부터 6번째 아미노산이 glutamic acid로 되어 있는데, 여기에 이상이 생겨 glutamic acid 대신에 valine으로 대치되어 겸상적혈구혈색소(Hb S)가 발생된다. 적혈구가 초승달 모양으로 찌그러져 순환 중에 쉽게 파괴되므로 빈혈을 초래한다.

③ 지중해 빈혈(thalassemia anemia) : 성인혈색소인 Hb A의 β-chain의 합성부전으로 인해 대상적으로 Hb F가 증가되는 것이다. 태아시기에 혈색소는 대부분 태아혈색소(Hb F)로 되어 있다가, 출생 후 점차 성인혈색소(Hb A)로 대치되고 생후 1년이 지나면 Hb F는 2% 미만이 된다. 하지만, 성인혈색소(Hb A)의 글로빈(globin)을 구성하고 있는 많은 아미노산 중에서 1개의 아미노산이 다른 아미노산으로 치환되어 성인혈색소의 생산에 장애를 일으키는 것이다.

④ G6PD효소의 결핍

(2) 적혈구 자체는 정상이나 외부 요인에 의해 발생

패혈증, 화학적 독성물질(납, 뱀독), 일부 약물(sulphonamides), 부적합 혈액 수혈 등

4. 빈혈의 진단을 위한 검사

빈혈은 하나의 질환이 아니라, 여러 기저질환에 의해 발생하는 증상이다. 그러므로 빈혈을 진단할 때는 반드시 원인이 되는 기저질환을 찾아서 이를 적절히 치료하여야 한다.

빈혈의 감별진단을 위해서는 MCV, RDW, 망상적혈구 등 3가지를 먼저 살펴본다.

1) 총혈구검사와 적혈구 지표

총혈구검사(CBC) : 적혈구 수, 혈색소, 헤마토크리트, 백혈구 수, 혈소판 수

적혈구 지표(RBC indices) : MCV, MCH, MCHC, RDW

2) 말초혈액 도말검사(peripheral blood smear)

적혈구의 형태를 볼 수 있어 유용하다.

3) 망상적혈구수(reticulocyte count)

망상적혈구는 골수에서 적아세포의 핵이 빠져나가고 혈액으로 배출된 직후의 미성숙한 적혈구를 말한다. 망상적혈구는 골수의 적혈구 생성능력을 나타내는 지표다. 적혈구 1,000개당 망상적혈구의 수를 세어 %로 보고한다. 적혈구의 0.1-2.4% 정도가 정상범위이다.

망상적혈구수가 증가한 경우에는 골수조직이 많은 적혈구를 생산하고 있음을 의미하고, 빈혈이 있음에도 불구하고 망상적혈구수가 감소한 경우에는 골수조직에 이상이 있다는 것을 의미한다.

- 망상적혈구 증가 : 급성출혈, 용혈성빈혈 등 적혈구 생산에는 이상이 없으나 과도한 적혈구 파괴가 있을 때, erythropoietin이 적혈구 생성을 자극하여 말초혈액에 망상적혈구가 증가한다.
- 망상적혈구 감소 : 골수의 기능장애, 암 전이, 재생불량성 빈혈, 백혈병, 비타민 B12 또는 엽산 결핍, 만성질환의 빈혈, erythropoietin의 자극이 없는 경우 등에서는 망상적혈구가 감소된다.

4) 철분상태에 관한 검사(iron profile)

혈청 철, 혈청 페리틴, 총철결합능(TIBC)을 측정함으로써 혈중 철분의 공급상태를 판단한다.

(1) 혈청 철(Fe)

철은 헤모글로빈 합성, 세포호흡에 필요한 전자전달, DNA합성 및 여러 효소의 반응에 관여하는 필수인자이다.

일반적으로 음식을 통해 섭취되는 철분은 하루에 약 15 mg 정도이고, 이중 약 10%만이 흡수된다. 남자와 비월경 시기의 여성은 하루에 1 mg의 철이 빠져나가며 월경 시에는 평균 2 mg의 철이 손실된다. 월경, 임신, 사춘기의 청소년, 유아와 어린이에게는 철분 요구량이 증가한다. 출혈로 인해 철분이 부족하게 되면 위장관에서의 철분 흡수량이 증가되어 철분 흡수율이 20-30%까지도 증가한다.

섭취되는 철은 대부분 장에 분포하는 heme수용체를 통하여 흡수된다. 음식으로 섭취된 Fe3+(3가철, 제이철, ferric)은 위산에 의하여 Fe2+(2가철, 제일철, ferrous)로 전환되어야만 흡수된다. 철의 흡수에는 위산과 비타민C가 필요하며, 일차적으로 십이지장과 공장에서 흡수된다.

흡수된 철은 글로불린에 부착되어 트랜스페린(transferrin)의 형태로 이동되는데, 트랜스페린은 약 4 mg의 철을 함유하고 하루 약 30 mg 이상의 철을 운반할 수 있다. 혈청에서 측정되는 철은 단백질과 결합한 철의 총량이며 이 가운데 트랜스페린이 가장 많다. 트랜스페린이 운반해온 철은 골수에서 적혈구생성에 가장 많이 사용되고, 사용하고 남은 철은 저장된다.

저장철의 60%는 페리틴(ferritin)의 형태로 간, 비장, 골수에 저장하고, 나머지는 40%는 헤모시데린(hemosiderin)의 형태로 저장된다.

하루에 배설되는 철분은 약 1 mg 이하이고 소변, 땀, 담즙, 대변 또는 피부를 통해 배설된다.

(2) 혈청 페리틴(ferritin)

체내 철의 주요 저장형태가 페리틴이다. 혈청 페리틴은 저장철의 척도로 이용된다. 보통 성인에서 Ferritin 1 mg/ml 은 저장철 8 mg 에 해당된다. 혈청 페리틴이 증감하면 조직 페리틴도 함께 병행해서 증감한다.

혈중 페리틴의 농도 변화

- 남자의 경우 20 ng/ml 이하, 여자의 경우 10 ng/ml 이하이면 체내 철저장량이 비정상적으로 낮음을 의미한다.
- 200 ng/ml 이상이면 체내 저장철이 과다한 것을 의미한다.

빈혈이 있을 때 혈청 철과 적혈구의 형태를 유지하는 것이 중요하므로 혈청 페리틴의 변화가 혈청 철의 변화, 적혈구의 형태 변화보다 먼저 일어난다. 즉 페리틴이 철 결핍 진단의 가장 민감한 지표이다.

철결핍성빈혈이 있으면 저장철이 감소한다. 하지만 페리틴은 악성질환, 류마티스 관절염과 같은 염증성 질환, 간 질환이 있을 때 높은 수치로 나타날 수 있으므로 결과해석에 주의해야 한다.

(3) 총철결합능(total iron binding capacity, TIBC)

철과 결합할 수 있는 트랜스페린의 능력이다. 혈청 내 트랜스페린의 양과 비슷하다. 트랜스페린은 철과 산화력이 대단히 높아서 혈중 철의 대부분을 운반한다. 트랜스페린 1 g은 철 1.25 mg과 결합한다.

정상인의 혈장 중에는 200-350μg/100 ml의 철과 결합할 수 있는 트랜스페린이 존재하며 이 양을 총철결합능(TIBC)라고 한다.

그 중 약 80-105μg/100 ml의 철이 트랜스페린과 결합되어 있다. 나머지 철과 결합되지 않은 트랜스페린의 양을 불포화철결합능(unsaturated iron binding capacity, UIBC)라고 한다.

TIBC(μ g/dl) = UIBC + 혈장 철

TIBC는 대략적인 혈청 트랜스페린 수준이다. TIBC가 트랜스페린의 정확한 양이 못되는 것은 모든 철이 트랜스페린과 결합하지는 않기 때문이다. 단백질과 결합하지 않은 철은 모두 제거한 후 혈청 iron을 측정한다.

(4) 불포화철결합능(unsaturated iron binding capacity, UIBC)

UIBC(μg/dl) = TIBC - 혈장 철

(5) % transferrin saturation(트랜스페린 포화도)

혈청 철이나 TIBC 단독보다 철 부족을 선별하는데 더 민감한 검사다. 트랜스페린 수준보다 철 포화도에 더 좋은 지표이다.

% transferrin saturation이 15% 이하이면, 철결핍성빈혈의 전형적 소견에 해당된다.

% transferrin saturation = (혈청 철/TIBC) × 100

5) 골수검사

골수검사는 빈혈의 감별진단에 매우 유용한 검사이다. 빈혈이 백혈구 감소증이나 혈소판 감소증과 동반되어 있는 경우에는 골수검사로 감별 진단을 할 수 있다.

골수검사로 재생불량성빈혈, 순수 적혈구형성부전증(pure red cell aplasia), 백혈병, 악성림프종의 골수 침범, 다발성골수종 등의 악성 혈액질환을 진단할 수 있다.

- 철결핍성빈혈의 초기에는 MCV는 정상이고, RDW만 높아진다.
- 비타민B12 또는 엽산결핍성 빈혈이 철결핍성빈혈과 동시에 있을 때는 MCV는 정상, 혈청 철은 정상, TIBC는 증가, % transferrin saturation은 감소된다.
- 비타민B12의 결핍을 확인하기 위해 소변 내 Methylmalonic acid(MMA)를 검사할 수 있다.
- 엽산 및 비타민B6의 결핍을 확인하기 위해 혈청 내 호모시스테인(homocystein)을 검사할 수 있다.

5. 빈혈의 치료

빈혈은 원인과 증상이 다양하므로 원인을 치료하지 않으면 더욱 심각한 증상이 나타날 수 있으므로 반드시 원인을 찾아 치료해야 한다.

표 3-6. 빈혈의 감별진단 1.

	MCV	MCHC	RDW	reticulocyte
철결핍성빈혈	낮다	낮다	높다	낮다
거대적아구성빈혈	높다	정상	높다	낮다
급성 출혈	정상	정상	정상	높다
납 중독성 빈혈	낮다	낮다	높다	높다
지중해성 빈혈	낮다	낮다	높다	낮다
재생불량성 빈혈	높다	정상	정상	낮다
만성질환 빈혈	낮다	낮다	정상	낮다

표 3-7. 빈혈의 감별진단 2.

	Fe	Ferrtin	TIBC	%TS
철결핍성빈혈	낮다	낮다	높다	낮다
거대적아구성빈혈	높다	정상	낮다	높다
납 중독성 빈혈	높다	정상	낮다	높다
지중해성 빈혈	높다	높다		높다
재생불량성 빈혈	높다	높다	낮다	
용혈성 빈혈	높다	높다	낮다	높다
만성질환 빈혈	낮다	높다	낮다	낮다

철결핍성 빈혈(iron deficiency anemia, IDA)

빈혈의 원인 중에서 가장 흔하다. 혈청철의 감소로 헤모글로빈이 만들어지지 않아 적혈구의 양이 감소되는 빈혈을 의미한다.

1. 원인

1) 철분 요구량이 증가

출생 직후 또는 청소년기 등 급성장기에 철분 요구량이 증가한다.

2) 생리적인 철 소실

월경 또는 임신 때 철의 소실이 증가한다. 월경중인 여성은 약 15 mg 정도의 철을 더 소실하게 되며, 월경량이 많은 경우에는 이보다 더 많은 양의 철을 소실하게 된다.

3) 병적인 철 소실

만성출혈이 있을 때 철의 소실이 증가한다. 만성출혈은 성인에서 철결핍성빈혈의 가장 흔한 원인이며, 단순히 철의 섭취가 불충분하여 철결핍이 발생하는 경우는 드물다. 출혈의 원인이 뚜렷하지 않은 철결핍성빈혈 환자는 위장관출혈의 가능성이 있으므로 반드시 위내시경검사와 대장내시경검사를 시행해야 한다. 또한 아스피린, NSAID, 항응고제의 사용이 원인일 수 있으므로 이에 대한 문진이 필요하고, 출혈성 질환에 대한 가족력을 확인해야 한다.

4) 감소된 철 흡수

풍부한 곡물과 부족한 육류를 위주로 한 식사, 고령층 및 빈곤층, 편식, 흡수장애(위절제술을 받은 경우)에서는 철 흡수가 감소된다. 비타민C, 육류, 생선의 섭취에 의해 철분흡수가 향상되고, 차나 커피의 탄닌, 곡물의 피틴산 등에 의해 철분흡수가 저해된다.

2. 증상

서서히 발생하므로 대부분 증상이 거의 없으며, 혈색소치의 감소가 심하다고 증상이 심한 것은 아니다. 증상은 일반적인 빈혈과 비슷하다. 특징적으로 설염, 구내염, 손발톱이 갈라지고 얇아지며, 이물질을 먹는 이식증을 보이기도 한다.

3. 진단

철결핍성빈혈의 진단

혈청 철 : 40μ g/dl 이하
TIBC : 400μ g/dl 이상
% transferrin saturation : 10% 이하
혈청 ferritin : 10μ g/L이하

혈청 ferritin이 측정이 쉽고 비교적 정확한 철분상태를 반영하고 있어 철결핍성빈혈의 진단에 보편적으로 사용된다. 하지만 급성 또는 만성 염증, 악성 종양, 간질환이나 알코올중독에서 상승할 수 있으므로 결과의 해석에 주의해야 한다.

철결핍이 발생하면 일차적으로 저장철이 소실되고, 혈청 ferritin이 감소한다. 이후에 혈색소에 포함

된 철이 감소하면서 TIBC가 증가하고, 결과적으로 transferrin saturation이 감소한다. 이 이후에 빈혈이 발생하고, Red cell indices(MCV, MCH, MCHC)의 변화가 발생한다. 빈혈이 심해질수록 점차적으로 적혈구는 소구성, 저색소성으로 변한다.

4. 치료

경구 혹은 비경구적으로 철분제를 투여한다. 대부분은 수혈이 필요하지 않다.

1) 경구용 철분제제

제일철(2가철, ferrous)이 흡수율이 높아서 선호된다. 제일철 황산염(ferrous sulfate), 제일철 당염(ferrous gluconate), 제일철 푸마르염(ferrous fumarate) 등이 있다.

철분제를 경구적으로 섭취할 경우 흡수율을 증가시키기 위해 식사 전에 복용해야 한다. 하지만 철분제에 의한 자극 때문에 소화불량, 복부 불편감, 설사 등의 위장장애가 있으면 식사 후에 복용하도록 한다.

액체로 된 철분제는 치아를 착색시키므로 가능한 한 빨대로 먹거나, 복용 후 입안을 헹구어 주는 것이 좋다. 철분치료를 하는 중에 변비가 나타날 수 있으므로 고섬유소 식이를 섭취하도록 한다. 철분제를 복용하면 철분이 대변 속에 섞여 배설되기 때문에 대변색이 까맣게 변한다는 것을 알려 준다.

철분제의 흡수를 방해할 수 있으므로 제산제나 탄닌이 들어있는 홍차, 녹차, 커피 등은 피하는 것이 좋지만 필요하면 식후보다는 식간에 마시게 한다. 비타민C의 복용은 철분의 흡수를 도울 수 있다.

철결핍 환자에서 하루에 약 50-100 mg의 철이 혈색소에 결합될 수 있으며, 경구로 투여된 제일철염의 약 25%가 흡수될 수 있다. 따라서 가장 신속히 철결핍을 교정하기 위해서는 하루에 200-400 mg의 원소철이 공복 시에 투여 되어야 한다.

ferrous sulfate 256 mg/1정(원소철, Fe2+로 80 mg)을 하루에 2-3회 복용

iron protein succinylate 15 ml/1포(원소철, Fe3+로 40 mg)을 하루에 2-3회 복용

치료 시작 후 4-30일내에 혈색소치가 상승하고, 1-3개월 내에 고갈되었던 저장철이 다시 보충된다.

혈색소치가 정상화된 후에도 성인에서는 4-6개월 더 치료를 계속하여야 하는데, 혈청 ferritin이 50μg/L 이상이 될 때까지 투여해야 한다. 그 이유는 체내에 저장되는 저장철까지 충분히 상승시켜 주어야 하기 때문이다.

빈혈증상이 있다고 정확한 검사 없이 철분제를 오랫동안 복용하면 철 과잉이 발생할 수 있다. 철분이 체내에 많이 축적되면 철분이 자유기(free radical)를 생성해서 세포에 손상을 주고, 오히려 암세포의 성장을 촉진시킨다는 보고도 있는 만큼 무조건 철분을 복용하는 것은 바람직하지 않다.

2) 비경구용 철분요법

경구용 철분제를 복용하지 못하거나, 위장관에서 흡수를 못할 때, 심한 만성출혈 환자에서 경구용 철분제 복용만으로 충분한 양을 투여할 수 없을 때에만 사용된다.

iron dextran(INFeD), sodium ferric gluconate(SFG), iron sucrose(saccharate) 제제(Venofer, Venoferrum)가 사용되고 있다.

03 혈액응고검사

목표질환 : 출혈성 질환(혈우병 등 혈액응고인자 이상), 비타민K 결핍

〈검사 항목〉

PT(프로트롬빈 시간)

APTT(활성화부분트롬보플라스틴 시간)

출혈성 질환이 있는 환자를 진단하기 위해서는 다음 4가지 검사를 시행해야 한다.

- 혈소판 수
- 출혈시간(BT)
- 프로트롬빈 시간(PT)
- 활성화부분트롬보플라스틴 시간(APTT)

건강검진에서는 혈액응고인자결핍증의 선별검사로 PT와 APTT를 검사항목에 포함시키기도 한다.

1. 혈액의 지혈과정

상처가 나서 출혈이 되면 여러 가지 기전에 의해 지혈이 일어난다. 지혈이란 혈관, 혈소판, 혈액응고인자들의 상호작용에 의해 손상된 혈관이 복구되면서 출혈이 멈추는 것을 말한다. 어느 하나라도 제대로 역할을 하지 못하면 출혈성 질환이 발생하게 된다.

지혈에 가장 중요한 작용을 하는 세 가지 요소는 혈관, 혈소판, 혈액응고인자이다. 혈관이 손상되면 순서적으로 다음과 같은 과정이 일어난다.

혈관수축 → 혈소판 응괴 → 섬유소 응괴 → 섬유소 용해

1) 혈관이 수축되어 출혈되는 혈액량을 줄인다.
2) 트롬빈(thrombin)의 작용에 의해 혈소판이 손상된 혈관의 내피세포에 달라붙고 서로 응집하여 혈소판 응괴(platelet plug)를 형성한다. 이런 과정에 의해 일단 출혈이 멈춘다(1차 지혈).
3) 혈액 내의 응고인자들(제I-제XIII 응고인자)이 차례대로 활성화되어, 최종적으로 트롬빈에 의해 피브리노겐에서 변환된 피브린(fibrin, 섬유소)이 달라붙어 섬유소 응괴(fibrin clot)를 만든다. 피브린은 혈관이 손상된 곳에서 그물처럼 엮어져 불안정했던 혈소판 응괴를 강하고 안정된 섬유소 응괴로 만든다. 이렇게 되면 출혈이 완전히 멈추게 된다. 이것이 혈액응고과정이다(2차 지혈).
4) 지혈이 되고 난 후에 혈관이 재생되고 상처가 치유되면 섬유소 용해(fibrinolysis) 기전에 의해 이미 만들어진 섬유소가 용해되어 없어진다.

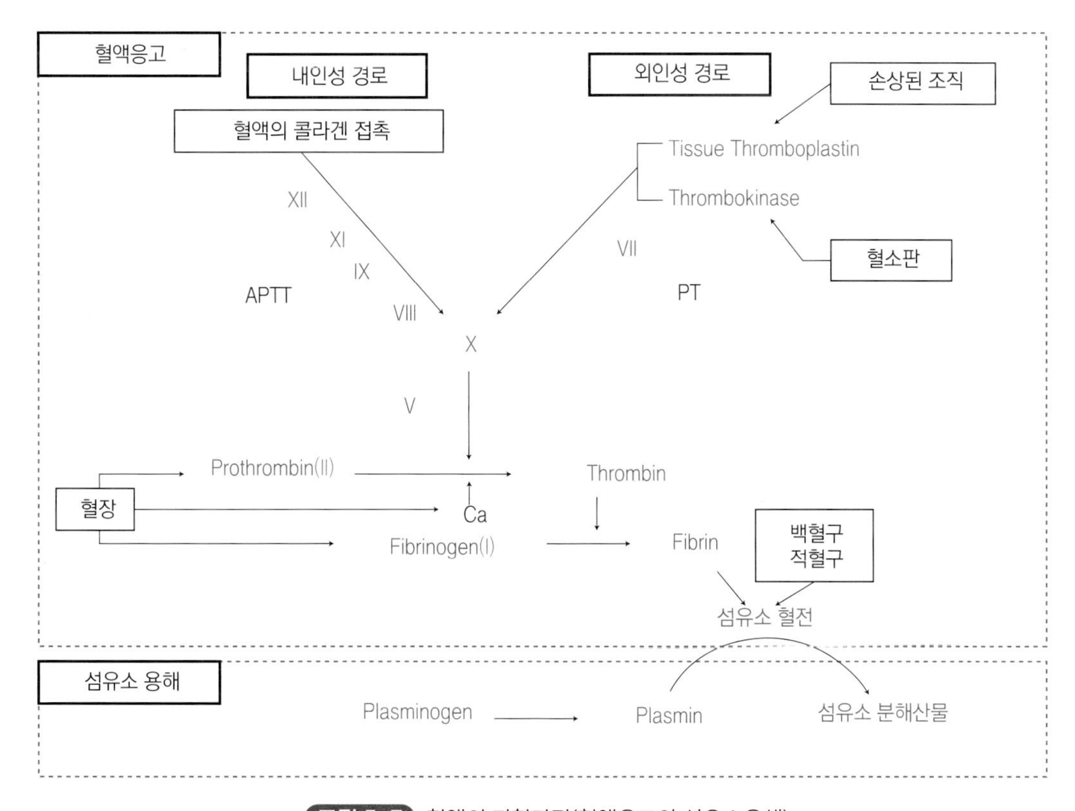

그림 3-7 혈액의 지혈과정(혈액응고와 섬유소용해)

1) 혈액 응고

혈액 내에는 혈액을 응고시키는데 관여하는 항응고물질(procoagulants)과 혈액응고를 방지하는 항응고물질(anticoagulants), 두 가지 상반된 물질군이 동시에 존재하고 있다. 정상상태에서는 항응고물질의 작용이 항응고물질의 작용보다 우세하므로 혈액의 응고가 일어나지 않고 유동성을 유지한다. 특히 체내에 존재하는 적은 양의 헤파린은 매우 강력한 항응고물질로 정상 상태에서는 충분한 항응고작용을 하고 있다. 그러나 혈관이 손상을 받아 그 부위에서 향응고물질이 활성화되면 항응고물질의 작용보다 우세하게 되어 혈액응고가 일어난다.

(1) 혈액응고의 기전

혈관이 손상을 받으면 2개의 경로를 통하여 혈액응고가 시작된다. 외인성 경로는 매우 빨리 시작하여 손상이 발생되면 약 15초 이내에 응고가 되기 시작한다. 반면 내인성 경로는 다소 늦게 시작하는데 보통 약 1분에서 6분이 지나야 응고가 일어난다.

① 외인성 경로(extrinsic pathway)

출혈이 있을 때 손상된 혈관 벽이나 혈관주위조직에서 시작된다. 조직 트롬보플라스틴(thromboplastin)이 만들어지고, 이것이 Ⅶ인자와 반응하여 Ⅹ인자를 활성화한다. Ⅹ인자는 Ⅴ인자와 결합해서 프로트롬빈(prothrombin)을 트롬빈으로 변환시켜 응고작용이 일어나기 시작한다.

프로트롬빈(II 인자)은 비타민K에 의해서 간에서 생산된다. 그 외에도 혈액응고인자중 제 VII, IX, X 인자도 간에서 비타민K의 도움을 받아 생산되므로 비타민K 의존성 응고인자라고 한다. 한편, 공통 경로에 해당되는 피브리노겐(I인자), Ⅴ인자도 간에서 생산된다. 그러므로 간염, 간경변증 등 간질환이 있거나 장기간의 항생제 투여로 인한 장내세균의 사멸이 원인이 되어 비타민 K가 부족하게 되면 응고시간의 연장이 나타난다.

② 내인성 경로(intrinsic pathway)

출혈이 있을 때 혈액 내에서 시작된다. 혈액이 손상된 혈관 벽의 콜라겐에 노출되면 응고인자들이 연속반응을 일으킨다. XII, XI, Ⅸ, Ⅷ 인자들이 순서대로 활성화된다. 외인성 경로와 같이 Ⅹ인자는 Ⅴ인자와 결합해서 프로트롬빈을 트롬빈으로 변환시켜 응고작용이 일어나기 시작한다.

③ 공통 경로(common pathway)

응고작용이 시작되어 외인성 경로의 시작이 내인성 경로를 활성화한 후, 내인성 인자와 외인성 인자의 협동작용으로 혈액을 응고시킨다.

2) 섬유소 용해(fibrinolysis)

(1) 인체 내에는 혈액응고와 섬유소용해의 시스템이 존재하고 있다.

혈액응고 과정에서 피브리노겐은 피브린으로 변환되어 혈전을 형성한다. 이 혈전 덩어리가 계속 남아 있으면 혈류가 방해되어 조직에 산소나 영양소를 공급하는데 장애를 받게 되므로 섬유소 용해가 일어난다.

혈전 덩어리가 형성되고 지혈이 완전히 끝나면, 많은 양의 플라스미노겐(plasminogen)이 혈전 덩어리 주위에 나타나 손상된 조직과 혈관내피세포에서 분비된 섬유소용해 활성화인자들에 의해 플라스민(plasmin)으로 변화된다. 이 플라스민이 혈전 덩어리를 분해한다.

(2) 또한 인체 내에는 항응고 시스템과 섬유소용해의 시스템이 존재하고 있다.

혈액 내의 항트롬빈, C단백, S단백 등의 항응고인자들은 응고인자들이 과도하게 활성화되지 않도록 조절하는 역할을 한다. 이러한 섬유소용해 기전과 항응고인자들이 제 기능을 하지 못하면 출혈의 반대현상인 혈전증이 나타난다. 심근경색, 뇌경색, 심부정맥혈전증 등이 그 대표적인 질환이다.

2. 혈액응고검사의 종류

출혈성 질환을 진단하기 위해서는 4가지 검사가 필요하다.

출혈성 질환의 검사

① 혈소판 수
② 출혈 시간(BT)
③ 프로트롬빈 시간(PT)
④ 활성화부분트롬보플라스틴 시간(APTT)

PT와 APTT는 혈액응고과정 중에서 내인성경로, 외인성경로, 공통경로 중에서 어느 경로에 관여하는 응고인자에 이상이 있는지 선별할 수 있다.

1) 출혈시간(bleeding time, BT)

피부를 날카로운 기구(lancet)로 찔러서 출혈을 일으키고 얼마나 빨리 지혈이 되는가를 측정하는 것이다. 출혈 초기 즉 주로 혈관과 혈소판이 관여하는 단계만을 반영한다. 출혈시간은 혈액응고인자에 영향을 받지 않는다.

혈소판의 기능을 알아보는 선별검사로서 유용하다. 최소한 검사 1주일 전부터 혈소판 기능에 영향을 줄 수 있는 아스피린과 그것이 함유된 약제의 복용을 금지한다. 수술 전 환자의 출혈 가능성에 대한 선별 검사로 많이 사용되어 왔으나, 검사의 표준화가 어렵고 민감도나 특이도가 낮아 최근에는 이용이 점차 감소하고 있다.

[검사 방법]

1. 알코올 솜으로 검사할 부위를 소독한 후 채혈용 lancet으로 피부를 충분히 찔러서 자연스럽게 출혈시킨다.
2. 찌르는 즉시 시간측정용 스톱워치를 누르고, 30초마다 흐르는 피를 여과지에 찍는다. 이때 여과지는 피부에 닿지는 않도록 한다.
3. 완전히 지혈되어 더 이상 피가 찍히지 않게 되면 스톱워치의 작동을 멈추고 이때까지의 시간을 측정한다.

- 성인의 정상 출혈시간은 2-7분이다.
  (혈관에 이상이 없고, 혈소판 수치가 10만 개/mm^3 이상일 때)
- 출혈시간이 연장되는 질환
  혈소판 감소증, 혈소판 기능이상, Von Willebrand 병, 아스피린 복용 등이다.

혈소판 수가 8만 개/mm^3 이상이면 혈소판에 이상이 없는 한 출혈시간은 정상이다.

4만 개/mm^3 이상이면 자연적 출혈은 흔하지 않고 국소적 병소가 있거나 외상이 있을 때만 출혈이 발생한다.

2만 개/mm^3 이하면 자연적 출혈의 위험이 커진다.

2) 프로트롬빈 시간(prothrombin time, PT)

외인성 경로 및 공통 경로의 혈액응고 이상을 진단하는 방법이다. 수검자의 혈장에 조직 트롬보플라스틴과 칼슘을 가한 후 피브린 형성까지의 시간을 측정한다. 채혈 후 24시간 이내에 검사하여야 한다.

[검사방법]

1. 약 3 cc의 혈액을 채혈한다. 조직액이 혼입되지 않도록 하기 위해 순서적으로 채혈한다. 첫 번째 혈액 방울은 버린다.
2. 항응고제로 처리된 시험관에 혈액을 넣는다. 항응고제는 3.2% sodium citrate이다. 항응고제는 프로트롬빈이 트롬빈으로 변하는 것을 방지한다. 혈액과 항응고제의 비율은 9:1이며, 비율이 정확하지 않으면 결과에 영향을 미칠 수 있다. 채혈량은 3.2% sodium citrate tube 용기에 맞게 채혈한다. 시험관에 들어있는 혈액을 원심분리하여 혈장을 분리한다.
3. 혈장에 조직 트롬보플라스틴(tissue thromboplastin)과 칼슘을 첨가한 측정시약을 반응시킨다. 칼슘이 항응고제와 결합하여 항응고제의 효과를 없애고, 조직 트롬보플라스틴에 의해 혈액응고과정 중에서 외인성경로에 해당되는 Ⅶ인자가 활성화되면, 공통 경로에 해당하는 V, X 인자가 활성화되고, 프로트롬

빈(II 인자)이 트롬빈으로 변하고, 이 트롬빈이 피브리노겐(I인자)을 피브린으로 변화시켜 혈액을 응고시킨다.

4. 이렇게 피브린이 형성되어 혈액이 응고될 때까지의 시간을 측정한다.
5. 환자의 혈액과 시약의 혼합액에 일정 파장을 가진 빛을 투과시켜, 피브리노겐이 피브린으로 변하는 과정에서 산란되는 빛의 양의 변화를 감지해서 PT를 측정한다.

이 반응은 Ⅶ, Ⅹ, Ⅴ, 프로트롬빈(II인자)와 피브리노겐(I인자) 등 외인성 및 공통 경로의 혈액응고과정에 관여하므로 출혈에서부터 간에서 프로트롬빈이 형성될 때까지의 프로트롬빈(prothrombin) 활성만을 측정하는 것은 아니다.

프로트롬빈 시간의 검사결과를 보고하는 방법은 2가지이다

① 시간 그 자체를 "초(second)"단위로 표시한다. 이 경우에는 동시에 측정되는 정상 응고시간을 병기한다. 성인의 정상치는 10-15초 이다.
② 건강한 사람과 비교하여 프로트롬빈이 어느 정도의 비율로 기능을 발휘하는가를 %(활성도)로 표시한다. 성인의 정상치는 80-100% 이다.

참고로, INR(international normalized ratio)이 검사시약에 따른 차이를 보정하기 위해 사용된다. 이때 PT 결과와 그것을 INR 로 환산한 결과를 같이 표기하도록 한다. 특히 경구용 항응고제에 의한 치료효과를 모니터링 하는데 추천된다. 일반 환자의 screening 검사, 진단목적 및 간질환 환자의 모니터링으로 사용하여서는 안 된다. 성인의 정상치는 1.0 이하 이다.

- PT가 단축되는 경우는 임상적인 의의가 거의 없다.
- PT가 연장되는 경우
  혈액 응고 인자(Ⅶ, X, V, II, I 인자)의 결핍 , 간질환, Vitamin K 부족 등이다. Ⅶ인자의 영향을 제일 많이 받으며, Ⅶ인자의 농도가 정상의 35-45% 이하가 되면 PT가 길어진다.
  간기능에 이상이 있는 경우 연장되므로 간질환을 평가하는데 이용된다.

혈전증 치료를 위해 와파린을 투여하는 환자에서는 와파린이 비타민K의 대사를 방해해서 혈액응고인자들이 기능을 제대로 못하게 하는데, VII인자가 가장 먼저 영향을 받으므로 약물농도를 조절하는데 이용되는 중요한 검사이다.

3) 활성화부분트롬보플라스틴 시간(activated partial thromboplastin time, APTT)

내인성 경로의 혈액응고 이상을 진단하는 방법으로, 특히 혈우병의 원인이 되는 응고인자(Ⅷ, Ⅸ 인자) 가 결핍 되었는지를 조사하기 위한 것이다.

환자의 혈장에 XII응고인자에 대한 활성제와 혈소판의 대용물인 인지질을 넣은 후, 길슘(CaCl2)을 첨가하여 "부분 트롬보플라스틴(partial thromboplastin)"을 활성화하여 혈액이 응고하는 시간을 조사하는 것이다. 채혈 후 4시간 이내에 검사하여야 한다.

검사방법은 PT 측정 방법과 같지만, PT와 APTT에 사용하는 트롬보플라스틴 시약의 성분이 다르다.

PT측정에 사용되는 조직 트롬보플라스틴은 지단백을 조성으로 한 "완전한 트롬보플라스틴"이라고도 하며 응고시간이 10-15초로 짧다. 이에 비해 APTT측정에 사용하는 트롬보플라스틴은 인지질을 조성으로 한 "불완전 또는 부분 트롬보플라스틴"이라고도 하며 응고시간이 20-36초로 길다.

부분 트롬보플라스틴에서 "부분(partial)"의 의미는, PT검사에 사용하는 트롬보플라스틴 즉 완전한 트롬보플라스틴에 대비되는 단어로 특정 응고인자가 더 있어야만 응고가 정상적으로 일어날 수 있다는 의미이다. APTT에서 "A(activated)"의 의미는, 검사의 표준화를 위해 환자의 혈장과 APTT 시약을 37℃로 가온하여 미리 반응을 시킨 후 칼슘(CaCl2)을 넣어 미리 활성화(activation)하는 과정을 거친다는 의미이다.

부분 트롬보플라스틴은 혈소판 제3인자(PF3)와 유사한 활성작용을 가진 인지질이다.

건강한 사람의 혈소판에는 혈액을 응고시키는 작용을 하는 트롬보플라스틴이라고 하는 물질이 함유되어 있지만, 혈우병은 트롬보플라스틴의 일부(부분 트롬보플라스틴, PTT)의 작용이 좋지 않다. 이 검사에 사용되는 부분 트롬보플라스틴은 제 Ⅷ, Ⅸ 과 XII, XI, X, V 인자의 작용을 하는 성분들을 포함하고 있지 않기 때문에, 이런 응고인자들이 결핍된 혈청은 APTT 검사를 하면 응고가 생기지 않는다.

- 정상치는 20-36초 정도이다(검사 시약에 따라 정상치의 범위가 넓다).
- APTT가 연장되는 질환
  혈우병A(Ⅷ인자 결핍증), 혈우병B(Ⅸ인자 결핍증), Von Willebrand병, 혈액응고 인자(XII, XI, X, V, II, I 인자)의 결핍 등이다.
- APTT가 감소되는 경우도 흔하게 보이나 임상적인 의의는 거의 없다.

APTT는 헤파린 치료를 받는 환자에서 약물농도를 조절하는데 이용된다. 치료범위는 참고치 평균의 1.5-2.5배 정도이다.

표 3-8. PT검사와 APTT검사를 이용한 혈액응고장애의 감별진단

PT	APTT	관련응고인자 및 원인
정상	연장	내인성 응고과정의 이상, 즉 혈우병(Ⅷ, Ⅸ 인자의 결핍), Ⅺ, Ⅻ 인자의 결핍, 헤파린 투여
연장	정상	외인성 응고과정의 이상, 즉 Ⅶ 인자의 결핍 또는 간질환, 비타민 K 결핍, 와파린 투여
연장	연장	공통 응고과정의 이상, 즉 Ⅹ, Ⅴ, Ⅱ 인자의 결핍 또는 Ⅰ 인자(fibrinogen)의 결핍, DIC, 간질환, 비타민K 결핍, 항응고제 투여

04 혈액형검사

〈검사 항목〉

ABO식 혈액형

Rh식 혈액형

혈액형(blood group)이란 적혈구의 세포막에 존재하는 항원으로 혈액을 분류하는 방식이다. 수혈 등에 의해 서로 다른 혈액형의 혈액과 섞였을 때 응집(agglutination)이 일어나 용혈성 빈혈을 일으킬 수 있다.

현재까지 알려진 혈액형의 종류는 수 백 가지이다. 그중 가장 중요한 것은 ABO식 혈액형과 Rh식 혈액형이다. 이 두 종류가 수혈에 문제를 일으킬 수 있는 혈액형의 99% 이상을 차지한다. 나머지 혈액형이 수혈에 문제를 일으키는 경우는 극히 드물다. 그러므로 혈액형검사를 할 때 주로 이 두 가지 혈액형을 검사한다.

- ABO식 혈액형 : A 또는 B항원의 유무에 따라 분류한다.
- Rh식 혈액형 : Rh(D)인자의 유무로 분류한다.

혈액형 검사를 위한 채혈은 EDTA 시험관에 채혈한다.

1. ABO식 혈액형

적혈구 표면에 있는 항원과 혈장에 있는 항체의 종류에 따라 A, B, O, AB의 4 가지로 나타내는 혈액형 분류법이다.

- 항원(또는 응집원, agglutinin)

  A형 혈액은 적혈구 표면에 A형 항원을 가지고 있고, B형 혈액은 B형 항원을 가지고 있다. AB형

혈액은 A형, B형 항원을 모두 가지고 있다. 그리고 O형 혈액은 적혈구 표면에 A형, B형 항원이 모두 존재하지 않는다.

- 항체(또는 응집소, agglutinogen)
  A형 혈액은 B형 항체를 가지고 있고, B형 혈액은 A형 항체를 가지고 있다. O형 혈액은 이 두 가지 항체를 모두 가지고 있다. 그리고 AB형 혈액은 이 두 가지 항체가 모두 없다.

표 3-9. ABO식 혈액형 - 항원 항체의 유무

혈액형	A형	B형	AB형	O형
응집원(적혈구 표면)	A형 항원	B형 항원	A형 항원 B형 항원	없음
응집소(혈장)	B형 항체	A형 항체	없음	A형 항체 B형 항체

서로 다른 두 사람의 혈액이 섞였을 때 적혈구 표면에 있는 응집원과 혈청 속에 있는 응집소가 같은 형이면, 적혈구가 모여서 불규칙한 덩어리를 이루는 응집반응이 일어난다. 즉 A형 항원과 A형 항체, B형 항원과 B형 항체가 만날 경우 응집반응이 일어난다.

[ABO식 혈액형 검사방법]

양쪽 혈액에 각각 Anti-A, Anti-B 항체를 떨어뜨린 후 혈액의 응집유무를 관찰한다.

ABO식 혈액형과 수혈

ABO식 혈액형 항원이 적혈구에만 존재하는 것이 아니라 혈관내피세포, 상피세포 등을 포함하여 인체의 거의 모든 장기들에 존재하고 있다. 그래서 수혈할 때는 반드시 ABO식 혈액형이 적합한 혈액을 수혈하여야 한다.

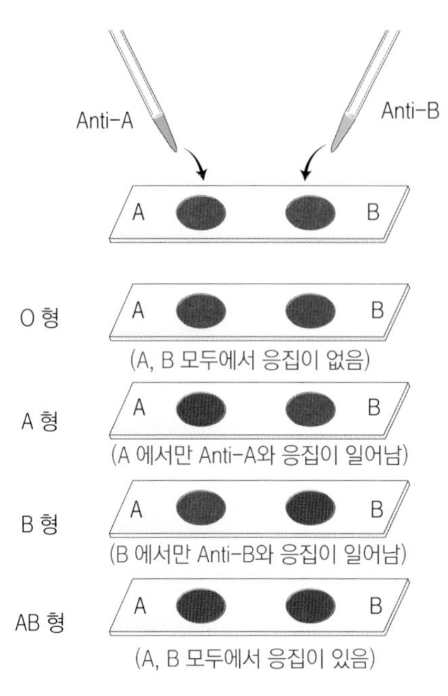

그림 3-8 ABO식 혈액형 검사방법

1) 전혈을 수혈할 때

전혈을 수혈할 때는 일반적으로 적혈구가 필요하기 때문에 적혈구 표면의 항원이 무엇인가가 중요하다. 적혈구에 항원(응집원)을 포함하지 않는 사람은 누구에게나 수혈을 할 수 있고, 혈청에 항체(응집소)를 포함하지 않는 사람은 누구에게서나 수혈을 받을 수 있다.

(1) O형인 사람 - 항원이 없기 때문에 A, B, AB형 모두에게 수혈을 할 수 있다.

(2) A형인 사람 - A형 항원이 있어서 항A형 항체와 만나면 안되므로 A형, AB형에게만 수혈을 할 수 있다.

(3) B형인 사람 - B형 항원이 있어서 항B형 항체와 만나면 안되므로 B형, AB형에게만 수혈을 할 수 있다.

(4) AB형인 사람 - A, B형 항원이 모두 있기 때문에 항A, B형 항체가 모두 없는 AB형에게만 수혈을 할 수 있다.

2) 혈장을 수혈할 때

혈장을 수혈하는 경우에는 혈장 안에는 항체가 들어 있기 때문에 적혈구 수혈과는 완전히 반대가 된다.

즉 O형은 O형에게만, A형은 A형과 O형에게, B형은 B형과 O형에게, AB형은 모든 혈액형에 혈장을 공급해 줄 수 있다.

흔히 O형은 A, B, AB형 모두에게 수혈해 줄 수 있다고 알고 있지만, 같은 혈액형을 도저히 구할 수 없는 응급 상황이 아니면 같은 혈액형이어야 부작용이 적다. 그러므로 모든 수혈은 동일한 ABO식 혈액형의 혈액을 수혈하는 것을 원칙으로 하고 있다. 특히 혈장을 수혈하여야 할 경우 항A,B형 항체를 가지고 있는 O형의 혈장을 AB형에게 수혈하는 것은 가장 피해야 한다.

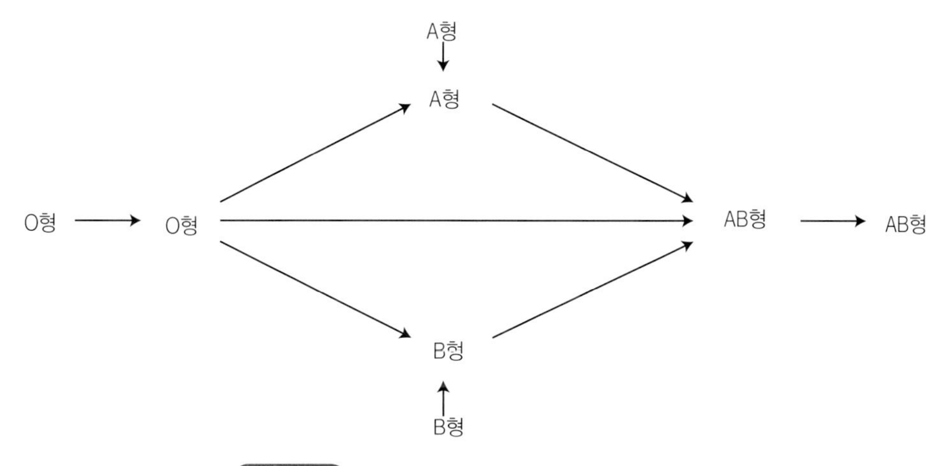

그림 3-9 ABO식 혈액형에서 전혈을 수혈하는 경우

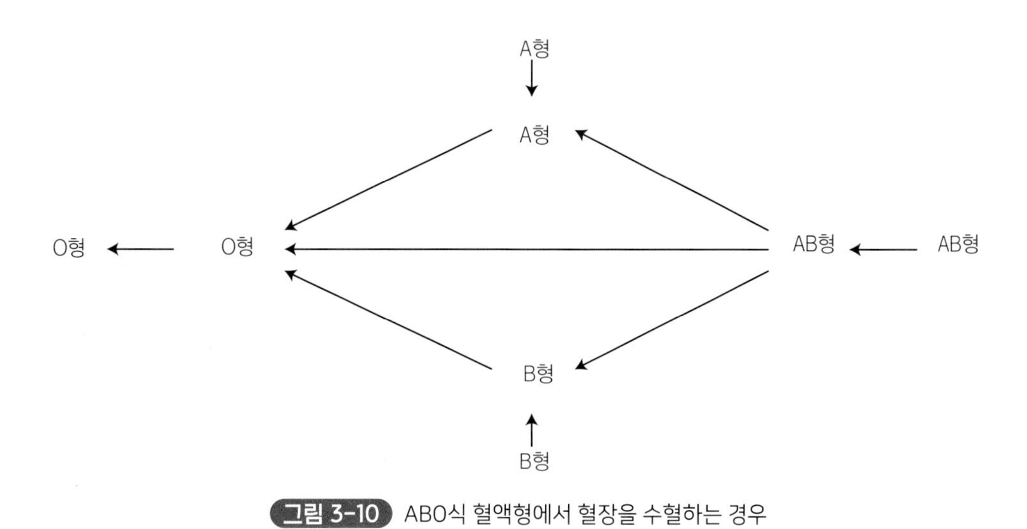

그림 3-10 ABO식 혈액형에서 혈장을 수혈하는 경우

2. Rh식 혈액형

붉은털원숭이의 혈구로 면역된 토끼의 혈청을 사람의 적혈구에 작용하여 응집 여부에 따라 구분하는 혈액형 분류법이다. “Rh”라는 이름은 이 혈액형을 검사하는데 필요한 항혈청을 얻기 위하여 사용한

붉은털원숭이(Rhesus monkey)의 이름에서 딴 것이다.

붉은털원숭이의 혈구로 면역된 토끼의 혈청을 사람의 적혈구에 작용시키면 응집하는 경우와 응집하지 않는 경우가 있다. 토끼의 혈청에 있는 Rh항체가 사람의 적혈구에 있는 Rh항원(Rh인자)과 응집이 일어났기 때문이다.

응집이 일어나면, 적혈구에 Rh항원이 있음을 의미하며 Rh양성(+)이다. 응집이 일어나지 않으면, 적혈구에 Rh항원이 없음을 의미하며 Rh음성(-)이다.

적혈구의 표면에는 C, D, E의 항원이 있다. 이 항원 가운데 D항원이 있으면 Rh(D)+, 없으면 Rh(D)-가 된다.

유전학적으로 D유전자를 가지고 있는 경우를 "D"로 표기한다. D유전자를 가지고 있지 않은 경우를 "d"로 표기한다. 유전자는 두 개의 대립유전자로 구성되어 있으므로 Rh식 혈액형과 관련된 유전자는 DD, Dd, dd 세 가지이다.

D유전자가 d유전자에 대해 우성이므로, D유전자를 하나 이상 가지고 있는 DD와 Dd는 표현형은 Rh(D)+이다. D유전자가 없는 dd의 표현형은 Rh(D)- 이다.

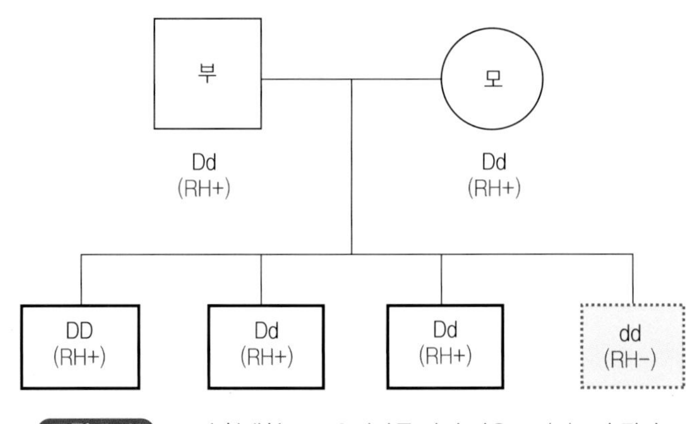

그림 3-11 Rh식 혈액형 - dd유전자를 가진 경우 Rh(D)- 이 된다.

우리나라 사람의 대부분은 DD 유전자를 가진 Rh(D)+이고, 소수에서 Dd 유전자를 가진 Rh(D)+이다.

- Rh양성, Rh(D)+ : 혈액에 Rh(D)인자를 가지고 있다. 동양인은 Rh+형이 전체 인구의 99.6%이고 서양인은 83-87% 이다.
- Rh음성, Rh(D)- : 혈액에 Rh(D)인자를 가지고 있지 않다. 우리나라의 경우는 Rh- 형인 사람이 매우 적어 0.3% 정도다.

Rh- 인 사람의 대부분은 그 부모가 모두 Rh+이고, 아주 적은 수만이 부모 중의 한쪽에서 Rh- 를 볼 수 있다. 부모가 모두 유전자가 Dd로 구성된 Rh+인 경우에는 자녀들 중에서 4분의 1의 확률로 dd, 즉 Rh- 이 나올 수 있다. ABO 혈액형에서 A형인 부모 사이에서 O형인 자녀가 태어날 수 있는 것과 마찬가지로 Rh+ 부모 사이에서 Rh- 인 자녀가 태어나는 것은 자연스러운 현상이다.

[Rh식 혈액형 검사 방법]

혈액에 Anti-Rh(D) 항체를 떨어뜨린 후, 혈액의 응집유무를 관찰한다.

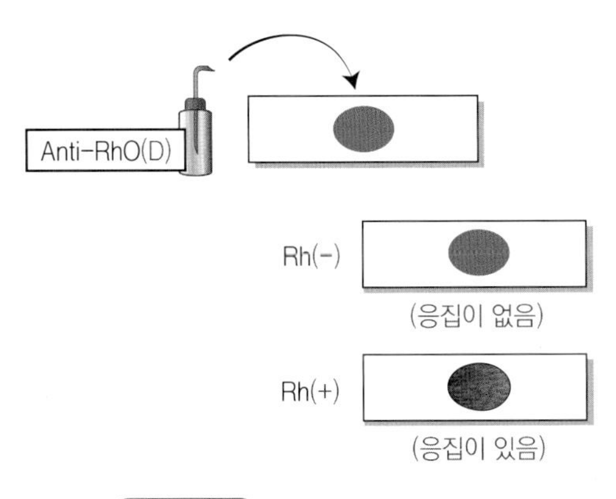

그림 3-12 Rh식 혈액형 검사방법

Rh식 혈액형이 중요한 이유

1. Rh+형의 남자와 Rh-형의 여자 사이에 Rh+형의 아기를 임신하면, 임신 중에 태아의 혈액이 태반을 통하여 모체혈액으로 들어가고 이것 때문에 모체의 혈액 속에 Rh항체가 생성된다. 첫째 아기는 이러한 항체가 많이 만들어지기 전에 태어나므로 문제가 없다.

   그러나 두 번째 이후에 Rh+형 아기를 임신할 경우에는 이 Rh항체가 태아의 혈액으로 들어가 적혈구를 파괴하고, 그 결과 미성숙한 유핵적혈구가 혈액 속에 증가하는 태아적아세포증(erythroblastosis fetalis)이 되어 태아는 출생하자마자 중증황달로 죽거나 유산될 확률이 높다.

   이것을 막기 위해서는 출생하자마자 태아의 혈액을 Rh항체를 가지고 있지 않는 Rh-형의 혈액으로 교환수혈을 하거나, 첫째 아이를 출산했을 때 모체에 항Rh혈액형 항체를 주사하면 Rh+혈액형인 태아를 몇 번 임신하더라도 건강하게 출산할 수 있다.

2. 평생에 단 한 번만 수혈을 받는다면 ABO식 혈액형으로만 분류하여 같은 혈액형을 수혈하기만 하면 별 문제가 없다. 그러나 두 번 이상 수혈을 받아야 하는 경우에는 ABO식 혈액형만 고려하면 위험이 따르게 된다.

   왜냐하면 일반적으로 사람의 혈청에는 이 Rh인자에 대한 항체가 없으므로 Rh-형인 사람에게

Rh+형인 사람의 혈액을 수혈하더라도 처음으로 수혈을 한 경우에는 응집반응이 일어나지 않으나, 그 수혈에 의해 Rh-형인 사람의 혈액에 Rh인자에 대한 Rh항체가 생산된다.

때문에 2번째 이후로 반복해서 Rh-형인 사람이 Rh+형의 혈액을 수혈 받으면, Rh-형인 사람이 가지고 있던 Rh항체와 Rh+형인 사람이 자기고 있는 Rh인자 사이에 응집반응이 일어나게 되어 다양한 장애를 일으키게 된다.

Rh+형이 Rh-에게 수혈하면 Rh+형은 응집원이 있어서 응집 반응을 일으킨다. 그러므로 Rh+는 Rh-에게 수혈할 수 없고, 자기와 같은 혈액형인 Rh+형에게만 수혈할 수 있다.

Rh-형은 응집원인 항원이 없으므로, 자기와 같은 혈액형인 Rh-은 물론 Rh+에게도 마음대로 수혈할 수 있다.

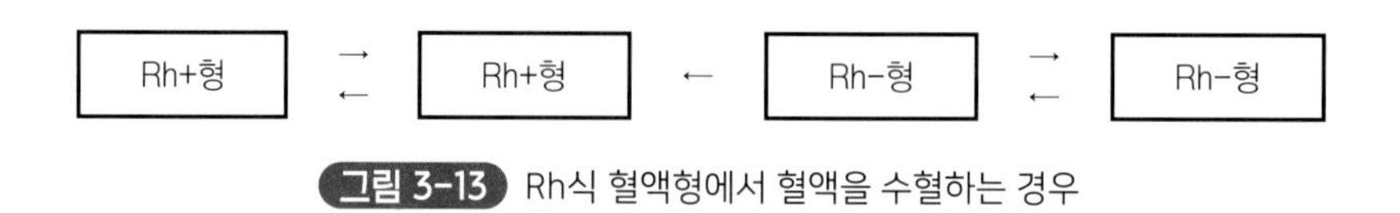

그림 3-13 Rh식 혈액형에서 혈액을 수혈하는 경우

약-D형 검사(weak-D test, Du Test)

검사에서 Rh항체에 의해 응집이 되지 않는 Rh-처럼 나타나지만, 실제로는 적혈구에 소량의 혹은 약화된 Rh항원이 존재하고 있는 경우가 있다. 이때 항글로불린 혈청을 가하면 응집이 나타나는데, 이를 약-D형(weak-D, Du형)이라 부른다. Du형 빈도는 우리나라 Rh- 인 사람의 10명에 1명꼴로 Du형이 존재한다고 한다.

> Du형은 검사에서는 Rh-처럼 나타나지만, 실제 혈액형은 Rh+이다. Rh- 환자에게 Du형 혈액을 수혈할 경우 용혈을 일으킬 수 있으므로, Rh식 혈액형 검사를 하여 Rh-가 나오면 "weak-D" 인지의 여부를 확인하는 Du test를 해야 한다.
> 임상적으로 Du형을 가진 사람이 수혈을 받을 때는 Rh-혈액을 수혈 받아야 안전하다. 하지만 Du형을 가진 사람이 수혈을 해줄 때는 Rh+으로 간주하여야 한다.

-D- / -D-(바디바 바디바)

Rh식 혈액형에서 적혈구의 표면에는 C, D, E의 항원이 있다. 이 가운데 D항원이 있으면 Rh+, 없으면 Rh-가 된다. 그러나 간혹 D는 있지만, C와 E가 없는 경우가 있는데, C와 E가 없다는 뜻에서 이 혈액을 "-D-"로 표기하고, "바디바"로 발음한다.

바디바 바디바 혈액형은 자식이 부모 양쪽으로부터 모두 바디바(-D-)를 받을 경우에 나타난다. 즉 -D-가 두 개라는 뜻이다. 만일 -D- 혈액형을 가진 산모가 다른 혈액형을 가진 남성의 아이를 가지면, 혈액형부적합 임신에 따라 이상항체가 만들어져 태아는 죽고 만다. 보통 30만 명당 1명꼴로 태어난다고 한다.

HLA형 항원(HLA type antigen)

혈액형은 적혈구에 있는 혈액형 항원의 차이에 따라 분류된 것인데, 적혈구 이외의 거의 모든 체세포에도 그 사람 고유의 항원이 있다. 특히 백혈구에서 발견되는 항원을 HLA라고 부르고, 사람백혈구 항원이라고 한다. “H”는 사람(human), “L”은 백혈구(leucocyte)를 의미하며, “A”는 최초로 기술된 유전자 자리를 가리킨다.

05 간기능검사
Liver Function Test, LFT

목표질환 : 간염, 간경변증, 담즙정체성질환

〈간기능검사의 항목〉

1. AST(SGOT)
2. ALT(SGPT)
3. γ-GTP
4. ALP
5. 총단백(total protein)
6. 알부민(albumin)
7. 글로불린(globulin)
8. 알부민 대 글로불린의 비(albumin/globulin ratio)
9. 총 빌리루빈(total bilirubin) : 직접형 빌리루빈(direct bilirubin) / 간접형 빌리루빈(indirect bilirubin)
10. LDH

간기능검사란 간의 전반적인 기능과 상태에 대한 정보를 얻기 위해 간기능의 지표가 되는 효소 및 단백질 등이 혈액 중에 얼마나 함유되어 있는가를 혈액으로 측정하는 검사방법이다. 간기능검사를 통해 간손상의 유무와 정도를 파악할 수 있고, 또한 간질환의 감별진단, 치료방침의 결정, 예후의 판단 등에도 유용하다. 특정 약제를 복용하는 경우에 간이 손상되는지 확인하기 위해 실시하기도 한다.

1. 간의 구조

간은 좌엽(left lobe) 과 우엽(right lobe)으로 구분되며, 우엽이 좌엽보다 약 6배 정도 더 크다.

인체의 거의 모든 장기는 하나의 동맥으로부터 혈류를 공급받지만, 간은 예외적으로 간동맥(hepatic artery)과 문맥(portal vein) 두 개의 혈관을 통해 이중으로 혈류를 공급받는다. 간동맥은 동맥혈이지만, 문맥은 정맥혈이다. 간동맥은 심장과 대동맥으로부터 산소가 풍부한 동맥혈을 간에 공급하고, 문맥은 위장관에서 소화 흡수된 영양분이 풍부한 정맥혈을 간에 공급한다. 간이 이와 같이 독특한 혈류 공급체계를 갖고 있는 것은 위장관에서 흡수된 영양분이 인체의 화학공장이라고 할 수 있는 간에서 일단 가공 또는 저장되어야 하기 때문이다.

정상적인 경우에 간에 공급되는 혈류량은 간동맥을 통해 분당 400 ml 정도, 문맥을 통해 분당 1,200 ml 정도의 혈류를 공급받는다. 즉, 간동맥을 통해서는 단지 약 25% 정도의 혈류를 공급받고, 나머지 약 75%정도는 문맥을 통해 공급받으므로, 간에서는 문맥이 대단히 중요하다.

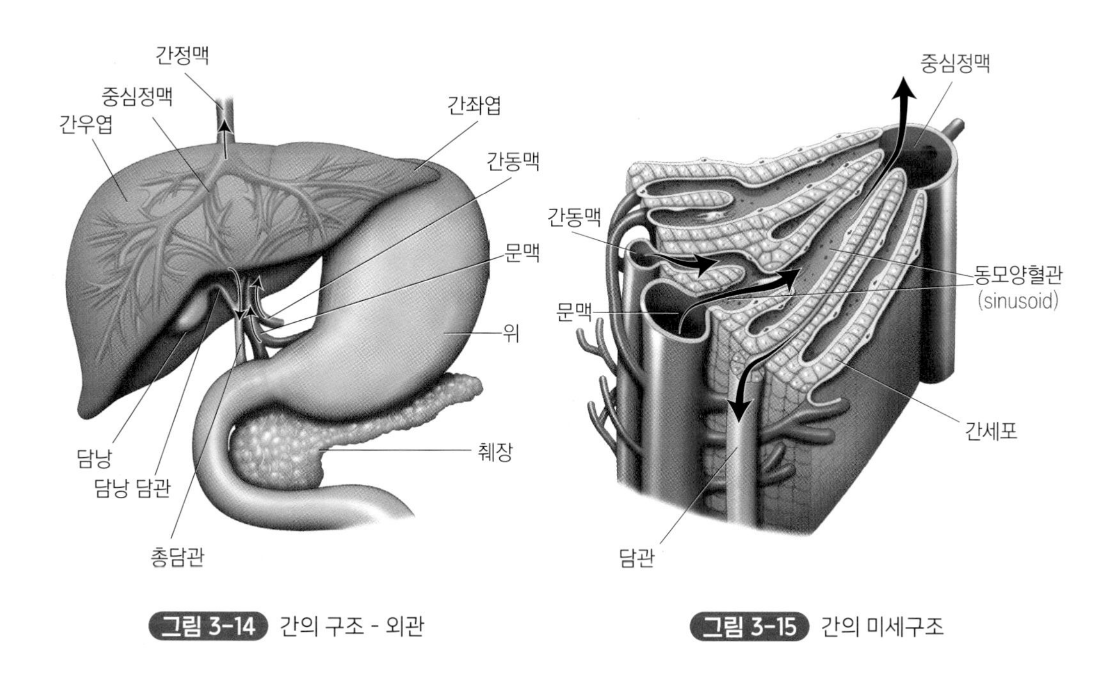

그림 3-14 간의 구조 - 외관

그림 3-15 간의 미세구조

간으로 들어온 간동맥과 문맥은 점차 가늘어져 동모양혈관(sinusoid)이라는 미세혈관으로 유입되어 합쳐진다. 간은 대략 2,500억 개의 간세포를 가지고 있고, 이들 간세포들은 판 모양으로 배열되어 있으며, 그 사이로 간동맥과 문맥이 점차 가늘어져서 생긴 동모양혈관이 지나간다. 이를 통해 산소와 영양분이 간세포에 공급되고, 이산화탄소와 각종 대사산물, 노폐물 등이 혈류로 나오는 물질교환이 일어난다. 동모양혈관은 중심정맥이라는 작은 정맥으로 유입되고, 중심정맥들이 모여 결국은 간정맥(hepatic vein)

으로 모아져서 하대정맥(inferior vena cava, IVC)으로 흘러들어 최종적으로 심장으로 들어가게 된다.

간에서 만들어진 담즙은 간내담관을 통해 간 밖으로 나온 후 담낭에 저장되고, 식사를 하면 총담관을 통해 십이지장으로 배출된다.

2. 간의 기능

간은 수많은 화학반응을 통해 인체의 생존에 필요한 물질을 합성하고 유독물질을 해독하는 기능을 담당한다.

1) 소화 흡수된 음식물을 영양소로 전환

음식물이 위장관에서 흡수될 때 탄수화물은 포도당으로, 지방은 지방산과 글리세롤로, 단백질은 아미노산으로 각각 분해되어 흡수된다. 분자 크기가 작은 비타민, 유기물 및 무기질은 그 자체로 흡수된다. 이렇게 흡수된 영양소들은 일단 모두 간으로 운반되어 대사 과정을 거친 후, 우리 몸에 필요한 성분으로 만들어져 다른 장기로 보내거나 간에 축적된다.

2) 에너지 대사

간은 우리 몸의 에너지원인 탄수화물, 지방, 단백질을 합성, 변화, 분해, 저장한다.

(1) 탄수화물 대사

간은 우리 몸 안에서 에너지를 만드는데 가장 필요한 탄수화물의 혈중 농도를 일정하게 유지해 주는 조절기관이다.

탄수화물은 소장에서 대부분 포도당으로 분해되어 흡수되고, 문맥을 통해 먼저 간으로 운반된다. 이때 간에 도달한 포도당의 약 60%는 글리코겐(glycogen)으로 바뀌어 간에 저장되고, 나머지 약 40%는 간을 그대로 통과하여 다른 여러 기관으로 운반되어 그 곳에서 이용된다.

췌장에서 분비된 인슐린은 간으로 운반되어온 포도당을 글리코겐이라는 큰 분자로 전환시키는 당원형성과정(glycogenesis)을 촉진한다.

한편 우리 몸에 포도당의 공급이 끊어지는 공복상태가 되면, 필요한 에너지를 공급하기 위해 간은 당원분해과정(glycogenolysis)을 통하여 저장된 글리코겐을 포도당으로 분해하여 혈중으로 방출한다. 그러나 24시간 이상 장기간 금식을 하면, 간에 저장된 글리코겐의 양에도 한계가 있으므로 간에서는 아미노산 등을 이용해 포도당을 새로 만들어 내는 당신생과정(gluconeogenesis)이 활발히 일어나며, 한편 포도당을 에너지원으로 사용하는 뇌는 포도당 대신에 케톤체나 지방산 등을 이용함으로써 부족한 포도당을 절약한다.

(2) 단백질 대사

단백질은 소장에서 아미노산으로 분해되어 흡수되고 문맥을 통해 간으로 운반된다. 아미노산은 각 조직에 필요한 단백질로 재합성되어 몸의 각 부분에 보내지고, 포도당 신생과정에 이용되어 에너지원으로도 사용된다.

간에서는 하루에 약 50-70 g의 단백질이 합성되는데, 혈장 단백질 중 면역 글로불린을 제외한 거의 모든 단백질이 만들어진다.

체내에서 단백질이 대사되면 질소화합물이 생성되는데, 이때 형성된 기체성분인 암모니아는 다른 기체들(산소, 탄산가스)과는 달리 체외로 배출이 잘 되지 않고 몸에 축적되면 독성을 나타낸다. 그러므로 암모니아는 간으로 운반되어 요소회로(urea cycle)를 거쳐 독성이 약한 요소로 전환된다. 요소는 혈액을 따라 신장에 도달하고 걸러져 소변과 함께 배출된다.

(3) 지방 대사

우리가 섭취한 지방질은 췌장효소와 담즙에 의해 지방산으로 분해되어 소장에서 흡수되고, 알부민과 결합된 채 간까지 운반되어 에너지원이 된다.

간은 지방산의 산화과정 중에 생긴 물질을 이용하여 콜레스테롤을 만든다.

탄수화물은 에너지원으로 쓰이기도 하고 일부는 글리코겐의 형태로 저장되기도 하지만, 남아도는 탄수화물은 간에서 중성지방으로 변환되어 지방조직에 저장된다.

3) 담즙의 생성 및 배설

간은 하루에 1500 ml 정도의 담즙을 생산한다. 콜레스테롤로부터 생성된 담즙은 담도를 따라 내려가 담낭에 저장된다. 식사 때 음식물이 장으로 들어오면 담낭이 수축하면서 담즙이 십이지장으로 배출된다. 소장으로 배출된 담즙은 지방을 소화하고, 지용성 비타민 A, D, E, K 등의 흡수를 돕는 역할을 한다. 이후 담즙은 회장에서 대부분 재흡수되어 문맥을 통하여 다시 간으로 들어가 재활용되고, 일부는 대변으로 배설된다.

4) 비타민 및 무기질의 대사

간은 지용성 비타민 A, D와 수용성 비타민 B12 등을 저장한다. 비타민 A는 소장에서 흡수된 후 간에서 가공되어 레티놀이 된다. 주로 자외선에 의해 피부에서 합성된 비타민 D는 간과 신장에서 활성화 과정을 거친 후 그 기능을 발휘한다. 이런 비타민은 간에 저장되어 있는 양이 많으므로 비타민이 장기간 섭취되지 않더라도 건강에 지장을 초래하지 않는다. 비타민A는 10개월, 비타민D는 3-4개월, 비타민B12는 1년 이상 지탱할 수 있다.

지용성인 비타민 K는 담즙의 도움으로 소장에서 흡수되어 간에 농축되며, 간에서 생산되는 혈액응고인자의 활성화에 절대적으로 필요하다.

철은 혈색소(헤모글로빈)을 구성하는 중요한 성분인데, 간은 페리틴(ferritin)의 형태로 많은 양의 철분을 저장하고 있다. 구리나 아연도 간에 저장할 수 있다.

5) 호르몬 대사

간은 각종 호르몬을 분해하는 기능이 있어서, 간질환이 심해지면 호르몬의 대사장애를 초래하여 여러 신체기능에 문제가 발생한다.

인슐린은 췌장에서 분비되며, 소장에서 흡수된 포도당과 함께 문맥혈을 통해 간에 도달한 후, 포도당을 글리코겐으로 전환시켜 간에 저장하는 당원형성과정을 돕는다. 이런 과정을 모두 마친 인슐린의 약 50%는 간에서 분해된다. 심한 간경변증이 있는 경우, 간에서 인슐린의 분해가 제대로 되지 않아 인슐린의 혈중농도가 높아지게 되고 그로인해 공복 시에 저혈당을 일으키는 원인이 될 수도 있다.

만성간염이나 간경변증 등으로 간의 기능이 저하된 상태에서는 간에서 성호르몬인 에스트로겐이나 테스토스테론의 대사가 저하되어 혈중농도가 증가한다. 그 결과 여자의 경우 생리이상이 오거나, 남자의 경우 고환위축이 올 수도 있다. 또한 남성 호르몬인 테스토스테론이 간에서 분해되지 않고 말초혈액으로 가서 여성호르몬으로 변하면 남자에서도 유방이 커질 수 있다.

그 외에도 갑상선호르몬, 코티졸, 알도스테론 등 중요한 호르몬들이 간에서 대사된다.

6) 유독물질의 해독 및 약물의 대사

간은 몸 밖에서 들어온 유독물질이나 몸 안에서 생성된 대사물질을 적절하게 해독하여 밖으로 내보낸다.

이런 물질은 대부분 지용성이며 혈장단백과 결합하여 혈액 속을 돌게 되는데, 간은 이러한 물질을 수용성으로 변환시켜 담즙이나 소변을 통해 몸 밖으로 배설시킨다.

일부 약물은 이런 대사과정을 거쳐야만 비로소 인체에 도움이 되는 약리작용을 나타내기도 한다. 목표한 작용이 끝난 후에는 배설되어야 하는데 체내에 축적되면 여러 가지 부작용이 일어날 수 있기 때문이다. 일부에서는 이러한 과정 중에 생기는 중간 대사산물이 오히려 간에 독성을 나타내기도 한다.

7) 알코올 대사

위장관에서 흡수된 알코올의 80-90%가 간에서 대사되어 분해된다. 나머지는 땀, 호흡, 소변으로 배출된다.

8) 면역기능

간의 전체 세포 중에서 약 15% 정도가 면역세포이다. 장에서 문맥을 통해 들어오는 혈액 속에 세균이나 염증을 유발할 이물질이 있으면 간의 동모양혈관 내에 존재하는 면역세포, 즉 쿠퍼세포(Kupffer cell)가 식균작용을 일으켜 이들을 걸러낸다.

또한 간에서는 살균작용에 중요한 역할을 하는 단백질인 보체(complement)가 생성된다.

9) 혈액응고

간은 혈액응고인자를 합성하여 혈액 내에 공급한다. 간에서만 생성되는 혈액응고인자는 I, II, V, VII, IX, X번 등 이다.

10) 순환 혈액량의 조절

간에는 보통 전체 혈액량의 10%에 해당되는 450 ml 정도의 혈액이 들어있고, 1분에 약 1,500 ml 정도의 혈액이 흐른다. 인체의 혈액량이 많을 경우 혈액을 저장하거나, 반대로 혈액량 적을 경우에는 혈액을 방출함으로써 몸 전체의 혈류를 조절하는 역할을 한다.

[검사방법 및 주의사항]

1. 약 8-12시간 공복 후 검사를 받도록 한다.
2. 검사결과에 영향을 미칠 수 있으므로 검사 하루 전에는 고단백 식사나 짠 음식을 섭취하지 않도록 한다.
3. 간기능검사에 영향을 줄 수 있는 약물을 복용하고 있다면 의사와 상의한 후에 검사 전 3-5일 동안 복용을 중지하는 것이 좋다
4. 모든 검체는 채혈 후 즉시 운반하고, 검체가 도착되면 바로 원심분리하여 검사한다. 채혈 후 혈액을 실온에 오랜 시간 방치하면 AST가 높게 나올 수 있다.

[간기능검사를 해석할 때 주의할 점]

1. 선별검사인 간기능검사에서는 매우 흔하게 이상소견이 발견된다. 하지만 이 중에서 임상적으로 의미 있는 간질환이 있는 경우는 약 1%에 불과하다고 한다. 따라서 한 종류의 간기능검사 결과만을 가지고 간질환이 있다고 결론짓거나 바로 고가의 정밀검사를 시행하지 않도록 한다.
2. 일반적으로 간은 재생능력이 크기 때문에 간의 70-80%가 나빠져 있지 않는 한 기능검사는 정상인 경우가 많다.
3. 간기능검사의 대부분이 특이적이지 않아 간질환 이외에서도 양성으로 나타나기 때문에 주의해야 한다.
4. 간질환의 가장 흔한 원인인 B형 간염과 C형 간염에 대한 검사가 필요하다.
5. 간질환의 종류를 감별할 수 있도록 간기능검사의 항목을 동시에 묶음으로 이해하는 것이 좋다.

1) AST, ALT, LDH, 빌리루빈 등은 간세포의 손상을 반영한다.
2) 알부민, 글로불린, 프로트롬빈 시간(prothrombin time, PT) 등은 간의 합성기능을 반영한다.
3) ALP, γ-GTP, 빌리루빈, 콜레스테롤 등은 담도폐색 등에 의한 담즙 배설장애를 진단하는데 도움을 준다.

6. 간기능 검사를 통해 간질환의 예후를 어느 정도 예측할 수 있다.
1) 황달이 있는 환자에서 총 빌리루빈이 계속해서 증가하면 병변이 진행하는 것을 의미한다.
2) 간염인 경우 AST, ALT가 점점 높아지면 간염이 진행하는 것을 의미한다. 그러나 다른 간기능 검사는 매우 증가되어 있는 반면 AST, ALT가 반대로 떨어지면 오히려 간질환이 매우 심해졌음을 보여주는 경우가 있으므로 주의가 필요하다. 더욱이 알부민, 콜레스테롤이 계속 떨어지고 글로불린이 증가되면 간경변증과 같은 만성 간질환으로의 진행을 의미한다.

3. 간기능검사

1) AST(aspartate aminotransferase, 아스파르트산염 아미노기전이효소)

SGOT(serum glutamic oxaloacetic transaminase)라고도 한다.

2) ALT(alanine aminotransferase, 알라닌 아미노기전이효소)

SGPT(serum glutamic pyruvate transaminase)라고도 한다.

AST와 ALT는 세포 안에 정상적으로 존재하는 효소로, 몸의 중요한 구성요소인 아미노산을 형성하는 작용을 한다. 세포가 파괴되면 세포에서 AST, ALT가 혈액 속으로 나온다. 건강한 사람도 수명을 다한 세포는 죽고 새로운 세포가 만들어지므로 혈액 속에 소량의 AST, ALT가 존재한다.

간세포가 파괴되거나 손상을 받으면 그 안에 존재하는 이들 효소도 같이 혈중으로 많이 나오게 되는데, 이들 효소의 혈중농도가 높으면 간세포가 파괴되거나 손상됨을 의미한다. 손상되는 간세포가 많을수록 이 효소의 혈중 농도가 더 높아지므로, AST, ALT가 높을수록 간기능이 나쁘다고 할 수 있다. 하지만, 이 검사의 수치와 간 질환의 중증도와 반드시 비례하는 것이 아니기 때문에 만성간염에서 수치가 10-20 정도 증가하는 것에 대해 너무 예민하게 반응할 필요는 없고 전반적인 추세를 보아야 한다. 예를 들어 간 기능이 아주 나쁜 간경변증이나 간암 환자에서 AST, ALT치는 오히려 정상이거나 정상에 가까운 경우가 많기 때문이다.

AST/ALT 비율

ALT는 간에만 존재하지만, AST는 적혈구, 심근, 골격근, 내장, 뇌 등 다른 기관에서도 광범위하게 분포하고 있다. 그래서 ALT가 AST보다 더 정확히 간세포의 손상을 반영한다. 또, AST는 간세포의 세포질보다 미토콘드리아에 더 많이 존재하는 데 비해, ALT는 주로 세포질에 더 많이 분포되어 있다.

이러한 차이 때문에 AST와 ALT의 증가 비율이 서로 다른 것을 비교하여 간질환과 다른 질환을 구별하는 데 유용하게 쓰이기도 한다. 예를 들어 심장이나 근육의 질환이 있는 경우 AST는 크게 증가하는 반면, ALT는 약간 증가하거나 거의 정상 수치를 나타낸다. 또한 간질환이라 하더라도 그 종류에 따라 서로 증가하는 비율이 다르게 나타난다.

〈AST, ALT의 정상치〉

AST와 ALT 모두 35 IU/L 를 넘지 않는 것이 정상이다. 유아에서 사춘기까지는 약간 높고, 남자가 여자보다 약간 높다. 음주 후, 운동 후에는 평상시 보다 20-30 IU/L 정도 증가하므로 검사 전에 음주나 운동은 피하는 것이 좋다.

〈AST, ALT 검사결과의 해석〉

1. AST, ALT 의 변화

1) 35-100 IU/L 로 증가

만성간염, 비알코올성 지방간염(nonalcoholic steatohepatitis, NASH), 간경변, 간암 등을 생각할 수 있다.

2) 100-500 IU/L 로 증가

만성간염, 알코올성 간염, 심근경색과 같은 심장의 질환, 근육의 질환 등을 의심할 수 있다.

3) 500 IU/L 이상 증가

급성간염, 만성간염이 활성화하기 시작한 경우, 심장질환이 급성으로 진행되고 있는 경우, 간독성약물을 복용한 직후에 나타날 수 있다.

2. AST/ALT 비율의 변화

1) AST/ALT 비율의 감소(ALT가 AST보다 더 증가)

급성간염의 경우 비율이 1.0 이하로 감소되고, 만성간염의 경우에도 대부분 비율이 감소된다. 비알코올성 지방간염, 바이러스성 간염의 경우에도 대개 감소된다.

2) AST/ALT 비율의 증가(AST가 ALT보다 더 증가)

알코올성 간염의 경우 주로 미토콘드리아가 손상되므로 대부분 비율이 2.0 이상으로 증가한다. 간경변증이나 간암 등이 있으면 비율이 1.0 이상으로 증가할 수 있다.

만일 비율이 2.0 이상으로 증가되어 있으면서 만성적인 음주경력이 있으면 알코올성 간염이나 간병변증을 의심해 볼 수 있지만, 만성적인 음주병력이 없으면 바이러스성 간경변증일 가능성이 높다. 심근경색과 같은 심장의 질환, 그리고 근육의 질환이 있으면 대체로 비율이 증가한다.

3) γ-GTP(γ-glutamyl transpeptidase)

γ-GTP는 세포 밖의 아미노산인 글루타민산(glutamic acid)에 글루타미닐(glutaminyl)기를 결합시켜 아미노산을 세포 내로 운송하는 효소이다. γ-GTP는 간 외에도 신장, 췌장, 비장, 심장, 뇌 등 많은 조직의 세포막에 존재하지만, 혈청 γ-GTP의 대부분은 간과 담관 상피세포에서 유래한다.

γ-GTP는 ALP와 함께 담즙정체 시에 주로 증가하므로, ALP의 증가가 간질환 때문인지 또는 골질환 때문인지를 감별할 때 유용하다. ALP는 뼈에 존재하지만 γ-GTP는 뼈에는 존재하지 않으므로, ALP만 증가되고 γ-GTP는 증가되어 있지 않다면 골질환 때문일 가능성이 높다. 하지만 ALP와 γ-GTP는 모두 간에 존재하므로 ALP가 증가되고 γ-GTP도 함께 증가되어 있으면 간질환 때문일 가능성이 높다. 이때, γ-GTP/ALP 비율이 2.5 이상인 경우에 알코올 남용을 강하게 의심해 볼 수 있다. 반면에 γ-GTP가 증가되어 있어도 ALP가 정상이라면 간질환일 가능성은 적다고 볼 수 있다.

γ-GTP는 알코올에 특히 민감하게 반응하므로 알코올성 간질환의 지표로 이용된다.

γ-GTP가 증가된 경우 대사증후군과 제2형 당뇨병 발생의 위험인자로 작용한다.

〈γ-GTP의 정상치〉

γ-GTP의 정상수치는 남자 70 IU/L 이하, 여자 40 IU/L 이하이다. 개인차가 큰 효소로 정상범위는 연령, 성별, 음주력, 상용약물의 유무에 따라 크게 다르다. 소아 때에는 낮은 수치를 보이지만 사춘기 이후에는 증가한다. 남성이 여성보다 높다. 임신 중이나 경구 피임약을 복용 중에는 여성 호르몬이 간에서 γ-GTP가 형성되는 것을 억제하기 때문에 수치가 낮게 나온다.

〈γ-GTP 검사결과의 해석〉

1. γ-GTP가 증가하는 경우
   알콜성 간염, 지방간, 활동형 만성간염, 간경변증, 간암, 담즙정체 등 여러 가지 간 담도질환에서 증가한다. 기타 신부전증, 췌장염, 심근경색증, 당뇨병, 전립선암, 유방암, 폐암, 갑상선 기능항진증, 비만, 류마티스성 관절염 등 다양한 경우에도 상승할 수 있다.
2. 간기능 검사의 다른 항목들은 정상이면서 γ-GTP 수치만 매우 높은 경우
   알코올 때문인 경우가 많으며, 또한 특정 약물(수면제, 신경안정제, 항경련제, 와파린 등)의 복용이 그 원인인 경우도 있다. 평소에 음주를 하지 않는 사람도 검사 전날의 우연한 음주로 γ-GTP가 높은 수치를 보이는 경우가 있으므로 2-3일간 금주 한 후에 재검사를 시행하는 것이 좋다. 습관성 음주자에서 증가된 γ

-GTP가 정상으로 돌아오려면 적어도 2개월 동안은 금주해야 한다.

4) ALP(alkaline phosphatase, 알칼리성 포스파타아제)

ALP는 세포막을 통해 대사물의 운송에 관여하는 가수분해효소로, 혈중에서는 불활성상태로 있다가 세포막에 결합해서 인산기를 제거하고 알칼리 pH를 생성한다.

ALP는 주로 간세포의 소관(canaliculus)쪽 세포막과 담관 상피세포의 내강 쪽 세포막에 존재한다. 그 외에 골조직의 골아세포, 소장 점막세포, 신장의 근위세뇨관, 태반 등에도 존재한다.

혈액에 있는 ALP를 전기영동을 해서 ALP 동위효소(isoenzyme)검사를 해보면, 건강한 사람의 혈중 ALP는 약 90%가 간, 골, 신장 분획이고, 장분획이 10% 미만, 태반 분획이 약 1%를 차지한다. 성인은 간에서, 소아는 뼈에서 유래된 것이 많다.

ALP가 포함되어 있는 체내 장기에 질환이 있어 장기가 손상을 받으면 그 조직으로부터 ALP가 유리되어 혈중 농도가 증가되므로, 주로 조직손상을 확인하기 위해 측정한다. 그 기원을 알기 위해 ALP 동위효소검사를 시행해서 어떤 분획이 증가하는가에 따라 그 원인이 무엇인지, 즉 담즙정체에 의한 간질환, 소장이나 뼈 질환, 혹은 임신 등을 구분할 수 있다.

특히 간에서 유래된 ALP는 간의 담관 안을 싸고 있는 세포 내부의 효소이므로, 간을 경유하여 담즙으로 배설된다. 따라서 ALP를 측정하면 간에서 십이지장에 이르는 담즙의 유출경로에 이상이 있는가를 알 수 있다.

ALP는 2-3배 정도의 증가는 비특이적이어서 만성간염이나 간경변증 등 모든 종류의 간질환에서도 나타날 수 있다. 특히, 담즙이 간세포에서 잘 배출되지 못하거나 담도가 막혀 담즙이 정체된 경우에는 ALP가 현저히 증가한다. 이것은 정체된 담즙에 의해 담관세포에서 ALP의 합성과 분비가 증가되지만, 이 ALP가 담즙과 같이 장으로 흘러내리지 못하고 다시 간세포를 거쳐 혈액 중에 들어가기 때문이다. ALP는 반감기가 약 1주 정도로 비교적 길어서 담도 폐쇄의 후반기에 증가하고 폐쇄가 해결된 후에도 서서히 감소한다.

또, 종양이나 육아종 등의 침윤성 간질환에서도 현저하게 증가한다.

〈ALP의 정상치〉

대개 ALP의 정상수치는 성인의 경우 남자는 30-90 IU/L , 여자는 20-80 IU/L 이다.

개인차가 큰 효소로 정상범위는 연령, 식사, 임신 여부, 복용중인 약물의 종류에 따라 영향을 받는다. ALP는 뼈의 성장과 밀접한 관계가 있기 때문에 뼈의 성장이 활발한 소아나 성장기 청소년에서는 성인보다 2배에서 3배까지 높은 수치를 보이는 것이 일반적이다. 임신 중인 여성에서 임신 8개월 이후에 ALP가 태반에서 혈중으로 유출되므로 ALP가 증가되고 출산 3주 후에 정상으로 회복된다. 기름진 식사 후 ALP 가 증가될 수 있으므로 공복상태에서 측정해야 한다. ALP의 정확한 검사를 위해서는 검사 전날 자정부터 혈액 채취 후까지 금식해야 한다. 복용중인 항생물질, 항염증약, 향정신약 약물 등이 ALP가 증가되거나 감소되는 등 검사 결과에 영향을 미친다.

〈ALP 검사결과의 해석〉

1. 정상 상한치보다 3배 이하로 약간 증가된 경우
   만성간염, 간경변증 등
2. 정상 상한치보다 4배 이상으로 현저히 증가된 경우
   담도 폐쇄에 의한 황달, 간내 담즙정체 등을 의심하고 간 초음파 검사를 시행하여 존재 여부를 확인한다. 담도 폐쇄로 황달이 생긴 경우 정상 수치의 10배 이상 증가를 보이는 경우도 있으며, 이 증가 정도는 담도가 막힌 정도에 비례하고 치료를 통해 담도의 폐쇄가 해결된 후에는 다시 정상으로 돌아온다.
3. 혈청 빌리루빈과 AST, ALT는 정상 또는 약간 증가, ALP만 상승된 경우
   간담도 질환 때문인지 또는 골질환 때문인지를 감별하기 위해 γ-GTP를 동시에 측정하는 것이 좋다. 이때 γ-GTP도 함께 증가되어 있으면 간외 담관폐쇄나 간내 종괴의 가능성을 염두에 두고 복부 초음파 검사나 복부 CT 검사를 해야 한다. 이 검사에서 간외 담관폐쇄의 증거가 없다면 항미토콘드리아 항체(antimitochondria antibody, AMA)를 검사하여 원발성 담즙성 경화증(primary biliary cirrhosis, PBC)을 배제해야 한다.
4. ALP만 단독으로 증가하는 경우
   감염 등 급성기 반응의 일환으로 나타나는 일시적인 현상이거나, 전이성 암, 침윤성 간질환(백혈병, 림프종, 간결핵 등), 파제트병 등을 고려해 볼 수 있다.
5. ALP가 감소되는 경우
   영양실조, 저인산염혈증

5) 총단백(total protein)

혈청내의 모든 단백질을 합한 것을 총단백이라 한다. 혈액에는 100여종의 단백질이 있으며, 이들 단백질의 약 60%는 알부민(Albumin)이고, 나머지 40%는 글로불린(Globulin) 계통의 단백질이다.

혈청 100 ml에는 6-8 g 정도의 단백질이 포함되어 있다. 이 중 90%가 간에서 합성되는데, 혈장 단백질 중 면역 글로불린을 제외한 거의 모든 단백질이 간에서 만들어진다. 그러므로 총단백은 간의 합성능력을 반영한다. 간의 합성능력이 저하되면 이 총단백의 양이 감소된다. 오래된 단백질은 다시 간에서 파괴된다.

혈청단백은 생체의 대사를 원활하게 하는 작용을 하며 생체의 항상성을 유지하는 역할을 한다. 그러나 간 또는 신장의 기능 이상으로 체내의 대사작용에 이상이 생기면 혈청단백의 농도가 변화한다.

일반적으로 혈청단백의 농도는 변동이 적고, 질환이 생겨도 거의 변동하지 않는다. 혈청단백 농도가 약간만 변해도 대단히 심한 조직단백의 변동이 있을 수 있다. 그래서 총단백 농도측정은 이상 단백혈증이나 전신의 영양 상태를 알 수 있는 매우 중요한 검사이다.

그러나 총단백 검사만으로는 진단을 결정하기가 곤란하므로, 단백대사 이상이 의심될 때는 전기영동을 해서 단백 분획검사를 한다. 이 검사로 혈청 총단백을 분리하면 알부민 분획 이외에 α1-글로불린, α2-글로불린, β-글로불린, γ-글로불린의 각 분획의 농도와 총단백에서 차지하는 비율을 검사할 수 있다.

〈총단백의 정상치〉

성인의 경우 6.5-8.0 g/100 ml 정도이다.

〈총단백 검사결과의 해석〉

1. 고단백혈증(총단백의 증가) : 8.5 g/100 ml 이상인 경우
   구토, 설사 등 탈수에 의해 혈액이 농축될 때, 자가면역질환, 간경변증, 만성 간염, 악성 종양, 다발성 골수종 등이 있을 때
2. 저단백혈증(총단백의 감소) : 6.0 g/100 ml 이하인 경우
   영양실조로 인해 단백의 섭취가 적을 때, 급성간염, 간경변증 등에 의해 간에서 단백 합성이 적을 때, 신증후군, 급성신장염 등에 의해 소변 등으로 단백이 소실될 때, 전신부종, 임신 등에 의한 혈장량의 증가로 혈액이 희석될 때

6) 알부민(albumin)

알부민은 오로지 간에서만 생성되며, 간이 하루에 생산하는 총 단백량의 약 25%를 차지한다. 알부민은 혈액으로 분비된 후 평균 20일 정도 기능을 하다가 다시 간으로 돌아와 분해된다.

알부민의 가장 큰 역할은 혈장의 삼투압을 유지하는 것이다. 즉 혈관 안의 수분이 혈관 밖으로 새어나가는 현상을 방지하여 혈액 속의 수분 함량을 유지한다. 또, 알부민은 영양 공급원으로 사용되기도 하고, 약물이나 혈장 안에 존재하는 다양한 이온, 호르몬 및 지방산 등을 결합하여 혈관을 통해 필요한 조직으로 운반해주는 역할을 한다.

알부민은 주로 간에서 합성되므로 만성 간질환에서 간의 합성기능을 알아보는 유용한 지표이지만, 간에서 알부민의 합성능력에는 상당한 여분이 있으므로 급성 또는 경증의 간 손상은 잘 반영하지 못한다. 알부민보다는 혈액응고인자가 몇 배 더 민감하게 간의 합성기능을 나타내준다.

간경변이 발생해서 알부민 농도가 감소하면 수분이 혈관 내에 머물지 못하고 주위 조직으로 빠져

나가서 복수가 차거나 부종이 생기게 된다.

〈알부민의 정상치〉

성인의 경우 약 3.5-5.0 g/100 ml 정도이다.

〈알부민 검사결과의 해석〉

1. 알부민 합성의 감소에 의한 알부민 감소
   만성 간염, 간경변증, 영양실조, 악성종양인 경우
2. 알부민 소실에 의한 알부민 감소
   신증후군, 신부전, 심한 화상, 단백소실성 위장병증이 있는 경우

7) 글로불린(globulin)

혈액 내 단백질의 약 40%는 글로불린이다. 글로불린은 네 가지(α1, α2, β, γ)로 분류되는데, 그 중 간 질환과 관계가 깊은 것이 감마글로불린(γ-globulin)이다. 감마글로불린은 자가면역질환, 다발성골수종 등이 있을 경우에 증가한다.

만성간염, 간경화증, 그리고 알콜성간염 등 간세포에 심한 손상이 있을 경우 알부민의 수치가 내려가고 대신 글로불린의 수치가 올라간다. 이는 항체활성을 가진 면역 글로불린의 생성이 계속되기 때문이다.

8) 알부민 대 글로불린의 비율(albumin/globulin ratio, A/G ratio)

알부민은 주로 간에서 합성되므로 간의 합성 기능을 알아보는 유용한 지표이지만, 그 반감기가 약 20일 정도로 오랜 시간이 걸려 질병의 초기에 알아내기가 어렵다.

알부민은 체내의 여러 장애로 감소하는 경우는 있어도 증가하는 경우는 없으나 글로불린은 증가하는 경우가 많고, 어떤 경우에는 혈청 총단백 농도는 정상 범위이면서 알부민은 감소하고 글로불린은 증가하는 경우도 있다. 그러므로 임상에서는 알부민 단독 보다는 알부민 대 글로불린의 비(A/G ratio)를 가지고 간의 기능 뿐 아니라 다른 질환의 감별진단에도 유용한 참고 자료로 이용되고 있다.

〈A/G ratio의 정상치〉

약 1.5-2.2까지 정상 범위이다. 알부민과 글로불린의 비율은 건강한 사람에서 알부민이 약 67%, 글로부린은 약 33 % 정도이다.

〈A/G ratio 검사결과의 해석〉

1. A/G 비율 증가(알부민이 증가하고 글로불린이 감소된 경우)
   영양이 지나친 경우, 면역계 특히 항체형성의 결핍이 있을 때
2. A/G 비율 감소(알부민이 감소하고 글로불린이 증가된 경우)
   1) 알부민의 감소
      영양실조, 장에서 단백질의 흡수에 문제가 있을 때, 간염이나 간경변처럼 간에서 단백질 합성에 장애가 있을 때, 출혈이나 화상 같은 원인에 의해 혈액 내의 알부민이 체외로 빠져나갈 때
   2) 글로불린의 증가
      염증성 질환에 의해 항체형성에 작용하는 글로불린이 증가할 때, 골수증과 같이 항체형성이 증가될 때
3. A/G 비율이 정상
   심한 구토나 설사와 같이 탈수가 일어난 경우에는 알부민과 글로불린의 비율에는 이상이 없지만 알부민과 글로불린 모두 감소한다.

9) 총 빌리루빈(total bilirubin)

직접형 빌리루빈(direct bilirubin)

간접형 빌리루빈(indirect bilirubin)

빌리루빈은 황달을 반영하는 검사이다. 빌리루빈은 간접형 빌리루빈과 직접형 빌리루빈으로 구분되고, 두가지를 합하여 총빌리루빈으로 부르지만 보통은 빌리루빈으로 약칭한다.

하루에 만들어지는 빌리루빈의 약 80% 정도는 수명을 다한 적혈구가 파괴되면서 적혈구 속에 있는 혈색소가 대사되어 변한 물질이고, 나머지는 골수의 미성숙 적혈구계 세포들이나 전신의 다른 조직의 헴 단백질에서 생성된다.

적혈구의 수명은 약 120일로, 적혈구가 수명을 다하면 매일 소량씩 비장이나 골수 등에 있는 대식세포에 의해 파괴되어 혈액으로 나오는데, 이렇게 적혈구가 파괴되는 현상을 용혈이라고 한다. 이때 적혈구 속에 있는 혈색소(hemoglobin)는 헴(heme)과 글로빈(globin)으로 분해되고, 철(Fe)은 혈색소 생성에 재이용된다. 헴은 효소의 작용으로 빌리루빈(bilirubin)으로 착색된다. 한편 글로빈은 아미노산으로 대사되어 혈중으로 분비된다. 이렇게 적혈구 파괴에 의해 바로 만들어진 유리형 빌리루빈을 간접형 빌리루빈(indirect bilirubin) 또는 비포합형 빌리루빈(unconjugated billirubin)이라고 한다.

이렇게 생성된 간접형 빌리루빈은 물에 잘 녹지 않는 지용성 성질을 가졌기 때문에 혈액 내에서 알부민과 결합되어 이동하고, 신세뇨관에서 분비도 되지 않으므로 소변 속에는 거의 나타나지 않고 담즙 속에 나타나는 경우라도 미량이다.

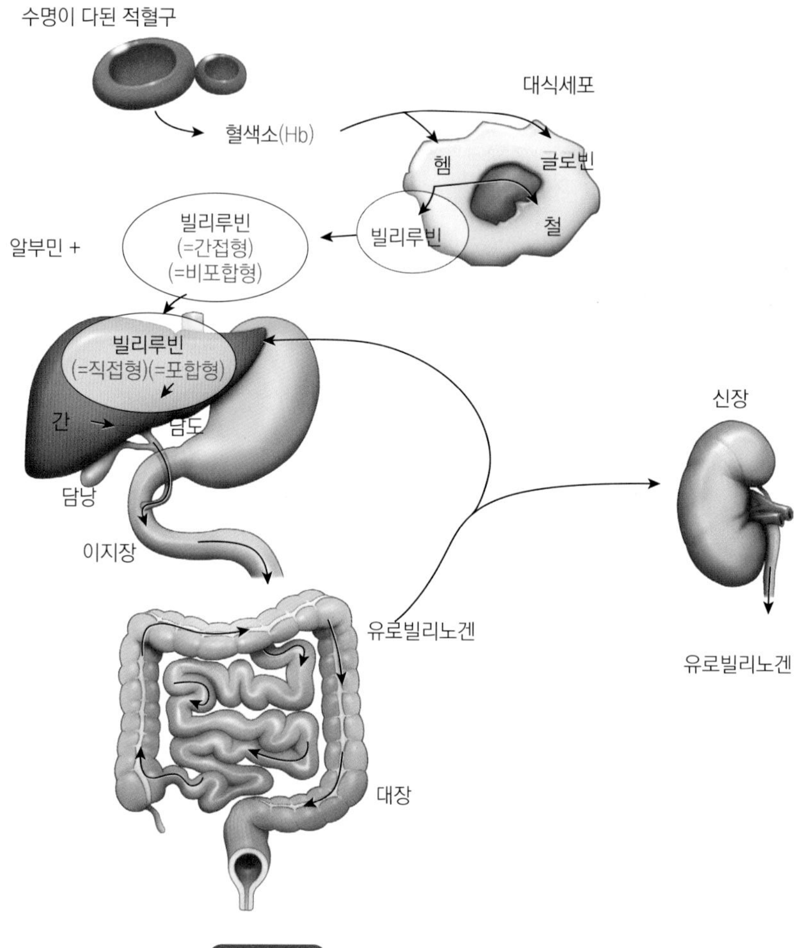

그림 3-16 빌리루빈의 생성과 대사

지용성인 간접형 빌리루빈은 지질을 함유하고 있는 생체막을 통과할 수 있는데, 특히 혈액-뇌 장벽(blood-brain barrier)를 통과하여 뇌에 독성을 초래할 수 있으므로 체외로 배설되기 위해 수용성으로의 변환 과정이 필요하다.

알부민과 결합된 간접형 빌리루빈은 간으로 가서 결합이 분리된 후 빌리루빈만이 간세포내로 들어간다. 간세포 내에서 효소의 작용을 받아 글루쿠론산(glucuronic acid)과의 포합과정(conjugation)을 거쳐, 직접형 빌리루빈(direct bilirubin) 또는 포합형 빌리루빈(conjugated billirubin)이 된다.

이 직접형 빌리루빈은 수용성이므로 혈액 내에서 알부민과의 결합이 약하여 신장의 사구체에서 쉽게 여과될 수 있고, 신세뇨관에서 완전히 재흡수되지 않기 때문에 소변으로 배출될 수 있다. 즉 소변 내에서 빌리루빈이 나타나면 혈액에서 직접형 빌리루빈의 증가를 나타내는 소견으로 볼 수 있다. 즉, 직접형 빌리루빈이 혈중에 증가한 경우에는 수월하게 소변으로 배설되지만, 간접형 빌리루빈이 혈중에 증가하더라도 소변으로 거의 배설되지 않는다.

직접형 빌리루빈은 물에 녹는 수용성이므로 지질을 함유하고 있는 생체막으로 흡수되지 못하고 담즙에 포함된다. 담즙은 빌리루빈, 담즙산, 인지질, 담즙산염, 콜레스테롤, 칼슘, 무기전해질 등을 함유하고 있다.

담즙에 포함된 빌리루빈은 담관을 거쳐 장으로 분비된다. 이렇게 장으로 분비된 빌리루빈은 대변으로 배설되거나 장내세균에 의해 환원되어 유로빌리노겐(urobilinogen)으로 대사된다. 유로빌리노겐의 80-90%는 산화되어 유로빌린(urobilin)의 형태로 대변으로 배설되고, 약 20% 정도는 소장과 대장에서 재흡수되어 문맥(portal vein)으로 들어가 다시 간으로 들어간다. 간에 섭취된 유로빌리노겐의 대부분은 담즙을 통해 다시 분비되고(장-간 순환), 극히 일부만이 간에서 전신순환으로 나와 신장을 통해 배설된다.

〈빌리루빈의 정상치〉

총빌리루빈 : 0.2-1.2 mg/dl

직접형 빌리루빈 : 0.4 mg/dl 이하

간접형 빌리루빈 : 0.6 mg/dl 이하

〈빌리루빈 검사결과의 해석〉

총빌리루빈이 증가된 경우에는 직접형 빌리루빈과 간접형 빌리루빈 중에서 어느 것이 증가되었느냐에 따라 그 원인이 전혀 다르므로 이를 감별하기위한 접근이 필요하다.

빌리루빈이 형성되는 과정에는 적혈구의 파괴, 간으로 이동, 담즙을 통한 십이지장으로의 배설 등이 포함되므로 빌리루빈이 높게 측정되는 경우에는 이 세 가지 과정을 모두 고려해야만 한다. 즉 빌리루빈이 증가되어 황달이 있을 때 적혈구의 파괴에 의한 용혈성 황달, 간 그 자체의 장애로 인한 간실질성 황달, 담도폐색에 의한 폐쇄성 황달 등으로 분류하여 황달의 원인을 고려한다.

1. 간접형 고빌리루빈혈증(간에 도달하기 이전에 문제가 있는 경우, 용혈성 황달)

   간에는 이상이 없으나 간에서 처리할 수 있는 양 이상으로 빌리루빈이 생성되는 경우로 어떤 원인에 의해 적혈구의 파괴가 많아진 경우이다.

   원인으로는 길버트(Gilbert)증후군과 크리글러-나자르(Crigler-Najjar)증후군과 같은 유전질환, 용혈성 빈혈, 대량 내출혈, 폐경색, 패혈증, 갑상선기능저하증, 유효 간내혈류량의 감소 등이 있다.

   길버트(Gilbert) 증후군은 증상이 없는 성인에서 다른 간기능 검사는 정상이면서 간접형 빌리루빈이 증가하는 가장 흔한 원인이다. 보통 혈청 총 빌리루빈은 5-7 mg/dl을 넘지 않는다. 간에 기질적인 질환은 없으면서 간에서 빌리루빈이 대사되는 과정에 약간의 장애가 있는 경우이다.

2. 직접형 고빌리루빈혈증

   1) 간의 문제로 인해 빌리루빈이 증가된 경우(간실질성 황달)

      적혈구의 파괴 속도에는 별 문제가 없으나 간세포의 손상으로 말미암아 간의 빌리루빈 처리능력이 현저히 감소된 경우이다. 간세포 손상에 의해 증가하는 직접형 빌리루빈은 간세포 손상의 정도를 반영한다. 간염, 간경변 등의 질환에서 나타날 수 있다.

2) 간에서 배출 되고 난 후의 문제에 의해 빌리루빈이 증가된 경우(폐쇄성 황달)
적혈구의 파괴, 간에서의 처리는 모두 정상적으로 이루어지지만, 담즙을 통해 배출되는 과정에 문제가 발생한 경우를 들 수 있다. 이 경우 배출구가 완전히 막히게 되면 음식물 속의 지방이 소화되지 않아 대변의 색이 회백색으로 변하기도 한다.
원인으로는 두빈-존슨(Dubin-Johnson)증후군, 로터(Rotor)증후군과 같은 유전질환, 급성 간염, 만성 간염, 간경변, 급성 간내담즙울체증, 임신성 담즙울체증, 담도통과장애(암, 담석, 담낭염) 등이 있다.

3) 다른 간기능 수치가 모두 정상이고 간 초음파 검사도 정상이면서 혈중 빌리루빈 수치만 약간 높은 경우도 가끔 있는데, 주로 유전적인 이상으로 발생하며 특별한 문제가 되지 않으므로 추가검사나 치료는 필요하지 않다.

4) 총빌리루빈이 낮아지는 것은 문제가 없다.

10) LDH(lactic dehydrogenase, 유산 탈수소효소)

LDH는 몸 안의 당이 분해되어 에너지(ATP)로 변할 때 작용하는 산화환원효소이다. 몸 안에서는 정상 산소상태에서 포도당이 피루브산(pyruvate)으로 변하는 해당과정(glycolysis)이 일어나고, 이 피루브산이 pyruvate dehydrogenase에 의해 acetyl-CoA로 변화된 후 크렙스회로(TCA cycle)을 거쳐 ATP를 생성한다.

LDH는 체내 대부분의 장기에 고루 분포돼 있지만, 특히 심장, 간, 신장, 근육, 뇌, 혈구세포와 폐에 있고 혈중에는 미량 밖에 존재하지 않는다. LDH는 거의 모든 세포의 세포질에 존재한다. 조직에서 발견되는 양은 혈중양보다 약 500배 이상 높게 존재하기 때문에 LDH가 포함되어 있는 체내 장기에 질환이 있어 장기가 손상을 받으면 그 조직으로부터 LDH가 유리되어 혈중 농도가 바로 증가된다.

이런 경우 조직손상을 확인하기 위해 전기영동을 해서 LDH 동위효소(isoenzyme)검사를 시행한다. 이 검사에서 어떤 분획이 증가하는가에 따라 그 원인이 무엇인지를 구분할 수 있다. LDH 동위효소는 5가지가 있는데 LDH1은 심근경색과 용혈성질환에서, LDH5는 간질환에서 증가한다.

혈중 LDH가 증가되면 간질환, 악성종양, 심장질환, 혈액질환 등을 의심해볼 수 있지만 이 검사만으로 특정 질환을 결정할 수 없다. 간질환에서도 LDH가 증가하므로 종종 간기능검사에서 이용되기는 하지만, 비특이적이라 실제로 간질환을 확진하는 데는 유용하지 않다. 다만 AST, ALT는 증가하지 않고 LDH와 ALP가 함께 많이 증가하면, 주로 전이성 암이 간에 존재하는 것을 의심해 볼 수 있다.

〈LDH의 정상치〉

성인의 경우 250-350 IU/L 정도이다.

LDH는 연령, 운동, 임신 등에 따라 변동이 심하다. 출생 직후에 가장 높아 성인의 약 2배 정도이다가, 14-15세에 성인치와 같아진다. 성인인 경우는 연령차, 남녀 차이는 없다. 일상적인 운동으로도 증가해서 그 영향이 1주 가까이 지속하는 경우도 있다. 임신 후반기에 급속히 증가하여 출산 전에 정상치의 약 2배 정도까지 도달한다.

적혈구 중의 LDH는 혈청에 비해서 200배 이상 높기 때문에 약간의 용혈에서도 LDH가 높게 나타나므로 채혈할 때 주의가 필요하다.

〈LDH 검사결과의 해석〉

1. LDH가 5배 이상 증가
   거대적아구성 빈혈, 전이암(대장암 등), 원발성 간세포암, 드물게는 혈관종 같은 양성종양 등
2. LDH가 2-4배 증가
   심근경색증, 폐경색, 백혈병, 용혈성 빈혈, 전염성 단핵구증, 진행성 근육이영양증 등
3. LDH가 약간 증가
   간염, 폐쇄성 황달, 간경변증, 만성 신질환, 점액부종 등

간염, 간경변증, 간암

간기능검사와 관련된 간질환은 간염, 간경변증, 간암 등이다.

1. 간염(hepatitis)

1) 급성간염(acute hepatitis)

간염의 중요한 원인인 간염바이러스(B형, C형 등)에 의해 급성간염이 일어나면 간세포가 파괴되므로 급성간염의 초기에는 AST, ALT가 높은 수치를 보인다. 보통 특히 100-800 IU/L 정도까지 증가하고, 황달이 있으면 500-3000 IU/L 정도까지 증가하기도 한다.

2) 만성간염(chronic hepatitis)

만성간염으로 진행하면 AST, ALT가 정상치보다 약간 높거나, 5-10배 정도로 증가하기도 하는 등 상태에 따라 차이가 많다.

이 과정을 거치면서 간경변, 간암 등으로 진행하면 AST, ALT가 500 IU/L를 넘는 일은 거의 없고 정

상수치로 이행되기도 한다. 대개의 경우 AST에 비해 ALT가 높아진다.

3) 전격성간염(fulminant hepatitis)

AST, ALT가 모두 1,000 IU/L 이상 현저한 증가를 보인다. 또한 황달이 나타나고, 부어있는 간이 갑자기 축소되면 혼수에 빠져 사망하는 경우도 있다. 이런 상태가 되면 간세포가 광범위하게 괴사되므로 혈중으로 유출되는 AST, ALT 수치가 감소하여 정상치에 가깝게 된다.

4) 약물성 간염(drug induced hepatitis)

독성 간염(toxic hepatitis)이라고도 한다. 약물성 간염이 발생하면 대부분의 경우 간 내에 담즙이 정체된다. AST, ALT 수치가 1,000 IU/L 이상 되는 경우는 거의 없다.

5) 비알코올성 지방간염(nonalcoholic steatohepatitis, NASH)

지방간은 조직검사에서 지방의 변화만 관찰되지만, 비알코올성 지방간염은 대개 ALT가 증가하면서 조직검사에서 섬유화 이상의 변화가 유의하게 관찰된다. 이 중에서 약 30%가 10년 후 간경변증으로 진행한다. 알코올성 간염과 구분하기 위해 음주력과 함께 AST/ALT 비율을 살펴보는 것이 좋다. 비알코올성 지방간염에서는 AST/ALT 비율이 거의 1.0 이하로 감소되지만, 알코올성 간염에서는 거의 모두 1.0 이상이다.

6) 알코올성 간염(alcoholic hepatitis)

AST가 300 IU/L 이하이면서 AST/ALT 비율이 2.0 이상으로 증가되면 강력히 의심할 수 있다. 알코올성 간염에서는 치료용량의 아세트아미노펜을 복용해도 간손상이 나타나서 AST, ALT가 매우 증가할 수 있으므로 주의해야 한다.

2. 간경변증(liver cirrhosis)

간경변증은 간의 염증이 오래 지속되어, 간세포가 파괴되고 다시 재생되는 과정이 반복되면서 간이 쪼그라들고 표면이 울퉁불퉁해지는 것을 말한다. 과거에는 "간경화"라는 용어를 사용했지만, 요즘에는 "간경변"이라는 용어를 주로 사용하고 있다.

간경변증이 처음에는 아무런 증상이 나타나지 않고 간기능이 잘 유지되어 합병증을 동반하지 않으므로 대상성 간경변증(compensated liver cirrhosis)이라 한다. 이때에는 거미혈관종(spider angioma) 이나 수장홍반(palmar erythema)이 있을 수 있고, 진찰을 통해 종종 간종대나 비장종대를 확인할 수 있다.

질병이 더 진행되어 복수, 황달, 부종, 식도정맥류에 의한 상부위장관 출혈, 간성뇌증(hepatic encephalopathy), 자발성 복막염(spontaneous bacterial peritonitis), 간신 증후군(hepatorenal syndrome) 등의 각종 합병증이 한 가지 이상이라도 동반되면 비대상성 간경변증(uncompensated liver cirrhosis)이라 한다.

대상성 간경변증 환자가 비대상성으로 진행되는 빈도는 매년 10% 정도로 알려져 있고, 복수가 첫 징후로 나타난다.

간경변증에서는 ALT 수치는 대개 정상이거나 정상의 2배 이내인 경우가 많다. 한편 간경변증 또는 만성 간질환이 어느 정도 진행된 상태에서는 기능을 하는 간세포가 어느 정도나 남아 있느냐가 중요한데, 알부민이나 빌리루빈은 이를 대략적으로 짐작하게 해 주는 지표이다.

대상성 간경변증의 경우는 기능을 하는 간세포가 그런대로 충분하기 때문에 AST, ALT 수치가 정상으로 나오거나 경미하게 증가한다. 직접형 빌리루빈은 정상이지만 간접형 빌리루빈은 증가하여 총 빌리루빈이 2.5-3.5 mg/dl 정도로 약간 증가되고, 알부민은 정상에서 크게 벗어나지 않는다.

그러나 비대상성 간경변증의 경우는 기능을 하는 간세포가 충분하지 않기 때문에 알부민이 감소하거나 빌리루빈이 매우 증가하는 소견을 보일 수 있다. 또 간세포에서 혈액응고인자들을 충분히 만들어내지 못하므로 혈액응고에 장애가 생길 수 있어서 혈액응고 시간을 직접 측정하는 프로트롬빈 시간(prothrombin time, PT)이 역시 지연된다. 간경변이 되면 비장이 커지고 이로 인해 혈소판 수치가 낮게 나오게 된다.

우리나라에서 간경변증의 60%가량이 B형 간염바이러스에 기인하고 20%가량이 C형 간염바이러스에 기인하므로, B형이나 C형 간염바이러스가 양성이면서 만성간질환을 갖고 있다면 간경변증의 가능성을 의심해 보아야 한다.

3. 간암(liver cancer)

간암으로 진단될 때 혈액검사에서 특이할 만한 변화는 없으나 주로 간경변증에서 간암으로 진행하는 경우가 가장 많다. 혈액검사에서 AFP은 간암을 진단하는 지표로 삼을 수 있다.

06 신장기능검사

목표질환 : 신부전, 신장염

<검사 항목>
BUN
creatinine

혈액검사를 통해 신장의 노폐물처리 기능에 장애가 있는지 알아보는 검사이다. 크레아티닌 청소율(Ccr)을 측정해야 가장 정확히 알 수 있지만, 혈액 검사와 24시간 요검사를 동시에 시행해야 하는 번거로움이 있어서, 대신에 대략적인 신장기능을 알 수 있는 혈중요소질소(BUN)와 혈중 크레아티닌(creatinine)을 측정한다. BUN은 단백의 과잉섭취, 위장관내의 출혈 등 신장 이외의 요인에 의해서도 영향을 받지만, 크레아티닌은 신장 이외의 요인에 의해 영향을 잘 받지 않기 때문에 신장기능에 대한 민감도가 더 높다.

신장의 구조

신장(콩팥, kidney)은 강낭콩 같은 모양을 하고 있고, 정상적으로 우측 신장이 좌측 신장 보다 1-2 cm 정도 더 내려와 있다. 신장은 사구체(glomerulus)가 많이 모여 있는 바깥쪽의 피질과, 세뇨관이 많이 모여 있는 안쪽의 수질로 구분된다.

신원(nephron)은 신장이 기능하는데 있어서 최소의 해부학적 및 기능적인 단위로, 한쪽 신장에는 약 100만개의 신원이 있다. 신원은 4부분으로 이루어진다.

- 신소체(renal corpuscle) : 사구체(glomerulus)와 보우만 캡슐(Bowmann's capsule)
- 근위세뇨관
- 헨레 고리(loop of Henle)
- 원위세뇨관

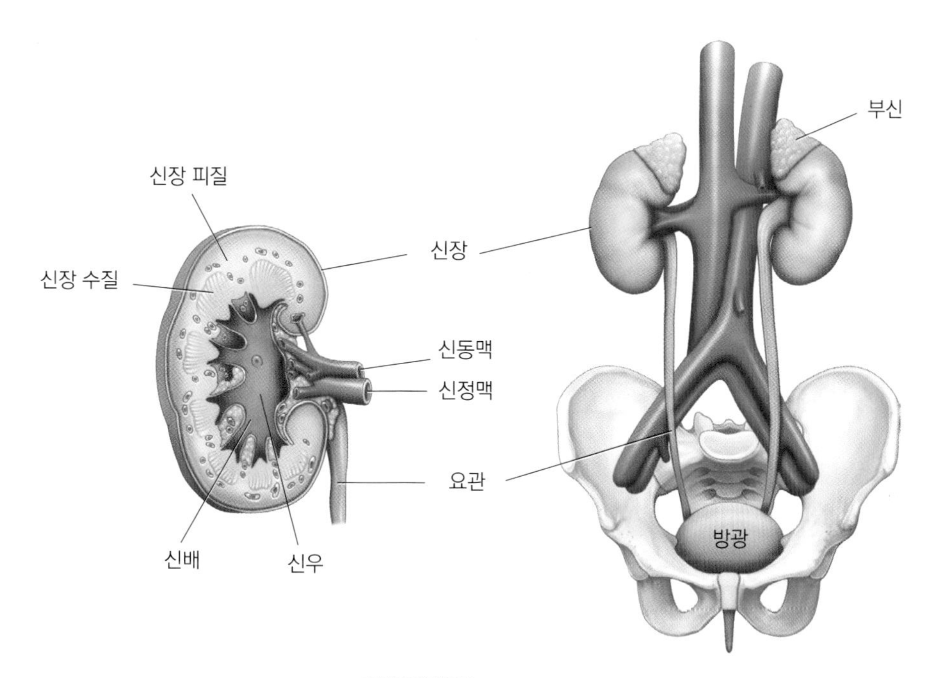

그림 3-17 신장의 구조

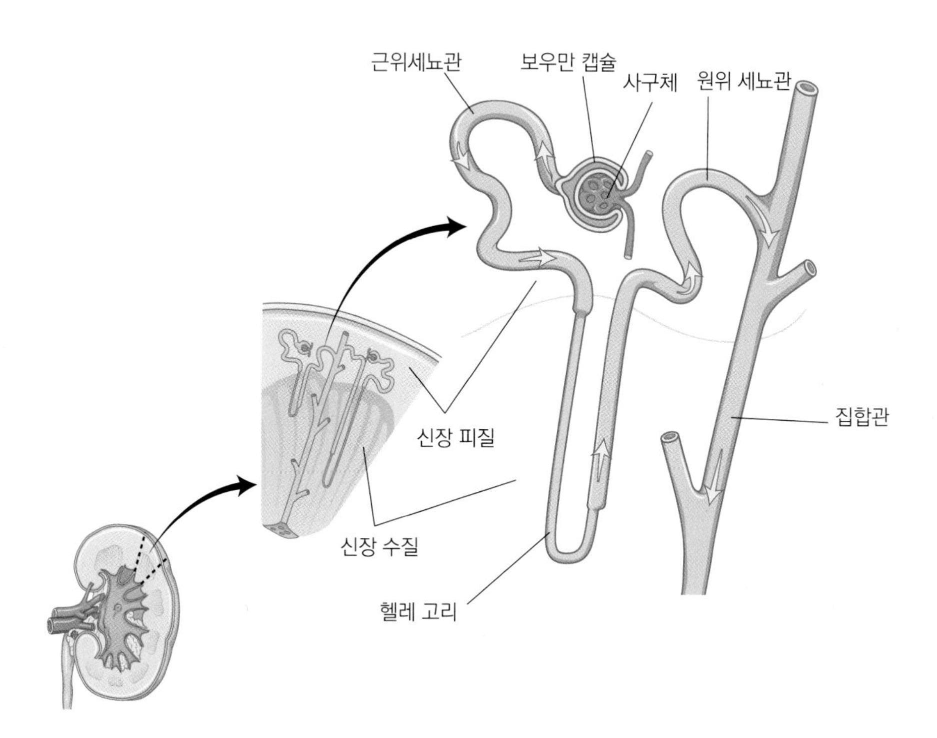

그림 3-18 신원(nephron)의 구조

신장에는 혈액을 여과하여 소변으로 만드는 기관이므로 혈관이 잘 발달되어 있다. 신동맥(renal artery)을 통해 신장으로 혈액이 들어오면, 수입소동맥(afferent arteriole)을 거쳐, 사구체(glomerulus)를 통과하는데, 이때 혈액이 걸러져 보우만 캡슐로 모아진다. 수출소동맥(efferent arteriole)을 거쳐, 세뇨관 주위를 감싸는 모세혈관을 지나면서 필요한 물질은 재흡수 된다. 그 후에 신정맥(renal vein)을 통해 신장을 빠져 나간다.

심장에서 박출된 전체 혈액의 25%, 분당 1.2 L 정도가 신동맥을 통해 신장의 사구체에 들어간다. 하루에 약 180 L, 분당 120 ml 정도의 혈액이 사구체에서 여과되어 하루에 1-1.5 L 정도의 소변을 만든다. 즉 사구체 여과액의 99%는 재흡수 되고 단지 1%가 소변이 된다.

신장의 기능

- 노폐물배설 기능
  요소(아미노산의 대사산물), 크레아티닌(근육 크레아틴의 대사산물), 요산(핵산의 대사산물), 빌리루빈(헤모글로빈의 분해산물) 등은 체내에서 생성되자마자 신장을 통해 신속히 제거된다.
- 체액조절 기능
  신체 내의 수분 및 전해질의 균형을 유지하고, 산(황산, 인산)을 배설하거나 체액 완충계를 조절함으로써 산-염기평형을 유지한다.
- 혈압조절 기능
  혈압이 떨어져 신동맥압이 떨어지면 신장에서 레닌(renin) 분비가 증가되고, 이는 곧 강력한 혈압상승 물질인 안지오텐신(angiotensin)과 세뇨관에서 염분의 재흡수를 촉진하는 알도스테론(aldosterone)의 생산과 분비를 증가시켜 혈압을 올린다.
- 조혈촉진 기능
  erythropoietin을 분비하여 골수에서 적혈구 생성을 촉진한다. 심한 신장질환이 있거나 혈액투석을 받고 있는 사람에서는 erythropoietin의 생산이 감소되어 심한 빈혈 증상이 나타날 수 있다.
- 비타민 생성 기능
  위장관의 칼슘 재흡수 및 뼈의 칼슘 침착에 필요한 비타민 D의 활성화 형태인 1,25(OH)-Vitamin D(calcitriol)를 형성한다.

소변의 생성 및 농축 과정

소변은 혈액이 여과되어서 만들어진다. 혈액 속에 있는 수분과 노폐물이 사구체를 통과하여 보우만 캡슐에 도달한 후 피질에 위치한 근위세뇨관, 수질에 위치한 헨레 고리의 하행각과 상행각, 피질에 위치한 원위세뇨관을 거치는 동안 재처리되어 소변이 만들어진다. 이때 필요한 물질은 다시 재흡수 되고 불필요한 물질은 분비되어 최종적으로 농축된 소변은 집합관으로 모여 신배, 신우, 요관을 거쳐 방광에 저장된 후 요도를 통하여 몸 밖으로 배설된다.

혈액 속에 있는 단백질과 적혈구는 사구체를 빠져나가지 못하므로 정상적인 소변에는 단백질이나 적혈구와 같은 성분들이 검출되지 않는다. 하지만 신장의 사구체에서 혈액을 여과하는 기능에 장애가 생기면 단백질과 적혈구 같이 원래 배출되지 않아야 할 물질이 배출되거나, 요소와 같이 배출되어야 할 물질이 배출되지 않는다. 그 결과로 단백뇨, 혈뇨, 저단백혈증, 부종, 고질소혈증(요소질소, 크레아티닌, 요산의 혈중 농도가 증가) 등이 발생한다.

보우만 캡슐과 근위세뇨관를 거친 소변은 헨레 고리의 하행각을 따라 신장의 수질방향으로 내려가면서 삼투농도가 점점 높아져 상당량이 다시 모세혈관으로 재흡수 된다. 재흡수 되지 않고 남은 여과물질들이 헨레 고리의 상행각을 통해 신장의 피질방향으로 올라올 때는 수분의 통과를 제한하는 상행각의 특성으로 인해 염류(Na^+, Cl^-)들이 상행각을 빠져 나오게 된다.

호르몬에 의한 소변량의 조절

- 항이뇨호르몬(anti-diuretic hormone, ADH, 바소프레신)
  뇌하수체 후엽에서 분비되어 신장에서 수분의 재흡수를 조절한다.
  체내 수분이 부족할 경우, ADH분비가 촉진되어 수분 재흡수가 증가된다. 반대로 체내 수분이 너무 많을 경우, ADH분비가 억제되어 수분 재흡수가 감소된다.
- 알도스테론(aldosterone)
  부신피질에서 분비되어 신장의 세뇨관에서 Na^+의 재흡수와 K^+의 분비를 조절한다.

1. 사구체여과율(glomerular filtration rate, GFR)

사구체의 여과 기능을 나타내는 중요한 지표로 정상치는 약 120 ml/min이다. 즉 1분 동안에 약 120 ml의 혈액이 사구체에서 여과된다. 여성의 사구체여과율은 남성의 85% 정도이다.

사구체여과율은 신장을 지나는 혈류속도에 따라 달라질 수 있다. 만약 혈류속도가 증가하면 사구체여과율도 증가하므로 소변량이 증가하며, 심각한 출혈 등에 의해 혈류속도가 감소하면 사구체여과율도 감소하므로 소변량이 감소한다. 그리고 신장에 이상이 있을 때도 사구체여과율이 감소한다. 하지만 사구체여과율은 신장 기능의 장애정도를 평가하는데 이용되고, 신장 질환의 원인에 대한 정보를 제공하지는 않는다.

2. 혈중요소질소(blood urea nitrogen, BUN)

단백질을 섭취하면 체내에서 대사되어 아미노산으로 분해된다. 아미노산은 다시 단백질로 합성되어 몸을 구성하기도 하고, 일부 아미노산은 다시 분해되어 에너지 공급원으로 쓰인다. 아미노산이 완진히 분해되는 탈아미노반응(deamination)을 거치면 물과 이산화탄소로 되고, 이때 아미노산에 들어있는 질소(N)는 암모니아(ammonia, NH3)가 된다. 암모니아가 체내에 쌓이면 독성이 있어 위험하므로 빨리 몸 밖으로 배출되거나 독성이 약한 물질로 전환되어 배출되어야 한다.

간에서는 독성이 강한 암모니아를 이산화탄소에 결합시키고 오르니틴, 시트룰린, 아르기닌의 세 가지 아미노산과 순차적인 반응을 거치게 해서 독성이 약한 요소(urea)로 변한다. 이 과정을 "요소회로(urea cycle) 또는 오르니틴회로(ornithine cycle)"라고 한다. 2분자의 암모니아에서 1분자의 요소가 만들어진다. 이 회로의 작용이 잘 이루어지지 않으면 혈액 속에 암모니아가 축적되어 구토, 발작, 혼수상태가 나타나고 결국에는 사망하게 된다.

이렇게 만들어진 요소는 신장의 사구체에서 여과되어 소변으로 배설된다. 이때 요소에 함유된 질소를 "요소질소(urea nitrogen)"라고 한다. 사구체에서 여과된 요소의 약 40%는 세뇨관에서 재흡수 되고 나머지는 소변으로 배설된다. 신장의 배출기능이 나빠지면 사구체를 통한 여과가 제대로 이루어지지 않아 요소질소가 혈액 중에 정체되어 혈중요소질소 농도가 높아진다. 그러므로 요소질소의 혈중 농도는 신장기능을 진단하는 중요한 지표이고, 소화기나 간장의 질병을 예방하는데 중요한 지표가 된다.

소화관에 출혈이 있을 경우, 소화관 안으로 혈액 내의 단백질이 나오고 이것이 분해되어 암모니아가 되고 간으로 운반되어 요소의 합성이 증가되므로 혈중요소질소도 증가된다. 다만 수치가 50 mg/dl 이상이 되는 일은 없다.

혈중요소질소에 영향을 미치는 요인은 다음과 같다.

① 식사, 운동에 의한 변동

고단백 섭취, 운동에 의해 증가한다. 그러므로 검사하기 2-3일 이내에는 지나친 단백질 섭취나 운동은 피하는 것이 좋다.

② 성별에 의한 변동

성인 여자는 남자보다 10-20% 정도 약간 낮다. 여자는 생리 직전에 증가하고, 임신 중에는 일반적으로 낮은 농도를 보인다.

③ 연령에 의한 변동

나이와 함께 증가하는데, 남성은 60대까지 거의 변동이 없다가 60대 이상에서 증가하고, 여성은 나이와 함께 평행하게 증가한다.

④ 하루 동안의 변동
낮에 높고 밤에 낮다.
⑤ 설사, 구토, 발열 후에 증가한다.

- BUN 참고치 : 8-20 mg/dl
  혈중요소질소가 40-80 mg/dl 이상이 되면 신장 기능에 장애가 생긴 것이다. 이 수치가 항상 50 mg/dl 이상이면 신부전으로 본다. 혈중요소질소 수치에 이상이 있을 경우에는 단독으로는 신장 질환을 진단하지 않고, 동시에 요단백, 요침사, 크레아티닌, 크레아티닌 청소율 등을 검사하여 진단에 참고한다.
- 혈중요소질소가 증가된 경우
  ① 요소질소 배설장애 - 신부전(사구체 기능 저하), 폐쇄성 요로질환
  ② 요소질소 합성항진 - 고단백식 섭취, 감염증, 소화관 출혈
- 혈중요소질소가 감소된 경우
  ① 요소질소 합성저하 - 간부전(간 경변, 전격성 간염), 저단백식, 임신
  ② 요소질소 배설과잉 - 요붕증에 의한 다뇨

3. 크레아티닌(creatinine, Cr)

크레아틴(Creatine)은 글리신, 아르기닌, 메치오닌의 세 가지 아미노산으로부터 합성되며, 90% 이상이 근육에 특히 심근에 많다. 이 크레아틴이 근육수축의 에너지원으로 사용된 후 분해되어 만들어진 대사산물이 크레아티닌(Creatinine)이다. 크레아티닌은 혈액 속으로 배출된 후 신장의 사구체에서 여과되고 일부는 세뇨관에서 분비되어 소변으로 배설된다. 이때 세뇨관에서 재흡수는 되지 않는다.

크레아티닌은 비교적 일정한 량이 소변으로 배설되어 혈액 내 크레아티닌의 양은 일정하게 유지되고, 신장기능에 의해서만 변화가 된다. 만일 신장기능이 저하되면 크레아티닌이 체내에 쌓여 혈청 크레아티닌 수치가 상승하게 되므로 신장의 배설능력을 알기 위한 중요한 지표가 되는 검사이다.
또, 근육에서 만들어지는 크레아티닌의 양은 근육의 양과 활동에 비례하므로, 크레아티닌량의 측정은 근육이 위축되는 질환의 진단에도 이용된다.

크레아티닌에 영향을 미치는 요인은 다음과 같다.
① 성별에 의한 변동

크레아티닌 농도는 근육량에 비례하므로, 여자는 남자보다 약간 낮다. 임신 중에는 임신 개월 수가 진행함에 따라 감소하는 경향을 보인다.

② 연령에 의한 변동

근육이 많은 젊은 사람은 수치가 높다. 노인의 경우에는 나이와 함께 사구체여과율이 감소되지만 근육량도 함께 감소되므로 크레아티닌 농도는 거의 일정하게 유지된다.

③ 식사, 운동에 의한 변동

식사나 운동에는 거의 영향을 받지 않지만, 심한 운동을 하거나 고단백을 계속 섭취하면 다소 증가할 수 있다. 그러므로 검사하기 2-3일 이내에는 단백질 섭취나 운동을 평상시 보다 지나치게 많이 하는 것은 피하는 것이 좋다.

④ 하루 동안의 변동

오전에는 낮고, 오후 3-4시에 최고치를 보인다.

- 크레아티닌 참고치 : 0.5-1.2 mg/dl

  크레아티닌의 수치가 2.0-3.0 mg/dl 이상인 경우를 넓은 의미에서의 신부전이라고 한다. 크레아티닌 수치가 2배 증가하면 신장기능이 50% 감소되었다고 말할 수 있다.

  3.0 mg/dl 이상이면 다량의 크레아티닌이 혈중으로 배출된 것으로 국소적인 근육괴사를 고려해 볼 수 있다. 이 수치가 10 mg/dl 이상이 되면 말기 만성신부전으로 인공 투석이 필요하다.

- 크레아티닌 증가된 경우

  급성 및 만성 신부전, 급성 및 만성 신장염, 신우신염, 요로폐쇄 질환, 화상, 탈수증 등 혈액 농축, 말단비대증 등

- 크레아티닌 감소된 경우

  요붕증, 근육위축 등

크레아티닌 청소율(Creatinine clearance, Ccr)

BUN와 크레아티닌은 각각 간과 근육에서 일정한 속도로 생산되어 신장의 사구체에서 여과된 후 세뇨관에서 거의 재흡수 되지 않아 사구체여과율을 평가하기 위해 사용된다. 하지만 신장기능이 감소하는 초기에는 BUN와 크레아티닌이 대개 정상치를 보이기 때문에, 더 정확하게 신장의 사구체 기능 변화를 측정하기 위해서는 크레아티닌 청소율 검사를 시행한다. 크레아티닌 청소율(ml/min)은 4시간, 12시간, 또는 24시간 소변과 채뇨시간 동안에 채혈한 혈액에서 creatinine과 소변량을 측정하여 산출한다.

Ccr =(Ucr x V) / Pcr

Ucr : 소변내 creatine 농도(mg/dl)

Pcr : 혈중 creatine 농도(mg/dl)

V : 소변량(ml/min)

일반적으로 크레아티닌 청소율이 지속적으로 정상의 50% 이하로 감소되면 신기능 부전이 시작되었다고 하고, 정상의 1/3-1/4로 감소하면 약물요법과 식이요법을 시행해야만 하며, 10% 이하로 감소되면 만성 신부전으로 진단하고 투석이나 신장이식술 등이 필요하다.

크레아티닌 청소율은 BUN이나 크레아티닌보다 더 정확하게 신장기능을 평가할 수 있지만, 소변을 모아야 하는 불편함 때문에 건강검진에서는 이용되지 않는다.

사구체신염

사구체에서 발생하는 질환은 주로 면역학적 기전에 의해 일어난다. 자기 체내에서 생성된 항원이나 체외에서 온 항원에 항체가 결합하여 면역복합체를 형성한 후 신장의 사구체 조직에 침착되고, 이후 보체나 백혈구 등에 의해 사구체 손상이 일어난다.

사구체신염이 발생하면 초기에 신기능이 떨어지는 급성신부전이 올 수 있고, 만성적으로 신장경화증이 진행되어 회복되지 않는 만성신부전이 올 수 있다. 우리나라에서 가장 흔한 사구체신염의 원인은 “IgA 신증”이다.

사구체신염은 5가지 증후군으로 분류할 수 있다.

1. 급성 사구체신염(acute glomerulonephritis)
   여러 원인에 의하여 신장의 사구체에 염증이 급성으로 발생한 것이다. 가장 대표적인 원인은 상기도 감염이나 피부 감염 후에 “그룹A 베타용혈성 연쇄상구균” 이라는 세균에 의하여 발생하는 사구체 신염이다. 주된 증상은 혈뇨, 단백뇨이고, 소변량 감소 및 전신부종 등의 증상이 뒤따르는 경우가 많다. 치료를 하면 시간이 지남에 따라 대개 회복이 된다.
2. 급속진행성 사구체신염(rapid progressive glomerulonephritis)
   급성사구체신염 환자의 일부에서 치료 후에도 회복되지 않고 사구체가 빠르게 손상되어, 지속적인 신기능의 악화가 나타나는 것이다. 주된 증상은 혈뇨, 단백뇨이다.
3. 신증후군(nephrotic syndrome)
   특징적으로 심한 단백뇨(소변으로 하루 3 g 이상의 많은 단백질이 손실됨)와 그로 인한 혈중 알부민의 감소, 혈중 지방의 증가, 부종 등 4대 증상을 일으키는 증후군이다.
   신증후군을 일으키는 일차성 사구체질환들은 미세변화 신증후군, 국소성 분절성 사구체경화증, 막성 신증, 막증식성 사구체신염 등이 있다. 전신성홍반성낭창, B형 간염바이러스, 당뇨병 등에 의해 이차적으로 발생한 사구체신염에 의해 신증후군이 올 수 있다.

정기적 소변검사와 혈압 측정이 조기 발견에 도움이 된다.

4. 무증상성 요 이상

아무런 증상 없이 요검사상 혈뇨 또는 단백뇨가 발견되는 경우로, "IgA 신증"이 우리나라에서 제일 흔한 사구체신염이다.

IgA 신증(IgA nephrosis)

신장의 사구체에 IgA 가 침착되어 발생된다. IgA 신증의 전형적인 임상증상은, 심한 운동 후에, 상기도 감염 후에, 설사와 같은 장염 후에 나타나는 반복되는 육안적 혈뇨 혹은 현미경적 혈뇨이다. 단백뇨는 없는 경우부터 심한 단백뇨가 동반되는 등 다양하다.

IgA 신증 환자의 약 반수에서 혈액 내 IgA의 농도가 증가되어 있어 진단에 도움은 되지만, 확진은 신장조직검사에서 사구체내에 IgA의 침착을 확인해야 한다.

IgA 신증 환자의 약 4%는 저절로 증세가 호전되지만, 대부분의 환자가 만성 경과를 보이고, 약 20-30%의 환자에서 20년 후 만성신부전으로 진행한다고 보고 있기 때문에 지속적인 치료와 추적 검사가 필요하다.

5. 만성 사구체신염(chronic glomerulonephritis)

급성사구체신염 환자의 일부에서 치료 후 에도 회복되지 않고, 서서히 오랜 시간에 걸쳐서 사구체가 손상되면 만성사구체신염이라고 한다. 만성사구체신염은 사구체에서 발생하는 대부분의 질환에서 발생하고, 지속적으로 사구체가 손상되어 지속적 단백뇨 또는 혈뇨, 양측 신장의 크기 감소를 보이다가 거의 대부분 만성신부전으로 발전한다. 만성신부전으로의 진행을 예방하기 위한 치료를 해야 한다.

급성신부전(acute renal failure, ARF)

어떤 원인에 의해 수 시간 또는 수 일 만에 급격하게 신장의 사구체여과 기능이 저하되는 것이다. 평소에 혈청 크레아티닌이 3.0 mg/dl 이하이었던 경우에는 1.5 mg/dl 정도 상승한 경우, 3.0 mg/dl 이상이었던 경우에는 1.0 mg/dl 이상 상승한 경우를 급성신부전으로 정의한다.

급성신부전의 원인은 신장의 허혈, 약물 등에 의한 신독성, 급성 간질성신염이나 급성 사구체신염 등 이다.

급성 신부전의 특징적인 증상은 소변량이 감소하는 것이다. 신장의 배설 능력이 감소되어 몸 안의 노폐물이 소변으로 배설되지 못하고 체내에 남아서 생명이 위험해진다. 하지만 유발원인을 신속히 파악하고 치료하면 정상으로 회복되는 것이 보통이므로, 조기 진단과 치료가 매우 중요한 질환이다.

만성신부전(chronic renal failure, CRF)

원인이 되는 신장질환의 종류에 관계없이 신장의 사구체여과 기능이 영구적으로 감소되어 신장의 기능이 회복 불가능한 상태를 말한다.

만성신부전의 원인은 당뇨병, 고혈압, 만성사구체신염 등이 있다.

만성신부전증의 진단은, 최소한 신기능의 저하가 3-6개월 이상 지속되며 다음과 같은 소견이 보일 때 진단하게 된다.

1. 복부초음파검사를 비롯한 방사선학적 검사에서 양측 신장의 크기가 줄어들어 있을 때
2. 신성골이영양증 또는 요독증상이 있을 때
3. 혈액검사상 빈혈, 고인산혈증, 저칼슘혈증 등의 소견이 보일 때

복부 초음파검사를 통해 만성신부전의 원인을 감별할 수 있다.

- 양측의 신장의 크기가 모두 감소 - 만성사구체신염에 의한 만성신부전
- 양측의 신장의 크기가 정상이거나 커짐 - 당뇨병 또는 아밀로이드증 등에 의한 만성신부전
- 양측 신장의 크기에 차이가 있음 - 만성신우신염에 의한 만성신부전

만성신부전이 심해져 식이요법과 약물요법으로 치료가 되지 않으면 혈액투석이나 복막투석 혹은 신장이식수술을 시행해야 한다.

신장기능은 한번 손상되면 회복하기가 어려우므로 정기적인 건강검진으로 신장질환의 발생을 예방하는 것이 좋다.

07 혈당검사

목표질환 : 당뇨병

〈검사 항목〉
공복 혈당(FBS)
당화 단백
HbA1c(당화혈색소)

혈당은 혈액 속에 포함되어 있는 포도당(glucose)을 말한다. 간을 중심으로 각종 호르몬이 상호작용하여, 당의 소비와 공급의 균형을 맞추어 혈액 내에서 적절한 농도를 유지한다. 당은 세포 내 미토콘드리아 및 뇌의 에너지원으로 사용된다.

혈당은 그 정상범위가 비교적 좁은 편으로 70-110 mg/dl 정도이다. 정상적인 상태에서 혈당은 식후에도 180 mg/dl를 넘는 일이 없고, 기아 때에도 60 mg/dl 이하로 떨어지는 일은 거의 없다.

식사 후에는 혈당이 급격히 올라가고 차츰 시간이 지나면 다시 정상수치로 돌아온다. 새벽 공복 시의 혈당치가 126 mg/dl 이상의 경우는 고혈당이라 하며, 혈당치가 50 mg/dl 이하로 떨어진 경우를 저혈당이라 한다. 혈당이 50 mg/dl 이하로 떨어지면 중추신경계에 이상증세가 나타나고, 30 mg/dl 이하가 되면 경련을 일으키며 의식을 상실한다.

혈당의 조절

혈당 조절중추는 간뇌(diencephalon)이다. 혈당량에 변화가 생기면 이를 감지하고, 자율신경과 호르몬을 조절하여 적절한 혈당량을 유지시킨다.

혈당은 간에서의 포도당 공급량과 말초조직에서의 포도당 이용량의 균형을 통하여 조절된다. 이때 간의 작용을 중심으로 하여 인슐린(insulin), 글루카곤(glucagon), 에피네프린, 당질코르티코이드, 부신피질자극호르몬(ACTH), 갑상선호르몬 등 각종 호르몬의 상호작용이 일어난다.

체내의 혈당량이 높아지면 췌장의 랑게르한스섬(Langerhans islets)의 β세포에서 합성된 인슐린에 의하여 포도당이 이산화탄소와 물로 산화되어 글리코겐(glycogen)으로 전환된 뒤 간과 근육에 저장된다.

반대로 혈당량이 낮아지면 랑게르한스섬의 α세포에서 분비된 글루카곤에 의하여 간과 근육에 저장된 글리코겐이 포도당으로 전환된다. 또한 당질코르티코이드에 의하여 단백질과 지방이 포도당으로 전환되며 혈당을 상승시킨다.

1) 공복 혈당(fasting blood sugar, FBS)

아침 식전에 측정하며 최소한 8시간 이상 금식한 후 측정해야 한다.

2) 당화 단백(glycosylated protein)

혈중의 포도당은 단백질을 비효소적으로 당화시켜 당화 단백(glycoprotein, fructosamine)이 된다. 단기간의 혈당조절의 지표로, 최근 2-3주간의 혈당을 반영한다. 식사와 무관하게 검사할 수 있다.

- 당화 단백의 정상치 : 205-285 μmol/l
- 당화 단백이 증가하는 경우
  당뇨병 외에도 신부전증, 알코올 중독, 납(Pb)중독 등
- 당화 단백이 감소하는 경우
  용혈성 빈혈, 약물에 의한 용혈 등

3) HbA1c(당화혈색소, glycosylated Hb)

인체의 적혈구 헤모글로빈에는 HbA (90%), HbA1 (7%), HbA2 (2%), HbF (0.5%)가 있으며, HbA1은 HbA1a, HbA1b, HbA1c 으로 분획된다.

HbA1c는 적혈구의 평균 수명인 120일 이상 연속되므로, 그 기간 동안의 혈액 내 포도당 농도를 반영한다. 장기간의 혈당조절의 지표로, 최근 2-3개월간의 혈당조절 정도를 측정할 수 있다. 식사와 무관하게 검사할 수 있다.

- HbA1c의 정상치 : 6.5% 미만
- HbA1c 가 증가하는 경우
  당뇨병 외에도 신부전, 재생불량성 빈혈 등

표 3-10. HbA1c와 평균 혈당

HbA1c(%)	평균 혈당(mg/dl)
6	135
7	170
8	205
9	240
10	275
11	310
12	345

정확하진 않지만 HbA1c를 보고 평균적인 혈당 정도를 추정할 수 있다.

당뇨병

혈액 속의 포도당 즉 혈당이 높아서 소변으로 배설되기 때문에 "당뇨병(糖尿病)"이라 한다. 음식물 속의 탄수화물은 위와 장에서 포도당으로 분해되어 혈액 속으로 흡수된다. 이를 혈당이라고 하는데, 혈당은 인슐린(췌장의 베타세포에서 분비)에 의해 각 세포로 이동하여 이용된다.

하지만 인슐린이 모자라거나(제1형 당뇨병), 몸의 각 세포가 인슐린이 보내는 신호를 잘 받아들이지 못하게 되면(제2형 당뇨병), 포도당이 이용되지 못하고 혈액(고혈당)속에 쌓여 소변(요당)으로 넘쳐 나오게 된다. 이것을 "당뇨병"이라 한다.

우리나라는 현재 급속한 경제발전과 더불어 과식, 운동부족, 스트레스 증가 등으로 인하여 당뇨병 인구가 증가하고 있다.

당뇨병을 유발하는 요인은 비만, 고지혈증, 고혈압 등 크게 3 가지로, 이중 비만이 가장 중요한 요인으로 작용한다. 당뇨병이든 당뇨병 전단계이든 체중을 줄이는 것이 가장 중요하고, 고혈압과 고지혈증이 동반됐을 경우 적극적인 약물치료로 뇌졸중, 심장병 등으로 인한 사망위험을 예방해야 한다.

1. 당뇨병의 진단

1) 요당검사

소변으로 당이 나오는지 알아보는 방법으로 선별검사에 이용된다. 검사결과 양성으로 나오면 혈당검사로 확인한다.

2) 혈당검사

혈당의 농도는 식사시간에 따라 변하는데, 새벽 공복에 가장 최저치를 보이고 식사 후 2시간이면 최고치를 나타내므로 이것을 기준으로 삼는다.

참고로 휴대용 스틱 혈당측정기는 바늘(lancet)로 손가락을 찔러 나오는 모세혈관혈을 사용하므로, 정맥에서 채혈해 검사하는 검사실 검사에 비해 혈당이 약 10-15 mg/dl 정도 낮게 나온다. 그러므로 진단용으로 사용하기보다 치료경과 관찰용으로 사용하는 것이 적당하다.

당뇨병의 진단 기준

1. 정상혈당 기준
   정상혈당은 8시간 이상 공복 후 혈장포도당 100 mg/dL 미만, 75 g 경구포도당부하 2시간 후 혈장포도당 140 mg/dL 미만이다.

2. 당뇨병 진단기준
   1) 당화혈색소 6.5% 이상 또는
   2) 8시간 이상 공복 후 혈장포도당 126 mg/dL 이상 또는
   3) 75 g 경구포도당부하 2시간 후 혈장포도당 200 mg/dL 이상 또는
   4) 당뇨병의 전형적인 증상(다뇨, 다음, 설명되지 않는 체중감소)이 있으면서 무작위 혈장포도당 200 mg/dL 이상

3. 당뇨병전단계 진단기준
   1) 공복혈당장애 : 공복혈장포도당 100–125 mg/dL
   2) 내당능장애 : 75 g 경구포도당부하 2시간 후 혈장포도당 140–199 mg/dL
   3) 당화혈색소 : 5.7–6.4%

경구포도당내성검사 방법

① 검사 전 적어도 3일 동안 평상시의 활동을 유지하고 하루 150 g 이상의 탄수화물을 섭취한다.
② 검사 전 날 밤부터 10시간 내지 14시간 금식 후 공복혈장포도당 측정을 위한 채혈을 한다.
③ 250–300 mL의 물에 희석한 포도당 75 g이나 150 mL의 상품화된 포도당용액을 5분 이내에 마신다.
④ 포도당을 마시고 2시간 후에 포도당부하 후 혈장포도당 측정을 위한 채혈을 한다.
(포도당용액을 마시기 시작한 시간을 0분으로 한다)
⑤ 필요한 경우 포도당부하 후 30분, 60분, 90분째 혈장포도당을 측정할 수 있다.

(대한당뇨병학회 당뇨병 진료지침, 2021)

2. 당뇨병의 분류

1) 제1형 당뇨병(인슐린 의존형 당뇨병)

Type 1. IDDM(Insulin Dependent Diabetes Mellitus)

췌장에서 인슐린이 분비되지 않아서 발생한다. 우리나라 당뇨병의 2% 미만을 차지하여, 주로 소아에서 발생하나 성인에서도 나타날 수 있다. 급성으로 발병을 하며 심한 갈증, 다뇨, 체중감소 등과 같은 증상들이 나타나고, 인슐린의 절대적인 결핍으로 인하여 케톤산증이 일어날 수 있다. 인슐린 치료가 필수적이다.

2) 제2형 당뇨병(인슐린 비의존형 당뇨병)

Type 2. NIDDM(Non-Insulin Dependent Diabetes Mellitus)

한국인 당뇨병의 90% 이상을 차지한다. 영양 과잉섭취, 운동량 감소, 많은 스트레스에 노출되면 인슐린의 작용이 원활치 않아 혈당이 세포로 이동하지 못함으로 인해 당뇨병이 발생된다. 계속 조절하지 않을 경우 인슐린 분비가 감소된다.

주로 40세 이후에 많이 발생하며, 과체중, 비만인 경우가 많다. 인슐린 의존형 당뇨병에 비해 임상증상이 뚜렷하지 않다. 특수한 경우 이외에는 케톤산증과 같은 급성 합병증을 일으키지 않는다. 초기에 식이요법과 운동요법에 의하여 당뇨병이 호전되는 경우가 많다. 치료는 식이요법과 운동요법이 필수적이며, 약물치료는 경구용 혈당강하제를 사용한다.

3) 기타 특수형 당뇨병

(1) 베타세포나 인슐린 수용체의 유전적 결함

(2) 췌장의 외분비(exocrine) 기능장애 : 췌장염, 췌장제거 수술 등

(3) 내분비 질환 - 말단비대증, 갑상선 기능항진증 등

(4) 약물, 화학물질

(5) 감염 - 선천성 풍진, 거대세포바이러스, 콕사키바이러스

(6) 가끔 당뇨병을 일으키는 유전성 증후군 - 다운증후군 등

4) 임신성 당뇨병

정상 혈당이었던 여성이 임신에 의해 혈당이 증가한 경우

3. 당뇨병의 합병증

당뇨병은 다음, 다뇨, 다갈 등의 증상 외에는 특별한 증상이 없으므로 환자들이 별로 신경을 쓰지 않

고 긴 세월동안 방치하는 경우가 많다. 하지만 고혈당이 지속되는 기간이 누적될수록 심각한 합병증들이 생길 수 있다. 당뇨병의 합병증은 크게 급성 합병증과 만성 합병증으로 나뉘어진다.

1) 급성 합병증

당뇨병의 급성 합병증은 신속하고 적절하게 치료하지 않으면 환자가 사망할 수도 있는 응급 상황이다.

(1) 당뇨병성 케톤산 혈증(diabetic ketoacidosis, DKA)

제1형 인슐린 의존형 당뇨병에서 주로 발생

인슐린의 부족이 심해 포도당을 에너지원으로 사용 할 수 없게 되면 저장된 지방을 분해하여 에너지를 얻게 되는데 이때 부산물로 생성된 케톤이 많아져서 발생

호흡과 심박동이 빨라지고, 의식 소실, 혼수상태

치료 : 인슐린 투여가 필수적, 수분과 전해질 공급

(2) 고삼투압성 혼수(Hyperosmolar nonketotic coma)

제2형 인슐린 비의종형 당뇨병에서 주로 발생

고혈당 → 소변으로 당과 수분이 배설 → 소변으로 소실되는 수분만큼 충분한 물을 섭취하지 못하는 상황 → 심한 탈수증

2) 만성합병증

지속적인 고혈당에 의해 혈관을 비롯한 각 기관에서 발생하는 만성적인 병변

즉각적인 증상이 없으므로 환자는 이를 방치하기 쉽고 그래서 더욱 심각한 합병증이다.

(1) 미세혈관성 합병증

① 망막병증

ⅰ. 비증식성(non-proliferative)

ⅱ. 증식성(proliferative)

② 신경병증

③ 신장병증

(2) 대혈관성 합병증

① 관상동맥 질환

② 말초혈관 질환

③ 뇌혈관 질환

(3) 기타

① 위장관 합병증 - 위무력증(gastroparesis), 설사

② 비뇨생식기계 합병증 - 배뇨장애, 성기능장애

③ 피부 합병증

④ 감염

⑤ 백내장

⑥ 녹내장

⑦ 족부궤양(DM foot)

4. 당뇨병의 치료

1) 인슐린 의존형

인슐린 보충이 필수적이다.

2) 인슐린 비의존형

생활습관개선(식이요법, 운동요법), 비만 개선, 경구혈당강하제

저혈당 혼수(hypoglycemic coma)

인슐린이나 경구혈당강하제로 치료 중인 환자에서 나타나는 부작용으로, 혈당이 정상 이하로 떨어지는 상태이다. 대개 혈당이 50-60 mg/dl 이하로 떨어졌을 때 저혈당 증상이 나타나게 된다. 저혈당은 즉시 치료하지 않으면 의식소실, 혼수를 일으키며 사망에 이를 수 있으므로 주의해야한다.

1) 저혈당의 원인

식사량이 갑자기 줄었거나 식사시간이 지연되었을 경우, 인슐린 주사량이 많았을 경우, 경구용 혈당강하제를 처방량보다 많이 먹었을 경우, 운동량이 평소보다 늘었거나 공복상태에서 운동하였을 경우, 과음을 했거나 빈속에 음주를 했을 경우, 설사나 구토가 심할 경우 등이다.

2) 저혈당의 증상

초기증상은 공복감, 식은땀, 현기증, 흥분, 불안정, 가슴 두근거림, 떨림, 피로감이 나타나며, 심해지면 의식이 소실되며 혼수상태에 빠질 수 있다.

3) 저혈당의 치료

의식이 있는 경우에는 설탕물이나 당분이 든 음식(사탕)을 먹으면 회복이 되며, 의식이 없는 경우에는 포도당용액을 정맥주사 한다.

08 지질대사 검사

목표질환 : 고지혈증

〈검사 항목〉
총콜레스테롤(total cholesterol, TC)
고밀도지단백-콜레스테롤(HDL-C)
저밀도지단백-콜레스테롤(LDL-C)
중성지방(triglycerides, TG)
아포지단백 B(apoB)
아포지단백 A-1(apoA-1)
지단백(a)(lipoprotein(a), Lp(a))

1. 지질(lipid)의 종류

실온에서 액체 상태로 존재하는 지질을 "기름(oil)"이라 하는데 주로 불포화 지방산이 많고 식물체 내에 함유된 지질에 많다. 한편 동물의 체내에 존재하는 지질의 대부분은 실온에서 고체 상태인 "지방(fat)"의 형태로 존재하며 이는 주로 포화지방산이 많다. 즉 식품에 함유된 지질은 포화지방(동물성 지방)과 불포화 지방(식물성 지방, 생선 지방)으로 구분된다.

인체 내의 지방을 생화학적인 방법으로 분리하면 중성지방(triglyceride, TG), 인지질(phospholipid), 유리 콜레스테롤, 콜레스테릴 에스테르(cholesteryl ester) 와 유리 지방산(free fatty acid) 등으로 분리된다.

2. 지방의 기능

체내를 순환하는 혈액 속의 2가지 지방인 중성지방과 콜레스테롤은 같은 지방이지만 중성지방이 음식의 영향을 더 많이 받는다. 또한 중성지방과 콜레스테롤은 각각 그 기능이 다르다.

1) 중성지방

뇌 이외의 다른 기관에서 에너지 생산의 원료가 된다. 뇌의 에너지원은 탄수화물이다.

2) 콜레스테롤

(1) 세포막을 구성하는 성분

(2) 부신과 생식선에서 스테로이드 호르몬을 합성하는 재료

(3) 음식물의 소화 흡수에 필요한 담즙산의 원료

(4) 비타민 D의 전구물질

3. 지방의 흡수

우리가 음식을 통해 섭취한 탄수화물은 포도당으로, 단백질은 아미노산으로 분해된 후 소장의 모세혈관으로 흡수되어 간으로 이동된 후 전신으로 운반된다. 한편, 음식을 통해 섭취한 지방은 소장의 암죽관(또는 유미관)으로 흡수된 후 림프관을 통해 전신으로 운반된다.

4. 지단백의 기능과 종류

중성지방과 콜레스테롤은 물에 녹지 않아 혈액 내에서 단독으로 이동할 수 없으므로, 혈액 내에 있는 단백질인 아포단백(apo-protein)과 결합하여 지단백(lipoprotein)을 형성하여 수용성이 되면 혈액 내에서 운반이 가능하게 된다. 이것을 혈중지질이라고 한다. 이렇게 형성된 지단백은 지방과 아포단백으로 구성되는 거대분자로 물에 녹지 않는 지방을 합성 장소에 저장하거나 대사 장소로 운반한다. 즉 혈중지질은 체내에서 운반이 가능한 지단백 형태로 혈액 속을 이동하게 되고, 지단백은 혈중 콜레스테롤과 중성지방을 운반하는 것이 주된 역할이다.

지단백은 구형 입자로, 비특이성 구조인 중심부와 이를 둘러 싼 얇은 외막으로 구성되어 있다. 중심부에는 소수성인 중성지방, 콜레스테릴 에스테르가 있고, 외막에는 친수성인 인지질, 유리 콜레스테롤

및 아포단백(apo-protein) 또는 아포지단백(apo-lipoprotein)이라 부르는 단백질이 감싸고 있다. 아포지단백은 중심부에서 막을 관통하여 표면으로 노출되어 있고, 이 구조는 매우 안정되어 쉽게 파괴되지 않는다.

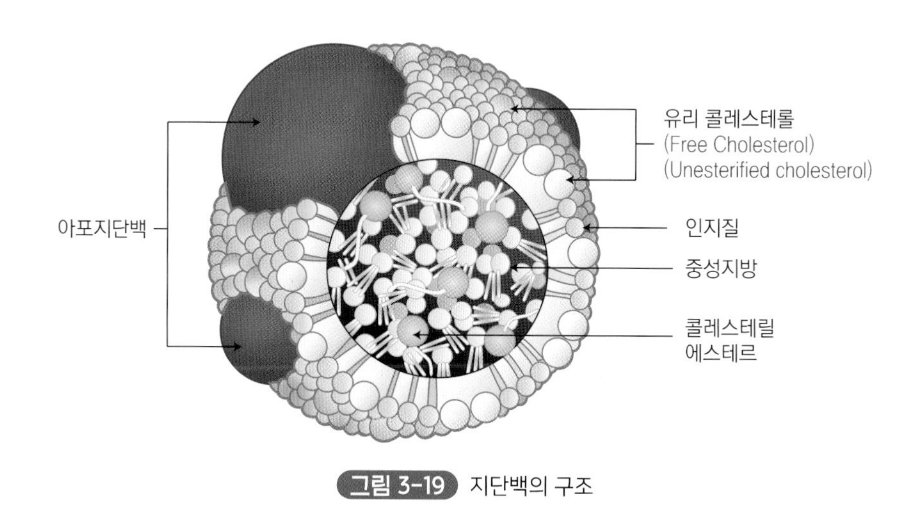

그림 3-19 지단백의 구조

지단백은 그 밀도에 따라 6 종류로 나눈다.

- 카일로미크론(chylomicron, CM)
- 초저밀도지단백(very low density lipoprotein, VLDL, prebeta)
- 중간밀도지단백(intermediate density lipoprotein, IDL, slow prebeta)
- 저밀도지단백(low density lipoprotein, LDL, beta)
- 고밀도지단백(high density lipoprotein, HDL, alpha)
- 지단백(a)(lipoprotein(a), Lp(a))

각각의 종류에 따라 크기, 밀도, 단백질 함량은 물론 중성지방, 콜레스테롤, 인지질 등의 함량비가 서로 다르다. 카일로미크론과 초저밀도지단백은 주로 중성지방을 가지고 있고, 저밀도지단백과 고밀도지단백은 주로 콜레스테롤을 가지고 있다.

지단백의 표면을 구성하고 있는 아포지단백은 5가지가 있다. Apo A, B, C, D, E 로 크게 분류되는데, A와 C에는 몇 개의 하위집단이 존재한다. 지단백은 적어도 한 종류 이상의 아포지단백을 함유하므로 이에 따라 밀도가 다양하게 된다.

- 고밀도지단백(HDL)의 아포지단백은 주로 apoA-1 로 구성되어 있어서, apoA-1의 결핍은 심혈관질환을 조기에 진단하는 지표가 될 수 있다.
- 저밀도지단백(LDL)의 아포지단백은 주로 apoB(특히 apoB-100) 로 구성되어 있다. apoB의 증가

는 심혈관질환을 조기에 진단하는 지표가 될 수 있다.

- 초저밀도지단백(VLDL)과 중간밀도지단백(IDL)의 아포지단백은 주로 apoE 로 구성되어 있다.
- 카일로미크론(CM)의 아포지단백은 주로 apoB(특히 apoB-48) 로 구성되어 있다.

아포지단백은 지단백의 구조를 안정화시키며, 지질을 용해시키고, 지단백을 해당 세포 수용체에 결합시키며, 또한 지질대사에 관련되는 효소를 활성화 혹은 비활성화시키는 작용을 한다.

근래에는 LDL 콜레스테롤이나 HDL 콜레스테롤 검사보다 아포지단백 검사(특히 A-1, B)가 심혈관질환 발병 위험도를 더욱 정확하게 예측할 수 있다고 알려져 있어서 검사에 많이 이용되고 있는 추세이다.

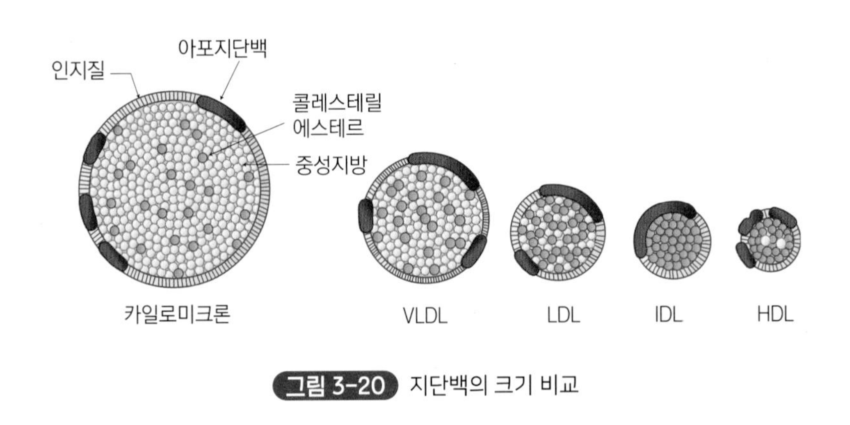

그림 3-20 지단백의 크기 비교

1) 카일로미크론(chylomicron, CM, 유미미립)

지단백중 가장 크며, 밀도는 제일 낮다. 음식물의 지방질이 분해되고 흡수 되어진 후에 소장에서 합성되어지며, 소장에서 흡수된 콜레스테롤과 중성지방을 간과 말초세포로 이동시키는 작용을 한다. 중성지방(triglyceride)이 주성분이고, 아포지단백 A, B-48, C, E 등은 소량이지만 다양하게 함유하고 있다.

2) 초저밀도지단백(very low density lipoprotein, VLDL, prebeta)

간에서 합성되고 카일로미크론보다는 작다. 체내(주로 간)에서 생성된 중성지방을 말초조직에 전달한 후 크기가 작아져 저밀도지단백(LDL)으로 전환되므로 동맥경화에 영향을 준다. 중성지방이 50%로 주성분이나, 인지질, 콜레스테롤도 함유한다. 아포지단백 B-100, C, E가 지단백 생성중에 포함된다.

3) 중간밀도지단백(intermediate density lipoprotein, IDL, slow prebeta)

카일로미크론과 초저밀도지단백의 분해 과정 중에 형성되어진다. 동맥경화에 영향을 주며 초저밀도지단백보다는 중성지방을 적게 그리고 콜레스테롤은 더 많이 함유하고 있다. 간으로의 콜레스테롤 회수와 저밀도지단백을 형성하는데 쓰여지고 있다.

4) 저밀도지단백(low density lipoprotein, LDL, beta)

순환 중에 중간밀도지단백으로부터 만들어진다. 혈청 콜레스테롤의 60-70%를 운송하는 주요한 운반체이다. 콜레스테릴 에스테르가 주성분(50%)이다. 표면에는 주로 아포지단백 B-100을 갖고 있고, 이것이 저밀도지단백 수용체와 결합하여 혈중에서 제거된다.

동맥경화와 직접 관계있는 지단백으로서, 특히 산화된 저밀도지단백(oxidized-LDL)은 동맥경화를 직접 유발시키는 저밀도지단백 형태이다.

저밀도지단백은 크기는 크지만 밀도가 낮고, 간에서 여러 조직 세포에 콜레스테롤을 공급하는 역할을 한다. 혈중에 이러한 저밀도지단백이 너무 많으면 혈관벽에 침착되어 동맥경화증을 일으키게 된다.

혈액 속에 저밀도지단백이 얼마나 있는가를 아는 것은 매우 중요하지만 저밀도지단백을 측정하기는 쉽지 않아, 보통 그 안에 있는 콜레스테롤양만을 측정하거나 계산으로 짐작하며, 이것을 저밀도지단백-콜레스테롤(LDL-cholesterol) 이라고 부른다. LDL-콜레스테롤은 혈중 총 콜레스테롤의 3 /4을 차지하며, 혈액 속에 LDL-콜레스테롤이 증가하면 동맥경화증을 일으킬 위험성이 높아진다고 보고 있어서, LDL-콜레스테롤을 "나쁜 콜레스테롤"이라고 한다.

5) 고밀도지단백(high density lipoprotein, HDL, alpha)

주로 간에서 생성되나, 소장에서도 합성된다. 지방의 50%가 인지질, 30%는 콜레스테릴 에스테르로 구성되어 있고, 표면에는 주로 아포지단백 A-1을 갖고 있다.

말초조직에서 간으로 배설을 위하여 20-30%의 콜레스테롤을 가지고 간다. 동맥경화를 야기시키지 않으며 오히려 동맥경화의 발생을 예방해주는 지단백이다.

고밀도지단백은 지단백 중 크기는 가장 작지만 밀도는 가장 높다. 저밀도지단백과 달리 조직세포에 있는 콜레스테롤을 받아 간으로 보내 분해시키는 청소부 역할을 하므로 동맥경하증을 방지하는 역할을 하게 된다. 혈액중의 고밀도지단백을 직접 측정하기는 역시 어려워 보통 그 안에 있는 콜레스테롤양을 침전법으로 측정하여 임상에 이용하는데, 이것을 고밀도지단백-콜레스테롤(HDL-cholesterol) 이라고 부른다. 혈액 속에 HDL-콜레스테롤이 높은 사람은 동맥경화증을 예방한다고 보고 있어서, HDL-콜레스테롤을 "좋은 콜레스테롤"이라고 한다.

6) 지단백(a)(lipoprotein(a), Lp(a))

지단백(a)는 2개의 아포지단백, 즉 아포지단백 B-100과 아포지단백(a)이 결합되어 있는 특별한 형태의 저밀도지단백(LDL)을 말한다. 이 지단백은 끈적끈적한 특성이 있어서 혈관에 상처가 났을 때 혈관을 빠르게 보호하는 응급 방어 수단이지만, 이런 반응이 장시간에 걸쳐 일어남으로 인해 발생하는 지단백(a)의 증가는 관상동맥질환이나 뇌혈관질환의 위험인자로 알려져 있다.

5. 지단백의 대사

음식물 속의 지방질이 분해되고 흡수되면, 소장 상피세포 내에서 콜레스테롤과 중성지방을 가지고 카일로미크론을 생성한 후, 림프관을 거쳐 전신으로 운반되고, 이윽고 혈류로 방출된다. 지방조직의 모세혈관 내피에서 지단백 지질분해효소(lipoprotein lipase, LPL)에 의해 중성지방이 유리 지방산과 글리세롤로 분해된 다음, 유리 지방산은 지방조직내로 유입되고 글리세롤과 중성지방이 제거된 카일로미크론 잔유입자(chylomicron remnant)내 콜레스테롤은 간에서 대사 흡수된다.

간에서 생성된 중성지방은 간에서 VLDL 형태를 취하여 혈류로 방출된다. 역시 지방조직의 모세혈관에서 지단백 지질분해효소(lipoprotein lipase, LPL)에 의해 유리 지방산과 글리세롤로 분해된 다음, 유리 지방산은 지방조직내로 유입되고 VLDL 잔유입자(VLDL remnant)와 글리세롤의 일부가 간에서 제거되고 나머지는 LDL로 전환된다.

LDL은 주로 콜레스테롤로 구성되어 있고, 부신피질, 신장, 근육, 임파구, 간 등으로 콜레스테롤을 운반한다. 반면에 조직 세포에서 유리된 콜레스테롤은 HDL과 결합하여 VLDL이 된 다음 LDL로 전환된다.

6. 지방의 대사

체내에 있는 중성지방과 콜레스테롤은, 음식물로 섭취해서 소장에서 소화 흡수되기도 하고 체내에서 합성되기도 한다.

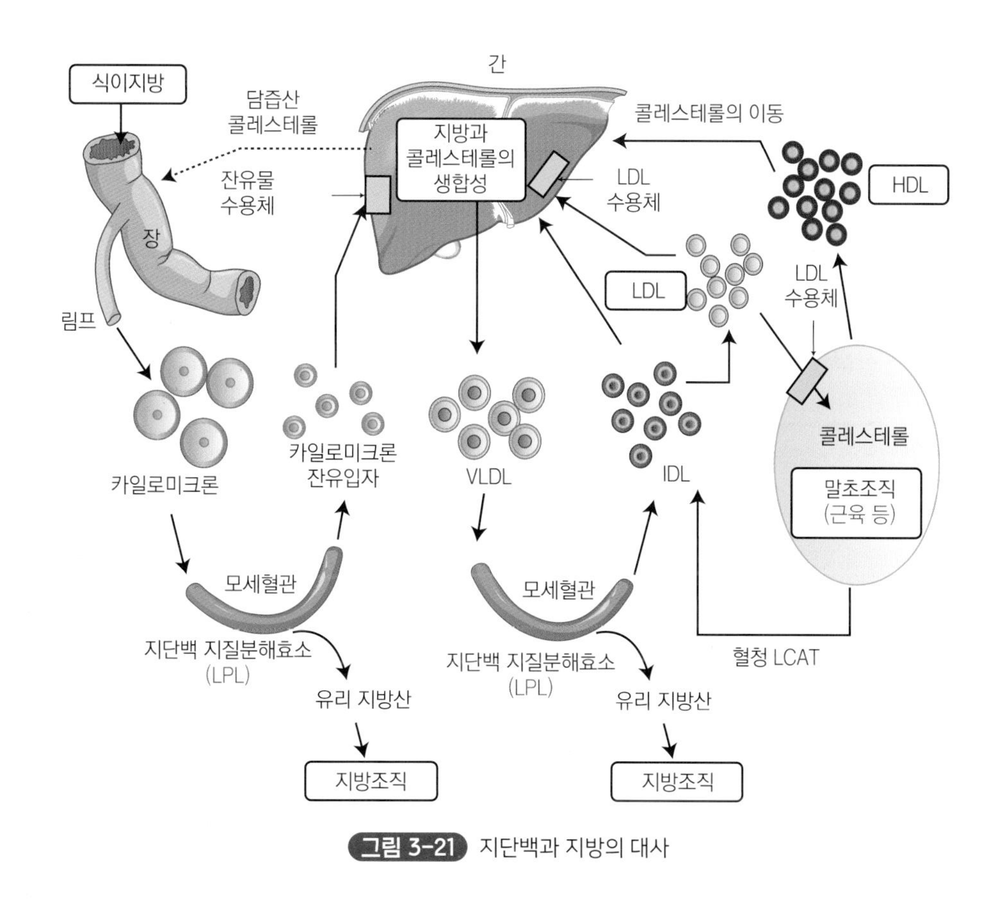

그림 3-21 지단백과 지방의 대사

1) 중성지방

중성지방은 뼈대인 '글리세롤'과 3개의 '지방산'이 에스테르상태로 결합돼 있다.

중성지방은 두 가지 경로로 체내에 존재하는데, 섭취된 음식에서 소장을 거쳐 카일로미크론 형태로 흡수되거나, 간에서 초저밀도지단백(VLDL)으로 합성된다. 이 두 가지 경로로 합성된 후 말초조직에 운반되어 에너지원으로 이용되거나 저장된다.

(1) 음식을 통해 섭취한 중성지방

음식을 통해 섭취한 지방은 거의 대부분 중성지방(triglyceride)의 형태로 체내에 들어온다. 중성지방은 췌장에서 분비되는 리파제라는 효소에 의해 지방산과 글리세롤로 가수분해된 후 소장에서 흡수되는데, 지방산과 글리세롤은 장세포에서 중성지방으로 재합성된 후 아포단백(주로 apo B 48)과 결합하여 카일로미크론(chylomicron)을 형성한다.

장세포에서 유리된 카일로미크론은 소장의 암죽관으로 흡수된 후 림프관을 통해 쇄골하정맥의 혈액으로 들어가 전신으로 운반된다.

카일로미크론에 다량으로 포함된 중성지방은 지방조직의 모세혈관 내피에 있는 지단백 지질분해효소(lipoprotein lipase, LPL)에 의해 분해되어 지방조직으로 유입되며, 중성지방이 제거된 카일로미크론 잔유입자에 남아있는 소량의 콜레스테롤은 간에서 흡수되어 대사된다. 결과적으로 카일로미크론은 섭취한 중성지방을 지방세포로, 콜레스테롤을 간으로 운반하는 역할을 한다. 그 후 혈액에서 조직으로 들어가 저장되어 중요한 에너지원이 된다. 하지만, 소직에 이용되지 않고 혈액에 오래 남아있으면 동맥경화증을 일으킬 수 있다.

(2) 체내에서 합성된 중성지방

간에서 중성지방이 다량으로 포함된 초저밀도지단백(VLDL)이 만들어져 혈류로 방출되면, VLDL에 포함된 중성지방은 카일로미크론의 경우와 마찬가지로 지방조직의 모세혈관 내피에 있는 지단백 지질분해효소(lipoprotein lipase, LPL)에 의해 분해되어 지방조직에 흡수된다. 지방조직에 중성지방을 운반한 VLDL 잔유입자의 일부는 중간밀도지단백(IDL)으로 전환되어 LDL 수용체에 의해 간에 흡수되나 대부분은 저밀도지단백(LDL)로 전환된다.

VLDL으로부터 전환되어 생긴 LDL은 생성과정에서 거의 모든 중성지방이 제거되어 주로 콜레스테롤로 구성되어 있으며 신체 각 조직세포로 콜레스테롤을 운반하는 역할을 한다. 혈장 콜레스테롤의 약 75%가 LDL에 의해 운반된다. LDL은 대부분이 거의 모든 조직세포의 세포막에 존재하는 저밀도지단백 수용체(LDL 수용체)를 통해 제거된 후 간이나 말초조직에서 대사되는데, 말초조직에서는 유리 콜레스테롤이 되고 간에서는 담즙으로 배설된다.

한편 HDL은 조직세포에서 유리되는 콜레스테롤을 전달받아 직접 간에 전달하거나, 자신 속에 내재한 콜레스테롤을 VLDL이나 LDL에 전달하고 이들을 통하여 다시 간접적으로 간에 콜레스테롤을 전달하는 소위 콜레스테롤의 역수송을 담당한다.

체내 흡수된 과잉의 열량은 간에서 중성지방으로 전환된다. 이때 과잉의 당질이 글리코겐으로 저장되는 양은 그리 많지 않으므로 남는 당질은 모두 중성지방으로 저장된다. 과음으로 남는 알코올은 중성지방을 만드는 원료로 사용된다.

흡수되어 바로 간을 통해 혈액으로 들어가는 포도당이나 아미노산과 달리, 대부분의 중성지방은 간을 거치지 않을 뿐만 아니라 바로 혈액으로 들어가지도 않고, 카일로미크론 형태로 운반되어 체내 여러 조직에 전달되는데, 식사하고 3-4시간이 지나야 이 카일로미크론이 본격적으로 혈액으로 유입되면서 혈액 내에서 중성지방이 몇 시간 동안 상승하였다가 12시간 이내에 정상화된다.

체내의 에너지 중 사용되지 않는 것은 지방세포에 축적되는데 그 대부분이 중성지방이다. 지방세포는 대개 복강 및 피하 조직에 있다. 체내에서 지방산을 필요로 하면 지방세포에 있던 중성지방이 글리세롤과 지방산으로 분해되어, 글리세롤은 간으로 들어가 포도당을 만드는 재료로 이용되고 지방산은 근육을 비롯한 조직에서 연료로 사용된다. 신체를 자동차로 비유하면 지방산은 휘발유이며 지방산을 저장하는 탱크는 중성지방이라고 할 수 있다.

중성지방 수치가 높으면 혈전이 잘 생기며, 고밀도지단백(HDL)을 감소시키고, 저밀도지단백(LDL)은 증가시킨다. 혈중의 저밀도지단백(LDL) 농도가 상승하면 저밀도지단백(LDL)이 거식세포내로 빠른 속도로 들어가 산화된다. 이것이 축적되면 거품세포(foam cell)가 되어 죽상경화반(atherosclerotic plaque)의 원인이 되고 혈관 내피세포를 손상시켜 염증도 많이 일으키게 된다. 이런 상태가 심해지면 동맥경화증이 생길 수 있다.
중성지방 수치가 높으면 뇌졸중 위험도 높아진다.
중성지방은 서양인보다 한국인이 더 높다.

2) 콜레스테롤

우리 몸에 필요한 콜레스테롤은 두 가지 경로로 체내에 존재한다. 음식을 통해 섭취하거나(하루 300-500 mg정도), 간, 부신 및 피부 등의 조직에서 합성된다(하루 1,000-1,200 mg정도).

음식으로 섭취된 콜레스테롤은 소장을 거쳐 카일로미크론 형태로 흡수된다. 간에서 합성된 것은 초저밀도지단백(VLDL)을 거쳐 저밀도지단백(LDL)으로 이동되어 체내에서 이용된다. 간 이외의 말초조직이나 지단백의 콜레스테롤은 고밀도지단백(HDL)형태로 이동되며 간으로 수송되어 답즙의 생성에 이용된다.

(1) 음식을 통해 섭취한 콜레스테롤

음식에 들어있는 콜레스테롤은 유리형(free form)과 에스테르형(ester form)으로 존재하며 유리형이 더 많다. 에스테르형은 췌장에서 분비되는 콜레스테롤 에스터라제(cholesterol esterase)에 의해 가수분해되어 유리형이 된다.
음식을 통해 섭취한 콜레스테롤은 담즙산의 도움으로 소장(주로 회장에서)에서 다른 지질과 함께 흡수된 후, 장세포에서 카일로미크론(chylomicron)을 형성한 후 흉관을 통해서 혈액으로 들어가고 최종적으로 간으로 들어간다. 간으로 전달된 이 콜레스테롤은 친수성 콜레스테릴 에스테르 형태로 중성지방과 같이 중심에 자리하고, 아포단백(주로 apo B 48)이 표면에 결합되어 있다. 담즙산 및 세포막 생성물로 사용되거나 지단백 콜레스테롤의 형태로 재분비된다.
간에서 카일로미크론으로부터 유래된 콜레스테롤의 일부는 담즙산으로 전환하여 소장으로 분비되고, 일부는 간에서 합성된 콜레스테롤과 합쳐서 중성지방(triacylglycerol)과 함께 초저밀도지단백(VLDL)이 되어 혈액으로 방출된다. 이때 일부가 잉여 콜레스테롤의 형태로 혈관에서 축적되기도 한다.

하지만 이렇게 음식물로 섭취되는 콜레스테롤 대사는 간에서 콜레스테롤 생성을 억제한다.

(2) 체내에서 합성된 콜레스테롤

콜레스테롤도 체내에서 만들어지는데, 세포 내에서 콜레스테롤은 acetyl CoA로부터 시작되어 HMG CoA, mevalonic acid 등의 과정을 거쳐 합성된다. HMG CoA에서 mevalonic acid가 형성되는 과정은 HMG CoA 환원효소에 의해 조절된다.

세포 내의 콜레스테롤이 증가하면 HMG CoA 환원효소의 합성이 억제되어 새로운 콜레스테롤의 생산이 감소되며, 저밀도지단백 수용체(LDL 수용체)의 합성도 억제되어 혈중의 콜레스테롤이 세포내로 들어와 축적되는 것도 방지된다.

또한 세포에서는 여분의 콜레스테롤을 분비하기도 하는데 이는 고밀도지단백(HDL)에 의해 거둬들여져서 간에서 처리된다.

간에서 합성된 것은 초저밀도지단백(VLDL)을 거쳐 저밀도지단백(LDL)으로 이동되어 지단백 콜레스테롤의 형태로 재분비되거나 세포막, 호르몬, 담즙산의 성분으로 사용된다. 또, 간 이외의 말초조직에서 합성된 것은 고밀도지단백(HDL)으로 이동되어 간으로 수송하여 제거되게 함으로써 혈중 콜레스테롤을 낮춘다.

저밀도지단백(LDL)에 포함되어 있는 콜레스테롤을 세포질 내로 운반할 때, 저밀도지단백 수용체에 결합한다. 저밀도지단백 수용체는 대부분 조직의 세포막에 분포하지만, 특히 혈관내피세포, 간세포 등이 가장 큰 역할을 한다. 결국 이 과정에 의해 콜레스테롤 생성, 흡수를 조절함으로 전반적인 콜레스테롤 항상성이 유지된다. 이 대사경로의 중요 조절기전은 HMG-CoA 환원효소(HMG CoA reductase)로 세포의 성장과 기능에 콜레스테롤이 필요한 경우는 이 효소의 합성과 활성이 증가되며, 동시에 저밀도지단백 수용체의 합성도 증가되어 세포 내로 더 많은 저밀도 지단백이 이동한다.

간에서 합성되거나 식품으로 섭취된 콜레스테롤은 간에서 콜레스테롤로부터 담즙산을 합성하여 장으로 배설된 후 소장에서 재흡수되어 간으로 재순환된다.

혈액 내 콜레스테롤의 양은 식품으로 섭취한 콜레스테롤(외인성 콜레스테롤)의 양과 간이나 기타 조직에서 합성된 콜레스테롤(내인성 콜레스테롤)의 양에 따라 결정되지만, 실제로 섭취하는 양과 합성되는 양은 거의 일정하게 유지된다. 실제로 간에서 합성되는 콜레스테롤의 양은 식품으로 섭취하는 것보다 훨씬 많고, 또한 간은 식품을 통해서 섭취한 여분의 콜레스테롤을 다른 물질로 대사하기도 한다. 만일 콜레스테롤 섭취가 증가하면 콜레스테롤의 체내 합성은 감소하게 된다. 이것은 소장에서 콜레스테롤 흡수가 억제되어 변으로 더 많은 양이 배설되고, 간에서 콜레스테롤을 더 많이 분해해서 담즙산을 생성하기 위해 혈액 내 콜레스테롤의 농도를 낮추려는 작용이 일어나기 때문이다. 따라서 콜레스테롤의 섭취량과 혈액 내 콜레스테롤의 농도는 비례하지 않는다.

간에서 대사할 수 있는 양 이상으로 콜레스테롤을 지속적으로 많이 섭취하거나 간에서 콜레스테롤을 너무 많이 합성하면 고지혈증이 일어나게 된다.

한편 계란, 육류, 버터, 우유 등의 동물성식품에 콜레스테롤이 풍부하여 이런 것들을 많이 섭취하면 혈중 콜레스테롤이 증가하게 된다.

적정한 정도의 콜레스테롤은 생명의 유지에 필수적이지만, 혈중 농도가 과다하게 높아지면 혈액 순환을 방해한다. 이것이 더욱 진행되면 동맥경화증을 일으키며, 그 부위의 조직으로 혈액 공급을 하지 못하게 된다.

콜레스테롤이 높으면 동맥경화증의 발생을 촉진할 뿐만 아니라 협심증, 심근경색 등 심혈관 질환에 걸릴 위험이 현저하게 높아진다고 알려져 있다. 대체로 콜레스테롤을 1% 정도 감소시키면 심혈관 질환의 발생이 2% 정도 감소되는 것으로 생각된다.

총 콜레스테롤 수치는 한국인이 서양인에 비해 낮다.

고지혈증(hyperlipidemia)

고지혈증은 혈액 속에 기름(지방)이 정상보다 많은 상태를 말한다. 즉 혈액 속에 콜레스테롤이나 중성지방이 정상보다 높이 증가된 상태를 말하는데, 이를 각각 고콜레스테롤혈증, 고중성지방혈증이라고도 한다.

고지혈증은 그 자체로는 증상을 일으키지 않지만, 장기적으로 동맥경화증, 고혈압, 뇌혈관질환, 허혈성 심질환 등의 위험요인이 되기 때문에 치료가 필요하다.

1. 고지혈증의 영향

고지혈증이 오랫동안 지속되면 혈관에 동맥경화증을 일으킨다. 동맥경화증은 동맥 안쪽의 혈관벽에 증가된 LDL-콜레스테롤이 과다하게 침착되고, 이곳에 염증세포가 모여들면서 평활근 세포가 증식하여 발생한다.

동맥경화증이 되면 혈관이 점차 좁아지고 탄력성이 감소하며 혈류량이 감소한다. 혈류량의 감소는 여러 장기에 산소와 영양분의 공급을 저하시키며, 어느 한계점을 넘어서면 뇌나 심장의 혈액순환에 장애가 일어난다. 이때 뇌의 혈액순환 장애가 일어나면 뇌졸중 등의 뇌혈관질환이 발생하고, 심장의 혈액순환 장애가 일어나면 협심증, 심근경색증 등의 허혈성 심질환이 발생할 수 있다.

고지혈증과 함께 고혈압, 당뇨병, 흡연 등과 같은 위험요소를 같이 가지고 있으면, 혈관벽이 더욱 손상되어 동맥경화증의 발생과 진행이 매우 빨라지게 되고 뇌혈관질환, 허혈성 심질환의 위험성은 더욱 높아진다.

총콜레스테롤이 240 mg/dl 이상인 남자는 200 mg/dl 미만인 남자보다 관상동맥질환의 위험도가 3배 이상 증가하며, 콜레스테롤 농도의 증가에 따라 관상동맥질환의 위험도가 연속적으로 증가한다. 고콜레스테롤혈증 또는 혈중LDL-콜레스테롤의 농도 증가가 관상동맥질환의 위험인자라는 연구결과는 많이 있다. 낮은 HDL-콜레스테롤 농도는 관상동맥질환의 위험을 증가시킨다. 고중성지방혈증은 조발성 죽상경화증과 관련이 있다.

즉 총콜레스테롤이 240 mg/dl 이상, LDL-콜레스테롤이 160 mg/dl 이상, HDL-콜레스테롤이 40 mg/이 이하이면 심장병에 걸릴 위험이 아주 높아진다.

2. 고지혈증의 증상

혈액 속의 콜레스테롤이나 중성지방이 증가되어도 증상이 거의 없다.

그러나 고지혈증이 오랫동안 지속되어 혈관에 동맥경화증이 발생하면 뇌혈관질환, 허혈성 심질환 등이 생겨 증상이 나타난다. 따라서 고지혈증에 의한 질환을 효과적으로 예방하고 관리하기 위해서는 고지혈증을 일찍 발견하여 적절하게 치료하는 것이 중요하다.

3. 고지혈증 검사의 주의 사항

검사 전날 밤 10시 이후부터 음식 섭취를 금하고 다음 날 아침 공복 상태에서 채혈을 한다.

1) 중성지방

중성지방의 검사를 위해서는 최소 12시간 이상 금식한 상태에서 아침 공복 시에 실시해야 한다.

중성지방의 혈중농도는 식후 30분 전후부터 올라가서 4-6시간 후에 최고치를 나타낸다. 이 수치는 식사의 영향으로 인한 일시적인 현상으로 400-500 mg/dl까지 올라가기도 한다. 중성지방은 하루 중 아침에 가장 낮고, 오후에 가장 높은 농도를 보인다.

검체의 외관으로 중성지방의 농도를 대략 예측할 수 있다. 혈청이나 혈장이 투명하면 중성지방 농도는 정상범위에 있을 것으로 추정할 수 있고, 혼탁할수록 그 농도는 점점 증가해서 불투명하거나 우유빛을 보이면 중성지방의 농도가 500 mg/dl 이상일 것으로 예상할 수 있다. 하지만 콜레스테롤은 그 농도가 높더라도 혈청이나 혈장이 거의 투명하다.

심한 운동은 중성지방, VLDL 콜레스테롤, LDL 콜레스테롤을 낮추고 HDL 콜레스테롤 값을 높인다.

2) 콜레스테롤

총콜레스테롤과 HDL-콜레스테롤은 금식 상태에서 채혈할 필요가 없다.

LDL콜레스테롤의 검사를 위해서는 최소 12시간 이상 금식을 하도록 권장하고 있다. 만일 금식하지 않으면 위양성으로 수치가 증가한다.

콜레스테롤은 채혈하는 자세에 의해서도 영향을 받는다. 선 자세보다 앉은 자세에서 채혈한 경우

콜레스테롤 수치가 낮고, 앉은 자세보다 누운 자세에서 채혈한 경우 콜레스테롤 수치가 더 낮게 나타난다. 즉 20분 이상 누워 있는 사람에게 채혈을 하면, 총콜레스테롤이 10-15% 감소한다. 선 자세에서 채혈한 경우보다 10-15분간 가만히 앉아 있다가 채혈하면 약 6% 정도 감소하는 것으로 알려져 있다. 그러므로 콜레스테롤 측정 전에 약 5분간 앉아 있다가 측정하는 것이 권장된다.

과도한 포화지방산, 콜레스테롤 및 칼로리 섭취 후 혈중 콜레스테롤이 증가하므로 식사습관, 체중 변화가 적어도 2주간 안정된 상태에서 콜레스테롤을 측정하는 것이 권장된다.

채혈 시 5분 이상 구혈대를 사용하면 10-15%정도 콜레스테롤이 상승하므로, 구혈대의 사용은 1분 이내로 하는 것이 좋다.

남성이 여성보다 콜레스테롤이 높으며, 나이가 증가함에 따라 남성, 여성 모두 콜레스테롤이 증가한다. 겨울에는 여름보다 콜레스테롤이 높은 경향이 있다. 임신 시에는 20-35% 정도 콜레스테롤이 증가하며, 분만 3-4개월 후에 측정하는 것이 좋다.

4. LDL콜레스테롤 검사의 의의

총콜레스테롤과 LDL-콜레스테롤은 그 수치가 높을수록 동맥경화증과 관련된 합병증의 발생을 증가시킨다. 반대로 HDL-콜레스테롤은 그 수치가 높을수록 동맥경화증과 관련된 합병증의 발생을 예방하는 효과가 있다. LDL-콜레스테롤이 높아질수록 심혈관 질환의 위험도가 상승하고, 심혈관 질환의 위험도가 높은 환자에게서 LDL-콜레스테롤 수치가 낮으면 낮을수록 좋다.

LDL콜레스테롤의 농도를 최근에는 직접 측정하는 방법이 주로 사용되고 있지만, 직접 측정이 가능하지 않은 경우에는 Friedward 공식을 사용해서 LDL콜레스테롤의 농도를 구할 수도 있다. 단, 중성지방의 농도가 400 mg/dl 이하인 경우에 한하여 계산할 수 있다.

LDL콜레스테롤

≒ 총콜레스테롤 – HDL콜레스테롤 – (중성지방÷5)

하지만, 두 방법 간에는 오차가 있을 수 있다.

Friedward 공식은 중성지방이 높으면 부정확해지므로, ATP III 에서는 보다 정확한 LDL콜레스테롤의 평가를 위해 중성지방이 200 mg/dl 이상인 경우에도 중성지방의 농도와 관계없이 측정할 수 있는 “비-고밀도지단백 콜레스테롤(non-HDL콜레스테롤)” 의 개념을 도입했다.

전통적으로 심혈관계 질환을 예측하는 주요한 지질대사 지표는 LDL-콜레스테롤, 중성지방, HDL-콜레스테롤 이지만, 새로운 지표로 LDL-콜레스테롤을 보완하여 non-HDL콜레스테롤이 대두되고 있다.

non-HDL콜레스테롤 = 총콜레스테롤 - HDL콜레스테롤

non-HDL콜레스테롤은 총콜레스테롤과 고밀도 지단백 콜레스테롤(HDL콜레스테롤)의 차이를 계산하여 구할 수 있다. 이 같은 방법을 사용하면 동맥경화증를 촉진시키는 아포지단백B(apo-B)를 포함하고 있는 지단백들(LDL, IDL, VLDL, LP(a)) 속에 존재하는 콜레스테롤의 함유량을 모두 나타낼 수 있다. 특히, 대표적으로 VLDL콜레스테롤과 LDL콜레스테롤의 합으로 생각할 수 있다.

보편적으로 non-HDL콜레스테롤은 LDL콜레스테롤에 30 mg/dl을 더한 값이다.

non-HDL콜레스테롤은 금식여부에 관계없이 같은 수치가 나오므로, 금식이 어려운 환자에서도 이용이 가능하다.

5. 고지혈증의 진단

고지혈증의 관리를 위해 2001년에 미국 성인을 대상으로 한 여러 역학 연구결과에 바탕을 둔 NCEP-ATP III (National Cholesterol Education Program-Adult Treatment Panel III)를 발표했다.

NCEP-ATP III에서 고콜레스테롤혈증이라고 정한 240 mg/dl는 미국 성인 콜레스테롤 농도의 약 80percentile 에 해당하며, 이를 기점으로 관상동맥 질환의 위험이 현저히 증가한다.

표 3-12. 혈중 지질 농도의 분류(단위 : mg/dl)

구분
총콜레스테롤 정상(desirable) : 200 미만 경계치(borderline high) : 200-239 높음(high) : 240 이상
LDL-콜레스테롤 적정(optimal) : 100 미만 정상(near optimal) : 100-129 경계치(borderline high) : 130-159 높음(high) : 160-189 매우 높음(very high) : 190 이상
HDL-콜레스테롤 낮음(low) : 40 미만 높음(high) : 60 이상
중성지방 정상(normal) : 150 미만 경계치(borderline high) : 150-199 높음(high) : 200-499 매우 높음(very high) : 500 이상

6. 고지혈증의 관리

고지혈증의 관리목적은 급성췌장염과 죽상경화성 질환을 예방하는 것이다.

NCEP-ATP III의 지침에 따르면, 관상동맥질환이 없는 사람은 비공복시에 총콜레스테롤과 HDL-콜레스테롤을 측정한다. 이중에서 지단백 분석이 필요한 사람들은 9-12시간의 공복 후에 채혈하여 총콜레스테롤, 중성지방, HDL-콜레스테롤을 측정하며 이들 측정치로부터 LDL-콜레스테롤치를 계산하고, LDL-콜레스테롤치와 관상동맥질환의 위험인자의 수에 따라 관리방침을 정한다.

다음의 표는 LDL-콜레스테롤의 수준에 따른 생활습관 개선 및 약물 치료의 시작 기준과 치료의 목표를 정리한 것이다.

비록 치료의 목표를 LDL-콜레스테롤을 낮추는 것으로 설정하고 있지만, 보통 총콜레스테롤만을 치료의 지표로 삼을 수 있다. 대부분 환자에 있어서 총콜레스테롤 200 mg/dl는 LDL-콜레스테롤 130 mg/dl 와 일치하고, 총콜레스테롤 240 mg/dl는 LDL-콜레스테롤 160 mg/dl 와 거의 일치한다.

따라서 LDL-콜레스테롤을 160 mg/dl 미만으로 유지하는 것이 치료목표인 사람은 총콜레스테롤을 240 mg/dl 미만으로 유지하면 되고, LDL-콜레스테롤을 130 mg/dl 미만으로 유지하는 것이 치료목표인 사람은 총콜레스테롤을 200 mg/dl 미만으로 유지하면 된다.

이 경우에 총콜레스테롤이 기대하는 수준에 도달하면, LDL-콜레스테롤을 측정하여 이것이 목표수준에 도달하였는지를 확인해야 한다.

표 3-13. 고지혈증의 LDL-콜레스테롤 수준에 따른 치료 지침

위험도	LDL-콜레스테롤의 목표치	생활습관 개선	약물치료를 고려
고위험군 : 관상동맥질환이 있거나, 그에 준하는 위험이 있을 때(10년 위험도가 20% 이상)	100 미만	100 이상	100 이상
중등도 고위험군 : 위험인자 2개 이상 (10년 위험도가 10-20%)	130 미만	130 이상	130 이상
중등도 위험군 : 위험인자 2개 이상 (10년 위험도가 10% 이하)	130 미만	130 이상	160 이상
저위험군 : 위험인자 0-1	160 미만	160 이상	190 이상

- 숫자는 LDL-콜레스테롤의 혈중 농도(단위 : mg/dl)
- 관상동맥질환이란 심근경색, 불안정성 협심증, 관상동맥시술 혹은 임상적 의미를 가지는 심근허혈의 상태를 포함한다.

표 3-14. 관상동맥질환의 위험인자 및 관상동맥질환에 준하는 위험

1. 관상동맥질환의 위험인자(5가지)
1) 흡연
2) 고혈압(140 /90 mmHg 이상 이거나 고혈압약 복용 중인 사람)
3) 낮은 HDL-콜레스테롤(40 mg/dl 미만)
4) 조발성 관상동맥 질환(심근경색, 급사)의 가족력
- 아버지나 다른 1도 근친 남성 55세 이전
- 어머니나 다른 1도 근친 여성 65세 이전
5) 나이 ; 남자는 45세 이상, 여자는 55세 이상
(높은 HDL-콜레스테롤(60 mg/dl 이상)은 보호인자로 간주하여 총 위험인자 수에서 하나를 뺀다.)

2 관상동맥질환에 준하는 위험
1) 죽상경화질환(말초혈관질환, 복부대동맥류, 경동맥질환[일과성 뇌허혈 혹은 경동맥에 기인한 뇌졸중 혹은 50%이상의 경동맥 협착])
2) 당뇨병
3) 관상동맥질환 10년 위험도가 20% 이상이면서 위험요인 2개 이상인 경우

- 관상동맥질환 10년 위험도 계산은 www.nhlbi.nih.gov/guideline/cholesterol에서 확인할 수 있다.
- 1개 이하의 위험요인을 가진 대부분의 사람은 10년 위험도가 10% 미만이므로 이런 사람들에게는 위험도 계산은 필요하지 않다.
- LDL-콜레스테롤이 190-220 mg/dl인 사람 중, 위험인자가 없는 35세 미만의 남자와 폐경기전 여성은 약물치료를 연기하여야 한다.

1) 생활습관의 개선

식이요법, 운동, 체중조절이 중요하다.

2) 약물 치료

생활습관의 개선만으로 총콜레스테롤및 LDL-콜레스테롤이 목표수준에 도달하지 않으면 약물치료를 고려한다. 약물치료는 대개 장기간 또는 일생동안 지속하여야 하는 것이 보통이므로 식이요법만으로는 목적을 달성할 수 없다는 것이 확인된 후에 시작해야 한다.

LDL-콜레스테롤이 높은 경우에는 스타틴, 니코틴산, 에제티미브, 담즙산 수지를 사용한다.
중성지방이 200-499 mg/dl 인 경우에는 LDL-콜레스테롤 수준에 따라 위험도를 분류하여 일차적으로 먼저 LDL-콜레스테롤 농도를 목표치 이하로 낮추기 위해 스타틴이나 니코틴산을 사용한다. LDL-콜레스테롤이 정상화된 후에도 중성지방의 농도가 계속 높으면 non HDL-콜레스테롤(=총콜레스테롤-HDL 콜레스테롤) 농도를 목표치 이하로 낮추기 위해 피브르산 유도체, 니코틴산, 오메가 3 지방산을 더 사용한다. 이때, 목표 non HDL-콜레스테롤의 농도는 LDL-콜레스테롤의 목표치에 30을 더한 값이다.

중성지방이 500 mg/dl 이상 높아진 환자에게는 급성췌장염의 위험을 낮추기 위해 저지방식을 엄격히 시행하고 피브르산 유도체나 니코틴산과 같이 중성지방을 주로 저하시키는 약물의 투여가 필요하다.

표 3-15. 고지혈증의 형태와 약물의 선택

LDL-콜레스테롤 단독 상승	스타틴, 니코틴산, 에제티미브, 담즙산 수지
LDL-콜레스테롤과 중성지방 상승(500 mg/dl 미만)	1차 : 스타틴, 니코틴산 2차 : 1차 약 + 피브르산 유도체, 니코틴산, 오메가 3 지방산
콜레스테롤과 중성지방 상승(500 mg/dl 이상)	1차 : 피브르산 유도체, 니코틴산 2차 : 1차 약 + 피브르산 유도체, 니코틴산, 오메가 3 지방산
중성지방만 상승	스타틴, 피브르산 유도체, 니코틴산, 오메가 3 지방산

09 통풍검사

목표질환 : 통풍, 무증상 고요산혈증

〈검사 항목〉
요산(uric acid)

요산은 통풍을 일으키는 원인물질이다. 요산은 정상농도에서는 체내에서 발생하는 유해산소에 의해 세포가 파괴되지 않도록 강력한 항산화작용을 하고, 반면에 고농도에서는 오히려 산화를 조장해서 과산화지질을 만들어내 동맥경화 등 혈관질환을 유발하는 이중적인 작용을 한다.

요산은 세포핵 내의 핵산 특히 퓨린(purine)의 대사과정에서 생성된다. 퓨린은 아데닌과 구아닌을 말하며, 유전자복제, 유전자전사, 단백질 합성, 세포대사에 중요한 역할을 한다. 퓨린의 대사과정 최종단계에서 hypoxanthine이 핵산분해효소(xanthine oxidase)에 의해 xanthine이 되고, 이것이 다시 핵산분해효소(xanthine oxidase)에 의해 요산이 된다.

혈액 속의 요산은 2가지 경로로 만들어 진다. 하나는 섭취한 음식물에서 유래된 것이고, 또 다른 하나는 자신의 신체에서 파괴되는 세포에서 유래된 것이다. 이중에서 혈중 요산치의 유지에 더 중요한 역할을 하는 것은 신체 내부에서 유래된 요산이다.

요산을 소변으로 쉽게 배설하게 하기 위해 수용성물질로 전환시키는 요산분해효소(uricase)가 인체 내에는 존재하지 않기 때문에, 요산의 항정상태를 유지하기 위해서는 매일 일정량의 요산이 장과 신장을 통해 배설되어야 한다. 총 배설의 30%는 장내세균에 의해 분해되어 장을 통해 이루어지므로 정상적인 대변에서는 요산이 검출되지 않는다. 나머지 70%는 신장을 통해 배설되는데, 이 중에서 약 90% 정도가 근위세뇨관을 통해 재흡수된다. 이렇게 요산의 생산과 몸 밖으로의 배출이 서로 균형을 이루면 혈중 요산치는 정상으로 유지되어 문제를 일으키지 않는다.

고요산혈증(hyperuricemia)

혈액 중에 요산이 많은 상태를 말한다. 체내에서 요산이 많이 생기거나, 신장 기능의 이상으로 잘 배출되지 않거나, 퓨린이 많은 음식의 섭취로 인해 요산이 체내에 축적되어, 혈중의 요산수치가 장기간 증가되면, 불용성 요산이 연부조직이나 관절 내에 침착되어 염증반응을 유발하면 통풍이 발생한다. 고요산혈증의 85-90%는 신장에서의 배설장애에서 기인한다.

고요산혈증은 통풍성 관절염의 발생을 예측하는 중요한 인자이다. 일반 인구의 5-8%에서, 성인의 1 /3정도에서 일생동안 발견된다.

- 고요산혈증
  남자 7.0 mg/dl 이상
  여자 6.0 mg/dl 이상

24시간 소변의 요산배설을 측정하여 800 mg/day (12 mg/kg/day) 이상이면 체내 요산생산이 증가되었음을 의미한다.

1. 고요산혈증과 통풍

"고요산혈증은 통풍과는 다른 상태다." 통풍환자는 대개 고요산혈증이 있지만, 아무런 증상이 없이 혈액 검사에서만 고요산혈증 소견을 보이는 경우도 있어서 이를 "무증상 고요산혈증"이라고 한다. 고요산혈증이 임상적으로 증상을 보이면 통풍이라고 한다.

대개 고요산혈증을 가진 환자의 5-15%정도만 통풍으로 발전되고, 혈청요산수치가 10 mg/dl이면 그 발생 위험은 30-50%까지 상승한다.

대부분의 경우는 평생 동안 뚜렷한 증상 없이 지낼 수 있으므로, 고요산혈증이 있더라도 관절염(통풍), 요로결석, 신장질환 등이 발생하지 않은 경우에는 약물치료를 할 필요는 없으나, 요산이 높아진 원인을 찾아 그것을 제거하는 것이 좋다.

2. 고요산혈증과 심혈관계 질환

고요산혈증을 심혈관계 질환의 발생의 위험인자로 보고 있다.

1) 고혈압에 의해 혈중 요산수치가 상승되고, 반대로 고요산혈증에 장기간 노출되면 혈압이 상승한다.

2) 미세단백뇨의 발생이나 신장기능의 저하를 일으켜 만성신장질환 발생의 위험인자로 보고 있다.
3) 체중 및 중성지방 농도가 증가되고, 인슐린저항성을 높여 지방간을 포함한 대사성 장애를 일으킨다.
4) 산화 스트레스의 증가, 산화질소(NO)합성의 감소와 혈관염증반응의 증가로 죽상동맥경화증을 유발한다.

3. 고요산혈증의 치료

증상이 없는 경우, 대부분 치료는 필요 없다. 하지만 무증상 고요산혈증에서 요산강하제로 치료를 해야 하는 경우는 다음과 같다.

1) 요산농도가 남자 13 mg/dl 이상, 여자 10 mg/dl 이상인 경우
2) 24시간 소변의 요산배설이 1,100 mg 이상인 경우
3) 악성종양환자 등에서 급하게 요산이 올라가는 상황이 예상되는 경우

고요산혈증에 사용되는 요산강하제
1. 요산합성억제제(xanthine oxidase를 억제) : allopurinol, febuxostat
2. 요산배설촉진제 : probenecid, benzbromarone

4. 고요산혈증의 식이요법

저퓨린식이(purine-free diet)를 통한 식이요법으로 혈중 요산의 농도를 1-2 mg/dl 정도 감소시킬 수 있다.

1)비만한 사람은 체중을 줄여서 표준체중을 유지해야 한다. 하지만 체중을 급격히 줄이면 요산이 증가하므로 체중감량은 서서히 해야 한다.
2) 술은 요산의 배설을 방해하므로 엄격하게 피해야 한다. 술은 적은 양을 마셔도 통풍에 걸릴 위험도가 높으며, 그 양이 많을수록 위험도는 증가된다. 특히 맥주에는 퓨린이 많이 들어있어 주의해야한다.
3) 가축의 내장(간, 콩팥, 심장 등), 육수, 멸치, 젓갈, 내장탕, 곰탕, 알탕, 등푸른 생선(정어리, 청어, 고등어 등), 홍합 등에는 퓨린이 많이 들어 있으므로 엄격하게 피해야 한다. 붉은 살 육류(소, 돼지, 양 등), 해산물(새우, 게, 굴 등) 등은 될수록 피한다.
4) 물을 많이 마시면 신장에서 요산이 배출되는 것을 촉진하고 요로결석이 생기는 것을 막아주므로 충분한 양의 물(하루 1.5-2리터)을 마신다.
5) 비타민C 복용은 요산의 신장배설을 증가시켜 도움이 되는 것으로 알려져 있다.
6) 고요산혈증과 동반된 원인(비만, 고혈압, 고지혈증, 음주)을 교정하는 것이 도움이 된다.

7) 약을 먹은 뒤 요산치가 떨어졌다고 해서 관리를 소홀히 하면 다시 요산치가 올라갈 수 있으므로 요산의 양을 줄여주는 생활습관을 유지하고 정기적인 혈액검사를 해야 한다.

통풍(gout)

통풍은 혈액의 요산 농도가 증가하면서 생기는 급성 관절염, 통풍성 결절 형성, 신장질환, 요로결석 등을 총칭하여 일컫는 용어이다.

1. 통풍의 증상

통풍은 임상 양상에 따라 4단계로 나눌 수 있다.

1) 무증상 고요산혈증 : 혈중 요산은 높으나 증상이 없는 시기
2) 급성 통풍성관절염 : 급성 관절염이 나타나서 몹시 아픈 시기
3) 발작간 통풍 : 급성 통풍성 관절염은 해소되고 증상이 없는 시기
4) 만성 통풍성관절염 : 통풍결절이 관절이나 주위 조직에 발생하는 시기

고요산혈증이 오래 지속되면 요산결정체(monosodium urate crystal)가 관절에 침착되어 염증을 일으키고 급성 통풍성관절염이 발생한다. 수년간 가끔씩 증세를 보이다가 어느 날 갑자기 격렬한 통증이 생기는데 이불이 스치기만 해도 참을 수 없을 정도로 아프다고 호소한다. 요산의 축적물인 통풍결절이 관절 속에 침착되면서 발갛게 관절 부위가 붓게 되고 심하게 다리를 절거나 변형이 올 수도 있다. 가장 흔히 침범되는 관절은 엄지발가락의 중족-족지 관절(1st metatarso-phalangeal joint)이고, 그 외 발목, 무릎에도 잘 발생한다.

급성 통풍성관절염의 재발은 6개월에서 2년 사이에 가장 빈번하며, 첫 발작부터 평균 10년 후에는 통풍결절이 생기는데, 결국에 관절을 손상시켜 관절의 장애를 초래하는 만성 통풍성관절염으로 진행한다.

요산이 신장에 쌓이게 되면 신장질환이 생기고, 요산의 배설이 증가하면서 돌을 형성하여 신장결석이나 요로결석을 초래하기도 한다.

2. 통풍의 진단

통풍으로 진단하려면 부어있는 관절에서 관절액을 천자한 후 편광현미경을 통해 요산결정체나 통

풍결절이 확인되어야 통풍으로 확진할 수 있다. 일반적으로 급성 통풍성 관절염의 진단기준은 1977년에 미국류마티스학회에서 제시한 기준을 많이 이용하고 있다.

다음 13개 항목 중에서 확진에 필요한 2가지, 즉 관절 천자액에서 요산결징체의 확인과 통풍결절을 제외한 11가지 항목 중에서 6개 이상을 만족할 경우 급성 통풍성 관절염으로 진단할 수 있다.

① 1번 이상의 급성 관절염
② 염증이 하루 이내에 최대로 발전
③ 단관절염 발작
④ 관절 위에 발적(redness)이 있음
⑤ 엄지발가락의 중족-족지 관절(1st MTP joint)의 통증 또는 종창
⑥ 일측성 1st MTP joint의 발작
⑦ 일측성 발목뼈관절(tarsal joint)의 발작
⑧ 통풍결절(확인되었거나 의심됨)
⑨ 고요산혈증
⑩ 방사선 사진에서 비대칭성 관절의 종창
⑪ 방사선 사진에서 골미란이 없는 피질하낭종(subcortical cyst)
⑫ 발작동안 관절액에서 요산결정체(monosodium urate crystal)의 발견
⑬ 발작동안 관절액 미생물 배양에서 음성 결과

3. 통풍의 치료

임상적 단계에 따라 적절한 치료제의 선택이 통풍 치료의 핵심이다.

1) 급성 통풍성관절염의 치료

대개 7일에서 10일 후면 저절로 호전되는데, 통증을 경감하고 경과를 단축하기 위해 주로 비스테로이드성 항염증제(NSAID), 콜치신(colchicine), 스테로이드 등이 사용된다.

allopurinol이나 probenecid와 같은 요산강하제는 관절의 염증과 통증을 악화시킬 수 있으므로 기존에 복용하고 있지 않았던 환자는 이 시기에 사용을 피해야 한다. 이미 요산강하제를 복용하고 있었던 환자는 중단하지 말고 계속 사용해야 한다. 혈중 요산의 갑작스런 변동은 급성 발작을 촉발하거나 악화시킬 수 있기 때문이다.

(1) 비스테로이드성 항염증제(NSAID) : 진단이 확실하고 합병증이 없는 경우에 가장 좋은 치료제이다. 하루에 사용 가능한 최대 용량까지 사용한다.

(2) colchicine : 통증이 발생된 후 24-48시간 사이에 투여하면 통증완화에 가장 효과적이지만, 최근

에는 부작용으로 인해 잘 사용하지 않는다.

(3) 스테로이드

2) 만성 통풍성관절염의 치료

합병증 발생을 감소시키기 위해서는 요산을 저하시키는 치료를 해야 한다. 고요산혈증을 장기간 조절하는 것이 중요하고, 치료는 평생 지속하는 것이 일반적이다. 혈청 요산의 목표치는 6 mg/dl 이하로 유지하도록 한다.

요산강하제를 사용하면 첫 2달 동안 혈중 요산의 변동으로 인해 급성 발작이 올 수 있으므로 요산강하제의 시작과 더불어 예방 치료를 해야 한다. 이를 위해 요산강하제와 함께 저용량의 NSAID와 콜치신이 사용된다. 예방치료의 사용기간은 6개월간 또는 혈중요산이 6 mg/dl 이하로 된 후 3개월간 사용한다.

(1) 요산강하제

- 요산합성억제제(xanthine oxidase를 억제) : allopurinol, febuxostat

  allopurinol은 신장기능이 저하되어 있거나 이뇨제를 사용하는 환자에서는 드물지만 심각한 부작용이 발생할 수 있으므로 주의해야 한다.

  febuxostat는 allopurinol과 관련된 부작용이 감소된 새로운 약제이다.

- 요산배설촉진제 : probenecid, benzbromarone

(2) 요산강하제 유지요법을 해야 하는 경우는 다음과 같다.

① 1년에 2회 이상의 통풍발작이 있는 경우

② 통풍결절(tophaceous gout)이 있는 경우

③ 방사선 검사에서 미란이 있는 관절염

④ 요산과 관련된 신장질환이 있는 경우

3) 동반된 질환의 치료

통풍환자는 고혈압, 비만, 음주, 고지혈증, 당뇨병, 위식도질환, 만성 간염, 만성 신장질환, 골다공증 등 동반질환을 동시에 가지고 있는 경우가 많다.

통풍환자에게 좋은 고혈압 약제 : losartan, amlodipine - 요산배설을 증가시킨다.

통풍환자에게 좋은 고지혈증 약제 : atorvastatin, fenofibrate - 요산강하 효과가 있다.

10 전해질검사

목표질환 : 체액 불균형, 부갑상선 질환, 신장질환

<검사항목>
Na(나트륨)
K(칼륨)
Cl(염소)
Ca(칼슘)
P(인)

전해질검사는 혈액 중에 나트륨(Na^+), 칼륨(K^+), 염소(Cl^-), 칼슘(Ca^{+2}), 인(P)의 정상여부를 확인하는 검사이다.

체액중의 전해질 농도는 건강한 상태에서는 일정하게 유지되지만, 어떤 질병에 걸리게 되면 농도가 변화하게 된다. 어떤 음이온의 농도가 증가하면, 이를 보상하기 위해 다른 음이온이 감소하거나 상응하는 양이온이 증가하여 체내 전해질들의 중성상태가 유지되게 된다. 반대의 경우가 발생하더라도 같은 기전을 통해 체내 중성상태가 유지된다. 그러므로 전해질의 농도를 측정하여 전해질의 불균형이 발생하는 질병 등을 진단하는 목적으로 사용할 수 있다.

전해질의 조절에 관계가 깊은 신장의 질환, 신장에서 전해질 대사를 조절하는 내분비 기관의 질환, 그 외에 간, 심장, 소화기 질환에서도 전해질의 불균형을 초래할 수 있으며, 이뇨제 등 각종 약물에 의해서도 전해질 불균형의 원인이 될 수 있다.

1. 체액(body fluid)

체중의 약 60%는 수분 즉 체액이다.

1) 체액의 역할

(1) 영양소를 세포로 운반한다.

(2) 대사결과 생성된 노폐물을 신장, 폐, 피부를 통해 제거한다.

(3) 정상 체온을 조절하는데 기여한다.

(4) 위장관에서 영양소의 흡수를 용이하게 해준다.

(5) 외부의 충격으로부터 내부장기를 보호하는 역할을 한다.

(6) 관절의 윤활작용을 한다.

2) 체액의 구성

체액은 크게 세포 안의 세포내액과 세포 밖의 세포외액으로 구분된다.

1) 세포내액(intracellular fluid, ICF)은 생명현상의 기본이 되는 모든 생화학적 반응이 일어나는 곳이다.

2) 세포외액(extracellular fluid, ECF)은 세포를 둘러싸고 있어 산소, 영양물질 등 세포가 필요로 하는 모든 물질을 외부 환경으로부터 받아 세포에 공급해 주고, 세포 내에서 생성된 노폐물을 체외로 배출한다. 또한 전해질 농도 등을 일정하게 유지시켜 세포의 기능을 원활하게 한다. 인체를 구성하는 세포가 세포외액 속에 잠겨 있다고 보면 된다. 세포외액은 다시 혈장, 간질액, 체강수분으로 구분된다.

(1) 혈장(plasma) : 혈관 안에 있는 혈액의 수분 성분이다.

(2) 간질액(interstitial fluid, ISF) : 세포와 세포 사이에 위치하여 세포를 직접 둘러싸고 있다. 림프액도 이에 속한다.

(3) 체강수분(transcellular fluid) : 소화관, 늑막강, 심막강, 관절낭, 복강, 안구의 전방, 뇌척수 등 체강에도 소량의 수분이 들어있다.

혈장은 모세혈관 벽을 통해 산소와 영양분을 간질액에 공급한다. 간질액은 혈장으로부터 받은 산소와 영양분을 세포로 공급해준다. 또한 간질액은 세포로부터 받은 이산화탄소와 노폐물을 모세혈관 벽을 통해 혈장으로 이동시킨다.

체액은 세포막을 중심으로 세포 내에 2/3, 세포 외에 1/3 비율로 나뉘어 분포하고 있다.

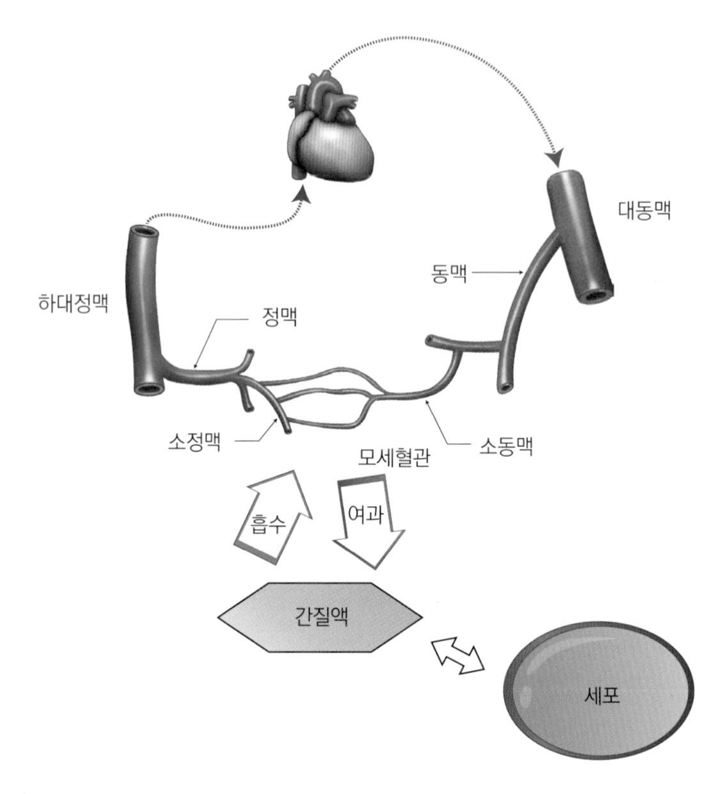

그림 3-22 간질액을 사이에 둔 혈액과 세포사이의 물질이동

체액	
세포내액 67%	세포외액 33% (간질액 24.75%, 혈장 8.25%)

2. 체액 내 전해질의 구성

체액은 각종 유기물질과 무기물질을 함유하고 있다. 무기물질은 전해질과 비전해질로 나눌 수 있다.

- 전해질은 전기를 잘 통하게 하는 물질로, 체액에 존재하는 모든 무기물질의 이온(ion)이 포함된다. 전해질의 이온에는 양이온(+)과 음이온(-)이 있다.
  주요 양이온은 나트륨(Na^{+}), 칼륨(K^{+}), 칼슘(Ca^{+2}), 마그네슘(Mg^{+2}) 등이 있고, 주요 음이온은 염소(Cl^{-}), 중탄산염(HCO_3^{-}), 인산염(HPO_4^{-2}), 황산염(SO_4^{-2}), 유기이온(유산, 음이온을 띠는 단백) 등이 있다.

- 비전해질은 전기를 통하지 않으므로 이온이 될 수 없다. 포도당, 아미노산, 요소, 크레아티닌과 같은 것이 있다.

혈장과 간질액 간의 전해질 구성은 거의 비슷하지만, 간질액은 단백질이 거의 없는 반면 혈장은 단백질을 많이 함유하고 있다.

세포내액과 세포외액은 세포막의 특성 때문에 그 안에 함유하고 있는 물질들의 조성이 서로 다르다.

- 세포내액은 칼륨(K^+)이 세포외액에 비해 농도가 높고, 세포외액은 나트륨(Na^+), 염소(Cl^-), 중탄산(HCO_3^-)이 세포내액에 비해 농도가 높다.
- 세포내액의 주요 양이온은 칼륨(K^+)이고, 기타 마그네슘(Mg^{+2}), 나트륨(Na^+) 등을 포함하고 있다. 주요 음이온은 인산염(HPO_4^{-2})과 단백질이다.
- 세포외액의 주요 양이온은 나트륨(Na^+)이다. 주요 음이온은 염소(Cl^-)와 중탄산염(HCO_3^-)이고, 소량의 인산염(HPO_4^{-2}), 황산염(SO_4^{-2}), 유기산염을 포함한다.

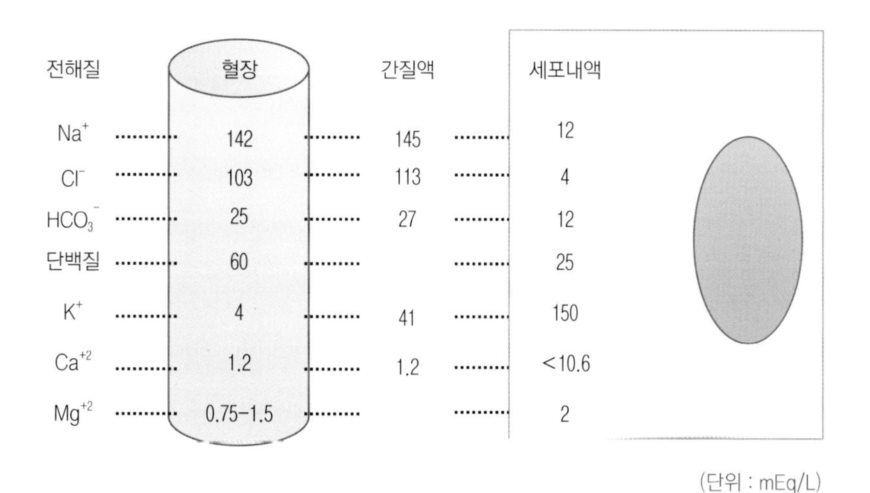

그림 3-23 혈장, 간질액, 세포내액의 전해질 성분의 차이

세포내액과 세포내액의 조성에 차이가 있음에도 불구하고 양이온과 음이온들의 합은 같아서 전기적인 중성을 나타낸다.

3. 체액과 전해질의 균형

체액을 구성하는 세포내액과 세포외액은 세포막을 통해 끊임없이 이동하고 교류하며 일정한 균형을 이루면서 세포내 환경을 유지시킨다. 세포내액은 우리 생명을 유지하는 데 중요한 대부분의 생화학적 반응이 일어나는 곳이다. 하지만 세포외액이 생리적인 범위를 벗어나면 세포막의 기능을 유지할 수 없어 세포 자체의 기능을 상실하게 된다.

사람이 생명을 유지하려면 체액을 구성하는 성분과 체액량이 항상 일정한 범위 내에서 유지되어야 한다. 이 작용은 주로 신장에서 소변의 량과 삼투질 농도를 조절함으로써 이루어진다. 이러한 조절에는 2가지 기전이 있다.

- 항이뇨호르몬에 의한 체액의 삼투질 농도(Na 농도)의 조절
- 알도스테론에 의한 체액량의 조절

1) 항이뇨호르몬(ADH)에 의한 체액의 삼투질 농도(Na 농도)의 조절

혈장의 삼투질 농도는 300 mOsm/kgH2O로 유지되고 있다. 혈액이 신장을 거치는 동안 소변이 만들어지는데 이때 소변 내의 삼투질 농도의 변화를 감지하여 소변을 농축하거나 희석한다.

만일 탈수 등으로 인해 수분이 손실되어 혈장의 삼투질 농도가 높아지면, 시상하부에서 항이뇨호르몬(ADH)이 분비가 촉진되고, 원위세뇨관과 집합관에서 수분에 대한 투과도가 증가하게 되므로 수분 재흡수가 증가된다. 결국 농축된 소량의 요가 배설되고 혈장의 삼투질 농도는 낮아지면서 정상으로 회복된다.

너무 많은 물을 섭취해서 혈장의 삼투질 농도가 낮아지면 이와 반대의 기전으로 작용하여 희석된 다량의 요가 배설되고 혈장의 삼투질 농도는 높아지면서 정상으로 회복된다.

2) 알도스테론에 의한 체액량의 조절

인체는 일정한 체액량을 유지하는 것이 생명유지에 필수적인데, 특히 혈장량의 유지가 가장 중요하다. 이를 위해서는 혈장에 가장 많이 함유되어 있는 전해질인 Na^+ 균형이 정확히 조절되어야 한다. 체내 Na^+ 함량의 조절은 알도스테론 분비 조절에 의해 주로 신장에서 이루어지고 있다.

혈중 Na^+량이 감소하거나 신장으로 유입되는 혈류량이 감소하면, 신장의 수입소동맥의 벽에 있는 사구체옆세포(juxtaglomerular cell)에서 레닌(renin)을 분비한다. 레닌은 간에서 합성되어 혈장 내에 존재하고 있는 안지오텐시노겐(angiotensinogen)에 작용하여 이를 안지오텐신 I으로 변화시킨다. 안지오텐신I 은 폐에서 분비되는 안지오텐신전환효소(angiotensin converting enzyme, ACE)에 의해 활성도가 높은 안지오텐신 II로 전환된다. 안지오텐신 II는 부신피질로 가서 알도스테론의 분비를 촉진시키게 되

며, 알도스테론은 집합관에서 Na^+의 재흡수를 촉진시킨다. 이때 등장성으로 수분을 같이 흡수해서 혈액량이 증가하고 혈압이 정상적으로 회복된다.

레닌 ACE
안지오텐시노겐 → 안지오텐신I → 안지오텐신 II → 알도스테론 분비 촉진

반대로 혈중 Na^+량이 증가하거나 신장으로 유입되는 혈류량이 증가하면, 알도스테론의 분비가 감소되거나 심방나트륨이뇨단백(atrial natriuretic peptide)의 분비가 증가되어 혈액량을 감소시킨다.

하루에 마셔야 하는 물의 양은 얼마나 될까?

인체의 대사활동 결과 생성된 노폐물을 소변으로 배설시키기 위해서는 최저 500 ml의 수분이 필요하다. 또한 인체 내에서는 계속적으로 피부와 폐를 통해 불감손실이 일어나고 있으므로 기본적으로 요구되는 수분요구량은 하루에 1,500 ml이며, 정상적인 수분균형을 위해 필요한 최소량은 하루 2,000 ml에 해당된다.

수분요구량에 비해 수분섭취량이 적으면 탈수가 일어나게 되는데, 인체는 탈수에 대해 저항력이 매우 낮아 체액량의 5-8%가 소실되면 기운이 없고 맥박수와 체온이 상승하며 의식장애가 오게 된다.

- 전해질 농도의 정상범위
  나트륨 : 135-145 mmol/L
  칼륨 : 3.5-5.5 mmol/L
  염소 : 95-110 mmol/L
  칼슘 : 8.5-11 mg/dl
  인 : 2.3-5.5 mg/dl

4. 체내에서 전해질의 역할과 임상적 의의

1) 나트륨

세포외액의 대표적인 양이온으로 세포내액과 세포외액 사이의 삼투압을 형성, 유지시키고, 체내 수분 균형를 조절하는 매우 중요한 전해질이다. 또, 근육수축과 신경자극의 전달에 필요한 전기화학적 상

태를 만든다.

수분의 변동에 따라서 나트륨의 농도도 변화하므로 체내 수분량의 평형 상태를 알 수 있다. 나트륨의 혈중농도 증가는 탈수증 또는 나트륨 배설의 감소를 시사한다. 나트륨의 혈중농도 감소는 상대적인 수분과잉 또는 나트륨의 비정상적인 손실이나 섭취부족을 의심할 수 있다.

(1) 나트륨의 혈중농도 증가(고나트륨혈증, hypernatremia) : 145 mmol/L 이상

원인은 탈수(구토, 설사, 발한 등), 당뇨병성 혼수, 요붕증(diabetes insipidus), 원발성 알도스테론증, 식염의 대량 섭취 등이 있다.

증상은 대부분 중추신경계에서 일어나는데, 세포외액의 삼투압이 증가되어 뇌세포가 수축되면서 임상증상이 나타난다. 불안, 기면, 혼수, 사망 등이 생길 수 있다.

(2) 나트륨의 혈중농도 감소(저나트륨혈증, hyponatremia) : 135 mmol/L 이하

혈중 지질 및 단백질이 높은 사람은 수치가 실제보다 낮게 측정되어 가성저하를 보일 수 있다.

원인은 이뇨제 사용, 항이뇨호르몬부적절분비증(SIADH), 다량의 설사와 구토 후 수분섭취가 있는 경우, 심한 다뇨증, 대사성 산증, 급성 및 만성 신부전, 당뇨병성 산증, 신증후군, 애디슨병, 심부전, 복수를 수반한 간경변, 영양 결핍 등이 있다.

자각 증상이 거의 없다. 농도가 120 mEq/l 이하일 때 기면, 쇠약감, 졸음이 발생 할 수 있고, 심하면 뇌부종으로 혼수, 사망에 이를 수도 있다.

2) 칼륨

세포내액의 대표적 양이온으로 세포내액의 삼투질 농도를 조절한다. 칼륨의 증가나 감소는 입원 환자에서 비교적 흔하게 보이고 이환율 및 사망률에 영향을 미칠 수 있다.

칼륨의 대부분이 세포 내에 존재하기 때문에 혈액검사로는 체내의 전체 칼륨량을 측정하기는 어렵다. 그러나 혈청칼륨을 측정하면 어느 정도는 체내 총 칼륨의 변화를 알 수 있다. 혈청 칼륨이 1 mmol/L 변동하는 것은 체내 총 칼륨이 100-400 mmol/L 변동하고 있다는 것을 나타낸다.

그 외에 나트륨과의 상호작용을 통해 근육의 수축과 신경자극의 전도를 돕는다. 세포대사에서 효소 활동과 간에 글리코겐 저장을 돕는다. 수소이온과 세포교환을 통해 산-염기 균형을 유지한다.(알칼리혈증에서는 감소, 산혈증에서는 증가)

(1) 칼륨의 혈중농도 증가(고칼륨혈증, hyperkalemia) : 5.5 mmol/L 이상

칼륨섭취가 많아도 신장은 칼륨 배설을 조절할 수 있는 능력이 있으므로 신장기능의 장애가 없는 한 고칼륨혈증은 잘 일어나지 않는다.

그러나 신장기능이 떨어지면 신장에서 칼륨 배설이 감소되어 고칼륨혈증이 생길 수 있다. 또, 칼륨이 세포내액에서 세포외액으로 방출되어 급격히 상승된 혈청 칼륨이 신장에서의 칼륨 소실보다 많을 때도 발생한다. 섭취한 칼륨이 혈액으로 흡수되면 췌장에서 인슐린 분비되어 칼륨을 세포 내로 이동해야 하는데, 당뇨병에 의해 인슐린 합성에 문제가 있을 때에는 고칼륨혈증이 발생하기 쉽다.

원인질환으로는 칼륨 배설량의 저하를 일으키는 급성 및 만성 신부전증, 알도스테론 기능저하증, 칼륨보존성 이뇨제의 사용, 주기성 고칼륨성 마비증, 애디슨병, 대사성 산증, 세포의 파괴를 일으키는 화상, 용혈성 질환, 타박상, 수술 등이 있다.

증상으로 가장 중요한 것은 심장 부정맥이다. 또, 암모니아 생성과 분비과정을 억제하여 요중 암모니아 배설을 감소시키므로 대사성 산증을 유발하기도 한다.

가성 고칼륨혈증

칼륨에 대한 검사결과가 임상적으로 예상되는 결과치보다 높게 나타날 수 있는데, 다음과 같은 경우이다.

- 잘못된 검체채취 : 심하게 정맥 압박을 한 상태에서 채혈하거나 채혈할 때 용혈이 있으면, 적혈구로부터 유리된 칼륨에 의해 고칼륨혈증을 보일 수 있다.
- 백혈구 증가증, 혈소판 과다증, 골수 증식성 질환 등이 있으면, 채혈 후 혈액을 원심분리하여 혈구 성분을 제거하고 상층의 혈청으로 칼륨 수치를 측정해보면 칼륨이 전혈이나 혈장보다 0.1-0.7 mmol/L 정도 높다. 이는 혈액 응고과정에서 세포가 파괴되면서 세포 안에 있던 칼륨이 세포 밖으로 나온 경우이다.

(2) 칼륨의 혈중농도 감소(저칼륨혈증, hypokalemia) : 3.5 mmol/L 이하

원인은 이뇨제를 장기 복용한 경우, 칼륨이 함유되지 않은 수액을 장기간 정맥주사한 경우, 심한 설사에 의해 칼륨의 배설이 증가한 경우, 심한 구토에 의한 알칼리혈증으로 신장을 통해 칼륨의 배설이 증가한 경우, 원발성 알도스테론증, 스테로이드제제의 장기 복용 등이 있다.

증상은 주로 신경근육계에 이상이 생긴다. 혈청 칼륨치가 2.0-2.5 mEq/L가 되면 근 무력증이 발생한다. 더 심해지면 근육마비 특히 호흡근의 마비가 발생할 수 있다. 또, 심장 부정맥, 위장관 운동감소로 인해 변비에서 장 폐색까지 유발할 수 있다.

3) 염소

세포외액의 대표적 음이온으로 산-염기 균형에 매우 중요한 역할을 한다. 그 외에 체내의 각 조직에 산소 공급과 관련되고 체내 수분의 재분포와 삼투압의 조절을 한다.

일반적으로 혈중 염소의 농도 그 자체가 진단적 의미는 별로 없다. 실제로 혈중 염소의 농도를 측정하는 이유는 혈중 나트륨의 농도를 확실시하는데 있다.

산-염기 불균형이 없는 상태에서는 혈청 염소의 농도는 나트륨 농도와 거의 평행하게 증가하고 감소하는 경향을 보인다. 하지만 산-염기 불균형이 있으면 대개 중탄산염에 따라 반대 방향으로 변동되어, 중탄산염이 증가하면 염소는 감소하고 중탄산염이 감소하면 염소는 증가하므로, 산염기 불균형을 의심할 수 있는 정보를 제공한다.

(1) 염소의 혈중농도 증가(고염소혈증, hyperchloremia) : 110 mmol/L 이상

혈중 나트륨 농도가 증가하는 요붕증, 중탄산염이 감소하는 설사나 신세뇨관성 산혈증 등에서 발생할 수 있고, 만성 신부전, 약물 중독, 살리신산 중독, 호흡성 알칼리혈증 등에서도 발생할 수 있다.

(2) 염소의 혈중농도 감소(저염소혈증, hypochloremia) : 95 mmol/L 이하

혈중 나트륨의 농도가 감소하는 구토, 당뇨성 케톤산혈증, 신부전으로 인한 대사성 산증 등에서 발생할 수 있고, 만성 신우신염, 애디슨병, 당뇨성 케토산혈증, 신부전 등에서도 발생할 수 있다.

4) 칼슘

칼슘의 역할은 다음과 같다.

- 뼈와 치아를 구성한다. 체내 칼슘의 약 99%가 뼈와 치아에 있고, 나머지 약 1%가 혈액과 신경세포에 있다.
- 근육의 수축과 이완을 원활하게 한다.
- 심장의 규칙적인 박동
- 신경의 흥분과 자극 전달
- 신경전달물질의 방출에 필요하다.
- 세포막에서 이동물질의 조절인자로서 기능한다.
- 상처가 난 경우 지혈하는 과정을 도와준다.

혈중 칼슘은 3가지 형태로 존재한다.

① 이온 형태인 유리형(이온화 칼슘)이 약 45%

② 단백질에 결합된 결합형이 약 50%

③ 나머지 5% 정도는 인, 구연산(citrate), 중탄산(bicarbonate) 등과 복합체를 형성한다.

임상검사에서는 3 가지 형태가 모두 포함되는 총 칼슘량으로 측정된다.

혈장내 총 칼슘량은 알부민의 영향을 받기 때문에 이온화 칼슘을 측정하는 것이 좋다. 하지만, 알부민이 낮은 경우에는 이온화 칼슘치가 높더라도 혈장내 총 칼슘량은 정상이거나 오히려 낮게 나타날 수 있다.

체내 칼슘을 일정하게 조절하는 가장 중요한 호르몬은 비타민D (1,25(OH)2D3)와 부갑상선호르몬이다.

(1) 칼슘의 혈중농도 증가(고칼슘혈증, hypercalcemia) : 11 mg/dl 이상

원인은 혈청 인의 변화에 따라 구분해 볼 수 있다.

① 인 증가 : 비타민 D 중독, 다발성 골수종

② 인 정상 : 골 결핵, 변형성 관절염, 전이성 골암

③ 인 감소 : 부갑상선기능항진증

증상으로는 오심, 구토, 변비, 복통, 다뇨, 다음, 소양증, 무력감, 정신장애 등이 나타날 수 있으며 드물게는 혼수가 올 수 있다.

고칼슘혈증의 경우에는 저칼륨혈증 및 저마그네슘혈증이 동반되는 경우가 흔하다.

(2) 칼슘의 혈중농도 감소(저칼슘혈증, hypocalcemia) : 8.5 mg/dl 이하

원인은 혈청 인의 변화에 따라 구분해 볼 수 있다.

① 인 증가 : 부갑상선기능저하증, 만성 신부전, 마그네슘 결핍

② 인 정상 : 저단백혈증, 신증후군, 지방성 설사, 급성 췌장염, 폐쇄성 황달

③ 인 감소 : 비타민 D 결핍(구루병), 골연화증, 폐렴, 백일해

증상은 신경 및 근육계의 흥분도가 증가하여 감각이상, 경련, 손목과 발목의 근육 강축, 안면근육 수축 등이 흔히 발생된다. 심한 경우에는 후두경련 및 전신경련으로 호흡마비가 올 수 있다. 그 외 불안, 우울증 등 정신증상이 일어날 수 있다.

치료 : 대부분의 만성적인 저칼슘혈증은 대부분 증상이 있기 때문에 치료가 필요하다. 증상이 경미한 경우에는 칼슘과 비타민 D를 경구복용 한다. 심한 경우에는 칼슘을 정맥투여 한다. 마그네슘 결핍이 있는 경우는 칼슘을 투여하기 전에 마그네슘을 우선 보충한다.

5) 인

인의 역할

- 체내에 있는 인의 85%는 칼슘과 결합하여 뼈와 치아를 구성한다. 뼈에서의 칼슘과 인의 비율은 약 2 : 1이다.
- ATP 형태로 에너지 저장에 기여한다.
- 혈액과 세포내에서 산-염기 균형을 조절하는 중요한 완충제이다.

- 세포내 DNA, RNA 등의 핵산과 세포막을 이루는 인지질의 성분이 된다.

(1) 인의 혈중농도 증가(고인산혈증, hyperphosphatemia) : 5.5 mg/dl 이상

원인은 대부분 만성 신부전이 원인이다. 신기능이 정상일 경우는 과다한 인 섭취, 과다한 칼슘 배설, 비타민 D 중독 등을 고려해 볼 수 있다.

저칼슘혈증과 동반되어 있는 경우는 부갑상선기능저하증을 고려해야 한다. 저칼슘혈증과 동반되지 않을 경우는 증상이 거의 없으며, 만성적인 경우는 혈관 석회화 등이 발생한다.

(2) 인의 혈중농도 감소(저인산혈증, hypophosphatemia) : 2.3 mg/dl 이하

원인은 칼슘이 함유된 제산제를 장기간 복용, 장기간 인 섭취의 부족, 포도당의 과량 투여, 비타민 D 결손, 악성종양에 의한 고칼슘혈증 등을 고려해 볼 수 있다.

고칼슘혈증과 동반되어 있는 경우는 부갑상선기능항진증을 고려해야 한다.

부갑상선(parathyroid gland)의 질환

전해질 중에서 칼슘(Ca)과 인(P)의 농도로 부갑상선의 기능을 평가할 수 있다. 부갑상선의 기능에 이상이 있으면서도 증상이 거의 없는 무증상 부갑상선 질환을 조기에 발견하는데 유용하다.

부갑상선은 부갑상선호르몬(parathormone)을 분비하는 작은 내분비 기관이다. 인체에는 완두콩 크기 정도의 4개의 부갑상선이 있으며, 이들은 쌍을 이루어 주로 갑상선 뒤쪽에 위치한다.

부갑상선의 기능

부갑상선호르몬은 비타민D (1,25(OH)2D3), 칼시토닌과 함께 혈액 내 칼슘과 인의 양을 조절한다.

부갑상선호르몬이 증가하면 혈액 내의 칼슘이 증가하고, 반면에 부갑상선호르몬이 감소하면 칼슘도 감소한다.

칼슘의 혈중 농도가 낮으면, 부갑상선에서 부갑상선호르몬이 분비된다. 부갑상선호르몬은 파골세포의 활성을 통해 골의 재흡수를 증가시켜 뼈 속에 들어있는 칼슘을 유리하여 혈액 내로 내보내고, 신장의 원위세뇨관에 작용해 소변으로 배설되는 칼슘의 재흡수를 촉진시켜 혈중 칼슘 농도를 빠르게 증가시킨다. 이때, 신장에서는 인의 배설을 자극한다. 또한, 부갑상선호르몬은 간접적으로 신장에서 활성형 비타민D(1,25(OH)2D3)의 합성을 증가시키는데, 활성형 비타민D는 소장에서 칼슘 흡수를 증가시켜 혈중 칼슘 농도를 천천히 증가시킨다.

칼슘의 혈중 농도가 높으면, 갑상선에서 칼시토닌(Calcitonin)이 분비되어 혈중에 있는 칼슘을 뼈로 유입시켜 뼈가 재생되게 한다. 즉 칼시토닌은 부갑상선호르몬에 길항작용을 한다.

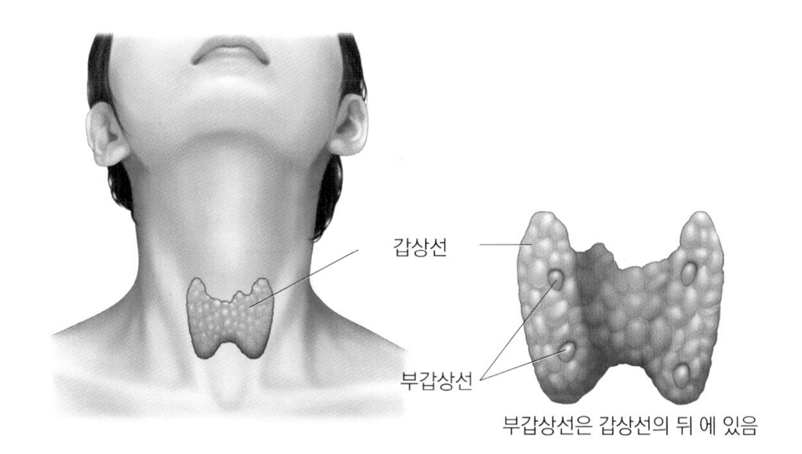

그림 3-24 부갑상선의 위치

1. 부갑상선 기능항진증

신장과 뼈에 대한 부갑상선호르몬의 작용이 증가하여 혈액 내의 칼슘 농도가 비정상적으로 높아져 고칼슘혈증을 유발하는 질환이다.

1) 증상

경증의 고칼슘혈증이 있는 경우에는 대개 증상이 없거나, 피로감, 의욕 저하 등을 초래할 수 있다.

혈중 칼슘이 13 mg/dl 이상이면 요로결석, 신장석회화증, 오심과 구토 등의 소화기 증상이 일어날 수 있다. 또, 골소실로 인한 골다공증과 골절이 발생할 수 있으므로 부갑상선기능항진증 환자 모두에서 골밀도를 반드시 측정해야 한다.

혈중 칼슘이 15-18 mg/dl까지 상승하는 심한 고칼슘혈증이 있으면 혼수상태 및 심장마비가 발생할 수 있다.

2) 원인

부갑상선 종양에 의한 경우에 발생한다. 그 외에 부갑상선암, 다발성 내분비 종양증후군, 만성적으로 부갑상선을 자극하는 만성신부전증에 의해서도 발생한다.

3) 진단

혈액검사에서 칼슘의 농도가 높고 인의 농도는 낮으면서, 부갑상선호르몬의 수치가 증가되어 있으면 부갑상선기능항진증으로 진단할 수 있다.

4) 치료

정기적으로 추적검사를 하다가 적절한 시기에 수술을 한다.

2. 부갑상선 기능저하증

신장과 뼈에 대한 부갑상선호르몬의 작용이 감소하여 혈액 내의 칼슘 농도가 비정상적으로 낮아져 저칼슘혈증을 유발하는 질환이다.

1) 증상

칼슘 농도가 저하되면 조그만 자극에도 신경과 근육이 흥분을 하여 근육의 수축을 일으키는 강직 상태가 발생한다. 가장 흔한 증상은 근육의 경련 그리고 입술과 손, 발에 발생하는 저린 증상 등이 있다.

2) 원인

(1) 수술 중에 부갑상선이 손상을 받거나 제거된 경우에 발생한다. 갑상선기능항진증이나 갑상선암에 대한 수술 중에 발생할 수 있다.

(2) 부갑상선에 대한 자가면역질환의 경우, 혈액색소침착증에 의해 부갑상선에 철분이 침착되는 경우에도 발생할 수 있다.

(3) 체내의 마그네슘 농도가 낮은 경우에도 발생할 수 있다.

마그네슘은 부갑상선 세포에서 부갑상선호르몬이 정상적으로 생산되는데 중요한 역할을 한다. 체내의 마그네슘 농도가 매우 낮으면 부갑상선 세포에서 부갑상선호르몬을 제대로 생산 할 수 없어서 칼슘 농도 또한 함께 낮아질 수 있다. 마그네슘을 보충해주면 쉽게 교정이 된다.

3) 진단

혈액검사에서 칼슘의 농도가 낮고 인의 농도는 높으면서, 부갑상선호르몬의 수치가 감소되어 있으면 부갑상선기능저하증으로 진단할 수 있다.

4) 치료

혈중 칼슘 농도를 정상으로 유지하기 위해 칼슘과 비타민D를 거의 평생 동안 복용해야 한다.

11 바이러스성 간염검사

바이러스성 간염에는 A형, B형, C형, D형, E형이 있다. 그 중에서 B형과 C형이 임상적으로 중요하며, 최근에는 A형의 발생이 증가하고 있다. 건강검진센터에서 주로 시행하는 바이러스성 간염검사 항목은 다음과 같다.

〈B형 및 C형 간염에 대한 선별검사 항목〉
HBs Ag : B형간염 표면항원 검사
HBs Ab : B형간염 표면항체 검사
HCV Ab : C형간염 항체 검사

〈A형 간염검사 항목〉
anti-HAV Ab IgM
anti-HAV Ab IgG

의료인이 아닌 일반 수검자들은 항원(antigen, Ag)과 항체(antibody, Ab)를 혼동하는 경우가 많다. 특히 B형간염에서 항원을 가지고 있는 B형간염보유자와, 항체를 가지고 있는 면역자를 혼동하는 경우가 매우 흔하다. 알기 쉽게 비유를 들어 설명해주는 것이 좋다. 예를 들어 항원을 침입자로, 항체를 경찰로 설명해주면 쉽게 이해하는 경우가 많다.

B형간염

B형간염바이러스에 감염되면, 혈류를 통해 간세포 내부로 들어가 수많은 새로운 바이러스를 복제해서 혈액으로 다시 방출한다. 인체의 면역계가 바이러스에 감염된 간세포를 공격하면서 간세포가 손

상된다. 이런 상태가 B형간염이다. 즉 B형간염은 바이러스가 직접 간세포를 손상시키는 것이 아니고, 인체의 면역세포가 바이러스에 감염된 간세포를 공격하기 때문에 일어난다.

1. B형간염의 전염경로

1) 수직감염(모자감염) : B형간염보유자인 산모가 출산할 때 신생아에게 전염시키는 경우로, 가장 흔한 전염경로이다.

2) 혈액을 통해 : 수혈, 면도날, 칫솔, 주사기, 침, 문신, 피어싱, 상처를 통한 접촉 등

3) 성 접촉 : 정액이나 질분비물을 통해 감염된다.

4) 마약사용자 : 주사기를 함께 사용하므로 감염된다.

5) 병원 종사자

B형 간염은 모유수유, 음료 또는 음식물, 기침, 재채기, 악수나 포옹 같은 일상적인 접촉을 통해서는 쉽게 전염되지 않는다. 즉 타액이나 음식으로 인한 경구감염은 거의 없다.

2. B형간염 바이러스의 구조

B형간염 바이러스는 외피와 핵으로 구성되어 있다.

1) 외피(envelope) : HBsAg을 포함하고 있다.

2) 핵(core) : HBcAg, HBeAg, DNA중합효소(DNA polymerase), 2가닥의 DNA를 포함하고 있다. 핵 표면은 HBcAg에 싸여 뉴클레오캡시드를 형성하고 있다.

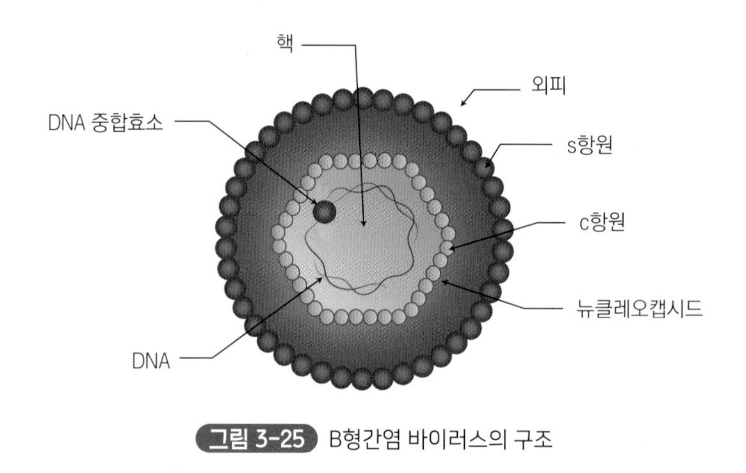

그림 3-25 B형간염 바이러스의 구조

3. B형간염 바이러스의 항원과 항체

B형간염바이러스는 3종류의 항원(s, c, e항원)이 있으며, 이 항원들에 대한 항체가 각각 따로(s, c, e 항체) 있다.

s : surface, 바이러스 표면에 있는 항원

c : core, 바이러스 내부 핵에 있는 항원

e : envelope, 바이러스 내부 핵에 있는 초기항원

표 3-16. B형간염 바이러스의 항원과 항체

	항원	항체
s	HBs Ag	HBs Ab
c	HBc Ag	HBc Ab
e	HBe Ag	HBe Ab

1) HBs Ag(B형간염 표면항원, Hepatitis B surface Antigen)

B형간염바이러스의 표면에 있는 단백질 성분으로, 감염된 사람의 혈액 안에서 발견된다.

혈액검사 결과에서 양성이면 B형간염바이러스가 있음을 의미하고 B형간염바이러스 보유자로 판단한다. HBsAg이 6개월 이상 양성이면 "만성B형간염보유자"이다.

2) HBs Ab(B형간염 표면항체, Hepatitis B surface Antibody)

표면항원(HBs Ag)에 대항하여 인체의 면역체계에 의해 만들어진 단백질로, 예방접종을 맞거나 B형간염 감염에서 회복될 때 만들어진다.

혈액검사 결과에서 양성이면 B형간염바이러스에 저항할만한 충분한 면역체제가 형성되었음을 의미하고, 이후 B형간염에는 걸리지 않는다. 예방주사를 맞는 목적이 HBs Ab를 만들기 위함이다.

3) HBc Ag(B형간염 중심항원, Hepatitis B core Antigen)

B형간염 바이러스의 내부핵(core)에 있는 항원이다. 외피에 둘러싸여 있어 혈청검사로는 검출되지 않고 간의 조직검사 때만 검출된다.

4) HBc Ab(B형간염 중심항체, Hepatitis B core Antibody)

B형간염 중심항원(HBc Ag)에 대항하여 인체가 만들어낸 단백질이다. B형 간염바이러스에 현재 감염중이거나 과거에 노출된 적이 있음을 의미한다.

혈액검사 결과에서 양성이더라도 B형간염 바이러스에 대한 면역상태를 알려주지는 않고, 단지 B형간염바이러스에 노출 된 적이 있음을 의미한다.

HBc Ab는 두 가지가 있다.

(1) HBc Ab IgM - B형간염바이러스에 감염된 초기에 나타나 약 4개월간 검출된다. 이 검사를 통해

급성과 만성간염을 구분할 수 있다

(2) HBc Ab IgG - B형간염바이러스에 과거에 감염된 적이 있다는 것을 알려준다.

5) HBe Ag(B형간염 e항원, Hepatitis B envelope Antigen)

e항원은 B형간염 바이러스의 증식 과정 중에 precore 라는 곳에서 만들어지는 항원이다. HBs Ag(+)인 경우에만, HBe Ag(+)으로 나타난다.

혈액검사 결과에서 양성이면 바이러스 증식이 활발해서 전염력이 강하다는 의미이다.

e항원이 양성인 B형간염보유자를 "증식성 B형간염보유자"라고 하고, e항원이 음성인 B형간염보유자를 "비증식성 B형간염보유자"라고 한다.

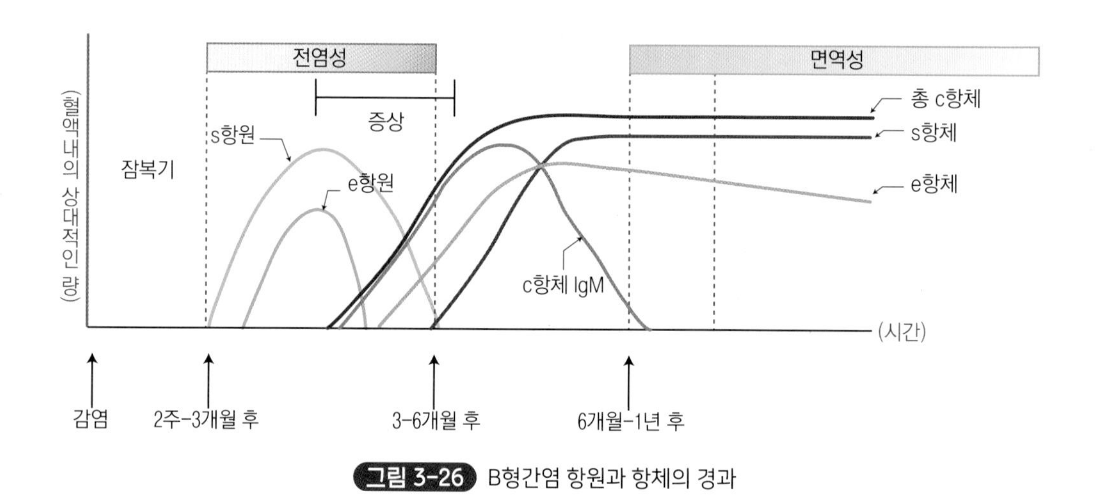

그림 3-26 B형간염 항원과 항체의 경과

6) HBe Ab(B형간염 e항체, Hepatitis B envelope Antibody)

HBe Ag에 대항해 인체가 만들어 내는 항체이며, 보통 HBe Ag이 없어진 후에 나타난다.

혈액검사 결과에서 양성이면 B형간염 바이러스의 증식이 낮음을 의미한다.

HBeAg이 없어지고 HBeAb가 생기는 것을 "e항원 혈청전환(HBeAg seroconversion)"이라고 한다. 즉 "HBeAg 양성, HBeAb 음성" 인 상태에서 "HBeAg 음성, HBeAb 양성"으로 바뀌는 것이다. 만성 B형간염의 단기적인 치료 목표가 e항원 혈청전환이다.

일부 만성B형간염보유자는 HBeAg 음성이고 HBeAb 양성이면서도 바이러스의 증식이 활발한 상태인 경우도 있으며, 이때 간세포 손상이 있으면 "e항원 음성 B형간염"이라고 한다.

7) HBV DNA(Hepatitis B viral DNA)

B형간염 바이러스의 DNA를 말하며, HBV DNA(+)은 현재 B형 간염바이러스에 감염되어 있는지

혈액 속에 얼마나 있는지를 검사하는 것이다.

B형간염 바이러스의 증식과 전염력의 지표로 HBe Ag보다 더 정확하다.

4. B형간염의 자연경과

B형간염바이러스가 수직감염에 의해 우리 몸에 들어오면 여러 단계를 거치며 반응을 일으킨다.

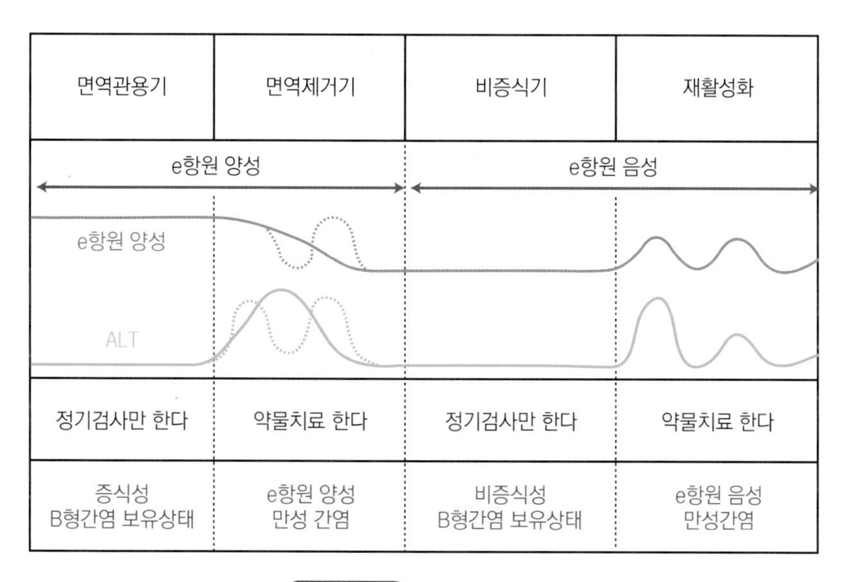

그림 3-27 간염의 진행과정

1) 면역관용기(immune tolerance phase) - 증식 B형간염바이러스 보유 시기

B형간염바이러스가 인체에 들어왔을 때, 면역계가 침입한 바이러스를 내버려 두고 있는 시기이다. 이때 B형간염바이러스의 증식이 매우 활발하여 HBeAg이 양성이지만, 증상은 없고 간세포 손상은 없거나 경미하다.

수직감염의 경우 면역관용기가 10-30년간 지속되며, HBeAg이 저절로 없어지는 경우는 드물다. 성인이 되어 감염된 만성B형간염보유자는 면역관용기가 매우 짧거나 없다.

2) 면역제거기(immune clearance phase) - e항원 양성 만성간염 시기

인체가 B형간염바이러스의 침입을 알게 되고, 이것을 제거하기 위해 감염된 간세포를 공격해 싸우는 시기이다. 조직소견에서 활동성간염을 보이므로 흔히 만성간염이 발병했다고 하는 시기이다.

수직감염인 경우 보통 15-35세 사이에 이 시기로 이행한다. 면역제거기를 성공적으로 거치면 e항원(HBeAg)이 음성으로 바뀌고 e항체(HBeAb)가 양성으로 바뀌는 e항원 혈청전환(HBeAg Seroconversion)이 일어나게 되고, HBV DNA가 현저히 감소하고, ALT가 정상으로 유지된다.

현재 만성B형간염의 치료 목표는 면역제거기를 짧게 하고, 이 기간 동안 간이 최소한의 손상을 받게 하여 비증식기에 들어가게 하는 것이다.

3) 비증식기(non-replicative phase) - 비증식 B형간염바이러스 보유 시기

면역제거기를 거치고 나서 바이러스의 수가 줄고 간손상이 없거나 경미해지는 상태이다. 비증식기는 장기간 지속되는 것이 보통이지만, 일부에서는 B형간염바이러스의 증식이 활발해지고 간세포 손상이 일어나는 '재활성화'로 갈 수 있다.

4) 재활성화(reactivation of hepatitis B) - e항원 음성 만성간염 시기

비증식기에 들어갔던 만성B형간염보유자 중에서 일부는 바이러스의 증식이 다시 활발해지고 간손상도 다시 심해진다. 이런 상태가 재활성화 시기이다.

대부분의 환자는 비증식기를 거친 뒤 재활성화로 이행하지만, 일부 환자는 면역제거기(e항원 양성 만성간염)에서 재활성화(e항원 음성 만성간염)로 바로 이행하기도 한다.

5. 만성B형간염에 의한 간질환

1) 만성간염(chronic hepatitis)

혈액검사에서 s항원이 계속 검출되면서, 간 손상을 보여주는 ALT가 반복적으로 오르내리는 경우이다. 간조직검사를 해보면 간에 염증 소견이 나타난다.

만성B형간염이 간경변으로 진행하는 비율은, HBeAg양성 환자는 매년 2-6%, HBeAg음성 환자는 매년 8-10% 이다. HBeAg 양성 기간이 길수록 간경변증으로의 진행률이 높다.

2) 간경변증(liver cirrhosis)

만성간염이 오랫동안 지속되어 정상적인 간세포가 죽으면서 비정상적인 섬유조직으로 대체되고 부분적으로는 살아남은 간세포들이 증식하고 결절을 형성하여 간이 울퉁불퉁하게 변하게 되는 상태이다. 일단 간경변이 진행되면 치료가 힘들어져 생명을 위협하게 되므로 만성간염 단계에서 바이러스를 퇴치하는 치료를 적극적으로 받아야 한다.

합병증이 없는 간경변증을 "대상성 간경변증(compensated liver cirrhosis)"라고 하며, 복수, 황달, 간성뇌증(hepatic coma) 및 정맥류 출혈 등의 합병증이 있는 경우를 "비대상성 간경변증(decompensated liver cirrhosis)"이라 한다.

간경변이 있는 B형간염보유자의 간암 발생율은 매년 2-3% 이다.

3) 간암(liver cancer, hepatoma)

만성B형간염보유자의 경우 간경변증을 거치지 않고도 매년 1% 미만에서 간암이 발생한다. HBsAg 음성인 사람에 비해 간암 발생 가능성이 약 100배 정도 높다. 흡연자가 정상인에 비해 폐암에 걸릴 확률이 4-5배 높은데 비해 대단히 높은 수치다. 과거에 B형간염바이러스에 감염되었다가 회복되어 HBsAb나 HBcAb를 가진 사람도 전혀 노출되지 않은 사람보다 간암 발생률이 수 배 이상 높다.

B형간염바이러스에 감염된 뒤 간암이 발생되기까지는 약 20-30년 이상의 시간이 소요된다.

6. B형간염의 검사

1) HBs Ag

B형 간염바이러스에 감염된 환자는 바이러스가 간으로 침투하여 증식하게 된다. 이때 바이러스에서 만들어지는 단백질의 일종인 s항원(HBs Ag)이 혈액 속으로 배출되므로 혈액 속의 s항원을 검사하여 양성이면, B형간염바이러스가 혈액 내에 있는 것이다.

2) HBs Ab

예방접종을 맞거나 B형 간염 감염에서 회복되면 B형간염바이러스에 싸워 이기기 위해 인체의 면역체계에서 s항체(HBs Ab)를 생산된다. 혈액 속의 s항체를 검사하여 양성이면, B형간염바이러스에 저항할만한 충분한 면역체제가 형성되었음을 의미한다.

3) HBc Ab IgG

B형간염바이러스에 과거에 감염된 적이 있다는 것을 알려준다.

HBs Ab가 양성이고 HBc Ab가 음성이면, 예방백신을 맞아 항체가 생긴 상태이다.

HBs Ab가 양성이고 HBc Ab가 양성이면, B형간염에서 회복되어 항체가 생긴 상태이다.

4) HBV DNA

혈액검사를 통한 HBV DNA 검사는 B형간염환자의 초기검사 및 항바이러스제의 치료효과를 분석하는데 필수적이다. HBV DNA에 대한 정량검사는 여러 가지가 있지만 최근에는 민감도가 높은 real-time PCR이 널리 이용되고 있다.

HBV DNA의 단위는 보통 copies/ml, pg/ml로 표시되는 방법을 많이 사용하지만, IU (international unit)로 표준화되는 추세이다. copies/ml는 혈액 1 ml에 B형간염바이러스가 몇 개 들어있는지를 표시하는 것이고, pg/ml는 혈액 1 ml에 들어 있는 B형간염바이러스의 무게를 표시하는 방법이다. 일반적으로 IU를 copy로 전환할 때는 5배로 계산한다.

(1 IU/ml = 5.6 copies/ml, 1 pg/ml = 283,000 copies/ml)

HBs Ag, HBs Ab 검사방법

① B형간염 신속검사(HBV rapid test)

B형간염바이러스의 s항원 또는 s항체가 들어있는 시약을 피검자의 혈액과 함께 진단키트에 떨어뜨려서 색깔의 변화를 육안으로 관찰하는 방법이다. 양성과 음성으로 판정한다. 15-20분 내에 빠르게 결과를 볼 수 있으나, 민감도가 낮기 때문에 양성 검체에 대하여 음성으로 보고할 가능성(위음성)이 높다.

② 일반검사법 : RPHA법(reversed passive hemagglutination)

정제된 IgG HBsAb 를 코팅하여 적혈구에 감작시킨 후 이 감작혈구(항체)가 환자 혈청 내에 있는 HBsAg(항원)와 반응하여 일으키는 응집반응을 이용한다. 응집 상태를 육안으로 관찰하여 응집유무를 음성 또는 양성으로 판정한다.

비용이 적게 들고 간편하다는 장점이 있다. 하지만 민감도와 특이도가 낮아서 B형간염항체가 낮은 역가(10-100 mIU/ml)로 존재할 때 위음성이 흔하고, 항체의 역가를 측정할 수 없다는 단점이 있다. 최근에는 민감도와 특이도가 RPHA법과 EIA법의 중간 정도되는 면역크로마토그래피법(immunochromatography) 으로 대치되고 있다.

③ 정밀검사법 : EIA법(enzyme immunoassay)

s항원, s항체의 역가를 측정할 수 있다.

s항원의 역가가 2 mIU/ml 이상이면 양성으로 판정한다. 이는 B형간염바이러스가 혈액 내에 있는 것을 의미한다.

s항체의 역가가 10 mIU/ml 이상이면 양성으로 판정한다. 이는 정상적으로 항체가 생긴 것이고 면역력에 이상이 없는 것을 의미한다. s항체의 역가가 100 mIU/ml 이상이면 고반응군, 10-100 mIU/ml이면 저반응군, 10 mIU/ml 이하이면 무반응군으로 나누기도 한다.

민감도와 특이도가 매우 높아서 미량의 항원과 항체까지 검출할 수 있다는 장점이 있다.

HBs Ag, HBs Ab 검사의 목적과 방법

B형간염보유자를 찾기 위한 목적이라면 → RPHA법으로 충분하다.
예방접종을 하기 위한 목적이라면 → EIA법이 권장된다.
(s항원을 찾아내는 데는 두 가지 검사가 약 96%의 일치율을 보여 큰 차이가 없으나, s항체를 찾는 데는 RPHA법의 경우 정확도가 떨어진다.)

표 3-17. B형간염의 혈청검사 결과와 그 의미

HBsAg	Anti-HBs	Anti-HBc	HBeAg	Anti-HBe	해석
+	-	IgM	+	-	급성 HBV감염, 전염력이 높다.
+	-	IgG	+	-	만성 HBV감염, 전염력이 높다.
+	-	IgG	-	+	후기 급성, 또는 만성 HBV감염, 낮은 전염력
+	+	+	+/-	+/-	1. 다른 아형의 HBsAg과 anti-HBs 2. HBsAg에서 Anti-HBs로 혈청전환
-	-	IgM	+/-	+/-	1. 급성 HBV감염 2. Anti-HBc window
-	-	IgG	-	+/-	1. 낮은 레벨의 HBsAg보균자 2. 과거의 감염
-	+	IgG	-	+/-	HBV감염으로부터 회복
-	+	-	-	-	1. HBsAg 예방접종 후 2. 과거의 감염 3.위양성

7. B형간염의 증상

감염이 되어도 증상이 없는 경우가 많다.

약 35%만이 증상이 있는 급성간염을 앓는다. 증상은 피로감, 발열, 식욕감소, 메스꺼움, 두통, 근육통, 간 부위의 통증, 황달 등이 있다. 증상은 대부분 감염된 지 2-5개월 사이에 나타나기 시작해 수 주 동안 지속되는 것이 일반적이다. 최대로 지속되는 기간은 6개월 정도이다. 급성B형간염을 앓고 바이러스를 성공적으로 퇴치하면 항체(HBsAb)가 생겨 타인에게 전염성이 없고 B형간염바이러스에 다시 감염되지 않는다.

8. 만성B형간염의 치료

아직 만성B형간염의 완치법은 없다.

단기적인 치료목표 : 바이러스의 증식을 억제하여 간염을 완화하고 섬유화를 방지한다.

장기적인 치료목표 : 간염 단계에서 염증을 완화시켜 간경변증이나 간암으로 진행하는 것을 방지해서 간질환에 의한 사망을 줄인다.

하지만 아직까지 치료약제들이 B형간염바이러스를 완전히 제거하지 못하고 장기적인 효과가 제한적이므로, 환자의 연령, 간염의 중증도, 치료반응의 가능성 및 약제사용의 부작용 등을 면밀히 검토하고 HBV DNA와 ALT를 참고하여 치료 여부를 결정한다.

1) 면역관용기에 있는 증식성 B형간염보유자는 치료 대상이 아니다.

2) 치료 대상은 면역제거기에 있는 만성B형간염환자이다. 이 시기에 치료약제를 사용하는 목적은

인체가 B형간염바이러스와 싸우는 면역제거기를 짧게 해서 간세포 손상을 최소화하고, 가능한 빠르게 비증식기에 들어가게 하기 위해서이다.

3) 만성B형간염에서는 항바이러스제 투여 여부를 신중히 결정해야 한다. 간기능이상이 있어도 HBeAg 혈청전환이 생길 가능성이 있고, 일시적인 ALT 증가 후 정상으로 회복되는 경우도 있으며, 일반적으로 항바이러스제를 장기간 투여해야 하고, 다약제 내성이 발생하는 등의 문제점이 있다.
   (1) HBeAg 양성, 혈청 HBV DNA가 20,000 IU/ml(=100,000 copies/ml) 미만인 경우, 치료 대상이 되지 않는다.
   (2) HBeAg 양성, 혈청 HBV DNA가 20,000 IU/ml(=100,000 copies/ml) 이상인 경우
   ALT가 정상 상한치의 2배 미만이면, 추적관찰만 한다.
   ALT가 정상 상한치의 2배 이상이면, HBeAg 혈청전환이 생길 가능성이 있으므로 3-6개월 경과관찰 후 치료여부를 고려한다.
   (3) HBeAg 음성, 혈청 HBV DNA가 2,000 IU/ml(=10,000 copies/ml) 이상이며, ALT가 정상 상한치의 2배 이상인 경우, 치료를 권장한다.
4) 대상성 간경변증(HBeAg 양성 또는 음성) 환자는, 혈청 HBV DNA가 2,000 IU/ml (=10,000 copies/ml) 이상이고 ALT가 정상 상한치 이상이면, 치료를 고려한다.
5) 비대상성 간경변증(HBeAg 양성 또는 음성) 환자는, 혈청 HBV DNA가 양성이면 ALT의 수치에 관계없이 치료를 시작하고, 간이식을 고려한다.

만성B형간염 치료제

① 주사용 인터페론제제

항바이러스 효과와 면역기능을 향상시키는 이중효과가 있다. 약물 부작용이 있을 수 있고, 가격이 비싸다. 최근에 반감기가 길고, 혈중 인터페론 농도를 일정하게 유지시켜 치료효과가 높아진 페그인터페론 알파(pegylated interferon α)의 사용이 증가되고 있다.

② 경구용 항바이러스제

B형간염바이러스의 DNA polymerase에 작용하여, 바이러스의 복제나 자가 증식을 억제하여 간질환으로의 진행을 예방하는 경구용 약제이다. 비증식상태의 B형간염바이러스에는 직접 작용할 수 없어서 체내에서 B형간염바이러스를 완전히 제거하기가 어렵고, 장기간 사용하게 되면 내성의 발생이 증가하며, 치료를 중단하는 경우 재발이 많다.

라미부딘(제픽스), 아데포비어(헵세라), 엔테카비어(바라크루드), 클레부딘(레보비르), 텔비부딘(세비보) 등이 있다.

약제는 치료 기간, 단기 및 장기 치료 효과와 내성 발생율 등을 고려해서 선택한다.

9. B형간염 예방접종

B형간염을 예방하는 가장 좋은 방법은 예방접종을 시행하는 것이다. B형간염의 유병률과 간암발생률이 현저히 감소된다.

B형간염백신은 3회에 걸쳐 접종한다. 두 가지 제품이 사용되고 있다.

- 첫 접종 후 1개월 후, 6개월 후에 접종
- 첫 접종 후 1개월 후, 2개월 후에 접종

백신 접종 후 85-90%는 정상적으로 항체가 생기지만, 10-15%는 항체가 생기지 않는다. 백신에 문제가 있거나 무반응자인 경우이다.

B형간염 예방접종에 의해 생산되어 B형간염을 예방할 수 있는 최소 항체가는 10 mIU/ml이며, 그 이상이면 최소 15년은 면역기억반응이 있어서 B형간염 예방능력을 잃지 않는다. 그러므로 과거에는 기본접종 후에 5년마다 추가접종(Booster)을 시행했지만, 현재는 정상적인 면역을 가지고 있는 사람에게는 시간이 경과해 항체역가가 10 mIU/ml 이하로 낮아지거나 음성으로 전환돼도 굳이 추가접종을 시행하지 않는다. 다만 면역이 억제되어 있는 환자는 매년 항체가를 측정하여 10 mIU/ml 이하로 떨어질 경우 추가접종이 권고되고 있다.

10. B형간염보유자

혈액검사에서 s항원이 양성이면, "B형간염보유자"라고 한다. 이 중에서 6개월이 지나도록 s항원이 음성으로 되지 않는 사람을 "만성B형간염보유자"라고 한다.

만성B형간염보유자의 대부분은 혈액 속에 s항원이 있어도 간 손상은 없어서 ALT가 정상이며 간염이 없는 상태로 지낸다. 간경변이나 간암으로 잘 진행하지 않고, 다른 사람에게 전염시킬 염려도 거의 없다. 이런 경우에 "B형간염 건강보유자"라고 한다.

하지만 만성B형간염보유자의 일부는 재활성화가 일어나 간염, 간경변으로 진행할 수 있다. 또한 간경변증을 거치지 않고 간암이 발생(매년 1% 미만)할 수도 있다. 그러므로 만성B형간염보유자는 지속적으로 추적관찰을 해야 한다.

만성B형간염보유자의 추적관찰 : 6개월마다

① 간초음파검사
② 혈청 알파태아단백검사(α FP)
③ 간기능검사(AST, ALT, γ -GTP)

〈B형간염보유자가 지켜야 할 생활습관〉

1. B형간염보유자인 산모는 출산과정에서 신생아에게 전염시킬 수 있으므로 산전진찰을 받을 때 산부인과 의사에게 이 사실을 꼭 알려야 한다. 출산 직후 12시간 이내에 신생아에게 면역글로불린 주사와 B형간염 예방접종을 하면 약 90% 이상에서 항체가 생겨 전염을 막을 수 있다.
2. 성생활을 통해 배우자에게 전염시킬 수 있으므로 B형간염보유자로 판정되면 배우자도 B형 간염검사를 받고 예방주사를 맞아야 한다. 콘돔을 사용하는 경우 전파를 예방할 수 있다.
3. B형간염보유자로 판정되면 다른 가족들도 간염검사를 하고, 필요하면 예방접종을 해야 한다.
4. B형간염보유자는 B형간염 예방접종을 실시해도 항체가 생기지 않으므로 예방접종을 받을 필요가 없다.
5. 주사바늘을 다른 사람과 함께 사용해서는 안 된다.
6. 면도기, 칫솔, 손톱깍기 등 개인적인 물품을 다른 사람과 함께 사용하지 않는다.
7. 혈액, 신체의 조직 또는 장기를 기증할 수 없다.
8. 진료를 받는 경우에 의료진에게 이야기해야 한다.
9. 반드시 금주를 해야 한다.
10. 간에 부담을 줄 수 있는 약물을 피해야 한다.
11. 과로를 피하고, 충분히 잠을 자는 등 건강한 생활습관을 갖도록 한다.
12. 저지방식, 고섬유식(특히 채소)이 도움이 된다.
13. 6개월에 1회 정도 간기능 검사와 간초음파검사를 실시하여 만성간질환으로의 진행을 조기에 검사한다.

C형간염

과거엔 "non-A, non-B 간염"이라고 하다가, 현재는 "C형 간염"이라 한다. C형간염바이러스는 감염 후 1-2주부터 혈중에 나타나기 시작한다.

〈C형 간염검사 항목〉

① HCV Ab(C형간염 항체검사)

② HCV RNA 검사

B형간염은 항체가 양성이면 면역이 되어있음을 의미한다. 하지만 C형간염에서 항체의 양성은 단지 감염유무만을 보여주므로, 현재 감염상태이거나 과거의 감염에서 자연회복 되었음을 의미한다.

항체의 존재가 반드시 바이러스 존재 자체를 의미하는 것은 아니다. 또한 C형간염 항체검사는 위양성의 가능성이 있으므로, 확진을 위해서는 바이러스를 직접 확인하는 HCV RNA 검사를 해야 한다.

C형간염이 B형간염과 다른 점

- B형간염에서 항체가 양성이면 "면역"이 되어있는 것을 의미하지만, C형간염에서 항체가 양성이면 "감염"되었다는 것을 의미한다.
- B형간염은 간경변을 거치지 않고도 간암이 생길 수 있는 반면, C형간염은 거의 대부분 간경변 이후에 간암이 발생한다.
- C형간염은 B형간염보다 간경변으로 진행하는 속도가 빠르다.
- 만성B형간염은 치료를 통해 바이러스를 박멸하기 어렵지만, 만성C형간염의 치료 목표는 바이러스를 박멸하는 것이다.
- 만성B형간염은 ALT가 상승하지 않으면 치료하지 않고 경과관찰만 하지만, 만성C형간염은 ALT가 정상이라도 간조직검사를 시행해보면 간섬유화나 간병변증이 있을 수 있으므로 경우에 따라 ALT에 상관없이 치료를 시작할 수 있다.
- 음주에 따른 간질환 악화가 B형간염에 비해 크므로 더욱 철저히 금주를 해야 한다.

1. C형간염의 전염경로

C형간염의 전염경로는 B형간염과 유사하지만 약간 차이가 있다.

1) 혈액을 통해

C형간염의 주된 전염경로이다. 과거에는 수혈 후에 전염된 경우가 많았지만, 최근에는 거의 없다. C형간염보유자의 피부에 난 상처에 의해 전염될 가능성이 많다. 면도날, 손톱깍기, 칫솔의 타액, 주사기, 침, 문신 및 피어싱에 사용되는 소독되지 않은 바늘, 부항에 묻은 혈액에 접촉되거나, 상처와 상처를 통한 접촉에 의해 전염되기도 한다.

2) 수직감염(모자 감염)

C형간염보유자인 산모가 출산할 때 아이에게 전염될 가능성은 약 5%이다.

3) 성 접촉으로도 전염이 가능하지만, 부부간에는 거의 전염되지 않는다. 부부간의 전염율은 5%이하 이다.

4) 마약사용자

주사기를 함께 사용하므로 전염위험이 높다.

5) 병원 종사자

C형 간염은 모유수유, 음료 또는 음식물 섭취, 기침, 재채기, 키스, 악수나 포옹 같은 일상적인 접촉을 통해서 쉽게 전염되지는 않는다. 타액이나 음식으로 인한 경구 감염은 거의 없다.

2. C형간염바이러스의 구조

C형간염바이러스는 외피(envelope)를 가진 외가닥의 RNA바이러스이다. C형간염바이러스는 구조단백질과 비구조단백질로 구성되어 있다. 구조단백질 중에서 HCV core단백은 변이가 적은 부위이고 HCV RNA와 함께 바이러스 입자 안에 존재하는 단백으로서 바이러스혈증이 있을 경우에만 혈청에서 발견된다.

C형간염바이러스는 유전자 변이가 빠르게 일어나는 바이러스로 6개의 유전자형(genotype 1-6)으로 구분된다.

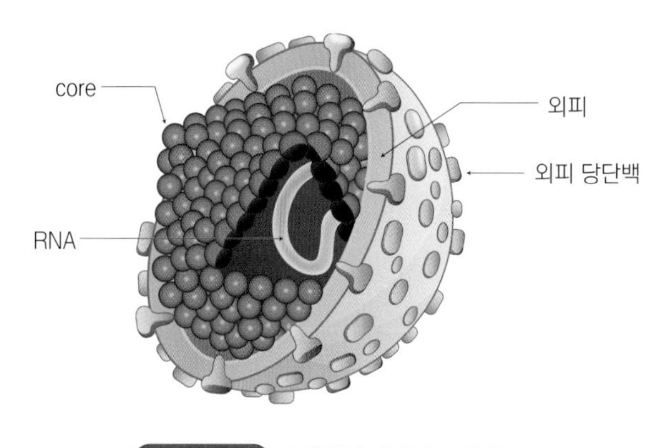

그림 3-28 C형간염 바이러스의 구조

3. C형간염의 검사

1) HCV Ab(C형간염 항체, Hepatitis C antibody)

C형간염 바이러스에 대항하여 인체가 만들어낸 단백질로 C형간염의 선별검사에 이용된다.

C형간염바이러스에 감염된 사람에서 HCV Ab가 나타나는 비율은 시간에 따라 다르다. 약 80%에서 감염된 후 15주 이내에, 약 90% 이상에서 5개월 이내에, 약 97% 이상에서 6개월 이후에 HCV Ab가 나타난다.

HCV Ab가 양성으로 나오는 경우는 현재 C형 감염 상태이거나, 과거에 감염되었다가 항체만 남아 있는 경우, 검사의 위양성 반응 등이다.

2) HCV RNA(C형간염 바이러스 RNA, Hepatitis C viral RNA)

위양성을 배제하고 현재 C형간염 유무를 확인하기 위해 HCV RNA 검사를 한다. HCV RNA(+)은 현재 C형간염바이러스에 감염되어 있는지, 혈액 속에 얼마나 있는지를 검사하는 것이다. 만일 HCV RNA검사가 음성이면 6개월 후에 재검사를 해보고, 그때도 음성이면 과거에 C형간염에 감염되었다가 회복된 상태로 본다.

3) HCV 유전자형 검사

HCV 유전자형(genotype)은 1형부터 6형까지 알려져 있다. 각 유전자형에 아형(subtype)이 있어 소문자로 표시한다(1a, 1b, 1c). 우리나라는 주로 1b/2a가 주종이다.

유전자형은 항바이러스 치료반응을 예측하는 주요인자이고, 유전자형에 따라 항바이러스 치료기간과 약물용량이 달라지기 때문에 항바이러스 치료 전에는 반드시 검사해야 한다. 하지만 유전자형이 C형간염의 자연경과 예측에는 도움이 되지 않으므로, 항바이러스 치료를 고려하지 않는 환자에서는 검사할 필요가 없다.

4. C형간염의 자연경과

C형간염바이러스에 감염되면 감염자의 15-45%에서 수개월 안에 인체 면역체계를 통해 바이러스를 완전히 없앰으로써 치료 없이 완치된다.

나머지 55-85%는 인체 면역 체계에서 바이러스를 제거하지 못해서 평생 C형간염바이러스를 보유한 채 살게 되며, 이를 만성 C형간염보유자라고 한다. B형간염과 마찬가지로 C형간염도 증상이 없더라도 20-30년 후는 간경변, 간암으로 진행될 수 있다.

C형간염바이러스 감염자의 약 55-85%는 만성C형간염이 된다.
만성C형간염 환자 중 약 5-20%가 20-25년 지나면서 간경변증으로 진행한다.
간경변증으로 진행된 환자의 약 1-5%에서 매년 간암이 발생한다.

B형간염은 간경변을 거치지 않고도 간암이 생길 수 있는 반면, C형간염은 거의 대부분 간경변 이후에 간암이 나타난다. 그리고 C형간염은 B형간염보다 간경변으로 진행하는 속도가 빠르다.

평소에 건강하다고 생각하는 사람도 이미 C형간염바이러스에 감염이 되어있다면 자신도 모르게 가깝게 접촉하는 사람들에게 바이러스를 퍼뜨릴 수 있고 살아가는 동안 간암으로 발전할 수 있으므로, 감염의 가능성이 있는 경우 조기진단을 위해 C형간염검사를 받는 것이 좋다.

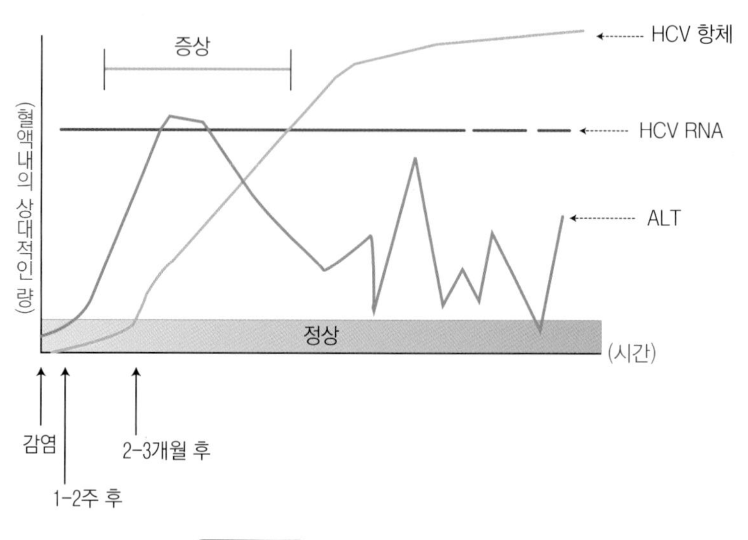

그림 3-29 C형간염의 자연경과

5. C형간염의 증상

급성C형간염의 증상은 급성B형간염의 증상과 비슷하다. 증상은 대부분 감염된 지 2주-6개월 사이(보통은 6-9주)에 나타나기 시작한다.

C형간염바이러스에 감염된 사람의 약 10-20%에서 증상이 있는 급성간염을 앓고, 이때 나타나는 증상으로는 피로감, 열, 식욕 상실, 메스꺼움, 두통, 근육통, 간 부근의 통증, 황달 등이 있다. 하지만 대부분은 증상이 없다.

6. 만성C형간염의 치료

만성C형간염으로 진단되면 병이 진행하기 전에 치료기준에 맞춰 빨리 치료를 시작하는 것이 좋다. 만성B형간염은 치료를 통해 바이러스를 박멸하기 어렵지만, 만성C형간염의 치료 목표는 C형간염바이러스를 박멸하는 것이다.

만성C형간염의 치료 대상 환자는, HCV RNA가 양성인 18세 이상의 만성C형간염 환자 중에서 다음과 같은 경우에 해당될 때이다.

- 혈중 ALT가 정상 상한치보다 높은 경우
- 치료 전에 시행한 간조직검사에서 2단계 이상의 섬유화를 보이는 경우
- 대상성 간경변증이 있는 경우

항바이러스제의 치료는 HCV RNA정성검사가 양성으로 확인된 후에만 시행하고, C형간염바이러

스의 박멸도 HCV RNA정성검사로 판정한다. 치료 종료시점과 치료 종료 후 6개월에 혈청 HCV RNA가 검출되지 않으면 C형간염바이러스가 박멸된 것으로 간주한다.

HCV 유전자형과 치료 전의 C형간염바이러스 양에 따라 치료기간과 반응이 다르므로 치료전에 HCV 유전자형과 HCV RNA정량검사를 해야 한다.

만성B형간염은 ALT가 상승하지 않으면 치료하지 않고 경과관찰만 하지만, 만성C형간염은 ALT가 정상이라도 간조직검사를 시행해보면 간섬유화나 간병변증이 있을 수 있으므로 경우에 따라 ALT에 상관없이 치료를 시작할 수 있다.

만성C형간염 치료제는 크게 두 가지가 있다.

① 인터페론제제

사용 목적은 만성B형간염의 치료와 같다. 최근에 기존의 인터페론보다 효과가 우수하고 주1회 주사로 간편해진 페그인터페론 알파(pegylated interferon α)가 도입되면서 더욱 효과적인 치료가 가능해졌다.

② 항바이러스제 리바비린

만성C형간염의 치료는 유전자형에 관계없이 페그인터페론 알파와 리바비린의 병합요법이 가장 효과가 좋다. 유전자 1형은 약 40% 정도에서, 유전자 2,3형은 80% 정도에서 바이러스가 사라진다.

만성C형간염을 치료할 때는 사용하는 약의 종류는 같지만, 유전자형에 따라 치료기간과 약물용량에 차이가 있다. 이런 약들은 보통 6개월 또는 1년 동안 사용하며 때로는 심한 부작용을 초래하기도 한다.

C형간염바이러스 유전자1형 환자는 치료 전과 치료 12주째에 HCV RNA 정량검사를 비교하여 치료 계속 여부를 결정하고, 유전자2,3형 환자는 치료 중의 검사는 필요 없고 치료 전과 후에만 검사한다. 유전자1형 환자는 유전자2,3형 환자에 비하여 치료에 내성적이므로 더 긴 치료기간이 필요하다.

7. C형간염의 예방

C형간염은 예방백신이 없다. 때문에 가장 최선의 예방법은 전염 가능한 행동을 피하는 것이다.

〈C형간염 예방을 위한 생활습관〉

1. 임신 중이거나 임신을 계획하고 있다면 C형간염 검사를 받는다.
2. 주사바늘을 다른 사람과 함께 사용하지 않는다.
3. 안전한 성관계 방법을 선택한다.
4. 면도기(특히 이발소나 미장원에서 잔털 정리용), 칫솔, 손톱깍기(특히 공중목욕탕) 등 혈액이 묻어있을 수도 있는 개인적인 물품을 다른 사람과 함께 사용하지 않는다.
5. 문신이나 피어싱을 할 때는 소독된 깨끗한 주사바늘과 설비만 이용한다.
6. 환자의 혈액을 취급하는 의료인은 감염될 위험이 높으므로 특히 주의한다.

〈C형간염 보유자가 지켜야 할 생활습관〉

1. C형간염보유자인 산모는 출산과정에서 신생아에게 전염시킬 수 있으므로 산전진찰을 받을 때 산부인과 의사에게 이 사실을 꼭 알려야 한다.
2. 배우자에게 성생활을 통하여 상대방에게 전염이 가능할 수 있으므로 C형간염보유자로 판정되면 콘돔을 사용하여 전파를 예방한다.
3. 안전한 성관계 방법을 선택한다.
4. 주사기, 주사바늘, 약솜, 알코올 스펀지 등을 재사용하지 않고 다른 사람과 같이 사용하지 않는다.
5. 사용한 주사바늘을 함부로 버리면 다른 사람이 우연히 주사바늘에 찔려 감염될 수 있으므로 주의한다.
6. 문신이나 피어싱 등 피부를 뚫는 어떤 도구도 다른 사람과 함께 사용하지 않는다.
7. 다른 사람들이 자신의 혈액과 접촉하지 않도록 하기위해 면도기(특히 이발소나 미장원에서 잔털 정리용), 칫솔, 손톱깍기(특히 공중목욕탕) 등 혈액이 묻어있을 수도 있는 개인적인 물품을 다른 사람과 함께 사용하지 않는다.
8. 자신의 혈액이 묻은 자리가 있으면 세제와 물로 철저히 닦는다. 카페트에 혈액이 다량 묻었을 경우 스팀 클리닝을 해야 할 수도 있다.
9. 상처가 생겼을 때는 방수붕대로 상처를 덮어서 피가 이곳저곳에 묻지 않도록 주의한다.
10. 생리대를 포함해서 피가 묻은 것은 무엇이든지 비닐봉투에 넣어서 버린다.
11. 혈액, 신체의 조직 또는 장기를 기증하지 않는다.
12. 진료를 받는 경우에 의료진에게 이야기 한다 .
13. 음주에 따른 간질환 악화가 B형간염에 비해 크므로 반드시 금주를 해야 한다.
14. 간에 부담을 줄 수 있는 약물을 피해야 한다.
15. 과로를 피하고, 충분히 잠을 자는 등 건강한 생활습관을 갖도록 한다.
16. 저지방식, 고섬유식(특히 채소)이 도움이 된다.

17. 6개월에 1회 정도로 간기능 검사와 간초음파검사를 실시하여, 만성간질환으로의 진행을 미리 예방한다.

A형 간염

A형간염 바이러스(hepatitis A virus, HAV)에 의해 발생하는 간염으로 주로 급성간염의 형태로 발생한다. B형 간염만큼 임상적으로 심각하지는 않지만 최근 우리나라에서 발생이 증가하고 있다.

〈A형간염 검사항목〉
anti-HAV Ab IgM
anti-HAV Ab IgG

anti-HAV Ab IgM 은 현재의 감염을 나타낸다. 증상이 나타나기 시작할 무렵부터 간염에서 회복된 후 6개월 정도까지 양성반응을 보인다. 반면에 anti-HAV Ab IgG 는 과거의 감염을 나타낸다. 간염의 회복기에 양성으로 나타나기 시작하여 이후 수십 년간 양성반응을 보인다.

A형 간염은 바이러스에 오염된 음식이나 물을 섭취함으로써 전염된다.(B형, C형 간염은 혈액을 통해 전염된다.) 위생 상태가 좋지 않은 저개발 국가에서 많이 발병하지만, 최근에는 위생상태가 좋은 국가의 청년층에서도 발병이 급증하고 있다. 어린이들은 대부분 가볍게 앓고 지나가는 질병이지만, 20세 이상의 성인에서는 증상이 더 심한 경우가 많다.

급성 A형간염의 대부분은 3개월 이내에 완전히 회복되며, B형, C형 간염과 달리 만성화되지 않고 대부분 완전히 회복된다. 그러나 고령, B형 간염, C형 간염 등의 만성 간질환을 보유하고 있는 경우에는, 전격성 간염으로 진행될 수도 있으므로 주의해야 한다.

A형 간염 바이러스 치료약제는 아직 개발되지 않았다. 증상을 완화시키기 위한 대증요법이 주요 치료법이다.

12 갑상선기능검사

목표질환 : 갑상선기능저하증, 갑상선기능항진증

〈검사항목〉
TSH, FT4
FT3, T4, T3
anti-TPO Ab

갑상선기능검사는 갑상선기능저하증, 갑상선기능항진증 등 갑상선의 기능 이상을 선별하기 위해 시행한다.

갑상선기능검사는 보통 TSH, T3, T4, FT3 (free T3), FT4 (free T4)를 말하지만, 대부분의 갑상선 기능이상은 TSH와 FT4를 측정하면 진단이 가능하다.

갑상선 기능검사 중 가장 예민한 것은 TSH이다. TSH는 FT4가 변하기 전에 먼저 변화가 오고, FT4 농도가 2배 변화하면 TSH 농도는 약 100배 정도 변하므로 단독으로 갑상선 기능을 평가하는 경우에는 TSH를 사용할 수 있다.

갑상선 기능의 선별검사
→ TSH, FT4

갑상선 호르몬의 조절

갑상선은 목의 앞쪽에 불룩 튀어나온 Adam's apple의 바로 아래에 있으며 갑상선 호르몬을 분비한다. 갑상선 호르몬은 인체의 에너지대사를 조절하고 발육과 성장에도 관여하는 중요한 호르몬으로 너무 많거나 부족하게 되면 여러 가지 장애가 나타난다.

갑상선호르몬은 "시상하부에서 갑상선호르몬자극호르몬(TRH) → 뇌하수체에서 갑상선자극호르몬(TSH) → 갑상선에서 갑상선호르몬(T3 및 T4)"의 순으로 자극받아 생성되어 혈액으로 분비된다.

혈액내의 T3 및 T4가 일정량 이상으로 증가되면, 시상하부 및 뇌하수체에서 TRH와 TSH의 분비를 억제하는 음성 되먹이기(negative feedback)가 일어난다.

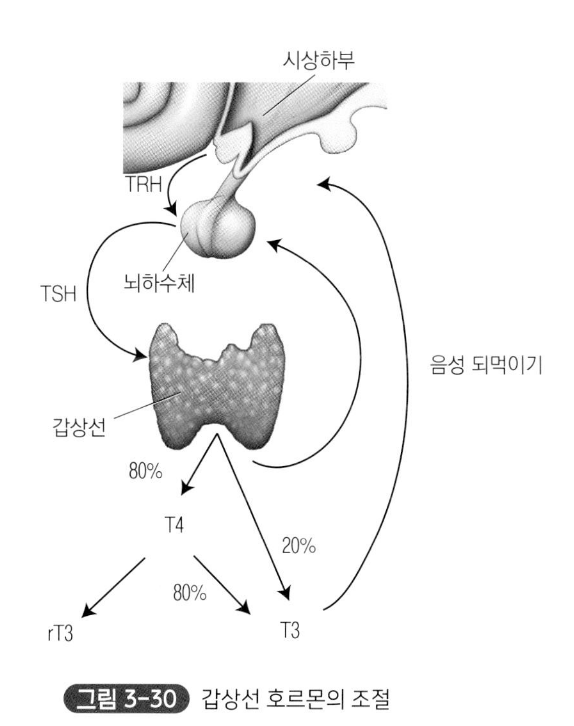

그림 3-30 갑상선 호르몬의 조절

T3와 T4는 갑상선에서 1:10의 비율로 분비된다. 분비된 T4의 30-40%는 간이나 신장 등에서 요오드가 한 개 떨어져 활성형인 T3로 변환되거나, 혹은 비활성형인 rT3로 대사된다. 혈청내 T3의 약 80%는 말초에서 T4의 탈요오드화에 의해 생성된다.

T3와 T4는 혈액에서 99% 이상이 갑상선결합단백(TBG) 및 알부민에 결합되어 있어서 이 단백들의 농도가 변화하면 총T3와 총T4도 변화하지만 유리 호르몬은 정상수치를 유지한다.

갑상선질환의 진단

표 3-18. 갑상선질환의 진단

		FT4		
		증가	정상	감소
TSH	증가	2차성 갑상선 기능항진증	무증상 갑상선 기능저하증	1차성 갑상선 기능저하증 (갑상선의 이상)
	정상		정상	2차성 갑상선 기능저하증 (뇌의 이상)
	감소	1차성 갑상선 기능항진증	무증상 갑상선 기능항진증	

TSH와 FT4의 변화로 대부분의 갑상선질환을 진단할 수 있다.

1. 먼저 FT4의 변화를 본다.

FT4가 증가했으면 갑상선중독증, 저하했으면 갑상선기능저하증으로 추정한다.

2. 다음에 TSH의 변화를 본다.

1) FT4가 증가하고 TSH가 감소하면, 갑상선 자체에 문제가 생겨서 나타나는 1차성 갑상선중독증으로 진단한다. 갑상선중독증의 종류에는 다음과 같은 것들이 있다.

(1) 실제로 갑상선의 활동이 증가되는 그레이브스 병(Graves`` disease) : 가장 흔하다.

(2) 중독성 결절에 의한 갑상선기능항진증

(3) 갑상선 호르몬 과다복용에 의한 갑상선기능항진증

(4) 실제로 갑상선의 활동은 증가되지 않고 말초에서 갑상선 호르몬의 과다 증상만 있는 갑상선염

2) FT4가 증가하였는데도 TSH가 증가하거나 정상이면, 2차성 갑상선기능항진증으로 진단한다. 갑상선호르몬 저항성이나 TSH-분비성 뇌하수체종양의 가능성이 있으므로 정밀검사(sella MRI 등)를 해야 한다.

3) FT4가 감소하고 TSH가 증가하면, 갑상선 자체에 문제가 생겨서 나타나는 1차성 갑상선기능저하증으로 진단한다. 하시모토 갑상선염(Hashimoto``s thyroiditis)이 가장 흔한 원인이다.

4) FT4가 감소하였는데도 TSH가 감소하거나 정상이면, 주로 뇌에 문제가 생겨서 나타나는 2차성 갑상선기능저하증으로 진단한다. 비분비성 뇌하수체종양이나 쉬한증후군(Sheehan``s syndrome) 같은 뇌하수체 기능부전증의 가능성이 있으므로 정밀검사(복합 뇌하수체 자극검사 등)를 해야 한다.

5) FT4는 정상이면서 TSH만 증가하면 무증상 갑상선기능저하증으로, TSH만 감소하면 무증상 갑

상선기능항진증으로 진단한다. 경미한 경우에는 정기적인 추적검사를 하고, TSH의 변화가 심한 경우에는 적절한 치료를 시작하는 것이 좋다.

3. 그 외의 갑상선 기능검사 항목에서도 질환을 추정할 수 있다.

TSH가 정상이고 T3, T4가 증가 또는 감소하면 TBG와 알부민 등의 결합단백의 변화를 생각할 수 있지만, 이 경우에 FT4나 FT3를 측정하면 정상이다.

1) TSH가 정상이고 T3, T4가 증가하면, 임신이나 여성호르몬 복용 등으로 인한 TBG의 증가를 생각할 수 있다.
2) TSH가 정상이고 T3, T4가 감소하면, 신증후군이나 중증질환처럼 알부민이 감소하거나 유전적 이상으로 TBG가 감소하는 경우를 생각할 수 있다.

갑상선 자가항체 검사

갑상선은 자가면역질환이 많아 anti-TPO Ab(anti-thyroidperoxidase Ab, 항TPO 항체)를 측정하는 것이 갑상선 질환의 원인을 감별하는 데 많은 도움이 된다.

갑상선 기능저하증이나 비중독성 갑상선종에서 항TPO 항체가 높게 나오면 하시모토 갑상선염으로 진단할 수 있고, 현재의 갑상선기능이 정상이더라도 매년 약 5%에서 갑상선 기능저하증으로 진행하므로 정기적으로 갑상선 기능검사를 하는 것이 좋다. 항TPO 항체는 하시모토 갑상선염의 90-95%, 그레이브스병의 70-90%, 일차성 점액수종의 80% 이상에서 양성 반응을 보인다.

그 외에 anti-Tg Ab(항티로글로불린 항체), TSH receptor Ab(항 TSH수용체 항체)를 측정할 수 있다.

갑상선 질환의 치료

갑상선기능항진증에는 항갑상선제를 투약한다. FT4가 정상화된 후에도 TSH가 정상화되는 데는 수개월 혹은 수년이 걸리기도 한다. 갑상선 질환의 치료에 대한 반응은 FT4보다 TSH가 더 느리다.

갑상선기능저하증은 갑상선 호르몬제를 투약한다. TSH는 6-8주가 지나야 정상화된다.

갑상선 질환은 특별한 치료 없이 경과만 관찰하는 경우도 많다.

그레이브스 병(Graves disease)

갑상선조직의 면역체계에 문제가 생겨 발생하는 자가면역성 질환이다. 갑상선 조직 또는 효소를 적

(항원)으로 판단하고, 이에 대항하는 항체 즉 자가항체를 만들어 냄으로써 갑상선 조직을 자극하여 갑상선 호르몬이 과잉 생산되는 질환이다.

증상은 갑상선이 비대해지면서 목 앞부분이 불룩하게 부풀어 오른다. 쉽게 피로감을 느끼며, 성격이 과민해진다. 식욕이 늘어 밥이 벅시반 에너시의 과나한 소비로 체중감소가 일어난다. 더위를 못 참고 땀을 많이 흘린다. 손이 미세하게 떨리며, 가슴이 심하게 두근거리기도 한다.

치료로는 항갑상선제를 복용한다. 대개 1-2년 동안 지속적으로 투여하면 완전 관해가 가능하다. 치료종료 후 첫 2년 내에 재발하기도 하므로, 첫 1년은 3개월 간격으로, 다음 1년은 6개월 간격으로 주기적인 검사를 시행하여야 한다.

하시모토 갑상선염(Hashimoto's thyroiditis)

갑상선조직의 면역체계에 문제가 생긴 자가면역성 질환으로, 갑상선 조직 또는 효소를 적으로 판단하고, 이에 대항하는 자가항체를 만들어 냄으로써, 갑상선 조직을 파괴하여 갑상선 호르몬의 생산이 감소하는 질환이다. 이 환자의 약 1 /3이 갑상선기능저하증이 되고, 일단 기능저하증이 되면 회복이 잘 되지 않는다.

아무런 증상이 없다가 우연히 발견되기도 한다. 질환이 진행되면 쉽게 피로하고 기운이 없다. 피부가 건조해지고, 근육통이나 관절통이 나타나기도 한다.

치료로는 갑상선 호르몬제를 복용한다. 일부 환자에서는 일정기간이 지나면 정상으로 회복되기도 하지만, 정상으로 회복된 뒤에도 다시 갑상선기능저하증으로 빠지는 수도 있으므로 주기적으로 검사를 해야 한다.

최근에는 건강기능식품이 유행하면서 요오드 과다 섭취에 의한 일시적인 갑상선호르몬 합성장애로 혈액검사에서 기능저하를 보이는 경우도 있다.

무증상 갑상선기능저하증(subclinical hypothyroidism)

무증상 갑상선기능저하증에서 "무증상"이란 증상이 전혀 없다는 뜻이 아니라 경미한 정도의 갑상선기능저하증이라는 의미이다. 그러나 이 상태에서 매년 2-5%에서 뚜렷한 갑상선기능저하증으로 이행되고, 또한 갑상선자가항체(항TPO 항체)가 양성인 경우는 그 이행률이 2배가 된다.

다음과 같은 경우에 갑상선 호르몬제 투여를 고려해 볼 수 있다.

- 혈중 TSH농도가 10 mIU/L 이상인 경우 또는 TSH수치가 지속적으로 증가하는 경우
- 항TPO 항체가 양성인 경우
- 갑상선종이 있는 경우
- 갑상선기능저하증의 증상이 있는 경우
- 심혈관계 질환(고지혈증, 고혈압, 당뇨병)이 있는 경우
- 불임, 임산부 또는 임신을 계획하고 있는 경우
- 성장기 소아환자의 경우

13 췌장기능검사

목표질환 : 췌장염

〈검사항목〉
혈청 아밀라제
혈청 리파제

췌장(pancreas)은 이자라고도 하며, 위의 뒤쪽, 흉추의 앞쪽에서 십이지장에 붙어 있다. 머리, 몸통, 꼬리의 3부분으로 나뉜다. 췌장관(Wirsung's ducts)과 부췌장관(Santorini's duct)을 통해 모아진 췌장액은, 간에서 만들어진 담즙을 분비하기 위해 췌장의 머리 부분으로 들어오는 총담관과 만나, 십이지장 내로 흘러들어간다. 단백질, 지방, 탄수화물의 소화를 돕게 되며, 정상 성인의 경우 하루 1-2리터 정도의 췌액이 분비된다.

췌장에서 분비되는 소화효소인 아밀라제와 리파제를 측정하여 췌장염을 진단 할 수 있다. 그 외에도 췌장효소 중 하나인 일라스타제(elastase)의 양을 대변에서 측정하여 췌장기능을 평가할 수 있다.

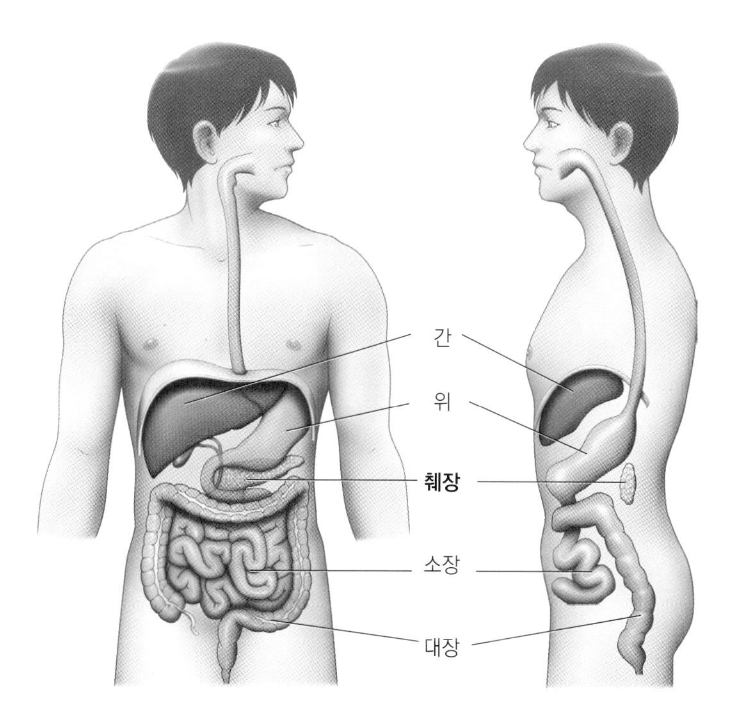

그림 3-31 췌장의 위치

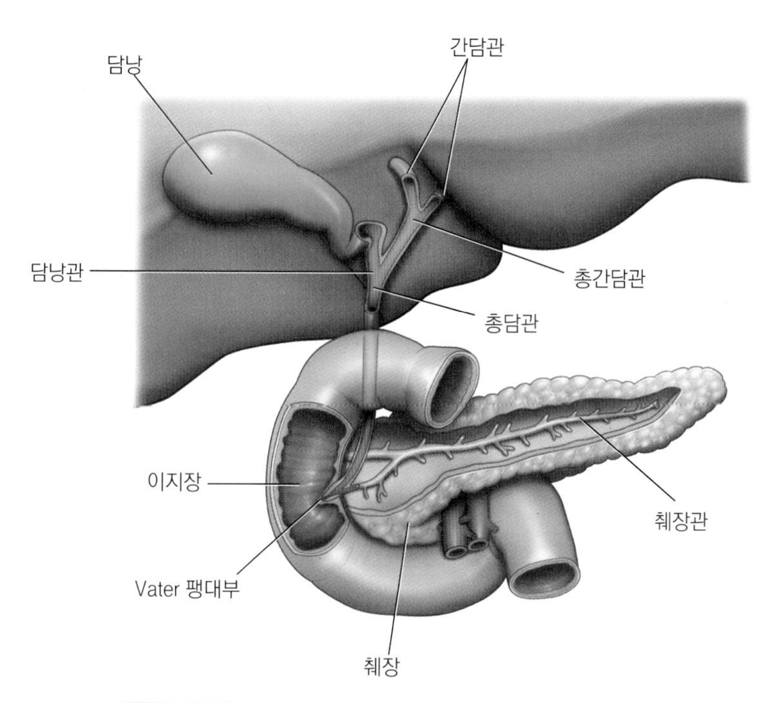

그림 3-32 췌장관과 총담관의 배출 - 이지장으로 배출된다.

1. 췌장의 기능

췌장은 외분비선 기능과 내분비선 기능을 동시에 하는 큰 소화선이다. 외분비선 기능은 소화기능을 가진 췌장액을 췌관을 통해 십이지장으로 내보내는 것이고, 내분비선 기능은 탄수화물대사에 중요한 인슐린과 글루카곤 등의 호르몬을 혈류로 분비하는 것이다.

1) 외분비선 기능

십이지장으로 음식물이 들어오면, 십이지장의 분비세포에서 소화관호르몬들을 혈류로 분비한다. 이 중에서 판크레오지민(pancreozimin, cholecystokinin이라고도 한다)은 췌장의 외분비선에서 소화효소의 분비를 유도하고, 세크레틴(secretin)은 수분과 탄산수소염의 분비를 유도한다. 탄산수소염은 소화효소는 아니고 담즙과 함께 산성 음식물을 중화하는 역할을 한다.

췌장의 외분비선에서 분비되는 소화효소는 다음과 같은 것들이 있다.

(1) 트립신(trypsin) : 단백질을 분해한다.

(2) 아밀라제(amylase) : 탄수화물을 분해한다.

(3) 리파제(lipase) : 지방을 분해한다.

췌장액 속의 소화효소가 있어야만 위에서 내려온 음식물을 장 점막에서 분해할 수 있다. 영양이 풍부한 음식을 먹어도 췌장의 도움이 없으면 소화는 물론 에너지로도 사용할 수 없다.

따라서 췌장에 병이 생기면 소화효소 배출이 저하되어 섭취한 음식물 속에 포함되어 있는 영양소를 흡수할 수 없게 되므로 영양 상태가 악화되고 체중이 감소하게 된다.

2) 내분비선 기능

췌장의 내분비선에서 분비되는 호르몬은 인슐린과 글루카곤이다.

(1) 인슐린(insulin) : 랑게르한스섬의 β세포에서 분비한다. 혈액 내에 포도당 농도가 높을 때, 혈류로부터 세포로 포도당을 흡수하게 하거나, 혈중에 존재하는 포도당을 저장형태인 글리코겐으로 바꾸거나, 혹은 지방질로의 축적을 유도함으로써 혈당을 낮춘다.

(2) 글루카곤(glucagon) : 랑게르한스섬의 α세포에서 분비한다. 혈액내의 포도당 농도가 낮을 때, 저장된 포도당인 글리코겐의 분해를 촉진시켜 혈당을 높인다.

인슐린과 글루카곤은 혈당에 대하여 서로 반대로 작용하지만, 실제로는 인체 내에서 두 호르몬은 협동적으로 작용한다. 글루카곤이 간에 작용하여 말초조직으로 포도당을 내보내면, 인슐린은 말초조직에서 포도당이 이용되는 것을 촉진시킨다. 이 호르몬들은 음식물 섭취로 얻게 되는 에너지를 소비하고 저장하는 데 도움을 준다.

췌장의 80-90% 정도를 제거해도 내분비 기능이나 외분비 기능에는 장애가 생기지 않는다.

2. 췌장에서 분비하는 소화효소

1) 아밀라제(amylase)

탄수화물을 분해하는 소화효소로 여러 기관에서 만들어져 분비된다. 주로 침샘에서 약 55%, 췌장에서 45% 정도 분비된다. 기타 눈물샘, 땀샘, 편도선, 갑상선, 난관, 유선 에서도 소량 분비된다.

신생아기에는 아주 낮지만 나이가 들면서 증가하여 4-6세에는 거의 성인과 비슷해진다.

마른 사람이 비만한 사람보다 아밀라제가 20% 더 높다.

참고치 : 38-116 U/L

아밀라제가 증가하는 경우는 다음과 같다.

(1) 급성 췌장염

(2) 담석증, 췌장 손상, 췌장의 가성낭종(pseudocyst), 췌장종양(췌장암) 등

(3) 침샘의 염증(이하선염 등), 타액관 결석

(4) 만성신부전 : 아밀라아제는 분자량이 작기 때문에 신장으로 배설되는데, 신부전이 있으면 배설이 감소되기 때문에 혈중 아밀라제가 상승한다. 그러므로 크레아티닌이 상승되어 있을 경우는 아밀라아제가 상승되어 있어도 수치를 보정을 한 후 판단해야 한다.

(5) 간질환이 심할 경우 : 혈중 아밀라아제가 간으로도 소량 배설되기 때문이다.

(6) 난소 부위의 염증, 난소낭종

(7) 복막염이 심하거나, 장염이 매우 심할 때

(8) 약물, 악성 종양(유방암, 백혈병 등), 심한 폐렴, 거식증, 복부 대동맥류

아밀라제가 감소하는 경우는 췌장질환 말기, 고도의 당뇨병, 간경변증, 만성 소모성질환 등이다.

2) 리파제(lipase)

중성지방을 분해하는 소화효소로 거의 대부분 췌장에서 만들어진다. 그러므로 췌장질환을 파악하기 위해서는 아밀라제보다 리파제가 더 유용하다.

남성이 여성보다 약간 높고 나이를 먹을수록 높아지는 경향이 있으나, 남성은 60세 이후에는 오히려 낮아진다.

검사 전 6-8시간 정도 금식해야 하고, 지방을 섭취하면 증가하므로 검사 전날에는 지방이 포함된 음식을 가능한 피해야 한다.

참고치 : 13-60 U/L

리파제가 증가하는 경우는 췌장질환(급성췌장염, 만성췌장염의 발작기, 췌장 가성낭포)이며, 감소하는 경우는 췌장적출, 만성췌장염의 최악기 등이다.

췌장염(pancreatitis)

1. 급성 췌장염

여러 가지 원인에 의해 췌장에 갑자기 염증이 생겨 췌장의 각종 소화효소가 췌장조직 자체를 자가소화(autodigestion) 함으로써 췌장과 그 주변조직이 손상되는 질환이다. 원인이 제거되면 췌장의 기능이 정상으로 회복된다.

1) 급성췌장염의 원인

(1) 술, 담석증 : 가장 흔한 원인이다.

술에 의한 췌장염은 남성에게 많고, 발병 전날 과음을 한 경우가 많다. 담석으로 인한 췌장염은 여성에게 많고, 발병 전날 과식이나 고지방식을 한 경우가 많다.

(2) 드물게 고칼슘혈증, 고지질혈증, 약물, 복부외상 등에 의해 생길 수도 있다.

2) 급성췌장염의 증상

(1) 복통

급성췌장염의 제일 흔하고 중요한 증상으로, 명치 부위의 통증이 뒤쪽으로 뻗친다. 천정을 보고 바로 누운 자세에서는 더 심해지고, 앉아서 몸을 앞으로 굽히고 무릎을 배 쪽으로 당기면 덜해지는 특징이 있다.

(2) 그 외에 발열, 설사, 구토 등이 생길 수 있다.

3) 급성 췌장염의 진단

(1) 아밀라제

아밀라제가 정상 혈청수치의 3배 이상이면서 복통이 있는 경우에 급성췌장염으로 진단할 수 있다. 하지만 아밀라제는 췌장 외에서도 분비되는 기관이 많아서 아밀라제 단독으로 상승되었을 경우는 췌장염이 아닐 가능성도 있다.

아밀라제는 급성췌장염에서는 대부분 리파제와 같이 상승하지만, 만성 췌장염에서는 상승하지 않는 경우가 많다. 아밀라제는 리파제에 비해서 빨리 상승하고 빨리 정상화된다. 아밀라제는 반감기가 짧아 복통 등의 증상이 남아 있어도 발병 48-72 시간이 경과하면 혈액 내 수치가 정상으로 되어 있는 경우가 종종 있다. 하지만 리파제 수치는 7-14일 정도 혈청 수치가 상승해 있기 때문에 아밀라제와 리파제 수치를 같이 측정하는 것이 좋다.

(2) 복부 초음파검사

복강 내 상태를 잘 관찰 할 수 있고, 췌장의 부은 정도, 췌장액의 복강 내 유출 정도, 가성낭종의 유무 등을 살필 수 있다. 특히, 담석성 췌장염이 의심될 때 치료방침을 결정하기 위해 담석의 유무를 반드시 살펴보아야 한다.

4) 급성 췌장염의 치료

(1) 췌장을 쉬게 하면 호전된다. 금식, 수액공급, 진통제 등과 같은 보존적 치료로 3일에서 일주일 정도면 대부분이 치료된다.

(2) 식사는 고열량, 고단백질 식사를 하고, 지방식은 절대적으로 제한해야 한다.

(3) 췌장염의 원인이 담석에 의한 것이라면 담석 제거수술을 한다.
만일 치료를 시작하고 수 일 후에도 아밀라제의 혈청 수치가 떨어지지 않거나 더 올라 갈 때에는, 췌장염이 호전되지 않고 진행되고 있거나 가성 낭종, 췌장액 누출 등의 합병증이 발생하였다는 것을 의미한다.

2. 만성 췌장염

췌장의 지속적이고 비가역적인 염증으로 인해 영구적으로 췌장이 손상되는 질환이다. 췌장조직의 파괴, 섬유화 및 위축이 발생되어 지속적인 복통, 소화와 흡수의 장애 및 당뇨병 등을 일으킨다.

1) 만성췌장염의 원인

만성적인 알코올 섭취가 가장 많다.

2) 만성췌장염의 임상증상

반복적으로 발생하는 복통이 가장 흔하고, 췌장의 외분비기능이 심하게 떨어지면 회백색의 연고와 같은 지방변을 볼 수 있다.

3) 만성췌장염의 진단

(1) 단순 복부X선 촬영 : 췌장의 석회화가 95%에서 발견된다.

(2) 복부CT

(3) 복부 초음파검사

(4) 급성췌장염과는 달리 아밀라제, 리파제는 진단에 큰 도움이 되지 않는다. 복통이 있어도 혈청 아밀라제 수치는 그리 많이 상승하지 않거나 정상인 경우가 많다. 급성췌장염은 췌장세포가 파괴되는 것이 주된 병리 현상이지만, 만성췌장염은 췌장실질이 위축되기 때문이다.

4) 만성췌장염의 치료

통증을 감소시키고, 소화장애를 교정해주고, 당대사를 개선시킨다.

만성췌장염 환자는 췌장암이 발생할 가능성이 높다. 만성췌장염 환자가 최근 2-3개월 간 체중감소가 심한 경우에는 항상 췌장암의 동반 가능성을 염두에 두어야 한다.

14 종양표지자검사
tumor markers

목표질환 : 악성종양(암)

체내에 암세포가 자라고 있을 때, 암세포에서 분비되거나 또는 암세포에 대한 인체의 반응으로 정상세포가 분비하는 특별한 항원이나 단백질을 "종양표지자(tumor marker)"라고 한다.

종양표지자검사는 생화학적 또는 면역화학적 검사를 통해 혈액에 생산된 종양표지자를 측정해서 암의 조기진단, 예후판단, 치료반응 판정에 도움을 주기 위해 시행하는 검사이다. 종양표지자는 민감도와 특이도는 높지 않지만, 암의 증상이 발생하기 이전에 또는 영상의학적으로 관찰되기 이전에 암의 초기상태에서도 수치가 증가하는 경우가 있어 건강검진에서 암의 선별검사로 널리 시행되고 있다.

현재까지 사용되는 종양표지자는 약 30여 가지가 있는데, 그 중에서 CEA, AFP, CA 19-9, CA 125, PSA 등이 가장 많이 이용되고 있다. 또한 종양표지자들을 조합하여 종양의 진단율을 높일 수 있다.

대부분의 종양표지자는 혈청을 사용하며 항원-항체결합을 이용한 면역화학적인 방법으로 측정된다.

표 3-19. 종양표지자가 유용한 대표적인 암

종양표지자	관련 종양	종양표지자	관련 종양
AFP	간암, 생식세포종양	hCG	영양막종양, 생식세포종양
CA 15-3	유방암	NSE	신경내분비종양, 폐암
CA 19-9	췌장암, 담도암	PAP	전립선암
CA 50	췌장암	PSA	전립선암
CA 72-4	난소암, 소화기암	SCC-Ag	편평상피암(자궁경부, 폐)
CA 125	난소암	TPA	악성종양 전반에 유용
CEA	악성종양 전반에 유용, 특히 소화기암	NMP-22	방광암
CYFRA 21-1	폐암	β 2-microglobulin	악성종양 전반에 유용, 특히 다발성골수종
Du-Pan-2	췌장암, 담도암	ferritin	악성종양 전반에 유용, 특히 백혈병
CA 27.29	유방암	calcitonin	갑상선암

표 3-20. FDA에서 공인한 종양표지자 및 관련 종양

종양표지자	관련 종양
CEA	대장직장암
AFP	고환암
PSA	전립선암
CA 125	난소암
CA 27.29, CA 15-3	유방암
에스트로겐 수용체, 프로게스테론 수용체	유방암
NMP-22	방광암

이상적인 종양표지자는 암의 크기가 아주 작아 증상이 나타나지 않은 초기상태에서도 혈액검사에 나타나야 되고, 정상 및 양성질환인 경우에는 출현하지 않아야 한다. 하지만 실제 종양표지자들은 조기암에는 반응이 거의 나타나지 않다가 암이 어느 정도 자란 후에야 혈액검사에서 이상을 보이는 경우가 많다. 또한 정상세포에서도 생성될 수 있고, 암이 아닌 양성질환에서도 양성을 보이는 경우도 있다. 암이 있는 사람에서 모두 검출되는 것도 아니다. 일부 종양표지자는 한 종류의 종양에만 특징적으로 나타나기도 하지만, 대부분의 종양표지자는 여러 종류의 종양에서 중복되어 발견되기도 한다.

표 3-21. 암의 원발장기와 종양표지자의 조합

암의 원발 장기	종양표지자의 조합
두경부암	SCC-Ag, CA 19-9, CEA, TPA
폐암	소세포암 : NSE, CEA, SCC-Ag, CA15-3 선암 : CEA, CA19-9, CA15-3 편평상피암 : SCC-Ag, CYFRA 21-1
식도암	SCC-Ag, CEA, TPA
위, 십이지장암	CA72-4, CEA, CA19-9, AFP
대장, 직장암	CEA, CA19-9, TPA
간암	AFP, CEA, CA19-9, Du-Pan-2, ALP
담낭, 담도암	CA19-9, CA50, CEA, Du-Pan-2
췌장암	CA19-9, Elastase I, CA50, Du-Pan-2, CEA
갑상선암	Calcitonin, Thyroglobulin, CEA
방광암	NMP-22
전립선암	PAP, PSA
고환종양	AFP, hCG, NSE
유방암	CA 15-3, CA 27.29, CEA, TPA
자궁암	SCC Ag, CA 125, CA 15-3, TPA, CEA, hCG, CYFRA 21-1
난소암	CA 125, CA 19-9, CA 72-4, CA15-3, AFP
혈액암	β 2-Microglobulin

따라서 암의 조기진단에 종양표지자가 완전하지는 않다. 그러므로 여러 가지 종양표지자를 조합하고, 환자의 병력, 이학적검사, 진단의학적검사, 영상의학적검사 등을 참고하여 암을 종합적으로 진단해야 한다. 실제로 대부분의 종양표지자검사는 이미 발견된 암의 치료 후 진행상태 파악, 지속적인 치료평가, 암의 재발 또는 전이의 감시에 더욱 유용하다.

종양표지자검사의 유용성

- 암의 선별검사로 유용하다.
- 고위험군의 추적검사에 적합하다.
- 암의 진단에 보조적 역할을 한다.
- 암의 원발 장기와 조직형의 감별에 도움을 줄 수 있다.
- 예후의 추정에 유용하다.
- 암의 치료 효과 판정과 재발 모니터링에 유용하다.

1. 종양표지자검사에서 "양성"의 의미

종양표지자의 농도가 절단값(Cut-off)보다도 높아진 경우에 양성이라 한다. 절단값이란 다수의 건강한 사람의 데이터를 기초로 산출한 수치로 이 값을 넘으면 병에 걸리는 경우가 많다는 의미이지 반드시 암에 걸렸다는 의미는 아니다.

보통 조기암의 경우에는 혈액의 종양표지자가 참고범위 내의 값을 나타내는 경우가 많으며, 점차 암이 진행됨에 따라 혈중농도가 증가하여 양성반응을 보인다. 하지만 암세포의 종류에 따라 종양표지자를 만드는 능력이 다르고, 미분화암에서는 특징적인 종양표지자를 만들지 않기 때문에 진행암이 되어도 종양 표지자는 정상치를 유지한다. 또한 염증성질환에 걸렸을 경우에도 종양 표지자가 증가하여 양성반응을 보이기도 한다.

그러므로 종양표지자 검사에서 참고범위를 벗어나는 이상소견이 발견되더라도 반드시 암에 걸려 있다는 의미는 아니다. 하지만 특별한 원인 없이 종양표지자의 농도가 높거나, 또는 농도가 계속 증가하는 경우에는 어딘가에 암이 숨어있을 가능성이 있으므로 정밀검사를 해보는 것이 좋다.

[종양표지자검사의 주의사항]

1. 단 한 번의 검사결과에만 의존해서는 안 된다. 종양표지자는 단 한번의 결과만으로 악성질환과 양성질환을 감별하기가 어렵다. 양성질환에서도 종양표지자가 일시적으로 증가할 수 있고, 악성질환의 경우에는 지속적인 상승을 보인다.
2. 종양표지자검사를 연속적으로 시행할 경우 동일한 검사실에서 동일한 검사시약을 사용해야 한다. 동일한 종양표지자를 검출하기 위해 고안된 검사시약이라고 하더라도 제조사에 따라 상이한 결과를 보일 수 있기 때문이다.
3. 종양의 재발을 감시하기 위한 목적으로 시행한 종양표지자는 치료 전에 증가되어 있었던 것을 선택하여 치료 후 검사를 하고, 성공적인 종양 절제 여부를 확인하기 위한 추적검사는 최소 수술 2주 후에 시행하는 것이 좋다. 진단을 받을 당시의 종양표지자검사 결과는 질병의 경과 및 생존율에 대한 예측인자로 이용될 수 있지만, 종양마다 종양표지자가 생성되는 속도가 다르므로 대개 첫 결과만으로 예후를 결정하는 것은 어렵고 추적 검사를 통해 결과를 비교해야 한다.
4. 검사결과를 해석할 때는 종양표지자의 반감기를 고려해야 한다.
5. 종양표지자가 어떻게 혈액 순환계로 대사되고 소실되는지를 고려해야 한다.
6. 진단의 민감도와 특이도를 높이기 위해 여러 가지 종양표지자를 조합해서 검사하는 것이 효과적이다.
7. 이소성 종양표지자의 존재에 관심을 가져야 한다.

2. 종양표지자의 장기 특이성에 따른 분류

1) 장기 비특이적 종양표지자

여러 종류의 암세포에서 만들어지기 때문에 특정 종양표지지의 검사결과가 높게 나와도 어느 곳에서 원발한 암인지 결정하기가 어려운 표지자이다. 대부분의 종양표지자가 여기에 해당된다. 예를 들면 ALP, LDH, CEA, TPA, β2-microglobulin, ferritin 등이다.

2) 장기 특이적 종양표지자

체내의 특정 암세포에서만 만들기 때문에 검사결과에 이상이 있으면 특정 장기의 암을 진단할 수 있는 표지자이다. 일부 종양표지자가 이에 해당된다.

PSA, PAP : 전립선암

AFP : 간암

SCC-Ag : 편평상피세포암(자궁경부, 폐)

CA 15-3 : 유방암

CA 19-9 : 췌장암

hCG : 생식세포종양(고환, 난소)

NSE : 폐암, 신경내분비종양

3. 종양표지자의 성상에 따른 분류

종양표지자의 종류(성상에 따른 분류)

1. 효소
   ① ALP(alkaline phosphatase)
   ② LDH(Lactate Dehydrogenase, 젖산탈수소효소)
   ③ NSE(Neuron-specific enolase, 신경원특이에놀라제)
   ④ PSA(prostate specific antigen, 전립선특이항원)
   ⑤ PAP(prostate acid phosphatase, 전립선 산성탈인산효소)
2. 종양태아항원(onco-fetal antigen)
   ① AFP(α -fetoprotein, 알파태아단백)
   ② CEA(carcinoembryonic antigen, 암종배아항원)
   ③ SCC-Ag(squamous cell carcinoma related antigen, 편평세포암종항원)
   ④ TPA(tissue polypeptide antigen, 조직폴리펩티드항원)
   ⑤ CYFRA 21-1(cytokeratin 19 fragment)
3. 호르몬
   ① hCG(human chorionic gonadotropin, 사람 융모성 성선자극호르몬)
   ② ACTH
   ③ calcitonin
   ④ prolactin
4. 탄수화물 종양표지자
   1) Mucins
      ① CA 125(cancer antigen 125, 암 항원 125)
      ② CA 15-3(cancer antigen 15-3, 암 항원 15-3)
      ③ CA 27.29(cancer antigen 27.29, 암 항원 27.29)
      ④ Du-Pan-2
   2) 혈액형 항원
      ① CA 19-9(cancer antigen 19-9, 암 항원 19-9)
      ② CA 50(cancer antigen 50, 암 항원 50)
      ③ CA 72-4(cancer antigen 72-4, 암 항원 72-4)
5. 단백질
   ① β 2M(beta-2-microglobulin, 베타-2-저분자글로불린)
   ② ferritin(페리틴)
   ③ NMP 22(nuclear matrix protein 22, 핵기질단백질 22)
   ④ C-peptide
   ⑤ PS-P 1(Pregnancy specific protein, 임신특이성 단백)
6. 유전적 표지자
   1) 암유전자 : N-ras, c-myc, HER-2, bcl-2 등
   2) 암억제유전자 : retinoblastoma(RB), p53, p21, BRCA1, BRCA2, APC, WT1(Wilms' tumor) 등

1. 효소

① ALP(alkaline phosphatase)

ALP는 골원성 육종, 간 빛 골 전이, 백혈병, 전이된 전립신암, 간세포암, 그리고 전립선암 등에서 상승한다.

ALP는 혈액 내에서는 불활성상태로 있다가, 세포막에 결합해서 인산기를 제거하고 알칼리 pH를 만드는 가수분해효소다.
ALP는 체내 대부분의 장기에 고루 분포돼 있지만, 혈액에 있는 ALP는 주로 간의 모세담관, 뼈, 신장의 근위세뇨관, 소장점막, 태반에서 분비된 것이다. 성인은 간에서, 소아는 뼈에서 유래된 것이 많다. 간을 경유하여 담즙으로 배설된다.
전기영동을 해서 ALP동위효소(Isoenzyme)검사를 해보면, ALP는 6분획으로 나누어진다. 건강한 사람의 혈중 ALP는 약 90%가 간, 골, 신장 분획이고, 장 분획이 10% 미만, 태반 분획이 약 1%를 차지한다. 이 중 태반 ALP는 임신 중에 태반에서 합성되어 산모의 혈청에서 검출된다. 혈중 ALP가 높은 수치를 보였을 경우, ALP 동위효소검사를 시행해서 어떤 분획이 증가하는가에 따라 그 원인이 무엇인지를 추정할 수 있다.

한편 악성종양이 있는 경우 혈중 ALP가 상승할 수 있는데, 동위효소 분획 중에서 태반 ALP와 유사하며 종양에서 유리되는 "regan ALP"가 이에 해당된다.

참고로 LAP score(leukocyte alkaline phosphatase score)는 호중구 내의 ALP를 세포화학염색하여 염색강도에 따라 score로 표시한 것으로, 성숙호중구의 활성을 나타낸다. 유백혈병 반응(leukemoid reaction)과 만성골수성백혈병(CML)의 감별에 유용한 검사이다. LAP score가 낮으면 만성골수성백혈병을, 수치가 높으면 유백혈병 반응을 추정할 수 있다.

② LDH(Lactate Dehydrogenase, 젖산탈수소효소)

LDH는 간암, 비정상피종성 배세포 고환암, 유방암, 대장암, 위암, 폐암, 비호지킨 림프종, 백혈병 및 신경아세포종 등에서 상승한다.
LDH-5는 종양의 간 전이와 관련되며, 뇌척수액에서 LDH-5가 증가하면 종양의 중추신경계 전이를 의미한다.

LDH는 체내에서 당이 분해되어 에너지(ATP)로 변할 때 작용하는 산화환원효소이다. 인체는 포도당을 피루브산(pyruvate)으로 변화시키는 해당과정(Glycolysis)을 거쳐 ATP를 생산한다. 암세포나 정상세포 모두 이 ATP를 에너지원으로 이용한다. 이때 정상 산소상태에서는 피루브산이 pyruvate dehydrogenase에 의해 acetyl-CoA로 변화되며, 이것은 크렙스회로(TCA cycle)을 통하여 ATP를 생성한다. 하지만 저산소 상태에서는 피루브산이 lactate dehydrogenase(LDH)에 의해 젖산(lactate)으로 바뀌게 된다.
종양조직과 정상조직은 에너지 대사에서 서로 차이가 있다. 정상세포는 높은 산소포화도 상태에서 피루브산의 산화로부터 ATP의 에너지를 얻는다. 이와는 달리, 암세포는 종양 내부의 저산소 상태에서 저산소성 해당과정이 증가되어 피루브산이 LDH에 의해 젖산으로 변화된다. 저산소증은 다양한 종류의 고형암에서 나타나는 일반적인 현상으로, 혈중 LDH가 증가되면 종양의 가능성을 생각해 볼 수 있다.

LDH는 체내 대부분의 장기에 고루 분포돼 있지만, 특히 심장, 간, 신장, 근육, 뇌, 혈구세포와 폐에 있고, 혈중에는 미량 밖에 존재하지 않는다. LDH가 포함되어 있는 장기가 손상을 받으면 그 조직으로부터 LDH가 유리되어 혈중농도가 증가하게 되므로 주로 조직손상을 확인하기위해 측정한다. 혈중 LDH가 증가되면 우선 심장질환, 간질환을 의심해 볼 수 있고, 그 외에도 악성종양 및 백혈병, 빈혈 등을 고려해 볼 수 있다.

전기영동을 해서 LDH 동위효소(Isoenzyme)검사를 해보면 LDH는 5분획으로 나누어진다.
LDH-1 은 심장근육과 혈구세포에 가장 많다
LDH-2 는 백혈구에 가장 많다
LDH-3 는 폐에 가장 많다
LDH-4 는 신장, 태반, 췌장에 가장 많다
LDH-5 는 간과 골격근에 가장 많다.

혈중 LDH가 높은 수치를 보였을 경우, 그 기원을 알기 위해 LDH 동위효소검사를 시행해서 어떤 분획이 증가하는가에 따라 어떤 장기가 손상되었는지를 구분할 수 있다.
특히 LDH-5는 저산소 상태에서 에너지생성 과정에서 중요한 역할을 하므로, 암세포에서는 LDH-5가 더 많이 출현한다. 정상세포에서는 LDH-1이 LDH-5에 비하여 더 많다.
다른 간 효소의 상승 없이 ALP의 높은 상승과 함께 LDH가 500 IU/L 이상으로 증가되면 전이암, 원발성 간세포암, 그리고 드물지만 혈관종과 같은 양성종양 등의 가능성이 있다.

③ NSE(Neuron specific enolase, 신경원특이에놀라제)

NSE는 폐의 소세포암, 신경모세포종, 신경내분비계 종양(크롬친화세포종, 갑상선의 수질성 암종, 흑색종, 카르시노이드, 췌장 내분비성 종양 등)에서 증가한다.

에놀라제(enolase)는 당분해효소인 2-phospho-D-glycerate hydrolase의 한 이성체로 αα, ββ, γγ, αβ, αγ 5가지의 동위효소가 있다. γγ 및 αγ형 에놀라제가 신경세포에 존재하기 때문에 Neuron specific enolase(NSE) 라고 명명되었고, NSE는 여러 신경질환에서 신경손상을 잘 반영하는 지표로 사용되고 있다. 에놀라제는 주로 신경조직의 축색돌기에 존재하지만 신경내분비세포, 혈소판, 적혈구 및 림프구에도 있음이 밝혀졌다.
NSE는 신경조직이 손상되었을 때 척수액으로 분비된다. 그러나 신경조직 또는 내분비신경조직에 암이 발생한 경우엔 NSE가 혈액 내로 분비된다.
NSE는 폐의 소세포암(small cell lung cancer), 소아에서 신경모세포종(neuroblastoma)이 있을 경우 혈액에서 다량 검출된다. 정상피종(seminoma)이나 투석을 하고 있는 요독증 환자에서도 증가할 수 있다.

④ PSA(prostate specific antigen, 전립선특이항원)

PSA는 전립선암의 선별, 진단, 암 위험도 예측 및 재발의 표지자로 매우 유용하게 사용되지만, 양성 전립선비대증, 급성 전립선염, 전립선 허혈, 전립선 외상, 사정 후와 같은 양성질환에서도 증가할 수 있다.

PSA는 전립선의 상피세포에서 만들어지는 일종의 분해효소로, 평소에 정액의 농도를 옅게 하는 작용을 한다. PSA는 정상적으로는 전립선에서 만들어져 정액 내에 있다가 체외로 배출되고 혈중으로는 극히 미약한 양만이 들어있지만, 종양이나 감염과 같이 정상 전립선의 구조가 파괴돼 전립선 상피세포와 혈관을 가로막는 장벽이 무너지는 상황이 발생하면 PSA가 혈중으로 들어가 혈액 검사에서 PSA가 증가한다.

PSA는 전립선암에 매우 예민한 지표이며, PSA가 증가된 정도는 전립선암의 병기나 종양 크기와 상관이 있을 뿐 아니라, 수술 전 PSA가 높을수록 수술 후 재발 가능성이 높은 것으로 알려져 있다. 한편 PSA는 전립선암의 치료에 대한 반응이나 재발을 예측하는데도 유용하고 가치가 있다.
PSA는 전립선에 특이적이지만, 암에 특이적인 것은 아니다. 따라서 PSA는 전립선암에서 증가하지만, 급성 전립선염이나 양성 전립선비대증 같은 양성질환에서도 증가할 수 있어 전립선암과 양성전립선질환의 구별이 어렵다는 단점을 가지고 있다. 그 외에도 전립선 허혈, 전립선 외상, 사정 후 등에서도 상승할 수 있다. 전립선염이 있는 남성은 전립선염 증상이 완화되고 난 후 8주 내에 정상으로 돌아온다. 사정을 한 후 1-2일간은 PSA가 올라갈 수 있기 때문에, 사정 후 48시간이 경과한 후에 측정하거나 검사 전 적어도 48시간 이상은 금욕을 해야 한다.

피나스테라이드(finasteride)는 전립선에서 PSA를 생성하는데 필요한 효소를 억제하기 때문에, 이 약물을 6개월 이상 복용하였다면 참값을 측정값의 2배로 생각해야 한다.

PSA의 정상치는 0-4 ng/ml 이며, PSA 상승이 10 ng/ml 이상으로 나타난 경우에는 전립선암에 대한 위험성이 높다고 할 수 있다. 4-10 ng/ml 사이는 회색지대(gray zone)이라고 할 수 있는데, 일단 PSA가 4 ng/ml 이상으로 측정되면 전립선 조직검사를 해보는 것을 추천하고 있다.

PSA의 수치는 조직검사에서 전립선암이 발견될 수 있는 확률을 반영할 수 있다. 일반적으로 PSA가 4.0-10.0 ng/ml, 10.0 ng/ml 이상인 경우 조직검사에서 전립선암이 발견될 확률은 각각 25%, 50% 이상이지만, 암이 있음에도 불구하고 20-30%는 PSA가 정상범위 내에 있다.

PSA 중에서 혈액 내에서 아무것과도 결합하지 않고 효소적으로 불활성화 되어 있는 비복합체 구조로 존재하는 것을 Free-PSA라 부른다. Free-PSA는 단독 검사로서의 임상적 의의는 희소하나, Free-PSA/PSA 비율은 전립선암의 민감도와 특이도를 증대시킬 수 있다. 전립선암의 가능성은 Free-PSA/PSA 비율이 낮을수록 높다. 이 비율이 0.23 이하인 경우 비정상으로 판단하며 전립선암의 80%를 예측할 수 있다.

PSA는 PAP보다 더 민감하여 전립선 종양표지자로 더 많이 이용되며, 조기진단, 병기결정 및 경과관찰 등에 유용하고, 직장 수지검사와 병행하면 특이성이 더 좋아진다.

⑤ PAP(prostate acid phosphatase, 전립선 산성탈인산효소)

PAP는 전립선암 등에서 상승하지만, 전립선 비대증, 골다공증 및 부갑상선 기능항진증 등의 양성질환에서도 증가될 수 있다. 변비, 전립선 마사지, 전립선 조직검사, 요도경 검사, 전립선 수술 등의 전립선에 대한 자극에 의하여 일시적으로 증가하는 경우도 있지만, 이때는 대부분 24시간 이내에 감소하게 된다.

PAP는 전립선 상피세포에서 만들어지는 가수분해효소이다. PAP는 사춘기이전에는 전립선 상피세포 내에 아주 적은 량이 있다가, 사춘기 이후가 되면 그 양이 증가되면서 정액으로도 분비된다.

PAP는 건강한 성인남성에서 혈액에도 소량 있지만, 전립선암이 생기면 혈중 농도가 증가하므로 전립선암의 진행과 치료의 예측인자로도 사용된다. 하지만 전립선암의 검사에는 PAP는 PSA 보다 민감도가 낮고 특이성이 낮아서, 임상적 사용이 점차 감소되고 있다.

2. 종양태아항원(onco-fetal antigen)

태아조직이 정상적으로 분화되는 동안에 생산되지만, 성인이 되면 부분적으로 또는 완전히 억제되는 유전자 산물을 말한다.

① AFP(α -fetoprotein, 알파태아단백)

AFP은 주로 간암, 난소와 고환의 생식세포종양에서 증가한다. 드물게는 위암, 췌장암, 담도암 등에서도 증가할 수 있으나, 이 경우 1,000 ng/ml 이상으로 증가하는 경우는 드물다.

AFP는 B형간염 바이러스를 보유하고 있는 고위험군, 정상 임신, 간염(특히 급성 바이러스성 간염이나 약물에 의한 간염, 간 재생이 진행되는 상태), 간경변증과 같은 양성질환에서도 증가된다.

태아의 신경관 결손, 무뇌증, 다운증후군 등이 있을 때 임신 중 모체의 혈청AFP 농도가 증가하므로 산전선별검사로 이용되기도 한다.

AFP는 정상적으로 초기 태아발생 시기에 태아의 간조직, 난황(Yolk sac), 위장관에서 생성되어 태아의 혈중으로 분비되는 혈청단백질이다. 태아기 13-14주째에 최고치에 도달 후 점차 감소하다가, 출생 후 12개월이 지나면 성인에서 관찰되는 정도까지 감소된다. 임신시 모체에서는 임신 3개월부터 AFP가 증가하기 시작하여, 8-9개월에 최고치인 100-400 ng/ml 에 달하고, 이후 출산까지 점차 감소하다가 분만 후 급속히 감소한다. 1963년 AFP가 간암에서 생성된다는 것이 밝혀진 이후 혈청 AFP는 간암의 진단에 있어 가장 많이 사용되고 있는 주요 종양표지자이다.

AFP의 정상치는 20 ng/ml 이하이지만 일반적으로 건강한 사람에서는 지극히 낮은 농도로 존재한다. 아주 작고 절제 가능한 간암을 검출하기 위한 AFP의 절단값(cut-off)는 10-20 ng/ml이다. AFP는 간염이나 간경변증 등의 양성질환에서도 상승하지만 95%에서는 200 ng/ml 이하로 유지된다. 일반적으로 비임신 상태에서 400 ng/ml 이상으로 증가하면 원발성 간암일 가능성이 높고, HBV가 양성인 경우에는 3,200 ng/ml 이상이 되어야 95%의 양성예측도를 보일 수 있다. 간 종괴가 있는 환자나 간암 위험인자가 있는 환자에서 AFP이 500 ng/ml 이상 증가하면 조직검사를 하지 않고도 간암을 진단할 수 있다.

AFP는 간암 유병률이 높은 지역에서 간암의 고위험군을 선별하는데 매우 유용하다. 간암 선별은 20 ng/ml 이상을 기준으로한다. 종양의 크기가 클수록 AFP 치도 높게 나타나 크기가 매우 작을 때에는 20 ng/ml 미만으로 측정되기도 한다. 간세포암에서 예후판정, 치료경과 및 임상상 결정 등에 유용하다. 종양표지자가 감소하면 성공적인 치료를 의미하고, 반대로 상승되면 재발이나 전이를 의미한다. AFP와 복부초음파 검사를 함께 시행할 경우 B형 또는 C형 간염 환자에서 간암의 진단 민감도가 75-100%에 가깝다고 한다.

② CEA(carcinoembryonic antigen, 암종배아항원)

PSA나 AFP와는 달리 CEA는 선별검사로서는 유용성이 낮다. 하지만 대장암 환자의 예후 판단이나 재발 감시에는 유용하다.
CEA는 처음 대장암에서 확인되었으나, 폐암, 췌장암, 위암, 유방암, 간암, 자궁암, 난소암 등에서도 높게 나타날 수 있다. 또한 흡연이나 간경화증, 알코올성간염, 담도폐쇄, 갑상선기능저하증, 궤양성 대장염, 염증성 장질환, 만성폐질환, 췌장염과 같은 양성 질환에서도 증가될 수 있다.

CEA는 임신 2-6개월에 태아의 소화기 점막세포(장, 췌장, 간 등)에서 생산되는 당단백질이다. CEA는 처음에는 대장암에 특이적이고 민감하다고 보았지만, 현재는 대장암이나 특정 암에서만 특이하게 증가하는 것은 아니고, 많은 다른 종양에서도 분비되어 종양생성에 중요한 역할을 한다고 추정되고 있다.

CEA는 건강한 사람에서 민감도와 양성예측도가 매우 낮아 위양성이 많이 발생할 수 있으므로 선별검사로 만족스럽지 못하지만, 대장암이 있는 환자에서 예후를 판단하는 데는 유용하다. 수술 전 CEA 수치는 암의 병기나 크기와 양의 상관관계가 있다. CEA는 치료 후 감시에도 사용할 수 있는데, 수술을 하고 나면 1-2개월 내에 정상으로 감소하기 때문에 CEA가 다시 증가한다면 암이 지속적으로 존재하고 있다는 것을 의미한다. 대장암의 재발 감시에도 유용해서, 임상적인 재발이 나타나기 수개월 전에 CEA가 증가하므로 암의 재발을 예측할 수 있다. 그 외에 유방암이나 폐암, 췌장암, 위암, 난소암이 있는 환자에서 CEA가 증가되어 있다면 이 경우에도 치료에 대한 반응이나 질병의 진행을 감시하는데 사용할 수 있다.

정상범위는 성인에서 5.0 ng/ml 미만이다. 흡연자는 비흡연자보다 약 1.7배가량 더 높으며 나이가 많은 경우에도 증가한다. CEA가 10-20 ng/ml 정도로 증가하였을 때 암의 존재를, 20 ng/ml를 초과하였을 경우에는 전이된 암을 생각할 수 있다.
양성질환에 의해 CEA가 상승하는 경우에는 10 ng/ml 이상 올라가는 경우가 매우 드물다. CEA는 간에서 대사되기 때문에 간손상 및 간질환이 있는 경우 CEA의 배출에 문제가 생겨 혈청 내 CEA 양이 증가하게 된다.

③ SCC-Ag(squamous cell carcinoma related antigen, 편평세포암종항원)

SCC-Ag은 주로 폐암, 자궁경부암에 이용되고 있고, 그 외에도 식도, 피부 및 두경부 등의 편평세포암에서 증가하는 것으로, 폐암은 주로 편평세포암, 선암 및 소세포암을 대상으로 측정된다.

SCC-Ag은 자궁경부의 편평세포암에서 추출된 당단백질이다. SCC-Ag은 편평상피의 분화과정의 한 시기에 나타나는 단백으로, 성상 편평상피에 존재하고 있어서 피부 표면에는 다량의 SCC-Ag이 함유되어 있다. 자궁경부암, 폐암, 식도암, 피부암, 두경부암 등 각종 장기의 편평세포암에서 증가하고, 특히 편평세포 폐암 환자의 혈액에서 특히 증가되므로 종양표지자로 이용되고 있다. 일반적으로 편평세포암 이외의 악성종양에서는 음성이다.

SCC-Ag의 정상치는 1.5 ng/ml 이하이다. SCC-Ag은 자궁경부암뿐만 아니라, 외음부나 질, 두경부, 식도, 폐에 발생한 편평세포암에 의해 증가될 수 있다. 또한 상기도나 피부 등 편평상피의 급성질환 또는 건선 또는 습진, 간이나 신장 질환과 같이 양성 질환에 의해서도 증가된 수치를 보일 수 있다.
자궁경부 편평상피세포암 환자에서 치료 전 SCC-Ag의 수치가 높다면 생존율을 떨어뜨리는 위험요인이며, 치료 후에도 지속적으로 SCC-Ag이 높은 경우엔 암이 지속되고 있는 것을 의미한다.
폐암 환자를 대상으로 한 연구에서 SCC-Ag의 절단값을 1.5 ng/ml로 하였을 때 편평세포암의 94.1%, 선암의 20.0%, 소세포암의 11.1%에서 증가된 소견을 보였다.

주로 선암에서는 CEA가, 편평세포암에서는 SCC-Ag이 좀더 특이한 종양표지자이다.

④ TPA(tissue polypeptide antigen, 조직폴리펩티드항원)

TPA는 각종 암에서 장기 비특이적으로 조기에 증가된다.

TPA는 인체의 암조직에서 추출한 항원물질이고, 정상적으로 태반과 대부분의 상피세포에서 세포골격을 구성하는 단백질(Cytokeratin)이다. 기존의 종양표지자와는 달리 거의 모든 암에서 장기 비특이적으로 조기에 증가되어 악성 질환의 진단에 유용하고, 수술과 화학요법 등의 치료효과, 예후 판정의 지표로 유용하게 사용된다.
다양한 종류의 암에서 증가하는데 간염, 간병변증, 담낭염, 폐렴, 전립선 비대증, 위궤양 등의 양성 질환에서도 증가치를 보인다. 하지만 암 이외의 양성질환에서는 일시적으로 증가되다가 질환의 경과와 더불어 감소하지만, 암인 경우에는 암의 진행과 함께 서서히 증가하는 특징이 있어서 질환의 감별점이 된다.
TPA는 연령이 증가할수록, 음주량이 많을수록 양성률이 증가한다.

⑤ CYFRA 21-1(cytokeratin 19 fragment)

CYFRA 21-1은 대부분의 상피세포에서 세포골격을 구성하는 단백질(Cytokeratin)로, Cytokeratin 19의 수용성 분절이다. CYFRA 21-1은 세포파괴로 인해 유출되는 것이 아니고, 종양세포내의 어떤 단백분해효소의 활성이 항진되어 cytokeratin fragment가 혈중으로 유출되는 것으로 알려져 있다.

CYFRA 21-1은 폐암에서 많이 나타나고, 소세포암보다 비소세포암(선암이나 대세포암보다 편평상피세포암)에서 민감도가 높은 것으로 나타났다. CYFRA 21-1을 폐암의 선별검사 목적으로는 시행하지 않는다. 그러나 종양의 크기나 병기, 생존률과 상관성이 있는 것으로 알려져 있어, 폐암의 예후를 예측하거나 치료 후 추적 관찰에 사용하고 있다. 또, 폐암 외에 두경부, 식도의 편평상피암, 원발성 간암의 진단 및 치료효과 판정에도 유용하다. 폐결핵, 폐렴 같은 양성 질환에서도 증가하기도 한다.

편평세포암의 초기에는 CYFRA 21-1이, 진행된 시기에는 NSE가 예후를 예측하는 독립적인 요인이다.

3. 호르몬

① hCG(human chorionic gonadotropin, 사람 융모성 성선자극호르몬)

hCG는 태반에서 만들어지는 임신관련 호르몬으로, hCG를 혈중 또는 소변을 이용하여 측정함으로서 조기에 임신을 진단할 수 있으며, 자궁외 임신과 자연유산같은 비정상적인 임신을 판별할 수 있다. hCG는 정상적으로 수정란이 착상된 후 태반의 영양막(trophoblast) 세포에서 분비되어 임신 초기 3개월간 급증한 후 차츰 감소되는 호르몬으로, 임신 초기에 황체를 유지시키는 기능을 한다. hCG는 LH와 마찬가지로 난소에서 프로게스테론, 고환에서 테스토스테론의 분비를 촉진한다.

hCG는 알파 아단위(alpha-subunit)와 베타 아단위(beta-subunit)의 두 사슬로 이루어져 있다. 알파 아단위는 뇌하수체 전엽에서 분비되는 TSH, LH, FSH 등의 알파 아단위와 아미노산 배열이 동일하지만, 베타 아단위는 hCG에 특이적이다. 그러므로 임상적 검사로 hCG를 검사할 때는 황체호르몬(LH)과의 교차 반응을 피하기 위하여 β-hCG를 검사한다.

hCG는 주로 영양막종양(tropoblastic tumor) 및 고환과 난소의 생식세포종양의 진단 및 경과추적에 이용된다. hCG는 원래 정상조직에서는 분비되지 않으므로 혈액이나 소변에서 검출되면 hCG를 분비하는 영양막종양이 있거나, 난소암, 자궁경부암, 고환종양, 위암, 간암, 췌장암, 유방암, 뇌종양, 다발성골수종, 악성흑색종 같이 이소성으로 hCG가 생산되는 종양이 존재 한다는 것을 의미한다.

생식세포종양에서는 AFP과 hCG 검사를 함께 시행하여 분류 및 병기 결성에 사용할 수 있다. AFP은 주로 난황 종양에서 상승하고, hCG는 융모상피종양에서 상승한다. 치료 후 상승한다면 재발이나 전이를 의심할 수 있다.

② ACTH

쿠싱증후군 및 폐의 소세포암 등에서 증가한다.

③ calcitonin

가족성 갑상선수질암의 진단에 유용하며, 그 외에도 폐암이나 유방암, 신장암, 간암 등에서도 검출된다. 폐질환이나 췌장염, 부갑상선기능항진증, 악성빈혈, 파제트병, 임신과 같이 비 암성 상황에서도 증가된다. 정상치는 8 pg/ml 이하이다.

④ prolactin

뇌하수체선종, 신장암 및 폐암에서 증가된다.

4. 탄수화물 종양표지자

암세포 표면 또는 암세포가 분비한 뮤신(Mucin) 혹은 혈액형 항원성 물질에 대한 항체 표지자들로 효소나 호르몬 등의 종양표지자보다 특이성이 높다.

뮤신은 인체의 점막에서 분비되는 점액의 한 성분으로 점액을 끈적끈적하게 해주는 기능을 하고 다당류 사슬을 갖고 있는 당단백질이다.

CA는 탄수화물 종양표지자(carbohydrate antigen)를 의미한다.

1) Mucins

① CA 125(cancer antigen 125, 암 항원 125)

CA 125는 난소암의 치료 효과 및 경과의 추적, 재발등의 감시에 매우 유효하게 쓰이고 있는 종양표지자이다. CA 125는 난소암 및 자궁내막암, 췌장암, 폐암, 유방암, 대장암, 위장관암에서 증가될 수 있다. 하지만 증상이 없는 사람에서 난소암에 대한 선별검사로는 유용하지 않다.

월경이나 임신, 자궁선근증(adenomyosis), 자궁내막증, 자궁근종, 골반염, 간질환이나 간경변증, 이

전에 암을 앓았던 과거력과 같은 경우에서도 증가될 수 있다.

CA 125는 태생기에는 체강막, 양막에 존재하고, 난관, 자궁내막, 자궁경관 내구, 복막, 흉막, 심낭막 등의 표면세포에서도 만들어지지만, 정상적인 난소조직에서는 검출되지 않는다. 이들 조직이 비정상적으로 자극되면 CA 125가 증가될 수 있다.

CA 125는 상피성 난소암(epithelial ovarian cancer), 특히 장액성 난소암의 80% 정도에서 양성으로 검출되며, 점액성 난소암에서는 잘 검출되지 않는다. 난소암의 90%가 상피성 난소암이기 때문에 난소암의 조기진단에는 주로 이 상피성 난소암이 그 대상이 된다. 이외에 자궁내막암, 췌장암 또는 담도암, 폐암, 유방암, 대장암, 암의 복막전이 등에서도 증가될 수 있다. 특히 CA 125는 월경주기에 따라 변하는데, 월경기에 높고 난포기에 걸쳐 감소하다가 황체기 후반부터 다음 월경기까지 증가한다.
초기 난소암의 경우는 CA 125의 민감도가 낮아서 난소암의 선별검사에 유용하지는 않지만, 난소암이 난소에만 국한된 상황에서 CA 125 증가를 동반하는 경우가 50%이므로 선별검사로의 의미가 있을 수 있다. CA 125는 골반 내 종양이 있을 때 보조적인 진단방법으로 사용되어 왔는데, 폐경 후 여성에서 증상이 있는 골반 종괴가 있을 때 CA 125가 65 U/ml 이상 증가하면 난소암에 대한 양성 예측률이 90% 이상 되는 것으로 알려져 있다. 그러나 폐경 전 여성에서는 양성질환에 의해 증가하는 경우가 더 흔하므로 이 시기의 여성에서는 종양표지자로서의 유용성이 떨어지게 된다.

난소암에 대한 완치치료를 한 경우, 첫 2년 동안 매 3개월마다 CA 125를 측정하도록 하며, 그 이후에는 횟수를 줄여서 하도록 하고 있다. 추적 관찰하는 동안 CA 125 수치가 떨어지면 치료 효과가 있고, 수치가 올라가면 거의 모든 경우에서 난소암의 재발을 의미한다.

CA 125의 정상치는 35 U/ml 이하이다. CA 125가 난소암과 관련하여 증가할 때에는 그 수치가 500 U/ml을 넘고, 양성질환에서는 100 U/ml을 넘는 경우는 드물다.

② CA 15-3(cancer antigen 15-3, 암 항원 15-3)

CA 15-3은 유방암, 췌장암, 폐암, 자궁암, 난소암, 간암, 전립선암 등에서도 발견되지만, 대부분 암이 진행된 후에 증가된다. 또한 간염이나 간경변증, 자가면역성 질환, 폐나 유방의 양성 질환 등에서도 경미한 상승을 나타낼 수 있다

CA 15-3은 점액항원으로 유방 상피조직에서 흔히 확인되는 정상적인 세포막 단백질이다. CA 15-3

은 전이된 유방암 환자의 75-80%에서 상승되어 있어서 유방암의 원격전이 여부를 파악하는데 좋은 검사이다. 하지만 원발성 유방암 환자에서는 10-20%에서만 증가되어 나타나기 때문에 선별검사로는 적당하지 않다. 또한 재발이 발생하기 전에 흔히 증가되어 있어 재발을 조기에 알아내는데 유용한 검사이다. 따라서 CA 15-3이 상승했다고 하여 절대적으로 악성질환이 존재한다고 해석하지 말아야 한다. CA 15-3과 ALP를 같이 검사하면 유방암의 조기 재발을 찾아내는데 더욱 더 유용하다.

CA 15-3은 유방의 악성종양에 대한 특이도가 높아서 양성 유방질환에서는 증가되는 일이 거의 없다. CA 15-3도 다른 종양표지자들과 마찬가지로 유방암의 경과 관찰이나 치료 후 반응을 감시하기 위해 측정하도록 추천되고 있다.

③ CA 27.29 (cancer antigen 27.29, 암 항원 27.29)

CA 27.29는 CA 15-3보다 유방암에 대한 민감도와 특이도가 높아 더 선호되는 종양표지자이지만, 유방암을 선별하거나 진단하는 데는 큰 역할을 하지 못한다. 그러나 유방암의 치료과정이나 치료 후 추적관찰 및 재발을 확인 하는 데 유용하게 사용되고 있다

CA 27.29는 유방암에서 증가할 수 있으나, 유방, 간, 신장의 양성종양이나 난소낭종이 있는 경우에도 검출될 수 있다.

④ Du-Pan-2

Du-Pan-2는 췌장 상피세포에 정상적으로 존재하며, 소화기암에서 양성으로 보이는 경우가 많다. 특히 췌장암, 담도암의 진단 및 경과 판정에 유용한 검사이다.

그 외에도 간암, 위암, 대장암, 식도암에서도 양성반응을 보일 수 있고, 만성 간질환에서도 검출될 수 있다.

2) 혈액형 항원

① CA 19-9(cancer antigen 19-9, 암 항원 19-9)

CA 19-9은 췌장암과 그외 위암, 대장암, 담낭암, 간암, 폐암, 유방암, 전립선암과 췌장염, 간경변증, 폐색성 황달, 담관염, 염증성 장질환, 자가면역질환, 기관지염과 같은 양성 질환에서도 상승할 수 있다.

CA 19-9은 사람의 혈액형 sialyl Lewis a형으로 동정된 항원결정기를 가지고 있고, 정상적으로 췌장, 담관, 담낭 및 위의 상피세포에 존재한다.

CA 19-9은 췌장암에 대한 민감도가 높아 췌장암을 감시하는 데는 가장 좋은 종양표지자이고, CEA와 함께 동시에 측정하면 췌장암을 진단하는데 매우 높은 민감도를 보인다. 대장암을 감시하는데도 CA 19-9을 사용할 수 있지만, CEA보다 민감도가 떨어지기 때문에 대장암의 감시에는 CEA를 사용하도록 추천하고 있다.

CA19-9의 정상치는 < 37 U/ml 이며, 수치가 증가할수록 췌장암이 진행되었음을 의미한다.

② CA 50(cancer antigen 50, 암 항원 50)

CA 50은 사람의 혈액형 sialyl Lewis a형과 sialyl Lewis c형으로 동정된 항원결정기를 가지고 있어서 CA 19-9와 비슷하다. CA 50은 대부분이 CA19-9이고, 일부에 Du-Pan-2가 함유된 것이다. CA 50은 CA 19-9와 거의 비슷하게 췌장암, 담도암 질환의 진단 및 치료 후 경과관찰에 이용된다. 기타 소화기암에서는 30% 전후의 양성율을 보인다.

③ CA 72-4(cancer antigen 72-4, 암 항원 72-4)

CA 72-4는 정상세포에서는 보이지 않고 전암단계에서 출현하기 때문에, 광범위한 암을 인식하는 종양표지자로 평가받는 TAG-72에 대한 측정 감도를 향상시킬 목적으로 개발 된 것이다. CA 72-4는 특히 위암에서 높은 양성률을 보이고, 대장암, 난소암, 췌장암, 폐암, 유방암에서도 증가된다. 폐렴 등의 양성질환에서도 상승할 수 있다.

5. 단백질

① β2M(beta-2-microglobulin, 베타-2-저분자글로불린)

β2M은 정상인의 모든 유핵세포 표면에 정상적으로 존재하는 단백질로, 혈액, 소변 및 모유에 미량으로 존재한다. β2M은 여러 가지 종양세포의 표면에서도 뷴포하기 때문에 종양표지자로서 이용된다. 다발성골수종이나 만성림프구성백혈병에서 증가되고, 간암, 위암, 대장암, 폐암, 전립선암, 신장암에서도 증가될 수 있다. β2M은 위에 열거한 암 환자에서 예후를 예측하는데 유용한데, 일반적으로 β2M 수치가 높을수록 예후는 나쁜 것으로 알려져 있다.

신장질환과 같은 비 암성 상황에서도 증가되어 나타날 수 있다. 소변검사에서 측정한 β2M은 세뇨관기능을 잘 반영하므로 신장장애를 검사할 수 있어서 세뇨관성 단백뇨와 사구체성 단백뇨 감별에 이용하기도 한다. 혈액에서 측정한 β2M은 사구체여과량을 잘 반영하여 사구체 여과의 지표로 이용하기도 한다.

② ferritin(페리틴)

페리틴은 철분의 저장에 중요한 역할을 하며 간, 비장, 골수 등에 고농도로 존재한다. 페리틴은 주로 빈혈의 진단에 이용되고 있지만, 악성질환이 있을 때 저장철의 양과는 관계없이 혈청 Ferritin 이 때때로 증가되므로 임상적으로 종양 표지자로 응용되고 있나. 하지만 페리틴은 민감도와 특이성이 매우 낮아서 암의 선별검사로는 이용하기 어렵다.

철은 그 자체가 종양세포를 촉진할 수 있으며, 활성산소 생성을 증가시킴으로써 숙주의 방어세포 손상을 초래하고 종양세포의 증식을 촉진하는 것으로 알려져 있다. 신체는 이에 대한 방어기제로 철을 페리틴 형태로 저장함으로써 암세포가 이를 이용하지 못하도록 한다. 하지만 악성질환이 있을 때 혈청 페리틴의 농도가 올라가게 된다.

페리틴은 백혈병 일부에서 현저히 증가되고, 림프종, 신경모세포종, 폐암, 간암, 췌장암, 고환암, 후두암, 담도암, 신장암, 난소암 등에서 높게 나타난다. 재생불량성빈혈, 용혈성빈혈, 악성빈혈, 거대적혈모구빈혈, 혈색소침착증, 헤모시데린증, 류마티스관절염과 같은 염증성 질환, 간 질환과 같은 비 암성 질환에서도 높은 수치로 나타날 수 있다.

정상 페리틴 농도는 나이와 성별에 따라 다르다. 보통 출생 후 평균 100 ng/ml 이나 1개월이 지나면 급격히 상승한 후 6개월경에 감소한 후 사춘기까지 유지된다. 성인 여성의 경우 남성보다 정상치가 낮다. 혈중 페리틴 농도가 남자의 경우 20 ng/ml 이하, 여자의 경우 10 ng/ml 이하이면 체 내의 철 저장량이 비정상적으로 낮음을 의미하며, 200 ng/ml 이상이면 체내 저장철이 과다한 것을 의미한다.

③ NMP 22(nuclear matrix protein 22, 핵기질단백질 22)

NMP 22는 세포핵 내에 있는 단백질로 정상 또는 방광암세포에서 발견된다. NMP 22는 검사 키트에 4방울의 소변을 떨어뜨린 후 30분 정도 경과하면 그 결과를 알 수 있으며, 양성 또는 음성으로 보고된다. NMP22는 방광암 선별검사를 위해 방광내시경검사와 함께 시행하는 경우 정확도를 올릴 수 있어서 조기 방광암을 발견하는데 유용하다. 현재 NMP 22는 방광암 치료 후 암의 재발을 감시하기 위해 사용하는 경우가 대부분이다.

④ C-peptide

인슐린종에서 증가한다.

⑤ PS-P 1(Pregnancy specific protein, 임신특이성 단백)

영양막 종양 및 배세포 종양 등에서 증가한다.

6. 유전적 표지자

암은 특정세포가 분화과정 중 어느 단계에서 무한정으로 성장하여 정상조직들을 침범 및 파괴하는 질환이다. 정상세포가 여러 가지 원인인자(화학적 발암물질, 종양유발 바이러스 또는 다량의 방사선)에 노출된 후에, 암 발생을 유발하는 암유전자(oncogene)와 이들을 억제하는 암억제유전자(tumor suppressor gene)간의 힘의 균형이 깨어질 때 암이 발생하는 것으로 추정된다. 암유전자는 엑셀레이터의 역할을, 암억제유전자는 브레이크의 역할을 하고 있는 셈이다. 유전자 결함이 생겨서 암유전자가 활성화되면 엑셀레이터를 밟은 상태가 되어 세포의 증식이 멈추지 않고, 암억제유전자가 불활성화되면 브레이크가 고장난 상태가 되어 세포가 암으로 변한다고 보면 된다.

1) 암유전자

지금까지 40여종 이상의 암유전자가 알려졌는데, 이 중 N-ras, c-myc, HER-2, bcl-2 등이 임상에 많이 적용된다.

2) 암억제유전자

인간에서 발생하는 종양과 관련성이 잘 알려진 암억제유전자는 retinoblastoma(RB), p53, p21, BRCA1, BRCA2, APC, WT1(Wilms' tumor) 등이다.

15 염증반응검사

목표질환 : 각종 염증성 질환

〈검사 항목〉
CRP(C-reactive protein)
ESR(erythrocyte sedimentation rate)

1. CRP(C-reactive protein, C-반응성 단백)

CRP는 폐렴구균(Streptococcus pneumoniae)의 표면항원인 C-다당체(C-polysaccharide)와 반응하는 단백질로서 급성기반응물질의 하나이다. 급성기반응물질(acute phase reactant)이란 염증이나 조직손상에 비특이적으로 반응하여 농도가 변화하는 물질들을 의미하며, 그 중 가장 대표적인 물질이 C-반응성 단백이다.

C-반응성 단백은 감염성 질환이나 자가면역성 질환의 진단과 치료 후 경과관찰 등에 이용되고 있다. 최근에는 C-반응성 단백의 농도가 높을 때 뇌졸중과 심근경색증의 위험도가 높다는 사실이 알려져 있다.

정상인에서 C-반응성 단백의 중앙값은 1 mg/L이며, 세균성 감염 같은 급성 질환 환자에서는 300 mg/L까지도 증가할 수 있다.

관상동맥질환 위험도의 계산에 있어서는 1 mg/L 이하를 저위험도, 1-3 mg/L를 중간위험도, 3 mg/L 이상을 고위험도로 분류할 수 있다.

뇌졸중에 대해서는 아직 정확한 위험 수치는 정해지지 않았다.

최근에는 민감도를 높인 hs-CRP(high sensitivity C-reactive protein, 고민감성 C-반응성 단백)검사법도 이용되고 있다.

최근 감염성 질환의 표지자로서 프로칼시토닌(procalcitonin, PCT) 검사가 많이 도입되고 있다. 프로칼시토닌은 C-반응성 단백보다 더 빨리 변화하여 임상경과나 치료효과를 더 잘 반영하는 것으로 알려지고 있다.

2. ESR(erythrocyte sedimentation rate, 적혈구 침강속도)

정맥혈을 시험관에 넣고 수직으로 세워놓아 두면 적혈구가 혈장으로부터 분리되어 시험관 아래로 가라앉는데, 이때 1시간 동안 적혈구가 침강한 거리를 적혈구 침강속도라고 한다.

질병에 대한 특이도는 낮지만 염증질환, 감염성 질환, 면역질환, 종양 등의 진단과 추적관찰에 유용하다.

검사방법은 웨스터그렌(Westergren)법이 기본이다. 희석하지 않은 전혈 2 ml를 0.5 ml의 구연산 나트륨과 섞고, 웨스터그렌 시험관(길이 30 cm, 내경 2.55 mm)에 넣어 수직으로 세워둔다. 60분 후에 적혈구가 혈장에서 분리되어 침강한 거리를 밀리미터(mm)로 기록한다.

기타 방법으로는 변형 웨스터그렌법과 자동화기기를 사용하는 방법 등이 있다.

- ESR 정상범위(웨스터그렌법)
  50세 이하 남자: 15 mm/h, 여자: 20 mm/h
  50세 이상 남자: 20 mm/h, 여자: 30 mm/h
  85세 이상 남자: 30 mm/h, 여자: 42 mm/h

16 AIDS 검사

목표질환 : 후천성면역결핍증(AIDS)

〈검사 항목〉
HIV Ab 검사

AIDS(acquired immune deficiency syndrome) 는 인체가 인간면역결핍바이러스(human immunodeficiency virus, HIV)에 감염되어 면역세포인 CD4양성 T-림프구가 파괴되므로 면역력이 떨어지게 되고 그 결과 각종 감염성 질환과 종양이 발생하여 사망에 이르게 되는 질환이다.

HIV 바이러스는 HIV-1과 HIV-2로 구별된다. 전 세계적으로 확산되어 HIV 감염을 일으키고 있는 것은 HIV-1이며, HIV-2는 주로 아프리카 일부 지역에 분포되어 있다. HIV-1은 다양한 아형(subtype)으로 나뉘는데, 이러한 아형들은 지속적인 유전적 변형을 통하여 그 다양성이 증가하고 있다.

HIV의 감염경로는 성적인 접촉, 수혈이나 혈액 제제를 통한 전파, 의료인이 바늘에 찔리는 등의 사고로 전파되는 경우, 모체에서 신생아에게로의 전파 등이 있다.

HIV 감염은 세 단계로 나눌 수 있다.

1) 급성 HIV 증후군
   바이러스에 감염되고 3-6주 정도 지난 후에 발생한다. 발열, 인후통, 임파선 비대, 두통, 관절통, 근육통, 구역, 구토, 피부의 구진성 발진 등의 증상이 나타난다. 심한 경우 뇌수막염, 뇌염, 근병증도 동반될 수 있다.
2) 무증상 잠복기
   보통 10년 정도 지속되는데 편차가 심해 4년 정도로 짧은 경우도 있다. 특별한 증상이 나타나지는 않지만 HIV 바이러스가 지속적으로 면역세포를 파괴하므로 인체의 면역력이 점차 저하된다.

3) 후천성 면역결핍증 시기

면역력이 현저하게 떨어져 보통 사람에게는 약하게 나타나는 감염성 질환(기회감염)도 후천성 면역결핍증 환자에게는 심각한 질병으로 나타난다. 또한 면역결핍으로 인해 악성종양이 많이 발생하므로 사망에 이르게 된다.

선별검사로는 바이러스에 대한 항체를 검사하는 효소면역측정법(Enzyme-linked Immunosorbent Assay, ELISA)이 널리 사용된다. 비교적 감수성이 높고 경제적이며 간편하지만, 위양성률이 높은 단점이 있다. 따라서 효소면역측정검사에 양성인 경우에는 반드시 두 가지 이상의 효소면역측정검사 키트로 반복 확인한 후, 계속 양성이면 웨스턴 블롯(Western blot) 검사를 시행하여 확진한다.

HIV 바이러스에 감염된 후 초기 4-6주 동안 항체가 형성되지 않은 경우에는 음성으로 판정되는 수가 있다. 또한 바이러스의 항원성이 다르거나 혹은 변할 수 있기 때문에, 한 가지 진단용 효소면역측정검사 키트만 사용할 경우 위음성으로 판정될 수 있으므로 주의해야한다.

현재까지 AIDS를 완치할 수 있는 방법은 없지만, 최근 HIV 바이러스를 억제할 수 있는 치료제들이 개발되어 적절하게 치료를 받으면 면역력을 유지할 수 있게 되었다.

하지만 현재 사용 중인 항 HIV 약제들은 부작용이 많으므로 면역력이 정상적으로 유지되는 감염 초기에는 사용하지 않는다. 혈액 내에 존재하는 HIV 바이러스의 수와 면역세포의 수를 주기적으로 측정하여 일정 기준에 도달하면 치료를 시작한다. 항 HIV 치료제는 보통 세 가지 종류의 약을 동시에 사용한다.

현재로서는 항 HIV 약제는 평생 동안 먹어야 하며, 도중에 투약을 중단하면 HIV 바이러스가 다시 증식하면서 면역력이 저하되어 각종 기회감염과 종양이 발생할 수 있다.

기회감염이나 종양이 발생하면 이에 대한 치료를 병행해야 한다.

예방 방법은 HIV 감염 경로에 노출되지 않도록 하는 것이다. 성관계를 가질 때에는 콘돔을 사용해야 하며, 혈액을 다루는 의료인은 채혈하는 과정에서 주사기에 찔리지 않도록 주의하여야 한다.

산모가 HIV에 감염되어 있으면 출산하는 과정에서 태아가 HIV에 감염될 확률이 높다. 이 경우에는 임신 2기부터 항 HIV 약제를 임산부에게 투여하면 태아가 감염될 확률이 1% 이하로 줄어든다.

17 매독검사

목표질환 : 매독(특히 만기잠복매독, 3기 매독)

매독은 매독균(Treponema pallidum)의 감염에 의해 발생하는 만성 전신성 질환으로, 오랫동안 잠복하여 아무 증상 없이 경과하거나 다양한 피부병변 및 전신적 질환을 일으킬 수 있는 질환이다. 대부분 매독환자와의 직접적인 성접촉에 의해 전파되는 것이 주요 전파경로이지만, 드물게 키스, 수혈, 바늘을 통한 감염, 사람에 물려서, 피부 상처의 오염, 임신 중 태반을 통해서도 감염될 수 있다.

건강검진에서 이용하는 VDRL, RPR은 매독에 대한 1차 선별검사이다. 매독균에 감염되었을 때 생기는 항체를 수검자의 혈액에서 검사하는 방법이다.

매독검사 양성일 경우, 수검자가 사회적으로 곤란한 상황에 빠질 수 있으므로 판정과 결과 통보에 매우 주의를 기울여야한다.

매독혈청검사(serologic test for syphilis, STS)

검사방법에 따라 크게 2가지가 있다. 매독균 비특이 항체검사는 비특이성 항원을 사용하며, 매독균 특이 항체검사는 매독균을 항원으로 사용한다.

1. 매독균 비특이 항체검사(nontreponemal test)

매독의 선별검사 및 치료 후 추적검사에 주로 이용된다. 말기매독의 경우에는 민감도가 낮다.

1) VDRL(venereal disease research laboratory)

생물의 세포표면에는 인지질이 존재하고, 감염성 질환이 일어나면 인지질에 대한 항인지질항체가 만들어진다. 수검자의 혈액에서 매독균에 의해 생산된 항인지질항체가 있을 경우, 동물조직 추출물(cardiolipin과 lecithin의 혼합물)에서 얻어진 지질항원(매독항원으로서 활성이 있는 것은 cardiolipin 이다.)과 면역반응이 일어나면서 발생하는 응집을 관찰한다. 이때 이용되는 지질항원은 매독균과 무관하므로 비특이성 항원이라고 한다.

2) RPR(rapid plasma reagin)

검사 원리는 VDRL에서와 같은 비특이성 항원을 이용하지만, 이 항원에 choline chloride를 첨가하고, charcol particle을 포함시켜 VDRL보다 반응성을 향상시킨 검사이다.

VDRL 또는 RPR의 역가는 매독의 활성도를 반영하며, 동일 환자의 혈청으로 검사할 경우 RPR 역가가 약간 높게 나타나는 경향이 있다.

검사 방법에는 정성검사와 정량검사가 있다.

(1) 정성검사 : 육안으로 응집유무를 판독한다. 정성검사에서 양성을 보이면 역가를 구하기 위해 정량검사를 시행한다. 정성검사는 음성과 양성으로 판정한다.

- Nonreactive(Nr, 음성),
- Reactive(R, 양성)

(2) 정량검사 : 2배수씩 최대로 128배까지 희석하여, 양성반응을 보이는 최고 희석배율을 항체가로 표기한다. 1번 희석할 때마다 역가가 2배 증가한다. 즉 1번 희석할 때마다 1:1에서 1:2로, 1:2에서 1:4로, 1:4에서 1:8로 역가가 증가된다. 정량검사는 항체가의 변화를 관찰함으로써 질환의 활동도 및 치료에 대한 반응을 추적하는데 도움이 된다.

VDRL, RPR의 판정

정상범위(음성, Nonreactive) – 1:1 미만
생물학적 위양성 또는 감염초기 – 1:1-1:8
활동기 감염 – 1:16 이상

생물학적 위양성(biological false positive reaction)

실제로는 매독이 아닌데 VDRL, RPR 검사에서 양성으로 결과가 나오는 경우이다. 매독이 아닌 다

른 질환에서도 인지질에 대한 항인지질항체가 생산되어 이들 검사에서 사용되는 비특이성 항원과 반응하기 때문에 나타나는 현상이다. 매독에서 만들어낸 항체와 비슷한 항체유사물질이 있을 때, 혈청 글로빈 부분의 증가 혹은 변화, 또는 어떤 종류의 화학물질이나 혈액 내의 물질의 증가 혹은 변화 등에 의해 나타날 수 있다.

- 급성 위양성 : 각종 열성 감염질환, 임신, 예방 접종 등에서 나타난다. 재검사하면 6개월 이내에 음성이 된다.
- 만성 위양성 : 자가면역 질환, 마약접종, 만성 B형 및 C형 간염, 노인 등에서 나타난다. 6개월 이상 또는 평생 동안 지속적으로 위양성 반응을 보이기도 한다.

위양성 반응은 VDRL, RPR 검사에서 약 10-30%의 빈도를 보인다. 그러므로 VDRL, RPR 로 선별검사를 하여 양성으로 나왔다고 매독이라고 판정하면 안 되고, 매독균 특이 항체검사를 시행하여 확인해야 한다. 특히 매독검사의 경우 수검자가 사회적으로 곤란한 상황에 빠질 수 있으므로 판정에 주의를 기울여야한다.

2. 매독균 특이 항체검사(Treponemal test)

TPHA는 매독의 선별검사와 확진을 위해 주로 이용되고, FTA-ABS는 민감도와 특이도가 높아 매독의 확진을 위한 표준검사법으로 이용되고 있다.

1) TPHA(Treponema pallidum hemagglutination)

매독균인 Treponema pallidum에 감작 고정시킨 면양 적혈구를 항원으로 이용하여 피검자의 혈액에서 매독균에 의한 항체가 있을 경우 두 항원과 항체사이에 면역반응이 일어나면서 발생하는 응집을 관찰한다. 이 검사는 1기 매독의 경우에는 민감도가 매우 낮다.

검사방법에는 정성검사와 정량검사가 있다.

- 정성검사는 육안으로 응집유무를 판독하여 음성(Nonreactive, NR), 양성(Reactive, R)으로 판정한다. 정성검사에서 양성을 보이면 역가를 구하기 위해 정량검사를 시행한다.
- 정량검사의 표기 방법은 VDRL, RPR 검사와 같다.

TPHA의 판정

정상범위(음성) - 1:80 미만
치료후 매독 또는 잠복매독 - 1:80 이상

2) FTA-ABS IgG, IgM

TPHA에서와 같은 매독균 항원을 이용하지만, 이 항원이 피검자의 혈액과 반응시켜 매독균의 항체가 존재하면 항사람글로불린 혈청과 반응하여 항원, 항체, 형광표식항체 결합물의 특이형광을 현미경으로 관찰한다.

(1) FTA-ABS IgG(Fluorescent Treponaml Antibody Absorption IgG)

매독균에 특이한 IgG 항체는 감염 후 바로 생기지 않고 상당 기간이 경과한 후 나타나고, 치료된 후에도 양성 반응을 보이며 양성 반응이 평생 동안 지속되고, 항체 역가가 질병 활동도와 일치하지 않기 때문에 치료의 판정에는 적합하지 않다.

(2) FTA-ABS IgM(Fluorescent Treponaml Antibody Absorption IgM)

매독균에 특이한 IgM 항체는 감염초기에 빨리 증가되어 매독의 초기 감염을 진단하는 데 도움이 되고, 치료 3-4개월 후에는 현저히 역가가 하락하여 보통 2년 이내에는 사라지므로 매독의 치료 판정에 이용된다. 선천성 매독 진단에도 적합하다.

3) FTA-ABS 19S(IgM)

더 높은 민감도가 필요할 때 시행한다.

표 3-22. 매독의 혈청항체의 출현시기와 검사방법

	감염 후 혈청항체의 출현 시기	가능한 검사 방법
FTA-ABS IgM	2-3주	FTA-ABS IgM
FTA-ABS IgG	4주	FTA-ABS IgG, TPHA
항cardiolipin IgG항체	5-6주	VDRL, RPR

〈매독의 검사 순서〉

1. 1차 선별검사는 매독균 비특이항체를 검사하는 VDRL, RPR을 시행한다.

2. 이 검사 중에서 하나라도 양성반응을 보이면 매독균 특이항체를 검사하는 TPHA로 재검사한다.(정상 범위는 TPHA 1:80 미만)
3. 최종 확인이 필요할 때는 FTA-ABS IgG, IgM 으로 확인한다.

VDRL, RPR 검사가 1기 매독의 초기나 후기잠복매독에서 민감도가 떨어지기 때문에, 최근에는 1차 선별검사로 VDRL, RPR 검사를 단독으로 시행하는 것은 권장되지 않는다.

"TPHA + RPR(또는 VDRL) 복합검사"가 1차 선별검사 로 권장되고 있다.

표 3-23. RPR과 TPHA의 검사결과에 대한 해석

RPR	TPHA	해석
음성(-)	음성(-)	비 매독 감염 초기 혹은 잠복기
양성(+)	음성(-)	생물학적 위양성 감염 초기(매우 드묾)
음성(-)	양성(+)	과거 감염 치료 후 매독(자연 치료 포함)
양성(+)	양성(+)	현성 매독 매독 이외 Treponema 균의 잠재 감염

매독(syphilis)

매독의 분류와 병기

선천성 매독

후천성 매독 : 1기 매독, 2기 매독, 조기잠복매독, 만기잠복매독, 3기 매독

조기매독과 만기매독의 임상적 중요성은 바로 감염력이다. 감염력은 병의 초기에 높고 시간이 지남에 따라 떨어진다. 조기매독인 1기, 2기, 조기잠복매독은 감염력이 강하고, 만기 매독인 만기잠복매독 및 3기 매독은 감염력이 떨어진다. 거의 4년이 지나면 감염력은 없다고 인정되고 있다.

1. 1기 매독

균이 침범한 부위에 2-3주 후에 발생하는 경성하감(chancre)라 불리는 궤양이 발생한다. 서혜부 림프절의 무통성 증대를 동반한다. 치료 여부에 관계없이 3-6주 후 자연소실 된다.

2. 2기 매독

균은 궤양 발생 후 수개월 내에 혈행성과 림프성 전파를 통해 신체의 광범위한 부위에 전신 증세를 보이고 피부와 점막에 발진을 동반한다. 치료여부에 관계없이 남자는 1-2개월 후, 여자는 3-5개월 후 자연소실 된다.

3. 잠복매독

매독 혈청검사는 양성반응이지만 임상증세는 없는 경우이며, 매독이 계속 진행되고 있는 상태이다. 치료받지 않은 환자의 2 /3에서 잠복매독으로 진행된다. 감염이 의심되는 시기에 따라 조기잠복매독(감염 후 1년 이내)과 만기잠복매독(1년 이상)으로 구분한다.

- 감염력이 강한 조기잠복매독으로 판단하는 기준은 다음과 같다.
  - ① 최근 1년 동안 매독반응검사에서 양성으로 전환되거나 역가가 4배 이상 상승한 경우
  - ② 최근 1년 동안 1기 또는 2기 매독이 의심되는 증상이 있었으나 치료받지 않은 경우
  - ③ 최근 1년 동안 조기매독으로 진단받거나 의심되는 환자와 성적 접촉이 있으면서 치료를 받지 않은 경우
- 이상의 기준에 합당하지 않은 경우는 만기 잠복매독으로 분류한다.

4. 3기 매독(후기 매독)

치료받지 않은 환자의 1 /3에서 3기 매독으로 진행된다. 염증이 서서히 진행되어 전신의 여러 부위에 파괴성 병변을 일으키는데, 침범 장기에 따라 양성3기매독, 신경매독, 심혈관매독등이 발생한다.

매독의 치료와 예후

- 잠복기, 1기 매독, 조기잠복매독(1년 이내)의 경우
  Benzathine penicillin G 240만 단위(소아는 5만 단위/kg)를 1회 근육주사.
- 만기잠복매독이나 3기 매독
  같은 용량을 1주 간격으로 3회 근육주사.

만기잠복매독은 산모에서의 수직감염은 가능하지만 성적 접촉에 의한 감염력은 낮다. 하지만 매독의 말기 합병증을 예방하기 위해 치료를 시행한다.

치료 후 판정을 할 때 VDRL, RPR 정량검사를 해서 그 역가가 치료 전에 비해 4배 이상 역가가 감소

하였거나 음성으로 전환된 경우, 치료에 적절하게 반응하였다고 본다. TPHA, FTA-ABS 검사에서 양성을 보인 대부분의 환자들은 완전히 치료가 되었더라도 평생 양성을 보이므로 치료 판정에 사용될 수 없고, 확진 및 과거 병력을 알아보는데 사용된다.

추적검사에서 통상적으로는 과거에 치료받은 병력이 있고 VDRL, RPR 검사가 낮은 역가를 지속적으로 보이는 경우에는 재치료를 시행하지 않는다.

조기매독에서 적절한 치료가 이루어지면 VDRL, RPR 검사는 보통 음성으로 전환되지만, 후기매독에서 치료받은 경우에는 낮은 역가로 상당기간 지속될 수 있다. 주기적으로 추적검사를 해서 VDRL, RPR 정량검사 결과 항체 역가가 치료 전에 비해 4배 이상 증가되거나 치료 후 1년 이내에도 치료 전보다 4배 이하로 떨어지지 않고 매독증상이 나타나면, 재감염이나 재발을 고려해서 재치료를 하거나 신경매독을 배제하기 위한 뇌척수액 검사를 반드시 실시해야 한다.

18 류마티스인자 검사

목표질환 : 류마티스 관절염

〈검사항목〉
류마티스 인자

인체는 세균과 같은 외부의 이물질이 들어오면 스스로를 방어하기 위해 백혈구를 중심으로 한 면역계를 작동시킨다. 이 면역계가 알 수 없는 이유로 자신의 몸을 스스로 공격하기 때문에 발생하는 질환을 자가면역질환이라고 한다. 자가면역질환은 자기 자신의 조직에 대한 항체 즉 자가면역항체를 만들어서 자신의 신체조직을 파괴하는 질환을 말한다.

이런 자가면역질환을 류마티스 질환이라고도 하며, 류마티스 관절염, 베체트 병, 루푸스, 강직성 척추염, 쇼그렌 증후군 등이 있다. 대표적인 자가면역질환이 류마티스 관절염이며, 류마티스 관절염의 선별검사로서 많이 이용되고 있는 검사가 류마티스 인자 검사이다.

류마티스 인자(rheumatoid factor, RF)는 면역글로불린(IgG의 Fc 부위)에 대한 자가면역항체로 생각되며, B형 임파구에서 생성된다. 류마티스 인자를 측정하는 혈액 검사법에는 여러 가지 방법이 있으나, latex응집법이 표준검사법으로 가장 많이 이용되고 있다. 이는 latex표면에 사람의 IgG가 덮여 있어서, 류마티스 인자가 포함된 혈청과 만나면 육안적으로 응집이 관찰된다.

전형적인 류마티스 관절염 환자의 일부에서 류마티스 인자가 표준검사법으로는 검출되지 않아 음성으로 관찰되는 경우가 있는데, 반복검사를 하면 양성으로 전환되기도 하고 10%에서는 계속 음성을 보이기도 한다.

류마티스 인자는 다발성 관절염이 있는 환자에서 류마티스 관절염이 의심될 때 진단적 도움을 줄 수 있지만, 건강한 사람에서 류마티스 인자가 양성이라고 해서 류마티스 관절염으로 진단하지는 않는다. 그러나 지속적인 상승 즉 계속적인 양성 반응의 경우에는 임상적으로 의미가 있는 것으로 여긴다.

류마티스 인자는 정상인의 약 5%에서도 검출될 수 있고, 나이가 많을수록 양성율이 증가하여 90세 이상에서는 20% 이상이 양성을 보인다. 류마티스 관절염 이외의 다른 자가면역질환(SLE, Sjogren증후군 등), 만성염증성질환(만성 간질환 등), 급성염증성질환(독감, 단핵구증 등)에서도 양성으로 나타날 수 있다.

류마티스 관절염(Rheumatoid arthritis)

류마티스 관절염은 염증성 관절염의 가장 대표적인 질환으로 손가락을 포함한 여러 곳의 관절에 있는 활액막에 지속적으로 염증을 일으켜 이로 인해 골 및 연골이 손상됨으로써 증상을 유발하고, 폐를 포함한 여러 장기를 침범하는 만성 염증성 전신질환이다. 주로 중년여성에서 많이 발생되고, 여자에서 남자보다 약 2-4배 더 많이 발생된다. 아직까지 류마티스 관절염의 직접적인 원인이 밝혀지지는 않았으나 30-40%의 유전적인 소인과 60-70%의 감염을 포함한 환경적인 요인들이 복합적으로 작용하는 것으로 보고 있다. 이런 원인들이 계기가 되어 자기 조직의 항원화가 일어나고, 이 자가항원과 이에 대한 자가항체(대부분 IgM 항체), 즉 류마티스 인자에 의한 자가면역질환으로 인해 관절에 염증이 발생하는 병이다. 이 류마티스 인자는 환자의 약 80%에서 증명되고 있고, 류마티스 인자의 역가가 높을수록 관절의 증상이 심하고 전신적인 합병증이 많이 발생하는 것으로 알려져 있다.

1. 증상

환자의 약 2 /3에서 피로감, 식욕부진, 전신쇠약감, 미열 등의 전신증상이 먼저 나타난다. 질환의 초기에는 관절이나 건 주위의 활액막에 염증반응을 일으켜 관절이 아프고 붓는다. 질환이 오래 지속되어 만성으로 진행하면 관절의 강직과 기형을 일으킨다.

가장 일반적인 증상은 아침에 잠에서 깨어날 때 관절이 뻣뻣해지는 조조강직이다. 대개 1시간 이상 지속되고 한참 활동하여 움직이면 부드러워지는 것이 특징이다. 조조강직이 지속되는 시간이 길수록 관절염이 더 심한 상태임을 간접적으로 평가할 수 있다.

질환의 초기에는 손가락이나 발가락 같은 작은 관절이 잘 침범되고, 병이 진행함에 따라 팔꿈치, 어깨, 발목, 무릎 등 비교적 큰 관절을 침범한다.

침범되는 관절은 대칭적이면서 다발성으로 나타난다. 가장 특징적인 소견은 손가락, 발가락의 근위지관절(proximal interphalangeal joint)을 대칭적으로 침범하는 것이다.

2. 진단의 기준

류마티스 관절염을 확진할 수 있는 단일 검사는 없다. 그래서 증상과 여러 가지 검사소견을 종합하여 진단하도록 하고 있다.

1) 미국류마티스학회에서 제시한 류마티스 관절염의 진단기준(1987년에 개정)은 기존에 사용되던 기준으로, 증상과 류마토이드 인자, 방사선검사 결과를 종합하여 진단하도록 하였다.

다음 7개 항목 중 4개 이상이 나타나고, 관절 증상이 적어도 6주 이상 경과된 경우에 진단한다.

(1) 수면 후 강직(아프고 뻣뻣함), 관절통이 아침에 심하고, 1시간 이상 지속되는 강직

(2) 적어도 세 부위 이상의 관절염이 초래

(3) 손 관절들의 관절염

(4) 대칭성 관절염

(5) 류마티스 결절이 사지의 신전면에 생김

(6) 혈액 검사상 류마토이드 인자 양성

(7) 방사선검사의 변화

2) 최근에는 환자의 관절변형이 조기에 일어나고 새로운 치료약제에 관절변형이 좋은 효과를 보이므로, 류마티스 관절염을 조기에 진단하기 위해 2010년 7월에 미국류마티스학회와 유럽류마티스연맹에서 "류마티스 관절염 분류기준"을 제시하였다.

진단기준에 기존의 류마티스 인자와 함께 ACPA항체(대표적으로 항CCP 항체)를 포함하고 있는 점이 특징적이다.

류마티스 관절염을 진단할 때 기본 혈액검사는 CBC, 류마티스 인자, ESR, CRP 가 있고, 치료약물을 선택하기 위해 신장기능검사와 간기능검사도 같이해야 한다.

다음 4가지 범주, 즉 관절 침범, 혈청학적 검사, 급성기반응물질, 증상기간 등의 점수 합이 총 10점 중에서 6점 이상이면 류마티스 관절염으로 진단한다.

표 3-24. 류마티스관절염 진단기준

범주	점수
1. 관절 침범	
① 1개의 큰 관절	0
② 2-10개의 큰 관절	1
③ 1-3개의 작은 관절	2
④ 4-10개의 작은 관절	3
⑤ 10개 이상의 관절(적어도 1개는 작은 관절이어야 함)	5
2. 혈청학적 검사	
① 류마티스 인자는 음성이고 ACPA도 음성	0
② 류마티스 인자가 약양성(Low-positive)이거나 ACPA가 약양성	2
③ 류마티스 인자가 강양성(High-positive)이거나 ACPA가 강양성	3
3. 급성기반응물질(acute-phase reactant)	
① CRP가 정상이고 ESR이 정상	0
② CRP가 비정상이거나 ESR이 비정상	1
4. 증상 기간	
① 6주 이하	0
② 6주 이상	1

*큰 관절은 어깨, 팔꿈치, 엉덩이, 무릎, 발목 관절을 말함

3. ACPA와 anti-CCP Ab

류마티스 관절염의 초기에는 방사선 촬영이나 혈액검사가 거의 정상으로 나오고, 병이 어느 정도 진행되어야 방사선 촬영에서 손상이 확인되고, 혈액검사에서 비특이적인 소견(경한 빈혈, ESR 증가)을 보이므로 질환을 놓치는 경우가 많다. 류마티스 인자를 이용하지만 이것 역시 감염증이나 다른 자가면역질환에서도 흔히 양성 소견을 보여 특이도가 낮으므로 류마티스 인자 검출이 진단을 확정하는데 꼭 도움이 되는 것은 아니다.

그래서 최근에는 류마티스 관절염의 진단에 정확도와 특이도가 높은 항시트룰린단백 항체(anti-citrullinated protein antibody, ACPA)를 이용하는데, 이들 중에서도 대표적으로 항CCP 항체(anti-cyclic citrullinated peptide antibody, anti-CCP Ab)가 각광을 받고 있다.

항CCP 항체는 citrulline이 포함된 CCP라는 항원결정기에 작용하는 항체로, 류마티스 관절염의 관절 증상이 나타나기 수개월에서 수년전부터 검출되어 조기 진단에 도움을 줄 수 있고, 질병의 진행과 연관성이 높은 것으로 알려져 있다. 또한 류마티스 관절염이 아닌 환자에서는 항CCP 항체가 거의 검출되지 않는다. 특이도가 높기 때문에 류마티스 관절염의 선별검사로 사용되기보다 진단에 사용된다.

4. 치료

류마티스 관절염의 예방이나 근치방법은 현재까지 없다. 발병 후 2년 이내에 약 60-70%에서 골 미란이 발생하고 일단 관절의 파괴가 진행되면 병의 진행을 억제시키기가 쉽지 않으므로, 가능하면 발병 초기에 진단하고 치료를 시작하여 관절의 파괴와 변형을 막고 기능을 보존해야 한다. 2010년 유럽류마티스연맹에서는 염증성 관절염으로 인한 증상과 증후가 없는 상태, 즉 임상적 관해(clinical remission)를 치료 목표로 권고하고 있다.

모든 환자에서 약물치료를 먼저 하고, 약물치료로 더 이상 호전을 보기 어렵거나 관절 파괴가 심한 경우 수술적 치료(활막제거술, 인공관절치환술 등)를 한다.

과거에는 기본 약제를 먼저 사용해보고 증상이 나빠지면 단계적으로 1가지씩 다른 약제를 추가하는 치료법(step up)을 해오다가, 최근에는 치료 초기에 여러 가지 약제를 병합 투여하여 강력하게 치료하다가 증상이 호전되면 투여중인 약을 줄여나가는 치료법(step down)으로 바뀌고 있다. 류마티스 인자의 유무, 골 미란의 유무, 환자의 치료에 대한 반응에 따라 약제를 선택한다.

1) 비스테로이드성 소염제(NSAIDs)

염증과 통증을 신속히 완화시킬 수 있지만, 관절 손상을 예방하지 못하므로 대부분 DMARDs와 함께 사용한다.

2) 스테로이드

스테로이드는 강력한 염증억제제로 가장 확실하고 빠르게 류마티스 관절염에 동반되는 활막염을 호전시킬 수 있고 관절염으로 인한 골 파괴를 억제할 수 도 있다. 하지만 장기 사용으로 인한 심각한 부작용이 많으므로 가능한 소량으로 유지하고, DMARDs의 치료 효과가 나타나면 중단을 고려하도록 한다.

3) 항류마티스 제제(disease modifying anti-rheumatic drugs, DMARDs)

류마티스 관절염은 관절 변형이 초기에 나타나므로 최근에는 진단된 지 2-3개월 이내에 DMARDs를 선택해서 적극적으로 치료한다.

가장 기본적으로 사용되는 1차 약제는 methotrexate(MTX)와 같은 면역억제제이다. 1차 약제에 효과가 없으면 leflunomide 등의 2차 약제를 시도한다.

DMARDs를 사용할 때에는 다음과 같은 사항을 고려해야 한다.

(1) 치료를 시작한 지 수주에서 수개월이 지나야 치료 효과가 나타난다.

(2) 진통작용이 없으므로 NSAIDs나 소량의 스테로이드와 함께 투여해야 한다.

(3) 관절 미란이 발생하는 것을 예방하는 효과가 있으므로 질병의 초기부터 꾸준히 사용해야 한다.

(4) 약제의 종류에 따라 부작용이 다양하므로 장기 투여 시에는 추적검사를 해야 한다.

(5) DMARDs를 사용해서 관절염이 잘 조절되고 있으면, 유지용량으로 유지하는 것이 좋다.

4) 생물학적 제제(항 TNF 제제)

생물학적 제제를 사용할 때는 methotrexate(MTX)와 병용하는 것이 더 효과적이다.

5. 예후

류마티스 관절염은 매우 천천히 진행되며, 자가면역질환이라 치료 후에도 경과가 불량한 것이 일반적이다. 10-20%에서는 완치되지만 대부분은 만성으로 진행된다. 재발과 회복을 반복하면서 장기간에 걸쳐 서서히 관절이 망가지다가 결국엔 관절의 변형 및 파괴를 가져온다. 따라서 10년 정도가 경과되면 10% 정도는 심하게 관절손상이 일어나 기능을 못하게 된다.

19 소변검사
Urinalysis, UA

목표질환 : 당뇨병, 신장질환, 비뇨기질환, 간-담도질환

〈검사 항목〉

1. 물리적 성상 검사 : 색깔 및 혼탁도, 냄새
2. 화학적 검사 : 요비중, 산도(pH), 백혈구 에스테르분해효소, 아질산염, 단백, 당, 케톤, 유로빌리노겐, 빌리루빈, 잠혈
3. 요침사 검사 : 적혈구, 백혈구, 상피세포, 세균, 원주체(cast), 결정체(crystal)

신장의 사구체에서 혈액의 일부가 여과되어 소변으로 농축되고, 이 소변은 요관을 거쳐 방광에 저장되었다가 요도를 통하여 몸 밖으로 배설된다. 신장은 이런 과정을 통해 체내 수분량을 조절하고, 체내에서 불필요한 노폐물은 배출시키는 역할을 한다. 요로 즉 신장에서부터 요도까지 소변의 경로 중에 이상이 생기면, 배출되어서는 안 되는 물질이 소변으로 나오거나 또는 너무 많은 양의 물질이 배출된다. 이런 이상이 있는지를 조사하기 위해 소변을 검사한다. 소변검사란 소변의 물리적 성상을 검사하고 소변으로 배출되는 여러 종류의 노폐물을 검출하여 신장과 비뇨기계 질환, 내분비 질환, 대사성 질환, 전해질 이상 등의 질환을 진단하는 검사이다.

[검사방법 및 주의사항]

소변검사의 결과를 정확히 판독하기 위해서는 소변을 제대로 채취하는 것이 중요하다.

1. 소변을 채취하는 용기는 깨끗하고 잘 건조되어 있어야 한다.
2. 소변채취는 아무 때나 가능하지만 소변검사에 가장 좋은 것은 아침 첫 소변이다. 아침 첫 소변이 가장 농축된 상태이고, 산성이 강해서 원주(cast)나 기타 요 구성물이 잘 유지되므로 이상 결과를 발견하기 용이하기 때문이다.
3. 처음에 나오는 30 ml가량은 버리고 중간뇨를 소변 용기에 약 30-50 ml 정도 받는다.

4. 여성의 경우 생리 중이거나 질분비물이 있을 경우 소변 검체에 섞여서 검사결과에 혼동을 초래할 수 있으므로, 생리가 끝나고 2-3일 후에 검사하거나 검사 전에 탐폰을 삽입하여 검사를 시행하기도 한다.
5. 소변 용기에 배뇨할 때 치모가 들어가도 손가락을 넣어 꺼내서는 안 된다. 소변보다 손가락이 더 불결해서 세균 등이 섞일 우려가 있기 때문이다.
6. 심한 운동 등은 미세혈뇨를 유발할 수 있으므로 검사 전에는 격렬한 육체 활동은 피하는 것이 좋다.
7. 소변 내에 검사하고자 하는 물질들은 불안정하므로 소변을 채취한지 1시간 이내에 검사를 시행하는 것이 좋다. 검사가 지연될 경우에는 소변이 오염될 수 있으므로 소변 용기의 마개를 덮고 냉장고에 2-8℃로 보관한 후 4시간 이내에는 검사하는 것이 좋다. 냉장보관을 하면 무정형요산염이나 무정형인산염에 의해 소변이 혼탁해질 수 있다.

표 3-25. 소변을 2시간 이상 실온에 보존할 경우 성분의 변화

항목	성분의 변화
색깔	진한 황색
혼탁도	증가
냄새	암모니아 냄새
산도(pH)	증가(알칼리성)
당	감소
잠혈	초기에는 용혈로 인해 증가되지만, 후기에는 페록시다제(peroxidase)의 활성 저하로 둔화된다.
백혈구	감소(알칼리성 소변에 의해 붕괴된다)
아질산염	증가(질산염을 환원하는 세균이 증식된다)
빌리루빈	감소(빛에 의해 산화되거나 빌리버딘으로 산화된다)
유로빌리노겐	감소(유로빌린으로 산화된다)
케톤	감소(acetoacetate가 acetate로 변한다)

소변검사의 종류

일반적인 소변검사는 크게 3종류의 검사로 구성된다.

1. 물리적 성상 검사 : 육안적 관찰로 소변의 색깔, 혼탁도, 냄새 등을 검사한다.
2. 화학적 검사 : 요시험지봉(reagent strip)을 이용해 여러 가지 노폐물을 반정량적으로 검출한다. 요 비중, 요 산도(pH), 요 잠혈, 요 단백, 요로 감염 검사(요 아질산염, 요 백혈구 에스테르분해효소), 대사질환 검사(요 당, 요 케톤, 요 빌리루빈, 요 유로빌리노겐) 등을 검사한다.
3. 요침사 검사 : 현미경을 이용하여 적혈구, 백혈구, 세균 및 각종 결정 등을 관찰하는 검사이다. 요침사 검사는 필요에 따라 소변검사와 동시에 시행하거나 소변검사 결과에 따라 나중에 시행하기도 한다.

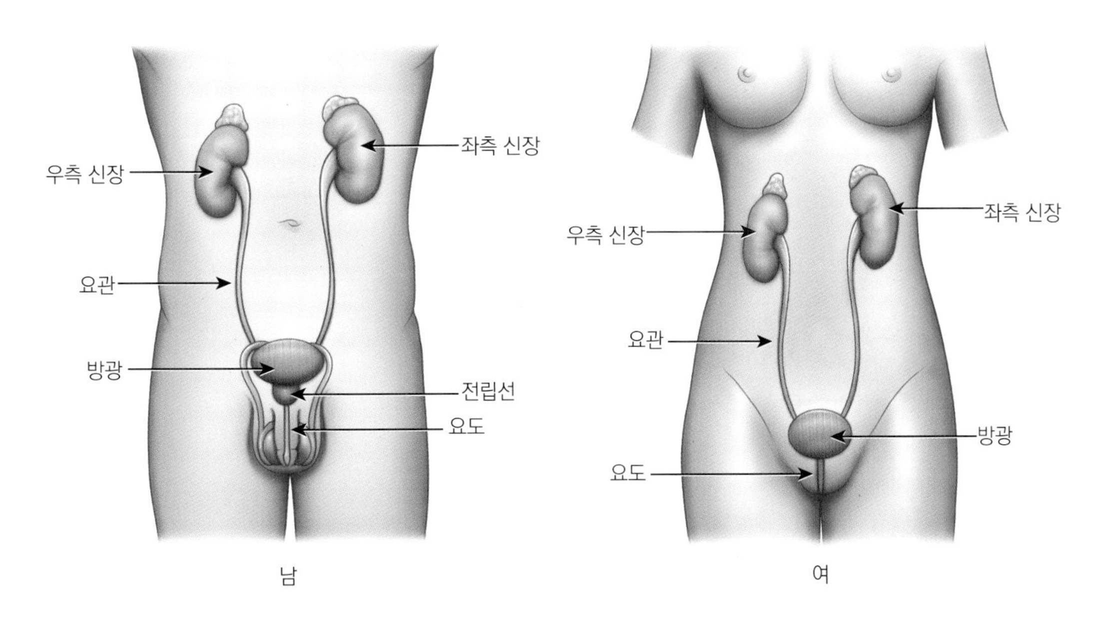

그림 3-33 비뇨기계의 구조(정면)

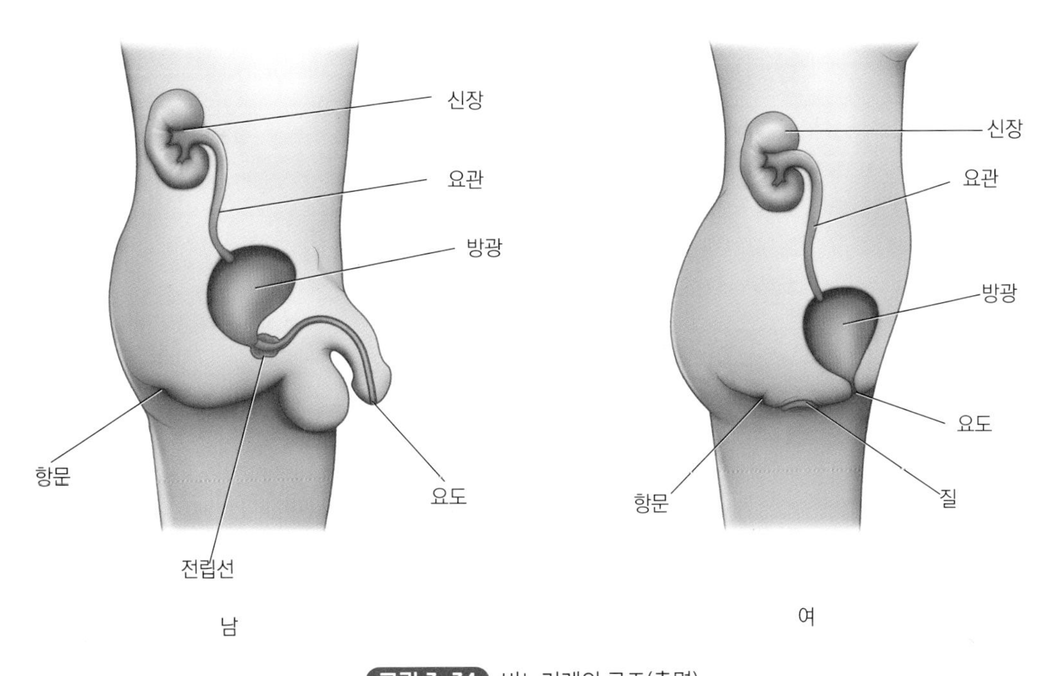

그림 3-34 비뇨기계의 구조(측면)

이상 3가지 검사 외에 특별한 경우에는 소변 내의 호르몬, 전해질 및 특수한 물질 등을 확인하기 위해 일정시간동안 소변을 모아서 정량검사를 시행하거나, 소변으로 세균 배양 검사를 시행하기도 한다. 검진에서는 일반적인 소변검사만을 우선적으로 시행하므로 이 검사에 대해서만 기술한다.

1. 물리적 성상 검사

1) 색깔 및 혼탁도

정상 소변은 맑고, 밝은 노란색을 띄며 혼탁하지 않다. 소변의 농축 정도에 따라 흐리거나 색깔이 더 짙을 수 있으며, 섭취한 음식물이나 약제, 감염, 각종 대사산물에 의해 비정상적인 소변 색깔을 보일 수 있다.

표 3-26. 소변의 색깔 및 혼탁도

색깔	원인
무색	희석된 소변(다뇨, 요붕증)
혼탁뇨 또는 유백색	세균 감염에 의한 농뇨, 퓨린함유 음식의 과다섭취에 의한 요산증가, 소변에 유미나 지방구가 있는 경우, 소변에 인이나 옥살산의 증가
오렌지색	농축된 소변(탈수, 고열), 담즙, 약물(테트라사이클린), 정상적인 유로크롬 색소의 증가(혈색소가 파괴되면서 정상적으로 체내에서 생성되는 물질로, 탈수 등으로 소변량이 적어지면 유로크롬의 농도가 높아져 소변색이 짙어진다.)
붉은색	혈뇨, 혈색소뇨, 미오글로빈뇨, 포르피린증, 소고기, 블랙베리, 약물(Rifampin, Phenytoin, Phenothiazines)
갈색	담즙, 미오글로빈뇨, 알캅톤뇨증, 약물(Levodopa, Flagyl, Nitrofurantoin)
흑색	멜라닌(악성 흑색종), 메트헤모글로빈, 약물(Methyldopa)
녹색	녹농균 감염, 빌베르딘(Bilverdin), 의료용 염색약(인디고카민, 메칠렌 블루), 약물(Amitriptyline)

소변에서 육안으로 알아볼 수 있을 정도의 혈뇨가 있는 경우에는 요로계 종양의 가능성이 있으므로, 방광경 및 상부요로계의 영상의학적 검사 등을 시행해야 한다.

2) 냄새

정상적인 소변은 소변 특유의 냄새가 난다. 농축된 소변에서 냄새가 진해질 수 있고 이것이 반드시 감염을 의미하지는 않는다.

표 3-27. 소변의 냄새

냄새	원인
달콤한 과일향	당뇨병 케톤산증, 단풍시럽뇨증(maple syrup urine disease)
암모니아 냄새	방광에서 소변의 잔류가 오래될 경우, 실온에 소변을 오래 방치한 경우
코를 찌르는 냄새	요로감염
특이한 냄새가 나게 하는 음식	아스파라거스, 비타민 B6
황 냄새	시스테인이 많이 있는 경우

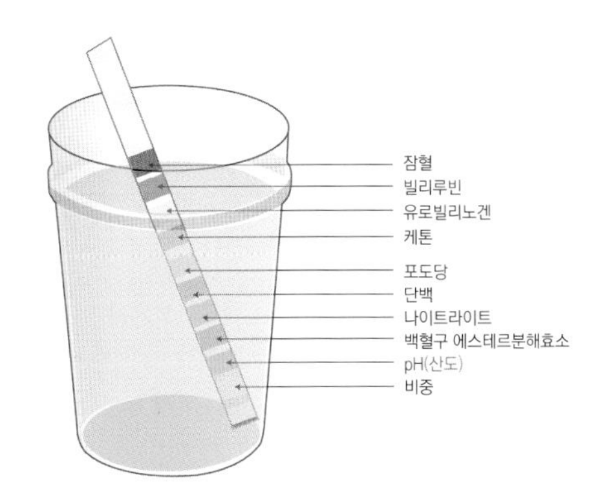

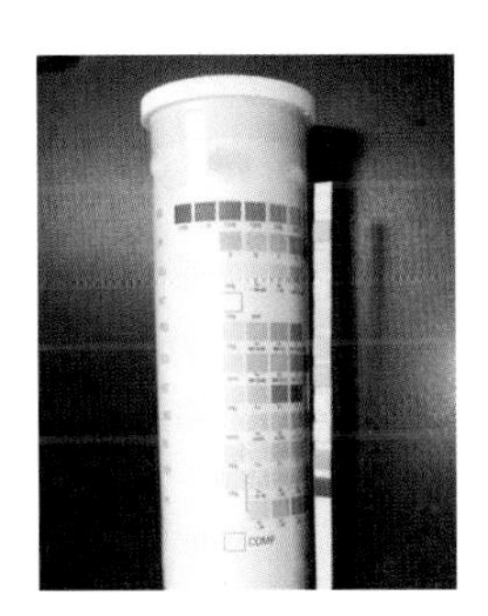

그림 3-35 요시험지봉을 이용한 검사 방법

2. 화학적 검사

요시험지봉(urine reagent strip)을 이용하여 소변을 검사한다. 요시험지봉을 이용한 소변검사는 조작이 간편하고 용이하기 때문에 검진의 선별검사로 널리 이용되고 있다.

요시험지봉은 10×0.5 cm 크기의 매우 얇은 플라스틱 지지체에 각 검사 항목별로 시약이 한유된 화학적 반응부가 부착되어 있다. 흔하게 검사하는 항목에는 pH(산도), 비중, 단백, 당, 케톤, 빌리루빈, 유로빌리노겐, 아질산염, 잠혈, 백혈구 에스테르분해효소 등으로 구성되어 있으며 이들을 동시에 검사할 수 있다.

[검사방법 및 주의사항]

1. 요시험지봉은 공기 중에 노출되면 오염 또는 변질되어 정확한 검사 결과를 얻기 어려우므로 사용 후에는 즉시 뚜껑을 꼭 닫아서 보관해야 한다.
2. 요시험지봉의 반응부 부분에는 직접 손이 닿지 않도록 한다.

3. 검사 직전에 소변 용기를 잘 흔들어 섞은 다음, 요시험지봉의 끝을 잡고 반응부가 완전히 소변에 젖도록 소변에 담근 후 요시험지봉의 시약이 용출되지 않도록 즉시 꺼낸다.
4. 꺼낸 요시험지봉에 묻어있는 과잉의 소변을 제거하기 위해 요시험지봉을 수직으로 해서 여과지에 지그시 눌러주거나 소변 용기의 가장자리에 요시험지봉의 끝을 가볍게 접촉시킨다. 이때 요시험지봉을 세우거나 흔들면 안 된다.
5. 인접한 시험부분의 시약이 서로 혼합되지 않게 하기 위해 요시험지봉의 반응부가 위를 향하도록 수평을 유지시킨 상태에서, 제조회사에서 지시하는 판정시간(검사 항목별로 30-120초)이 경과했을 때 반응부의 색조를 표준색조표와 비교하여 육안으로 이상이 있는지를 관찰한다.
6. 통상적으로 검사 결과에 이상이 없으면 음성(-) 으로 판단하고, "정상" 으로 판정한다.
7. 검사 결과에 이상이 있으면 그 정도에 따라 "흔적(±)/양성(1+)/(2+)/(3+)/(4+)" 으로 판정한다. 단, 유로빌리노겐의 검사는 양성(1+)까지 "정상" 으로 판정한다.
8. "흔적(±)"의 경우에는 검사지의 색상이 변하기는 하나 양성으로 판정하기에는 변색정도가 너무 약하여 판정이 애매한 경우에 표기한다.
9. 요시험지봉은 생산되는 회사마다 종류가 다양하므로, 요시험지봉의 검사항목 순서와 표준색조표도 회사마다 다를 수 있다.
10. 병원에서는 표준색조표를 이용해서 육안으로 판정하는 대신 조금 더 정밀하게 관찰하기 위해 요시험지봉 전용 자동 판독기를 이용하여 판정하기도 한다.

[결과 판정의 주의사항]

요시험지봉 검사는 대부분 산화환원반응을 검사 원리로 하고 있다. 수검자의 식이상태, 수분섭취 상태, 각종 약물이나 비타민C 등의 복용 상태, 수검자가 앓고 있는 기저 질환 등에 따라 위음성 및 위양성이 자주 나타나므로 결과를 해석할 때 이를 항상 명심해야 한다. 특히 비타민C 를 복용한 경우에는 요당, 요잠혈, 요빌리루빈, 요아질산염, 요백혈구의 반응을 저해해서 위음성을 보일 수 있으므로, 검사 전 최소한 10시간 정도는 비타민C 섭취를 금하는 것이 좋다.

표 3-28. 요시험지봉검사 결과의 판정표

검사 항목	단위	결과 판정(표준색조표)						
요비중		1.000	1.005	1.010	1.015	1.020	1.025	1.030
산도	pH			5	6	7	8	9
백혈구	WBC수/μl		Neg	±	1+ (25)	2+ (75)	3+ (500)	
아질산염			Neg	Pos				
단백	mg/dl		Neg	± (10)	1+ (30)	2+ (100)	3+ (300)	4+ (≥ 1,000)
당	mg/dl		Neg	± (100)	1+ (250)	2+ (500)	3+ (1000)	4+ (≥ 2,000)
케톤	mg/dl		Neg	± (5)	1+ (15)	2+ (40)	3+ (80)	4+ (160)
유로빌리노겐	mg/dl		Neg	± (0.1)	1+ (1)	2+ (4)	3+ (8)	4+ (12)
빌리루빈	mg/dl		Neg		1+ (0.5)	2+ (1.0)	3+ (3.0)	
잠혈	RBC수/μl		Neg		1+ (10)	2+ (25)	3+ (50)	4+ (250)

표 3-29. 요시험지봉검사 결과의 정상 참고치

검사 항목	정상 참고치
요비중	1.003-1.030
산도(pH)	5-9
백혈구 에스테르분해효소	음성
아질산염	음성
단백	음성
당	음성
케톤	음성
유로빌리노겐	흔적(±) - 양성(1+)
빌리루빈	음성
잠혈	음성

요시험지봉 양성이라고 하더라도 실제로는 음성일 가능성을 배제할 수 없으며, 반대로 음성이라 하더라도 질병이 없다고 단정할 수 없다. 일반적으로 당, 단백, 잠혈(혈뇨) 등의 양성 강도가 높을수록 질환이 있을 가능

성이 높아진다. 환자에 따라서 질환 초기에는 양성 소견을 나타내지 않는 경우도 있을 수 있다. 하루 중 산발적으로 양성 소견이 나타나는 경우 한 번의 소변검사만으로는 정확한 결과를 알 수 없다. 또 일반적인 소변검사에서 나온 비정상 소견만으로 이것이 일시적 혹은 만성적 소견인지, 비정상 소견을 보인 원인이 무엇인지 판단 할 수 없다.

그러므로 소변검사 결과의 해석은 수검자의 상태, 임상 소견 및 다른 검사 소견 등을 고려하여 종합적으로 이루어져야 한다.

1) 요비중(specific gravity, SG)

소변의 농축 정도를 측정하여 신장의 기능 상태를 파악한다.

〈검사원리〉

검사지의 시약에 함유된 고분자 전해질이 소변의 이온 농도에 반응하여 비중이 낮으면 청색, 비중이 높으면 황색으로 나타난다.

비중은 용액 속의 용질의 양을 보는 것이다. 요비중은 소변 속에 녹아 있는 고형성분의 양을 말한다. 보통 아무것도 용해되지 않은 증류수의 비중이 1.000이다. 소변에는 고형성분 즉 요소, 질소, 나트륨, 염소 이온 등 전해질이 포함되어 있기 때문에 소변의 비중은 물보다 높게 마련이다.

소변의 비중이 1.000에 가까워질수록 소변이 희석되어 있다는 의미이고, 1.000에서 멀어질수록 농축되어 있다는 의미이다.

〈결과계산 및 보고방법〉

1.000, 1.005, 1.010, 1.015, 1.020, 1.025, 1.030

(1.000에서 1.030까지 숫자로 표기한다.)

- 정상치(참고범위)

  1.003-1.030

  (건강한 성인의 경우 수분을 다량섭취하면 1.003까지 감소하며, 탈수 상태에서는 1.030까지 증가한다.)

〈결과 해석〉

정확한 검사를 위해서는 약 45초 정도 지나서 판정해야 한다. 오래된 검체는 소변 내 요소(urea)가 이산화탄소(CO_2)와 암모니아(NH_3)로 분해되어 소변 비중이 저하될 수 있으므로 되도록 빨리 검사하는 것이 좋다. 소변의 비중이 지속적으로 낮게 나올 때는 신장 기능검사나 항 이뇨 호르몬 등 내분비 검사가 필요하다.

1. 저비중(요비중의 감소, 희석된 소변을 의미)
   수분 과잉섭취, 이뇨제 사용, 신우신염, 신부전, 요붕증(diabetes insipidus), 부신 부전증, 알도스테론증
2. 고비중(요비중의 증가, 농축된 소변을 의미)
   수분 섭취 제한, 탈수증, 발열, 구토, 설사, 당뇨병, 울혈성 심부전증, 항이뇨호르몬 이상(syndrome of inappropriate ADH secretion, SIADH), 부신 부전증, 방사선 조영제 사용 후, 소변에 단백이 많은 경우

2) pH(산도, 수소이온 농도)

신장에서의 산-염기의 평형 상태를 파악한다.

〈검사원리〉

검사지에 methyl red와 bromthymol blue가 포함되어 있어, 산도가 낮으면(산성) methyl red에 의해 오렌지색으로 변하고, 산도가 높으면(알칼리성) bromthymol blue에 의해 청색으로 변한다. pH 5에서 pH 9까지 측정이 가능하다.

산도(pH)란 용액 속에 있는 수소이온(H+)의 농도를 말한다. 용액의 pH가 7.0이면 중성(中性)이고, 7.0보다 커질수록 알칼리성이며, 7.0 보다 작아질수록 산성이 강해진다. 인체의 pH는 0에서 14 단위로 나누어진다.

신장은 체내에서 생긴 많은 양의 산성 물질을 끊임없이 배설함으로써 체내의 산-염기 평형을 유지한다. 건강한 혈액의 적정 pH는 약알카리성인 7.1-7.4이다.

소변의 pH는 일반적으로 혈액의 pH를 반영하지만, 일상적인 생활습관 특히 섭취한 음식물이 어떤 종류인지에 따라 정상 소변의 pH는 5-9까지 다양하게 나타날 수 있다. 정상적으로는 약산성(pH 5.5-6.5)을 띄게 된다. 육류를 많이 섭취하면 산성 소변을 배출하고, 야채를 많이 섭취하면 알칼리성 소변을 배출한다.

〈결과 계산 및 보고 방법〉

5, 6, 7, 8, 9

(pH 5에서 pH 9까지 숫자로 표기됨)

- 정상치(참고범위)
  pH 6
  (신선한 소변일수록 정상치에 가깝다.)

〈결과 해석〉

정확한 검사를 위해서는 약 60초 정도 지나서 판정해야 한다.

소변용기에 요시험지봉을 오래 담그지 말아야 하고, 요시험지봉을 꺼낸 후에는 묻어있는 과잉의 소변을 제거해 주어야 한다. 오래 담그거나 과잉의 소변이 묻어 있으면 요단백검사를 위한 반응부분에 있는 산성완충 용액(citric acid)이 요산도검사를 위한 반응부분으로 흘러들어 pH가 실제보다 낮게 나타내기 때문이다.

비타민C 는 강력한 환원작용이 있어 검사에 영향을 미치므로 적어도 10시간 전부터는 투여를 중지한 후 요검사를 시행하는 것이 좋다.

단 한 번의 검사로 정상인지, 병적인 상태인지를 판단하기는 매우 어려우므로 pH에 영향을 미칠 수 있는 다양한 상황을 배제한 후 다시 검사를 해보는 것이 좋다.

1. 산성뇨(소변 pH가 감소)

   육류나 크랜베리 같은 과일의 과다 섭취, 심한 운동을 한 직후, 당뇨병, 심한 설사, 기아, 고열, 탈수증, 대사성 및 호흡성 산혈증, 식후에 검사한 경우(식후에 분비된 위산으로 인해 일시적으로 pH가 약산성으로 증가), 아침에 검사한 소변(수면 중에는 정상적으로 HCO_3^-를 배설하는 약한 호흡성 산혈증이 발생한다.)

2. 알칼리성뇨(소변 pH가 증가)

   야채나 구연산(citrate)이 많은 과일의 과다 섭취, 채뇨 후 오랜 시간이 지난 후 검사를 한 경우(요를 장시간 방치시키면 세균증식에 의해 암모니아를 생성하여 알칼리성뇨로 바뀔 수 있다), 급성 또는 만성 신질환, 구토, 약물(항생제, 중탄산염, acetazolamide), 대사성 및 호흡성 알칼리혈증, 세균에 의한 요로감염(특히 요소를 분해하여 암모니아를 생성하는 프로테우스균에 감염되면 소변의 pH 가 증가된다. 소변에서 백혈구와 세균이 발견되면서 소변 pH가 증가했다면 프로테우스균에 의한 요로감염을 의심할 수 있다.)

3) 백혈구 에스테르분해효소(esterase)

소변에서 백혈구를 증명해서 비뇨기계의 감염 여부를 판단한다.

〈검사원리〉

백혈구 에스테르분해효소는 호중구에서 생산되는 효소이다. 소변에 백혈구가 있으면 검사지에 함유된 기질과 반응하여 indoxyl을 만들고, 이것이 다시 diazonium salt와 작용하여 검사지가 보라색으로 변한다. 따라서 검사지가 보라색으로 변하는 경우 농뇨(pyuria)가 있음을 의미하며, 이는 요로감염이 있어 소변에 다량의 백혈구가 있다는 것을 의미한다.

소변에서는 정상적으로도 약간의 백혈구는 있으나, 이 경우에 검사에서는 음성을 보인다.

검사에서 양성인 경우 아질산염 검사를 함께 평가하면 요로감염 진단에 도움이 된다.

〈결과 계산 및 보고 방법〉

Neg(음성, negative), ±(흔적, trace), 1+(25개/μl), 2+(75개/μl), 3+(500개/μl)

(양성인 경우 요중에 백혈구가 10개/μl 이상 존재함을 의미한다. 이때 검사지 색깔의 변화 정도와 소변의 백혈구수와는 비례한다. 검사에서 양성반응을 보이면 요침사 검사를 통해 백혈구를 확인해야 한다.)

- 정상치(참고범위)

  Neg(음성, negative)

  (정상인의 경우 소변에서 3-5개 정도의 백혈구가 관찰 될 수 있다.)

〈결과 해석〉

정확한 검사를 위해서는 약 2분 정도 지나서 판정해야 한다.

1. 위양성의 원인(검사에서는 양성이지만, 균배양에서는 음성인 경우)

   클라미디아, 트리코모나스 등에 감염된 경우, 방광암, 요로결석, 사구체신염이 있는 경우, 결핵이 있는 경우, 요 비중이 감소한 경우, 스테로이드 등의 약제를 복용중인 경우

2. 위음성의 원인

   검사지 판독을 2분 이내로 너무 빨리 한 경우, 요 비중이 증가한 경우, 요당이나 요케톤이 있는 경우, 단백뇨가 있는 경우, 항생제(Nitrofurantoin, Tetracycline, Gentamicin, cephalexin 등)를 복용중인 경우, 비타민C 를 다량 복용한 경우

4) 아질산염(nitrite)

소변에서 세균의 존재를 증명해서 비뇨기계의 감염 여부를 판단한다.

〈검사원리〉

질산염(nitrate, NO3-)은 우리가 섭취하는 거의 모든 식품과 물에 들어있다. 섭취한 질산염의 거의 대부분은 인체 내에 거의 축적되지 않고 소변을 통해 배설되고, 일부분만이 구강과 위장관의 세균에 의해 아질산염(nitrite)으로 변화된다.

그러므로 아질산염은 정상적으로는 소변에서 발견되지 않지만, 소변에 세균이 있으면 소변으로 배설된 질산염이 아질산염으로 환원된다. 따라서 아질산염이 소변에 존재하는 경우는 소변의 세균감염 즉 세균뇨(bacteriuria)가 있다는 것을 의미한다. 질산염을 아질산염으로 환원시키는 세균에는 많은 그람 음성 세균(E. coli, Klebsiella, Citrobacter, Salmonella, Proteus 등)과 일부 그람 양성 세균(Staphylococcus, Enterococcus 등) 이 있다.

〈결과 계산 및 보고 방법〉

Neg(음성, negative), Pos(양성, positive)

분홍색으로 색깔이 변화하면 양성반응이며, 이는 신우신염, 방광염, 요도염 등의 요로감염이 있다는 것을 의미한다. 소변 중에 세균이 105 /ml 또는 그 이상 있을 때에 나타난다. 이때 검사지 색깔의 변화 정도와 소변의 세균수와는 서로 비례하지 않는다.

음성결과가 나왔다고 해서 반드시 요로감염을 배제할 수는 없다. 검사에서 양성반응을 보이면 요침사검사 및 소변 배양검사를 통해 확진해야 한다.

- 정상치(참고범위)

  Neg(음성, negative)

〈결과 해석〉

정확한 검사를 위해서는 약 1분 정도 지나서 판정해야 한다.

방광 내에서 세균이 질산염을 아질산염으로 환원시키기 위해서는 그 세균이 질산염과 4-6시간 정도 접촉해야 하므로, 방광 내에 오랫동안 저류된 아침 첫 소변을 검사하는 것이 가장 정확하다. 항생제는 검사하기 3일 전에 중단하는 것이 좋다.

1. 위양성의 원인

   소변이 질분비물에 오염된 경우, 공기 중에 오래 방치된 요시험지봉으로 검사한 경우

2. 위음성의 원인

   질산염을 아질산염으로 환원시킬 수 없는 균(Streptococcus, Fungus 등) 에 감염된 경우, 심한 구토나 기아 상태에 있는 경우, 항생제를 복용중인 경우, 뇨 비중이 증가한 경우, 유로빌리노겐이 증가한 경우, 뇨 산도가 6.0 이하인 경우, 비타민 C 를 다량 복용한 경우, 질산염 섭취가 부족한 경우, 방광 내 저류시간이 4-6시간 이내로 짧은 소변을 검사한 경우

5) 요 단백

소변으로 단백이 배출되는 신장질환의 유무를 진단한다.

〈검사원리〉

소변 내에 단백, 그 중에서도 특히 알부민이 있으면 검사지에 포함된 테트라브롬페놀 블루(tetrabromphenol blue, TBPB)에 반응하여 연두색에서 녹색까지 나타난다.

신장에서 소변이 만들어질 때 혈중 단백은 사구체에서 일단 여과되지만, 신세뇨관에서 99% 이상 재흡수되어 혈액 속으로 되돌아간다. 따라서 신기능이 정상적이면 소변 중에 단백은 거의 나타나지 않

는다. 그러나 신장 기능에 장애가 있으면 사구체 투과성이 증가해서 단백이 사구체를 통해 다량 빠져 나오거나 신 세뇨관 재흡수 기능에 문제가 생겨 소변에 단백 배출량이 증가한다. 일상생활 중에 소변에서 거품이 많이 일어난다면, 단백뇨가 있을 가능성이 높다.

24시간 소변에서 단백이 150 mg/dl 이상이거나, 혹은 임의뇨(random urine)에서 10 mg/dl이 넘는 경우를 단백뇨라고 한다. 24시간 소변에서 단백이 3,500 mg/dl 이상 나오면 신증후군이 있는 것으로 판단한다.

요시험지봉검사에서 요단백이 "흔적(±)" 결과를 보이면 수분섭취, 운동 제한, 검사 전 체위 변경 등을 시도해보고 재검사를 하도록 한다.

요단백이 "양성(1+)" 이상의 결과를 보이면 요침사검사를 해서 신사구체 질환을 의심할 만한 혈뇨나 적혈구 원주체 등이 동반되는지를 확인해야 한다. 이것이 동반되어 있지 않은 경우라도 적어도 한 번 더 추적검사를 해야 한다. 만일 다시 시행한 소변검사에서 그 결과가 음성이면 일시적으로 단백뇨를 일으키는 경우(기립성 단백뇨 등)이거나 심한 운동이 그 원인일 가능성이 많다. 이 경우에는 대개 더 이상의 추가 검사는 필요가 없다. 추적검사에서 단백뇨만 계속 나오거나 단 한 번이라도 단백뇨가 "양성(3+)" 이상으로 높게 나오는 경우에는, 혈액 검사에서 신장 기능을 확인해야 하고 복부초음파 검사를 해서 역류성 신병증과 다낭성 신의 가능성을 배제해야 한다.

〈결과 계산 및 보고 방법〉

Neg(음성, negative), ±(흔적, trace, 10 mg/dl), 1+(30 mg/dl), 2+(100 mg/dl), 3+(300 mg/dl), 4+(≥1000 mg/dl)

- 정상치(참고범위)
  Neg(음성, negative), ±(흔적, trace, 10 mg/dl)
  (알부민과 같이 음전하를 띈 단백의 검출에 더 예민하며, 면역 글로불린과 같이 양전하를 띄고 있는 단백의 검출에는 부정확하다.)

〈결과 해석〉

정확한 검사를 위해서는 약 60초 정도 지나서 판정해야 한다.

1. 위양성의 원인
   요 pH가 알칼리성일 때(> 7.5), 요 비중이 증가할 때, 요시험지봉을 너무 오래동안 소변 검체에 담근 경우, 약물(Penicillin, Sulfonamide, Tolbutamide)을 복용한 경우, 방사선 조영제 투여 후 24시간 이내, 소변이외의 다른 체액(정액, 질분비물, 농 등), 세정제, 방부제와 섞인 경우
2. 위음성의 원인
   요비중이 낮을 때(< 1.015), 요 pH 가 산성일 때(< 3)

6) 요당

당뇨병의 선별검사로 사용된다.

〈검사원리〉

소변 내에 포도당이 있으면 포도당 산화효소(glucose oxidase)에 의해서 과산화수소(H2O2)가 형성된 후, 과산화수소 수산화효소(peroxidase)에 의해서 물(H2O)와 산소(O2)가 된다. 분리된 산소(O2)가 검사지와 반응을 일으키고, 포도당 농도가 증가함에 따라 녹색에서 갈색까지 나타난다.

당은 정상적으로 신장 사구체에서 여과된 후 근위세뇨관에서 대부분 재흡수되어 소변에는 당이 거의 나타나지 않는다. 하지만, 혈당치가 180 mg/dl 이상이 되면 포도당의 최대 세뇨관의 재흡수량을 넘어서므로 소변으로 당이 배출된다.

소변으로 당이 배출되는 가장 대표적인 질환이 당뇨병이다. 요당검사에서 양성을 보이면 당뇨병을 의심할 수 있지만 이 검사만으로 당뇨병이라고 진단할 수는 없고, 혈당검사나 포도당 부하시험을 시행해야 한다. 또한 당뇨병 이외에 다른 이유로도 요당이 나올 수 있으므로 재검사가 반드시 필요하다.

〈결과 계산 및 보고 방법〉

Neg(음성, negative), ±(흔적, trace, 100 mg/dl), 1+(250 mg/dl), 2+(500 mg/dl), 3+(1,000 mg/dl), 4+(≥ 2,000 mg/dl)

- 정상치(참고범위)
  Neg(음성, negative)
  (이른 아침의 소변에는 15 mg/dl 이하의 미량의 포도당이 존재하는데 이 정도의 포도당은 검사지에서 정상으로 나타난다.)

〈결과 해석〉

정확한 검사를 위해서는 약 30초 정도 지나서 판정해야 한다. 정확한 검사를 위해 식후 소변인지, 공복 후 소변인지 소변을 채취하기 전 확인해야 한다.

1. 위양성의 원인
   소변의 세포성분에 대한 검사를 위해 포르말린을 사용한 경우, 표백제가 있을 때
2. 위음성의 원인
   요 비중이 증가한 경우, 소변에 케톤이 있는 경우, 비타민 C 를 많이 복용한 경우, 약제(Aspirin, Tetracycline, Nalidixic acid, Cephalosporins, Probenecid, Levodopa)를 복용한 경우, 오래된 검체(세균의 포도당 소모 때문)

7) 케톤(ketone)

지방산 산화가 항진되어 있는지 여부를 진단한다.

〈검사원리〉

소변에 케톤이 있으면 니트로프루사이드(sodium nitroprusside)가 함유된 검사지가 반응을 일으켜 보라색을 나타낸다. 단, 케톤 중에서 acetoacetate와 acetone이 있을 때는 반응하지만 β-hydroxybutyrate가 있을 때는 반응하지 않는다.

당뇨병이나 기아와 같이 당을 에너지로 이용하기 어려운 상황이 되면 지방에서 지방산을 만들어 에너지로 이용하게 된다. 이때 간에서 지방산을 산화하여 다량의 acetyl-CoA를 생성한다. 과잉으로 생성된 acetyl-CoA는 acetoacetate가 되며 이것이 탈탄산된 후 acetone이 되고, 환원형 보조효소로부터 수소를 얻어 β-hydroxybutyrate로 분해된다. 이렇게 지방의 대사산물로 생성된 acetoacetate, acetone, β-hydroxybutyrate 3가지를 케톤체(ketone body)라고 한다.

케톤체는 정상상태에서는 말초조직에서 에너지원으로 이용되고 혈액 중에는 축적되지 않으므로 소변에서 발견되지 않는다. 하지만 당뇨병이나 기아 등에 의해 케톤체의 생산량이 지나치게 많아지면, 혈중에 쌓이게 되고 소변으로도 배출된다. 케톤이 소변으로 배설되면 케톤뇨(ketonuria)라 하고, 이런 현상을 케톤증(ketosis) 라고 한다.

당뇨병 환자에서 요케톤이 음성이면 혈당 조절이 잘 되고 있음을, 양성이면 혈당조절이 불량함을 의미하므로 당뇨병 치료의 경과 관찰할 때 유용하다.

그 외에도 비만환자가 체중조절을 위해 단식이나 절식을 하는 경우, 고지방식의 섭취, 심한 운동, 외상, 임신, 스트레스, 대수술, 발열, 구토, 탈수, 당뇨병성 케톤혈증이 있는 경우 소변으로 케톤이 배출되기도 한다.

〈결과 계산 및 보고 방법〉

Neg(음성, negative), ±(흔적, trace, 5 mg/dl), 1+(15 mg/dl), 2+(40 mg/dl), 3+(80 mg/dl), 4+(160 mg/dl)

- 정상치(참고범위)

  Neg(음성, negative)

〈결과 해석〉

정확한 검사를 위해서는 약 40초 정도 지나서 판정해야 한다. 소변을 장시간 방치하면 acetoacetate와 β-hydroxybutyrate가 분해되어 쉽게 acetone으로 변하고, acetone은 휘발성이 강해 쉽게 없어지고 세균의 에너지원으로 작용되므로 채뇨 후 즉시 검사를 해야 한다.

위양성의 원인 : 요 산도가 낮은 경우, 요 비중이 증가한 경우, 약물(Phenolphthalein, Captopril, Levodopa)을 복용한 경우

8) 빌리루빈(bilirubin)과 유로빌리노겐(urobilinogen)

간질환, 담도질환 등의 유무, 황달 여부를 검사한다.

〈빌리루빈의 검사원리〉

소변 내에 빌리루빈이 있으면 diazonium salt가 함유된 검사지와 반응을 일으켜 연한 갈색에서 진한 갈색으로 나타난다. 소변 속에 빌리루빈의 양이 많을수록 진한 갈색을 낸다.

적혈구의 헤모글로빈 등이 분해된 후 최종적으로 만들어진 빌리루빈은 간에서 직접형 빌리루빈으로 변환되고 담즙에 포함되어 담관을 통해 장으로 배출된다. 이 직접형 빌리루빈이 장내 세균에 의해 유로빌리노겐으로 환원되므로 정상적인 상황에서는 소변에 빌리루빈이 나타나지 않는다.

직접형 빌리루빈으로부터 변환된 유로빌리노겐은 대변으로 배설되거나, 일부는 장벽을 통해 재흡수된 후 간으로 운반되어 대사되는데 이 과정 중에 유로빌리노겐이 신장을 통과하면서 여과되어 요로 배설된다.

간염 등 간질환으로 인해 간실질이 손상되면 간세포가 동모양혈관(sinusoid)의 혈액 중에서 유로빌리노겐을 잡아들이므로 담즙으로 배설하는 기능은 저하되고, 그대로 문맥에서 흡수된 유로빌리노겐이 혈액으로 많이 빠져나가게 되어 요로 배설되는 양이 많아진다. 간에서 빌리루빈과 유로빌리노겐의 대사가 이루어지지 못해 혈액내로 역류되므로 소변에 직접형 빌리루빈 및 유로빌리노겐이 나타날 수 있다.

담도 폐쇄나 담즙울체가 있는 경우 빌리루빈이 장으로 배출되지 않으므로 장에서 유로빌리노겐의 환원이 일어나지 않으므로, 소변으로 유로빌리노겐이 배출되지 않는 반면 혈류로 역류된 빌리루빈이 증가되어 소변에 직접형 빌리루빈이 배설된다.

용혈성 질환으로 적혈구가 파괴되어 빌리루빈이 증가하면 장으로 배출되는 빌리루빈의 양이 증가하고 이어 유로빌리노겐의 양도 증가됨으로써 소변으로 배출되는 유로빌리노겐이 증가된다.

〈빌리루빈의 결과계산 및 보고방법〉

Neg(음성, negative), 1+(0.5 mg/dl), 2+(1.0 mg/dl), 3+(3.0 mg/dl)

- 빌리루빈의 정상치(참고범위)

  Neg(음성, negative)

  빌리루빈은 직사광선에 의한 산화작용으로 파괴되므로 채취 후 즉시 검사해야 한다.

  정상적으로 소변에서는 빌리루빈이 약 0.02 mg/dl 존재하며, 이것은 이는 요시험지봉 검사에서 거의 검출되지 않는다. 간, 담도 질환에 의해 혈액내 빌리루빈의 농도가 2.0-3.0 mg/dl 이상으로 되면 소변으로 빌리루빈이 배설된다. 소변검사에서 소량의 빌리루빈이라도 검출되면 비정상 소견으로 보고 추가적인 검사가 필요하다.

  금식을 오래 하는 경우에 소변의 빌리루빈은 정상이지만, 혈중 빌리루빈은 증가하는 경우도 있다.

〈유로빌리노겐의 검사원리〉

소변 내에 유로빌리노겐이 있으면 검사지에 함유되어 있는 p-dimethyl aminobenzoaldehyde와 반응하여 연한 적갈색에서 진한 적갈색까지 나타난다. 소변 내에 유로빌리노겐의 양이 많을수록 진한 적갈색을 낸다.

〈유로빌리노겐의 결과계산 및 보고방법〉

Neg(음성, negative), ±(흔적, trace, 0.1 mg/dl), 1+(1 mg/dl), 2+(4 mg/dl), 3+(8 mg/dl), 4+(12 mg/dl)

- 유로빌리노겐의 정상치(참고범위)

  ±(흔적, trace, 0.1 mg/dl), 1+(1 mg/dl)

  정상적으로 소변에서는 유로빌리노겐이 약 1 mg/dl 존재하며, 이는 요시험지봉 검사에서 “양성(1+)”을 나타내게 된다.

  소변검사에서 “음성”이거나, “2+” 이상으로 검출되면 비정상 소견이다. 음성 반응을 보이면 담즙이 장내로 전혀 배설되지 못하거나 항생제의 장기복용으로 장내 세균의 감소 된 경우를 의심해 볼 수 있다. 2+ 이상 양성 반응을 보이면 간질환이나 용혈성 황달이 있음을 의심할 수 있다.

〈결과 해석〉

정확한 검사를 위해서는 빌리루빈은 약 30초, 유로빌리노겐은 약 1분 정도 지나서 판정해야 한다.

1. 빌리루빈 위양성의 원인

   azopyridine 또는 ethoxazen(셀레늄 함유)을 복용한 경우, indican과 iodine 약물의 대사물질이 있는 경우, allopurinol, barbiturates, 피임약, 일부 항생제, chlorpromazine, 이뇨제, steroids, sulfonamides 등의 약물을 복용한 경우

2. 빌리루빈 위음성의 원인

   소변에 셀레늄 등이 있는 경우, 비타민C 를 다량 복용한 경우, 소변에 아질산염이 있는 경우, 소변을 빛에 오래 방치한 경우

3. 유로빌리노겐 위양성의 원인

   약물(PAS, sulfonamide)을 복용한 경우

4. 유로빌리노겐 위음성의 원인

   소변에 아질산염이 있는 경우, 소변을 빛에 오래 방치한 경우, 소변의 세포성분에 대한 검사를 위해 포르말린을 사용한 경우

요시험지봉 검사에서 빌리루빈이 양성일 때는 소변 내 유로빌리노겐 여부도 함께 고려한다. 소변의 유로빌리노겐과 빌리루빈 검사로 어느 정도 황달을 감별할 수도 있다.

소변 내 빌리루빈은 항상 직접형 빌리루빈이고 혈액 내에서 직접형 빌리루빈이 증가되어 있을 때 나타나므로, 소변에서 빌리루빈이 양성이면 간질환을 의심해야 한다. 만일 황달이 있는 환자가 소변에서 빌리루빈이 음성이면 혈액 내에서 간접형 빌리루빈의 증가에 의한 황달로 보고 용혈 질환이나 유전성 황달의 가능성을 고려해야 한다.

소변에서 빌리루빈이 양성을 보이면 간질환이나 담도 폐쇄, 담즙울체 등을 의심해 볼 수 있다. 소변에서 빌리루빈이 양성이고 유로빌리노겐은 음성이면 담도 폐쇄나 담즙울체를 의심해볼 수 있다. 소변에서 빌리루빈이 양성이고 유로빌리노겐도 양성이면 간질환을 의심해볼 수 있다.

소변에서 유로빌리노겐이 양성을 보이면 간질환이나 용혈성 질환에 의한 황달을 의심해볼 수 있다. 소변에서 빌리루빈이 음성이지만, 유로빌리노겐만 양성을 보이더라도 간, 담도 질환을 배제할 수 없기 때문에 일반혈액검사, 간염바이러스, 간기능검사, 췌장기능검사, 복부초음파검사 등을 함께 시행하는 것이 좋다.

하지만, 현재는 혈액에서 직접형과 간접형 빌리루빈을 측정함으로써 소변의 유로빌리노겐 검사의 임상적 중요성이 감소되었다.

표 3-30. 소변의 빌리루빈과 유로빌리노겐 검사에 의한 황달의 구분

	정상	용혈성 질환에 의한 황달	간질환	담도폐쇄, 담즙울체
소변 유로빌리노겐	± ~ 1+	양성(2+ 이상)	양성(2+ 이상)	음성
소변 빌리루빈	음성	음성	양성 혹은 음성	양성

9) 잠혈(occult blood)

혈뇨를 유발하는 비뇨기계의 이상 여부를 검사한다.

〈검사원리〉

소변에 적혈구가 있으면, 적혈구의 페록시다제(peroxidase)에 의해 검사지에 들어있는 과산화수소(H2O2)가 분해되어 테트라메칠벤지딘(tetramethyl benzidine, TMB)이 산화되면서 반응이 일어나 양성 반응을 나타낸다. 반응이 일어나는 정도에 따라 오렌지색에서 암녹색까지 나타난다. 헤모글로빈(hemoglobin, 혈색소)이나 미오글로빈(myoglobin, 근색소) 역시 양성 반응을 나타낸다.

신장이나 요관, 방광 등 소변의 통로가 되는 장기에 이상이 있으면, 소변 중에 약간의 적혈구가 섞이는 경우가 있는데 이것을 요잠혈이라고 한다. 따라서 요시험지봉 검사에서 잠혈 양성인 경우 적혈구에 의한 혈뇨, 혈색소뇨, 미오글로빈뇨 등을 의심할 수 있다. 적혈구가 대량으로 나타날 때는 육안으로도 혈뇨를 확인할 수 있다.

요시험지봉 검사에서 음성(-)을 보이면 정상이다. 정상인의 경우에도 소변에 약간의 적혈구가 섞여 나오지만 요시험지봉 검사에서는 대부분 음성으로 나타난다.

요시험지봉 검사에서 잠혈 양성 반응을 보이는 경우 요침사 검사를 시행하여 적혈구가 관찰되는지 확인하여 혈뇨 여부를 감별해야 한다. 요침사 검사에서 혈뇨인 것으로 밝혀지면 신장, 요관, 방광, 요도에 질환이 있는지를 확인해야 한다. 신장 기능검사, 24시간 소변을 채취하여 단백 측정, 임의뇨에서 단백/크레아티닌 비 측정 등의 추가 검사를 시행해야 한다.

단 한 번의 검사로 병이 있다고 진단할 수 없고, 일과성인 경우도 있으므로 반복적으로 소변 검사를 하는 것이 좋다.

〈결과 계산 및 보고 방법〉

Neg(음성, negative), 1+(10개/μl), 2+(25개/μl), 3+(50개/μl), 4+(250개/μl)

- 정상치(참고범위)
  Neg(음성, negative)
  (정상인의 경우 소변에서 3-5개/μl 정도의 적혈구가 관찰 될 수 있다.)

〈결과 해석〉

정확한 검사를 위해서는 약 60초 정도 지나서 판정해야 한다.

1. 위양성의 원인
   소변에 혈색소나 미오글로빈이 있는 경우, 환원성이 있는 약제가 존재할 경우, 심한 운동을 한 후, 탈수 등이다.
   여성에서 월경기간일 경우 요잠혈 반응에서 양성을 보이기 때문에 생리가 끝나고 2-3일이 지난 후에 다시 검사한다.

2. 위음성의 원인

   다량의 비타민C를 복용한 경우, 소변의 pH가 5.0 이하로 낮을 때, 소변의 비중이 높을 때, 단백뇨가 있을 때, 약물(Captopril 등)을 복용한 경우

3. 요침사 검사(urine sediment analysis)

소변을 원심분리한 후 바닥에 가라앉은 침전물 즉 침사(sediment)를 염색하지 않고 현미경으로 관찰하여 소변 내에 존재하는 유기성분인 적혈구, 백혈구, 상피세포, 세균 등과 원주체, 결정체 등을 확인하는 검사이다. 요침사 검사는 주로 요단백이나 요잠혈 등의 이상을 보일 때에 일차적으로 시행하는 검사로, 신장이나 요로의 질환뿐만 아니라 전신의 여러 가지 질환에 대한 정보를 얻을 수 있다.

[검사방법 및 주의사항]

1. 소변을 보기 전에 음경 또는 외음부를 깨끗이 닦은 후 처음 소변은 버리고 중간 소변을 모아야 한다. 소변을 채취할 때 오염을 피하기 어려운 상황이면 무균적으로 도뇨관을 삽입하거나, 치골상부 천자를 통해 채취 후 검사할 수도 있다.
2. 요침사용 원심관에 소변 10 ml를 채운 후 원심분리기에서 1,500 rpm 으로 5분 동안 원심분리 한다.
3. 원심분리되어 밑에 가라앉은 0.5-1.0 ml 정도의 침전물만 남기고 상청액은 버린다.
4. 침전물을 가볍게 흔들어 잘 혼합한 후에 1 방울을 슬라이드에 점적하여 커버 글라스를 덮은 뒤 현미경으로 관찰한다. 슬라이드 위의 침전물이 기포없이 일정한 두께가 되어야한다.
5. 먼저 저배율(100배, low power field, LPF)에서 원주체 및 상피세포와 전체적인 배경을 관찰한다.
6. 다음에 고배율(400배, high power field, HPF)에서 혈구 등의 세포와 결정체, 지방구, 세균 등을 10시야 이상 관찰하여 여러 가지 세포수의 평균치를 구하고 세균 존재 유무를 관찰한다.

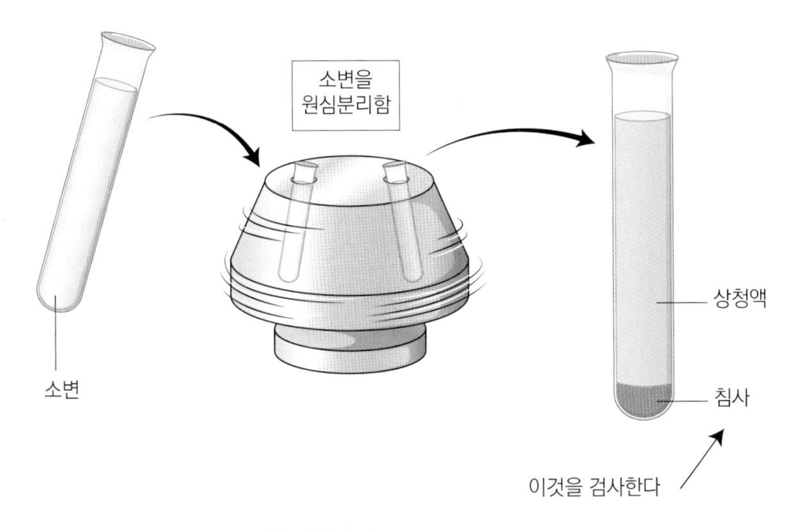

그림 3-36 요침사 검사 방법

최근에는 자동화된 요침사 검사 장비들이 개발되어, 현미경으로 시행하는 기존의 요침사 검사와 함께 사용되고 있다.

- 요침사 검사의 정상 참고치
  적혈구 : 3개 이하 /HPF
  백혈구 : 여자는 5개 이하/HPF, 남자는 3개 이하 /HPF
  상피세포 : 5-15개 /HPF
  세균 : 음성
  원주체(cast) : 1-10개 /LPF
  결정체(crystal) : 음성
  원충류, 세균, 진균, 정충, 난자 등은 원칙적으로 나오지 않아야 한다.

  LPF(low power field, 저배율, 100배 확대)
  HPF(high power field, 고배율, 400배 확대)

1) 소변에서 발견되는 세포

(1) 적혈구 : 신장과 요로계의 질환(염증, 감염, 결석, 종양 등)을 의심해야 한다.

(2) 이형적혈구(dysmorphic RBC) : 손상된 사구체를 통과하여 모양이 변형된 적혈구이다. 사구체 질환이 있음을 의미한다.

(3) 백혈구 : 신장 및 요로계의 염증성 질환(신우신염, 방광염, 요도염, 신결핵 등)을 의심할 수 있다.

(4) 상피세포

① 편평상피세포(squamous epithelial cell) : 소변에서 발견되는 상피세포 중에서 가장 많다. 요도나 여성의 질에서 유래하고 오염세포로 간주한다.

② 이행상피세포(transitional epithelial cell) : 신우, 요관, 방광, 상부 요도 등에서 유래한다. 이행상피세포가 많이 보이면 요로감염이 있음을 의미하고, 다수로 나타나면서 핵의 불균형이 관찰되면 종양을 의심할 수 있다.

③ 신세뇨관상피세포(renal tubule epithelial cell) : 신장의 신세뇨관에서 유래한다. 신세뇨관상피세포가 많이 보이면 바이러스 질환 등에 의한 신장의 신세뇨관 질환을 의심할 수 있다.

2) 소변에서 발견되는 세균

오염된 것이 아니라면 요로 감염을 의심한다.

3) 소변에서 발견되는 원주체(cast)

원주체는 신장의 원위세뇨관과 집합관 사이에 소변이 정체될 때 나타나며, 탐-호스폴 당단백질(Tamm-Horsfall glycoprotein)이 응집되면서 만들어진 원주모양의 물질이다.

정상 성인에서 소변을 통해 배설되는 단백의 20%는 IgA와 같은 저분자량 단백, 40%는 알부민과 같은 고분자량 단백, 그리고 나머지 40%는 Tamm-Horsfall glycoprotein으로 구성되어 있다.

(1) 무세포성 원주체(acellular casts)

① 초자 원주체 또는 유리양 원주체(hyaline cast)

초자 원주체는 신세뇨관 상피세포에서 분비되는 Tamm-Horsfall glycoprotein이 응축된 것으로 소변 흐름이 느려지거나 농축된 소변 또는 산성 환경에서 쉽게 만들어진다. 정상인의 경우에도 탈수, 격렬한 운동 후에 나타나기도 한다. 20-30개/HPF 이상이면 병적인 것으로, 신우신염, 만성 신장질환 등을 의심한다.

② 과립 원주체(granular cast)

세포성 원주체의 분해 및 퇴행, 혈장 알부민의 응집, 면역 글로불린의 경쇄(light chain) 등에 의해 형성된다. 과립성 원주체는 만성 신장질환, 단시간 내 격렬한 운동, 스트레스, 탈수가 있을 때 초자 원주체와 더불어 나타나기도 한다.

③ 납양 원주체(waxy cast)

원주체가 만들어지는 과정의 최종 산물로, 신부전 등 장기간의 신장 질환이 있어서 소변의 흐름이 늦어질 때 생성된다. 납양 원주체가 존재하면 신 세뇨관 손상 등의 심각한 병적 소견을 의미한다. 만성 신부전, 신증후군, 당뇨병성 신장 장애, 신장이식 후 거부반응, 신 아밀로이드증 등과 동반된다.

④ 지방 원주체(fatty cast)

지질을 다량 함유한 상피세포가 파괴되어 생성된다. 지방 원주체는 주로 신증후군이 있을 때 나타나고, 당뇨병성 신장장애, 루푸스성 신장장애 때도 나타난다.

⑤ 색소 원주체(pigment cast)

대사분해산물에 의해 생성된다. 용혈성 빈혈 때 나타나는 헤모글로빈, 횡문근용해나 근육 손상 때 나타나는 미오글로빈, 간질환 때 나타나는 빌리루빈 등이 있다.

(2) 세포성 원주체(cellular casts)

① 적혈구 원주체(RBC cast)

원주체 내에 적혈구가 존재한다. 병적 상태로 간주되며 사구체 손상을 의미한다. 적혈구 원주체는 사구체 신염, 전신 홍반성 루푸스 신염, 신장 경색, 혈관염, 악성 고혈압, 급성세뇨관 괴사 등이 있을 때 나타난다.

② 백혈구 원주체(WBC cast)

염증이나 감염이 있음을 의미한다. 백혈구 원주체는 신우신염, 신장 감염 때 주로 나타나고, 간질성 신염, 신 증후군, 급성 신사구체염 등을 생각해 볼 수 있다.

③ 세균 원주체(bacterial cast)

원주체 내부에 백혈구가 주로 있고, 원주체 주변에 세균이 존재한다. 엄밀한 의미에서 순수한 세균 원주체는 보이지 않는다. 세균 원주체는 신우신염 등 세균 감염이 있을 때 세균, 백혈구, 백혈구 원주체 등과 함께 볼 수 있다.

④ 상피세포 원주체(epithelial cell cast)

신세뇨관의 상피세포가 탈락하여 초자 원주체에 부착된 형태이다. 상피세포 원주체는 급성 신세뇨관 괴사, 간질성 신염, 신장이식후 거부반응, 중금속 중독 등이 있을 때 나타난다.

4) 소변에서 발견되는 결정체(crystal)

결정체는 대사이상에 의한 과포화 성분이 소변을 통해 나타난 것으로, 소변 내 용질 농도가 일정 수준 이상 높아지면 소변에 침전되어 결정체를 형성한다.

정상인의 소변에서는 결정체를 거의 생성하지 않는다.

(1) 무정형 침전물(amorphous sediment)

특별한 형태는 없고, 대개 모래나 톱밥 모양을 취한다. 가장 흔히 관찰되는 소변 내 결정체로, 양이 많을 때는 육안으로도 소변이 혼탁하게 보인다.

소변의 산성도에 따라 관찰되는 결정체가 달라질 수 있다. 알칼리성 소변일 때 가장 빈번하게 관찰되는 무정형 침전물은 무정형 인산염(amorphous phosphates)이고, 산성 소변에서는 무정형 요산염(amorphous urates)이 주로 관찰된다.

(2) 산성 소변에서 정상적으로 나타날 수 있는 결정체

요산, 수산칼슘, 황산칼슘, 옥살산칼슘 결정체 등이 관찰될 수 있다.

(3) 알칼리성 소변에서 정상적으로 나타날 수 있는 결정체

삼중인산염, 인산칼슘, 탄산칼슘, 요산암모늄 결정체 등이 관찰될 수 있다.

(4) 비정상적인 결정체

비정상적인 결정체는 모두 산성뇨나 중성뇨에서 나타난다.

① 간질환과 관련이 있는 결정 : 타이로신(tyrosine), 류신(leucine), 빌리루빈 결정체 등이 관찰될 수 있다.

② 신증후군과 관련이 있는 결정 : 콜레스테롤결정체 등이 관찰될 수 있다.

③ 그 외에 시스틴뇨증이 있을 때 시스틴(cystein) 결정체가 관찰될 수 있다.

단백뇨, 당뇨, 혈뇨

소변검사에서 발견되는 이상소견은 많지만, 그 중에서 특히 단백뇨, 당뇨, 혈뇨 등이 중요하다.

1. 단백뇨(proteinuria)

단백뇨는 크게 일시적 단백뇨와 영구적 단백뇨로 분류된다.

1) 일시적 단백뇨

신장을 관류하는 혈류의 역학적 변화 등으로 인하여 신장의 병변 없이 일시적으로 단백뇨 현상을 보인다.

(1) 기립성 단백뇨

직립 상태나 활동 중인 낮에는 단백뇨가 동반되지만, 눕는 자세나 수면 중에는 단백 배설이 정상인과 동일해진다. 정상 신기능을 가진 비교적 젊은 성인의 3-5%에서 나타난다. 1일 2 gm 이하의 뇨단백이 배설되며, 건강에는 전혀 영향이 없는 것으로 알려져 있다.

(2) 양성 단백뇨

심한 운동 후에는 뇨단백의 배설이 약 2-3배 증가할 수 있고, 탈수, 고열, 울혈성심부전증, 심리적 스트레스, 경련, 임신, 월경, 척추전만(lordosis) 자세 등이 있을 때도 뇨단백의 배설이 나타날 수 있다. 이는 정상적인 상태로 잠깐 동안 나타났다가 다시 원래의 상태로 회복된다.

그러나 소변검사에서 일단 단백뇨가 관찰되면 이는 신장 질환의 가장 중요한 소견 중의 하나이므로 추가검사를 시행하여 확인하는 것이 바람직하다.

2) 영구적 단백뇨

4 종류의 단백뇨로 구분된다.

(1) 사구체성 단백뇨

사구체 질환 환자에서 나타나는 이상소견으로, 배설되는 뇨단백의 60-90%는 알부민이 차지한다. 주로 사구체 모세혈관 벽의 손상에 의해 발생하며, 사구체가 단백을 걸러내지 못해서 단백이 많이 빠져 나온다. 대개 분자량이 큰 단백이 배설된다.

일차적으로 사구체에 병변이 있는 경우 : 각종 사구체신염

이차적으로 사구체에 병변이 생기는 경우 : 당뇨병, 아밀로이드증, 전신성홍반성루푸스(SLE) 등의 교원성 질환, 약물(비스테로이드성 소염제, 페니실라민, 중금속 등), 감염(에이즈, 매독, 간염, 연쇄구균감염), 악성종양(위장관암, 폐암), 육종 등

(2) 세뇨관 단백뇨

세뇨관의 손상으로 사구체에서 여과된 단백의 재흡수 기능에 문제가 생겨 단백이 많이 빠져 나온다. 대개 분자량이 적은 단백의 배설이 증가하게 된다.

간질성 신염, 약물(비스테로이드성 소염제, 항생제 등), 중금속, 뇨산 신병증, 판코니(Fanconi)씨 증후군, 윌슨(Wilson)병 등

(3) 신전성(prerenal) 단백뇨

세뇨관의 기능은 정상이지만 혈장단백이 이상 증가된 경우에 지나치게 많아진 단백을 다 재흡수하지 못하여 소변으로 단백이 빠져 나온다.

다발성 골수종(multiple myeloma), 마크로글로불린혈증(macroglobulinemia), 중쇄병(heavy chain disease), 혈색소뇨증, 미오글로빈뇨증, 골수종 등

(4) 신후성(postrenal) 단백뇨

하부 요로에 염증이나 출혈이 있으면 소변으로 단백이 유출된다.

신우 하부 요로질환, 요관, 방광, 요도의 결석, 감염, 종양, 전립선 질환 등

미세 알부민뇨(microalbuminuria)

단백뇨, 특히 알부민뇨는 당뇨병, 고혈압, 사구체신염에 의한 만성 신질환에 민감하고 특이적인 표식자이다. 특히 당뇨병 환자에서 당뇨병성 신증은 당뇨병의 합병증 중 가장 심각하고 생명을 단축시키는 중요한 합병증이다. 당뇨병성 신증은 초기에 사구체여과율이 증가되는 단계로부터 시작되어, 미세 알부민뇨가 나타나는 시기를 거치게 된다. 당뇨병성 신증이 더 진행하여 현성 단백뇨 단계가 되면 요시험지봉검사에서도 알부민뇨의 여부를 확인할 수 있으나, 이 시기가 되면 당뇨병성 신증은 상당히 진행된 단계가 되고 만성신부전으로 진행하는 것을 막기 어렵게 된다. 따라서 당뇨병 환자의 경우 당뇨병성

신증의 발생을 예측하기 위한 좋은 검사방법이 미세알부민뇨의 평가이다. 하지만, 요시험지봉검사에서는 알부민을 주로 검출하므로 미세알부민뇨를 놓칠 수 있어서 주의가 필요하다. 당뇨병 환자가 요시험지봉검사에서 음성인 경우에는 알부민뇨의 양이 300 mg/day 미만인 것으로 추정할 수 있으며, 이때는 미세알부민뇨 검사를 시행해야 한다.

정상인에서 알부민은 하루에 약 20 mg 이하로 배설된다.

미세알부민뇨는 다음과 같이 정의된다.

- 요중 알부민이 24시간에 30-300 mg
- 요중 알부민이 1분에 20-200μg
- 무작위 소변에서 요알부민/크레아틴 비율을 측정하여 0.03 mg/mg (30 mg/g) 이상이면서 일반적인 요단백검사에서 음성인 경우

2. 당뇨(glucosuria)

당뇨는 크게 비고혈당성 당뇨, 고혈당성 당뇨 등으로 분류된다.

1) 비고혈당성 당뇨(고혈당을 동반하지 않는 당뇨)

다량의 포도당 섭취, 스트레스, 운동 후, 임신, 비타민D 과잉투여, 중금속 중독, 판코니 증후군, 신증후군, 신성 당뇨(신장의 세뇨관에서 포도당의 재흡수 능력이 저하되어 혈당이 정상인데도 소변에 당이 나오는 경우) 등에 발생한다.

2) 고혈당성 당뇨(고혈당을 동반하는 당뇨)

(1) 일차성 당뇨 : 당뇨병

췌장 기능의 장애로 인슐린 분비량이 감소하여 조직에서의 포도당 이용이 줄어들면 혈당이 증가된다. 그로 인해 신장에서 당 배설 역치를 넘기 때문에 소변으로 당이 배설된다.

(2) 이차성 당뇨 : 췌장 질환, 쿠싱증후군, 갑상선 기능항진증, 간병변, 중추 신경계 장애 등

2차적 원인으로 췌장 기능의 장애가 발생하여 혈당이 증가하고, 요당이 배설된다.

3. 혈뇨(hematuria)

혈뇨는 적혈구가 소변에 있음을 의미하는데, 일반적으로는 적혈구가 현미경 검사에서 3개 이상 발견될 때 혈뇨라고 정의한다.

소변이 붉게 보이고 현미경 검사에서 적혈구가 많이 확인이 되는 경우를 육안적 혈뇨(gross hematuria)라 하고, 눈으로 보기에는 깨끗하나 현미경으로 보아야만 적혈구가 확인되는 경우를 현미경적 혈뇨

(microscopic hematuria)라 한다. 눈으로 보아서 붉은데 현미경 검사에서 적혈구가 발견이 되지 않는 경우는 육안적 혈뇨가 아니다. 이 경우는 소변을 붉게 하는 것이 적혈구가 아니라 다른 원인이 있는 것으로 보아야 한다.

40세 이상에서 비록 현미경 검사에서 1개의 적혈구가 보이더라도 이전의 소변검사에서 적혈구가 없었다면 비정상으로 생각하는 것이 좋다.

무증상의 현미경적 혈뇨를 보이는 경우 반드시 병력청취, 신체검사, 검사실 검사, 요로계 방사선 촬영, 방광경, 소변 세포검사, 신장 생검 등의 검사를 통해 그 원인을 확인해야 한다.

1) 혈뇨의 구분

혈뇨는 병소의 위치에 따라 사구체성 혈뇨와 비사구체성 혈뇨로 구분해 볼 수 있다.

(1) 사구체성 혈뇨

혈뇨와 동반하여 상당량의 단백뇨가 나오고 요침사 검사에서 적혈구 원주체 및 이형적혈구가 나타난다.

소아의 경우 현미경적 혈뇨가 6개월 이상 지속되거나, 한번이라도 육안적 혈뇨가 있었거나, 혈뇨의 가족력이 있으면, 신장 조직검사를 시행하도록 권장하고 있다.

하지만 40세 이하 환자에서 현미경적 혈뇨가 있을 때, 소변 검사를 한 달 간격으로 여러 번 반복하면 혈뇨가 소실되는 경우가 많고 지속되더라도 특정 질환과의 연관성이 밝혀지는 경우가 적기 때문에, 신장 조직검사 없이 정기적인 추적관찰을 시도해 보는 것을 권하고 있다.

원인 질환으로는 유전성 질환, IgA 신증, 초점분절사구체신염, 감염후사구체신염, 급속진행성 사구체신염, Henoch-Schonlein 자반증, 용혈요독증후군, 혈관염, 전신성홍반성루푸스 신염 등이 있다

(2) 비사구체성 혈뇨

적혈구원주체나 이형적혈구는 동반되지 않는다. 신장에서 유래한 혈뇨의 경우에는 상당량의 단백뇨가 자주 나오지만, 신장 이외의 곳에서 유래한 혈뇨의 경우에는 요시험지봉 단백검사에서 단백뇨가 동반되지 않거나 2+ 이상으로 증가하지 않는다.

비사구체성 혈뇨가 의심되면 상부 요로에 대한 평가를 위해 경정맥 신우조영술, 복부 초음파 검사, 복부 컴퓨터촬영검사 등을 시행하고, 결핵균 검사와 함께 세포진 검사를 실시한다.

원인 질환으로는 동정맥 기형, 고칼슘뇨증, 고요산요증, 악성고혈압, 전립선 비대증, 신장, 요관, 방광, 요도, 전립선의 종양, 신장 결석, 방광염, 신우신염, 전립선염, 신장 결핵 등이 있다.

(3) 그 외에 약물(비스테로이드성 소염제, 헤파린, 와파린 등)이나 외상(운동, 달리기, 요도 손상) 등에 의해서도 혈뇨가 올 수 있다. 운동으로 인한 일시적 혈뇨는 비교적 흔한 소견으로, 8-72시간이 지난 뒤 재검사를 시행하면 사라진다.

2) 혈뇨, 혈색소뇨, 미오글로빈뇨의 차이와 구분

(1) 혈뇨(hematuria) : 깨어지지 않은 적혈구가 섞인 소변을 말한다. 결석, 종양, 사구체 신염, 신우신염 등 신장 및 비뇨기계 질환에 의한 출혈이 있는 것을 의미한다. 요침사검사에서 적혈구가 관찰된다.

(2) 혈색소뇨(hemoglobinuria) : 혈색소가 섞인 요를 말한다. 수혈 부작용, 신생아 용혈성 질환, 자가면역성 용혈성 빈혈, 독사나 거미에 물렸을 때, 격렬한 운동, 적혈구의 G6PD 결핍 등이 있을 때 나타난다. 요침사검사에서 적혈구가 관찰되지 않는다.

(3) 미오글로빈뇨(myoglobinuria) : 근육에서 유리된 미오글로빈이 사구체를 통과해서 요로 배출되는 상태를 말한다. 근육질환, 근육 손상, 일산화탄소 중독 등이 있을 때 나타난다. 요침사검사에서 적혈구가 관찰되지 않는다.

요시험지봉 검사에서는 혈뇨, 혈색소뇨, 미오글로빈뇨가 모두 양성으로 나타난다.

이들을 구분하기 위해서는 우선 원심분리를 한다. 원심분리를 해서 바닥에 적색 침전물이 있고 상층이 적색을 소실하였으면 혈뇨이며, 원심분리를 했는데도 상층의 적색이 그대로 있으면 혈색소뇨이거나 미오글로빈뇨이다.

혈색소뇨와 미오글로빈뇨을 구분하기 위해서는 황산암모늄을 첨가한다. 황산암모늄을 첨가했는데도 상층이 그대로 적색이면 미오글로빈뇨이고, 적색 침전물을 형성하면 혈색소뇨이다.

3) 혈뇨 환자에 대한 접근

혈뇨의 원인을 추정할 때는 동반되는 증상과 소변검사 결과를 참고한다.

(1) 발열, 배뇨장애를 동반할 때는 요로 감염증 의심할 수 있다. 소변검사에서 농뇨나 세균뇨가 동반되어 있으면 균배양검사를 고려한다.

(2) 상기도 감염을 동반할 때는 IgA 신장병증을 의심할 수 있다.

(3) 미열이 있는 경우에는 바이러스성 호흡기 감염, 위장관 감염, 예방접종 등을 의심할 수 있다.

(4) 격렬한 운동 후에는 반복적인 혈뇨를 보일 수 있다.

(5) 상기도 감염 1-2주 후에 복통, 권태, 부종, 고혈압 등을 동반할 때는 사구체 신염을 의심할 수 있다

(6) 통증을 동반할 때는 요로 결석을 의심할 수 있다.

(7) 체중 감소를 동반할 때는 악성 종양을 의심할 수 있다. 특히 고령에서 혈뇨를 보이면 악성 종양을 배제해야 한다.

(8) 소아에서 혈뇨가 있으면 가족력을 참고하여 Alport 증후군, 얇은 사구체 기저막 신장병증 등을 의심해 볼 수 있다

(9) 양성 전립선비대증의 가능성도 염두에 두어야 한다.

(10) 여성의 생리, 격렬한 운동, 성행위, 외상 후에도 혈뇨를 동반할 수 있다. 이 경우에는 48시간 이후에 다시 재검사를 하도록 한다.

4) 혈뇨의 추적관리

현미경적 혈뇨가 지속될 때는 6, 12, 24, 36개월 후 소변 검사를 시행한다,

또한 고혈압, 신부전, 단백뇨 등의 발생 여부를 추적한다. 혈뇨의 정도가 심해지거나, 요로감염이 반복되거나 염증이 없는데도 자극성 배뇨증상을 동반할 때에는 다시 정밀 검사를 시행한다.

20 대변검사

목표질환 : 위장관의 출혈성 질환, 기생충 질환

〈검사항목〉

분변잠혈반응검사

기생충검사

건강검진에서의 대변검사는 주로 위장관의 출혈성 질환이 있는지를 판별하는 잠혈반응검사와 기생충 감염여부를 판별하는 검사로 이루어져 있다.

그 외에 대변으로 가능한 검사로는, 설사환자에서 설사의 원인을 규명하기 위해 지방변의 유무, 백혈구의 존재 확인, 세균성질환에 대한 세균배양검사 등을 시행 할 수 있고, 폐쇄성 황달의 유무를 추정해 볼 수 있다.

우리가 먹은 음식은 위와 소장에서 영양분이 흡수된 뒤 대장을 지나 항문을 통해 대변의 형태로 배설된다. 대변은 주로 섬유소와 소화되지 않은 음식물, 세균, 물(70%)로 구성되어 있고, 그 외 장점막상피세포, 소량의 지방, 담즙색소(유로빌린) 등이 포함되어 있다. 정상적인 대변은 성인인 경우 하루 약 200 g 정도의 변을 배출하는데 황갈색을 보인다. 병적인 대변에는 적혈구, 백혈구, 점액, 농, 기생충, 충란 등이 나타날 수 있다.

대변은 소화기관의 상태를 잘 반영하므로 색깔, 냄새, 경도, 모양 등의 변화를 관찰함으로서 몸의 병적인 상태를 판별하는데 유용하게 이용될 수 있다. 대변의 색깔을 통해 몸의 상태를 추정해 볼 수 있다.

정상변 : 담즙색소(유로빌린)에 의해 황갈색을 보인다.

황색변 : 유아, 지방변, 고도의 설사, 약물과 관련 될 수 있다.

녹색변 : 녹색 야채를 대량 섭취하였을 때 관찰된다.

흑색변 : 상부위장관출혈(위 및 십이지장 부위의 출혈)이나, 철분제, 비스무스제제 등을 복용하였을 때
적색변 : 하부위장관출혈(대장염, 직장, 항문부위의 출혈)이 있을 때
회백색변 : 폐쇄성 황달 등이 있을 때

〈검사방법 및 주의사항〉

1. 검은 색의 플라스틱 채변용기에 수검자의 이름, 성별, 나이 등을 기재한다.
2. 채변용기 속에 들어있는 스푼을 이용해서 약 5 g(강낭콩 크기)정도의 대변을 채취해서 담은 후 반드시 뚜껑을 덮도록 한다.
3. 소변이 섞이지 않게 채취하도록 한다.
4. 검사가 지체될 경우는 대변을 4℃에 냉장고에 보관하거나 또는 10% 포르마린을 첨가하여 보관한다.
5. 수검자가 집에서 채변을 해서 실온에 보관할 경우 위음성률이 높아질 수 있으므로 냉장보관 하도록 한다.

1. 분변잠혈반응검사(fecal occult blood test)

대변의 잠혈을 검출하는 검사로, 잠혈(occult blood)이란 대변 속에 육안으로 확인할 수 없을 정도의 미량의 혈액이 존재하는 것을 말한다. 정상인에서 분변잠혈반응검사는 음성이다. 분변잠혈반응검사가 양성이면 소화기관내에 출혈성 질환들이 있음을 의미하므로, 주로 소화관의 출혈이나 대장암의 조기 발견을 위한 선별검사로서 활용되고 있다.

분변잠혈반응검사가 양성인 경우 치핵(치질)이나 항문열상에 의한 경우가 가장 많지만, 대장암이나 대장용종, 위암, 식도암, 위궤양, 십이지장 궤양, 궤양성 대장염 등 심각한 질환 때문일 수도 있으므로 반드시 위내시경검사, 대장내시경검사 등을 시행해서 원인을 밝혀야 한다.

분변잠혈반응검사는 전통적으로 사용되던 화학적 방법과 최근에 주로 사용되는 면역학적 방법으로 나눌 수 있다.

1) 화학적 방법(chemical fecal occult blood test)

대표적으로 구아이악검사가 있다.

구아이악 검사(Guaiac test)

구아이악이 첨가된 검사지에 대변을 묻힌 후, 여기에 과산화수소수(H_2O_2)를 첨가한다. 대변 내에 혈액이 있으면 적혈구의 혈색소내 과산화효소(pseudoperoxidase)가 과산화수소수와 반응하여 구아이악을 산화시킨다. 이때 무색이던 검사지가 청색으로 발색된다.

구아이악 검사는 혈색소의 존재를 직접 검사하는 방법이 아니므로, 위양성, 위음성이 많아 점차 사용이 줄어들고 있다.

〈구아이악 검사의 주의사항〉

대장종양은 출혈이 있더라도 간헐적으로 일어나므로 분변잠혈반응검사를 할 때는 적어도 3일간 연속적으로 대변을 채취하는 것이 좋다.

위양성의 원인과 대책

- 과산화효소가 많이 함유된 과일이나 야채(고추냉이, 순무, 브로콜리, 바나나, 배 등), 붉은색 고기(쇠고기, 양고기 등)의 헴 등에 의해 위양성으로 나타날 수 있으므로 검사 전 3일 이내에는 이런 음식물을 피하는 것이 좋다.
- 치과 치료(잇몸출혈 등) 중인 환자에는 치료가 끝난 후 채변을 하도록 한다.
- 치질이나 월경 등으로 인해 출혈하는 환자는 그 기간을 피해서 검사해야 한다.
- 아스피린, 비스테로이드성 진통제 등은 위장관을 자극하여 출혈을 유발할 수 있으므로 검사 전 7일 이내에는 복용을 피하는 것이 좋다.

위음성의 원인과 대책

- 검체를 오래 보관하면 대변 내 혈색소가 파괴될 수 있다.
- 비타민C 보조제, 감귤류 과일이나 쥬스 등은 구아이악반응을 억제하므로 검사하기 수일 전부터 섭취하지 말아야 한다.

2) 면역학적 방법(immunological fecal occult blood test)

구아이악법은 비특이적인 방법으로 위양성, 위음성이 많아서 최근에는 환자의 식이제한이나 약물제한이 필요하지 않은 새로운 면역학적 방법이 이용되고 있다.

구아이악법이 혈색소의 과산화효소를 측정하는 것이 목적이라면, 면역학적 검사는 사람의 혈색소를 직접 측정하는 것이다. 구아이악검사는 상부위장관출혈에서도 양성반응을 보이지만, 혈색소의 글로빈을 이용하는 면역학적검사는 상부위장관출혈에 의해 유래된 글로빈은 위장관 효소에 의해 파괴되고 하부위장관(대장, 직장)출혈에 의해 유래된 글로빈만을 선별적으로 검출하므로 대장암의 선별에 더 유용하다.

면역학적 검사는 대변 내에 있는 혈색소의 글로빈항원이 사람의 혈색소항체를 흡착시킨 라텍스 입자에 결합하면 응집반응을 일으키는 것을 보는 검사이다. 검사 방법에 따라 정성검사와 정량검사 있다.

정성검사는 정성검사용 키트에 대변을 규정된 양만큼 떨어뜨린 후, 정해진 시간(키트별로 5분 또는 10분)을 초과하지 않고 판독해야한다. 이 검사는 별도의 장비가 필요 없지만, 결과 판독이 주관적이어서 신뢰도가 떨어질 수 있다.

정량검사는 응집반응을 자동화장비를 이용한 광학적 방법으로 측정해서 대변 중의 혈색소량을 정량적으로 분석한 후, 임의의 기준치에 의해 양성, 음성의 결과를 얻는다. 정량적으로 결과가 보고되므로 판독이 객관적이어서 육안판정의 모호함과 주관성을 배제할 수 있다.

분변잠혈반응검사의 한계와 대책

대장암은 선종에서 시작되고, 선종이 대장암까지 진행하는데 약 10년 이상이 걸린다. 대장암에서는 출혈이 간헐적으로 일어나고 또한 출혈량이 많지 않은 경우에는 분변잠혈반응검사에서 음성으로 나올 수 있으므로, 분변잠혈반응검사를 연속적으로 3일 동안 실시하거나, 매년 분변잠혈반응검사를 반복하는 것이 좋다.

대장암의 약 8% 정도에서만 잠혈반응 양성이 나타나고, 암의 크기 및 종류에 따라서도 영향을 받으므로, 분변잠혈반응검사에서 음성이라고 해서 암을 완전히 배제할 수 없다. 따라서 분변잠혈반응검사만으로 자신의 대장의 상태를 판단하기 보다는 50세 이상의 경우 5년 마다 대장내시경검사를 받는 것이 권장된다.

2. 기생충검사(parasite examination)

기생충은 그 종류에 따라 기생하는 기관이나 조직이 다르므로 대변, 객담, 혈액, 소변, 체액(질분비물 등), 조직생검 등에서 충란, 유충, 낭충 등을 검사해야 한다.

1) 충란과 원충 검사를 위한 대변검사

대변검사로 회충, 요충, 편충, 구충, 동양모양선충 등의 선충류와 간흡충, 요꼬가와흡충 등의 흡충류, 그리고 이질아메바 등의 원충류에 대한 진단이 가능하다.

(1) 직접도말법(direct smear)

대변에 따뜻한 생리식염수 1-2방울을 가하여 유리판위에 얇게 바른 후 현미경으로 직접 관찰한다. 운동성이 있는 원충류(특히 이질 아메바)의 영양형 검출에 가장 적합하다. 원충류는 외부온도에 예민하기 때문에 따뜻한 생리식염수를 사용해야 살아있는 영양형을 관찰할 수 있다.

(2) 집란법(concentration technique, 集卵法)

직접도말검사법으로 진단하기 어렵거나 정확한 진단이 필요한 경우, 충란을 모아서 검사하는 방법이다. 먼저 대변을 체나 거즈로 찌꺼기를 먼저 걸러내고, 부유법이나 침전법을 이용하여 현미경으로 관찰한다.

① 집란부유법

대표적인 방법은 황산아연부유법이다. 이 방법은 채취한 대변에 비중이 무거운 황산아연용액을 넣고 원심분리하면, 비중이 가벼워 상층에 떠 있는 충란, 유충, 포낭 등을 현미경으로 검사한다. 지체되면 충란이 파괴되므로 5-20분 내에 조작하여 검사한다. 흡충란을 제외한 거의 대부분의 충란의 관찰에 용이하다.

② 집란침전법

대표적인 방법은 포르말린-에테르침전법이다. 이 방법은 채취한 대변에 포르말린을 첨가하여 고정시키고, 에테르를 첨가한 후 원심분리해서 상층의 찌꺼기는 버리고, 하층에 모인 충란을 현미경으로 검사한다. 흡충란과 특히 원충의 포낭 검출에 우수하며, 지방이 많이 포함된 대변에서 집란 부유법으로 검출이 어려울 때도 유용하다.

(3) 스카치테이프 법(Scotch tape test, 항문도말검사)

스카치테이프를 5-6 cm 정도로 잘라서 끈끈한 면을 밖으로 하여 동그라미 모양으로 만든다. 변의 잔여물이 묻어나도록 접착면을 항문부에 부착하였다가 떼어낸 후, 톨루엔(toluene)을 한 방울 떨어뜨린 유리 슬라이드에 스카치테이프를 붙인 다음 현미경으로 검사한다. 요충, 조충의 충란같이 항문주위에 붙어있는 충란을 검사할 때 주로 사용된다.

스카치테이프 법으로 요충의 충란검출률을 높이기 위해서는 주로 아침에 배변하기 전에, 목욕을 하지 않고, 날짜를 달리해서 3-4회 연속 도말검사를 하는 것이 좋다

2) 충란과 원충 검사를 위한 기타 방법

(1) 객담검사

폐에 기생하는 폐흡충의 충란이나, 폐이행기에 있는 회충, 구충, 분선충 같은 기생충의 유충 등의 검출이 가능하다.

(2) 혈액검사

말초혈액을 도말 염색하면 말라리아, 사상충, 트리파노조마 등의 검출이 가능하다.

(3) 소변검사

질편모충, 방광주혈흡충, 거대신충, 이질아메바 등의 검출이 가능하다.

(4) 체액검사

질 분비물에서 질편모충, 복강액이나 척수액에서 톡소포자충, 트리파노조마 등의 검출이 가능하다.

(5) 생검

선모충, 낭미충증, 내장 유충이행증 등의 경우에는 국소적으로 근육, 피하조직, 장기조직 등을 채취하여 검사해야 한다.

(6) 간흡충/폐흡충의 피내반응검사(CS/PW intradermal test)

간흡충/폐흡충의 항원액 0.01-0.02 ml를 수검자의 전박에 직경 약 4-5 mm(면적이 20 mm^2)되는 구진이 생길 때 까지 피내주사한 후, 15분 후에 구진의 크기를 측정한다. 구진의 크기가 60 mm^2 이상이면 양성으로 판정한다.

이 검사는 민감도는 높지만 특이도가 낮고, 현재 감염과 과거 감염을 구분하기 어렵다. 치료 후에 간흡충이 다 죽은 후에도 환자의 50% 이상에서 5-20년간 계속 양성 반응을 보인다.

(7) 면역학적검사(ELISA)

혈액에 대해 ELISA법을 이용하여 특정 기생충에 특이적인 IgG 항체를 검사한다. 현재 ELISA로 진단 가능한 기생충은 다음과 같다.

유구낭미충(Cysticercus)
폐흡충(Paragonimus westermani)
간흡충(Clonorchis sinensis)
스파르가눔(Sparganum)
톡소포자충(Toxoplasma gondii)
간질(Fasciola hepatica)

기생충 감염

기생충은 저마다 특별한 생활고리(life cycle)가 있어서 “충란 → 유충 → 성충 → 충란”의 단계를 거치면서 종족보존을 한다.

기생충은 독립적으로는 생명을 유지할 수 없고, 반드시 다른 종류의 생물체에 살면서 영양물을 얻어먹으며 살아가는 기생생활을 한다. 기생충이 살아가는 상대방 생물체를 숙주(host) 라고 한다. 유충이 기생하는 숙주를 중간숙주, 성충이 기생하는 숙주를 종숙주라고 한다. 두 종류의 중간숙주를 거칠 때는 첫 번째 숙주를 제1중간숙주, 두 번째 숙주를 제2중간숙주라고 한다.

우리나라에 흔한 기생충은 회충, 요충, 편충, 구충, 간흡충, 요꼬가와흡충, 고래회충 유충, 낭미충, 스파르가눔, 유구조충, 무구조충, 왜소조충, 폐흡충, 질편모충(질트리코모나스), 이질아메바 등이 있다. 과거에 감염이 높았던 회충, 요충, 구충 등의 토양매개 기생충은 최근에는 현저히 감소되었다. 하지만 간흡충, 요코가와흡중 등의 식품매개 기생충은 아직도 환자가 꾸준히 발생하고 있다.

인체에 감염을 일으키는 기생충의 종류

1. 윤충(helminth)
   1) 선충(nematoda, round worm)
      (1) 회충(Ascaris lumbricoides)
      (2) 구충(hook worm, 십이지장충)
         ① 두비니구충(Ancylostoma duodenale)
         ② 아메리카구충(Necator americanus)
      (3) 편충(Trichuris trichiura)
      (4) 요충(Enterobius vermicularis)
      (5) 동양모양선충(Trichostrongylus orientalis)
      (6) 분선충(Strongyloides stercoralis)
   2) 흡충(trematoda, distoma)
      (1) 간흡충(Clonorchis sinensis, 간디스토마)
      (2) 폐흡충(Paragonimus westermani, 폐디스토마)
      (3) 간질(Fasciola hepatica)
      (4) 장흡충(Intestinal flukes)
         ① 요꼬가와흡충(Metagonimus yokogawai, 장흡충)
         ② 참굴큰입흡충(Gymnophalloides seoi)
   3) 조충(cestoda, tape worm, 촌충)
      (1) 광절열두조충(Diphyllobothrium latum, 긴촌충)
      (2) 유구조충(Taenia solium, 갈고리촌충)
         • 낭미충증(cysticercosis)
      (3) 무구조충(Taenia saginata, 민촌충)
      (4) 왜소조충(Hymenolepis nana)
2. 원충(protozoa)
   1) 이질아메바(Entameba histolytica)
   2) 람블편모충(Giardia lamblia)

1. 윤충류(helminth)

다세포생물로 비교적 크기가 큰 기생충이다. 숙주 내에서 유성생식을 하여 충란이나 유충을 낳고 대변, 소변, 흡혈곤충매개체를 통해 숙주 몸 밖으로 나간 후에, 주변 환경 또는 중간숙주에서 그 다음 발육단계를 거쳐 사람에게 감염성이 있는 감염형이 된다. 즉 인체에서 직접 분열 증식할 수 없다. 인체의 조직, 혈관, 위장관등에 기생하는 세포외 기생충이다.

1) 선충류(nematoda, round worm)

긴 원통형의 몸체를 가지고 있다. 선충류는 보통 자웅이체로 암수가 구분된다.

(1) 회충(Ascaris lumbricoides)

장관 내에 기생하는 선충류 중에서 제일 크다. 충란에 오염된 야채, 과일 등 음식, 음료수, 토양 등의 경구 섭취에 의해 감염되며 소장에 기생한다.

(2) 구충(hook worm, 십이지장충)

① 두비니구충(Ancylostoma duodenale)

② 아메리카구충(Necator americanus)

1838년 십이지장에서 처음 발견되어 Ancylostoma duodenale으로 명명되었고, 우리나라는 처음에 Ancylostoma duodenale의 유행만이 밝혀져 십이지장충이라고 불리어 왔는데, 그 후 Necator americanus 가 있음이 알려지면서 두비니구충(Ancylostoma duodenale)과 아메리카구충(Necator americanus)으로 구별되고 있다.

두비니구충은 주로 경구감염, 아메리카구충은 주로 경피감염으로 침입된다. 대변과 같이 배출된 충란이 부화되어 흙속에서 유충으로 있다가 사람이 맨발로 다니거나 흙을 만질 때 사람의 피부를 뚫고 체내로 들어온다. 주로 소장에서 기생한다. 모세정맥, 소정맥이나 임파관을 통해 심장을 거쳐 폐에 들어와 성장한 후 기관지-기관-인후-식도-위-소장에 도착해 기생한다. 충란은 실온에서 급속히 유충으로 발육하므로 신속히 검사해야 한다.

(3) 편충(Trichuris trichiura)

유충란에 오염된 음식물 특히 덜 조리된 돼지고기 등에 있는 유충을 먹어 감염된다. 주로 사람의 맹장, 대장 하부에 기생한다. 충수염, 장관궤양의 원인이 되기도 한다. 맹장을 포함한 대장의 점막에 많은 충체가 매몰되어 있어서 회충이나 구충 등과 다르게 치료가 잘 되지 않는다.

(4) 요충(Enterobius vermicularis)

성인보다는 아동이나 집단 생활자에서 많이 감염된다. 충란이 인체에 침입된 후 맹장, 대장 등에 기생하고 있다가, 성숙한 암컷이 산란기가 되면 야간에 항문주위로 기어 나와 산란한 후 죽는다. 이 때 항문 소양증, 피부염 등을 일으킨다. 대변검사로는 충란을 검출하기 어렵지만, 항문 주위에 산란하기 때문에 항문 주위에서 스카치테이프를 이용하여 충란을 검출할 수 있다. 항문 주위에 산란된 충란은 자신의 손을 통해 입으로 또는 음식물과 함께 감염되고, 먼지, 옷이나 이불 등을 통해서도 감염될 수 있다.

(5) 동양모양선충(Trichostrongylus orientalis)

주로 동양에 주로 분포한다. 사상유충에 오염된 토양으로부터 경구로 감염된다.

(6) 분선충(Strongyloides stercoralis)

대변을 통해 배출된 유충이 토양에서 감염력이 있는 유충으로 발육된다. 사람이 맨발로 다니거나 흙을 만질 때 피부를 뚫고 침입한 유충은 혈행을 타고 폐에 도달한 후 기관지를 통하여 올라온 것을 삼키게 되면 십이지장과 소장에 노날하여 성충이 된다. 암컷성충에 의해 산란된 충란은 유충으로 부화된 후 대변으로 배출된다.

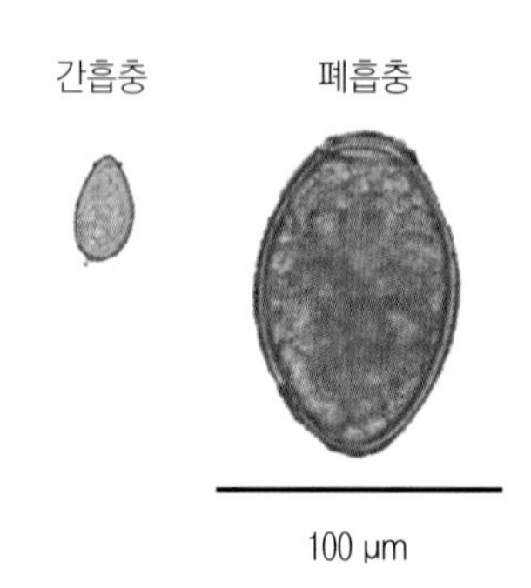

그림 3-37 간흡충과 폐흡충의 충란 크기 비교

2) 흡충류(trematoda, distoma)

성충은 보통 편평하고 긴 잎사귀모양을 갖는다. 앞쪽에 근육질의 흡반으로 숙주조직에 달라붙는다. 흡충류는 자웅동체로서 자가수정방법으로 산란하며, 충란은 모자모양의 난개가 있다. 보통 3단계의 숙주를 거치는데 제1중간숙주는 패류이고 제2중간숙주는 어류, 양서류, 파충류 등이고 종숙주는 척추동물이다.

(1) 간흡충(Clonorchis sinensis, 간디스토마)

민물고기를 날것으로 먹는 극동지역에 흔하고, 현재 우리나라에서 시행하는 대변검사에서 충란 양성률이 가장 높은 인체 기생충이다. 크기가 1 cm 정도이며 버드나무잎 모양이다.

성충이 담도에서 충란을 산란하면 충란이 대변으로 배출된다. 충란은 담수패류인 왜우렁이(제1중간숙주)의 체내에서 유미유충으로 된 후, 잉어과 민물고기(제2중간숙주)의 피부를 뚫고 근육 속으로 파고 들어가 피낭유충이 된다. 이 피낭유충이 들어있는 민물고기를 날로 먹거나 덜 익혀 먹을 경우 사람에게 감염되며, 사람의 간내 담도에 주로 기생한다.

우리나라의 강, 하천, 저수지 등에 서식하는 거의 모든 민물고기는 간흡충 피낭유충을 가지고 있다. 충란의 감염은 참붕어에서 가장 높지만, 잉어, 붕어, 향어, 송어, 피라미 등 30여 종의 담수어종도 생식할 경우 간흡충에 노출될 위험이 있다.

사람의 몸에서 수명이 15-20년 정도 되어 한번 감염되면 장기간 감염이 지속된다. 간흡충에 감염되어도 초기에는 아무런 증상을 느낄 수 없으나, 만성 소화불량, 상복부 통증, 피로감 등을 호소하기도 한다. 담관이나 담낭을 자극하여 담관염이나 담낭염을 일으키거나 담도를 막아 담도 폐쇄에 의한 황달을 일으키기도 한다. 충란이 핵이 되어 담석이 형성될 가능성이 높아진다.

가장 큰 문제점은 장기적인 감염으로 담관암이 유발될 수 있다는 것이다. 간흡충이 담관암을 일으키는 발암인자는 아니지만, 간흡충에 걸린 사람이 음식물을 통해서 발암물질을 섭취하면 담관암이 더 많이 발생된다.

치료약은 프라지퀀텔(praziquantel)이다. 프라지퀀텔은 간흡충에 대한 우수한 치료효과가 있지만, 오랜 기간 간흡충에 감염되었던 경우에는 치료 후 오랜 기간을 기다려도 손상된 간조직이 정상으로 회복되기는 어렵다. 간흡충을 조기에 발견해서 치료하는 것이 중요하고, 간흡충의 감염을 예방하기 위해서는 민물고기를 날로 먹지 않고 끓여서 먹는 것이 좋다.

(2) 폐흡충(Paragonimus westermani, 페디스토마)

적갈색의 둥글고 납작한 커피열매 모양을 하고 있다. 충란은 다슬기(제1중간숙주)를 거쳐, 가재나 게(제2중간숙주)를 통해 인체에 감염되며, 감염된 게나 가재를 먹으면 십이지장을 뚫고 복강내 횡경막, 흉강을 지나서 폐에 도착해서 기생한다. 페디스토마는 폐 속에 들어가 피를 빨아 먹으면서 분비물로 염증을 일으켜 기관지와 폐를 손상시킨다. 이때, 기침, 각혈, 흉통 등의 증상이 올 수 있다. 검사는 가래를 5% NaOH 용액으로 소화시킨 후 집란법을 이용하거나, 소아에서는 가래를 삼키는 일이 많으므로 대변검사를 병행하면 충란의 검출율이 높아진다.

(3) 간질(Fasciola hepatica)

흡충류 중 크기가 가장 크며 제1중간숙주는 물달팽이 이고, 제2중간숙주인 물냉이 등의 수생식물을 먹을 때 입을 통해 감염된다. 기생장소는 담관이다.

(4) 장흡충(Intestinal flukes)

① 요꼬가와흡충(Metagonimus yokogawai, 장흡충)

요꼬가와흡충은 은어가 강 상류로 거슬러 올라갈 때 은어의 비늘과 근육으로 빠르게 들어가 피낭유충이 되고, 이 은어를 사람이 생식했을 때 사람의 장내에 기생하면서 복통이나 설사를 일으킨다.

② 참굴큰입흡충(Gymnophalloides seoi)

우리나라에 분포하는 흡충 중의 하나로 주로 전라남도 신안군의 섬 일대에 유행한다. 자연산 굴, 조개를 날로 먹거나 덜 익혀 먹은 후 감염되고 주로 소장 점막에 기생한다.

3) 조충류(cestoda, tape worm, 촌충)

조충을 흔히 촌충이라고도 하고, 인체의 장관에 기생한다. 조충의 모양은 테이프처럼 길쭉하고 앞뒷면이 편평하다. 성충의 두부는 두절로 구성되어 있고 바로 연결된 경부의 후방에 많은 편절로 구성되어 있다. 조충류는 자웅동체로서 자가수정방법으로 산란한다. 1개 또는 그 이상의 중간숙주를 가지며, 중간숙주에서 충란이 유충으로 자란다. 종숙주인 사람은 유충을 내포한 중간숙주를 생식함으로서 감염된다.

(1) 광절열두조충(Diphyllobothrium latum, 긴촌충)

인체에 기생하는 조충 중에서 가장 길다. 대변을 통해 배출된 충란은 물벼룩(제1중간숙주)를 거쳐 연어, 송어 등 민물고기(제2중간숙주)에서 유충으로 성장한 후, 사람이 민물고기를 날것으로 섭취했을 때 감염된다.

(2) 유구조충(Taenia solium, 갈고리촌충)

갈고리가 있어서 갈고리촌충이라고도 한다. 돼지고기에 의해 감염된다. 충란이 대변을 통해 배출되면 중간숙주인 돼지가 섭취하고, 돼지 십이지장에서 유충으로 부화된 후 장벽을 뚫고 혈행을 타고 돼지의 근육 등 조직에 유충형태의 낭미충을 형성한다. 유충에 감염된 돼지고기를 날것으로 섭취하거나 덜 조리된 감염된 돼지고기를 먹으면 사람의 소장 점막에 부착해 성충으로 자라 기생하게 된다.

- 낭미충증(cysticercosis)

  유구조충의 유충형태인 낭미충이 조직 내에 기생하는 병이다. 사람이 유구조충의 충란을 섭취하면 충란이 소장에서 부화되어 장벽을 침범하며 혈류를 통해 낭미충이 인체조직 내에서 기생하는데, 일종의 육아조직으로 구성된 낭을 형성한다. 흔한 기생부위는 근육, 피하조직 및 안구, 드물게 척수에 기생하기도 한다. 증상으로는 발열, 두통, 마비, 발작, 시각장애, 실명, 운동장애, 감각이상, 정신과적 증상 등이 나타날 수 있다. 치료방법은 기생충약을 복용하거나 부위에 따라 수술을 시행한다.

(3) 무구조충(Taenia saginata, 민촌충)

갈고리가 없어서 민촌충이라고도 한다. 소고기에 의해 감염된다. 소의 점막 속에 기생하고 있다가 조리되지 않았거나 덜 조리된 감염된 소고기를 먹으면 사람의 소장 점막에 부착해 발육 성장한다.

(4) 왜소조충(Hymenolepis nana)

사람에 기생하는 가장 작은 조충이며, 어린이에 감염이 많다.

2. 원충류(protozoa)

원충은 단세포생물 중에서 핵과 세포질이 구분되는 운동성이 있는 동물을 말한다. 바이러스나 세균과 마찬가지로 인간 숙주 내에서 무성 생식하여 분열 증식할 수 있다. 크기가 작아 숙주 세포 안 밖에 기생할 수 있다.

인체에 기생하는 원충류의 분류는 크게 근족충류, 편모충류, 섬모충류, 포자충류로 분류한다. 사람의 장관에 기생하는 원충에는 근족충류에 해당되는 이질아메바, 편모충류에 해당되는 람블편모충이 대표적이다.

1) 이질아메바(Entameba histolytica)

유행지역을 여행한 후 발생하는 여행자설사의 원인이 될 수 있다. 주로 위생상태가 불량한 지역에 많이 발생한다. 영양형은 인체에 감염되면 위액에 의하여 파괴되고, 포낭형으로 오염된 식수, 음식물, 식품취급자의 손 등을 통하여 경구로 감염된다. 인체감염은 맹장과 대장에 기생하며, 조직을 침투하여 혈액과 점액이 섞인 설사변을 보게 된다. 진단은 대변검사에서 영양형이나 포낭형을 검출하는 것이다.

2) 람블편모충(Giardia lamblia)

대표적인 수인성 원충류 감염이다. 주로 십이지장과 소장에 기생하고, 흡반을 이용해 점막에 붙어 기생한다. 포낭에 오염된 음용수, 음식물 등을 통하여 감염된다. 유치원등 어린이에게 집단 발병되는 빈도가 높다. 급성기에는 다량의 수양성 설사가 나타날 수 있다.

영상의학검사

01 흉부촬영
02 유방촬영
03 위장조영촬영
04 대장조영촬영
05 초음파검사
06 전산화 단층촬영
07 자기공명영상
08 자기공명 혈관조영술

영상의학검사는 영상 즉 그림으로 나타낼 수 있는 검사를 말한다. 예전에는 방사선검사라 하였는데, 검사에 이용하는 도구의 범위가 방사선을 넘어 초음파, 자기공명 등으로 확대되어 이제는 영상의학검사라 한다. 영상의학검사로 발견할 수 있는 질병은 매우 많지만, 여기서는 건강검진과 관련하여 중요한 질병만 설명한다.

방사선(radioactive rays)

방사선(放射線)이란 우라늄이나 플루토늄처럼 원자량이 매우 큰 원소들의 핵이 불안정해서 스스로 붕괴되어 다른 원소로 바뀌게 될 때 방출하는 입자나 전자기파를 말한다.

방사선은 두 종류가 있다.

- 입자선 : α선, β선, 중성자선과 같은 입자
- 전자기파 : X선, γ선과 같은 전자기의 파동

X선은 파장이 10-9m에서 10-5m 정도 되는 전자기파이며, γ선에 비해 파장이 길고 에너지가 약하다.

방사선은 생명체의 DNA나 단백질의 주요 구조를 파괴할 수 있다. 특히 생식세포에 작용하면 돌연변이가 일어나서 기형이 나올 가능성이 있고, 성체에 작용하면 세포가 죽거나 암이 발생할 수도 있으므로 방사선 취급자는 이에 대해 각별히 주의를 기울여야 한다.

01 흉부촬영

흉부단순촬영(chest PA)

목표질환 ; 폐암, 활동성 폐결핵

주변질환 ; 폐, 심장, 대혈관, 늑골, 늑막, 기관지 등의 형태변화를 동반하는 질환

영상의학검사에서 가장 기본이 되는 사진으로, X선이 흉부를 뒤(posterior, 등쪽)에서부터 앞(anterior, 가슴쪽)으로 지나 필름에 닿도록 촬영한다. 양측의 폐, 기관과 기관지, 종격동(심장과 대혈관 등), 늑골, 쇄골, 횡경막, 위의 상부 등을 관찰할 수 있다.

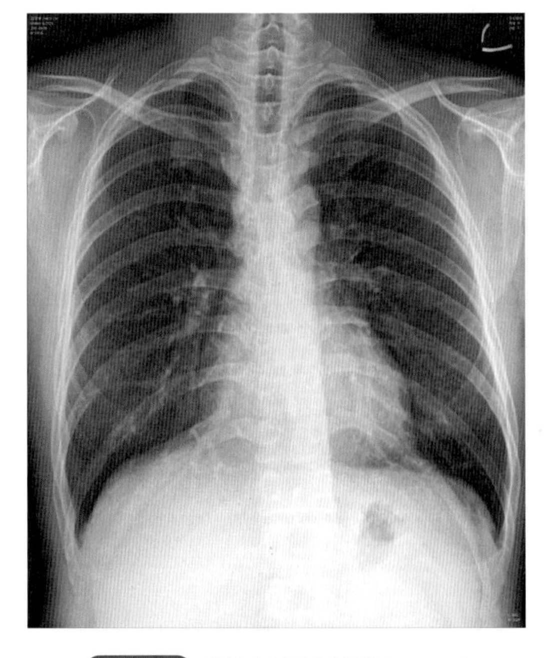

그림 4-1 정상 흉부단순촬영(chest PA)

폐결절과 폐암

1. 폐결절(pulmonary nodule)

폐에서 발견되는 종괴를 폐결절이라 하며, 흉부 방사선촬영에서 우연히 발견되는 경우가 대부분이다. 폐암(악성 폐결절)의 가능성이 있으므로 중요하다. 폐암이 아닌 다른 원인에 의한 폐결절에는 양성 폐종양, 감염성 폐질환(폐결핵, 진균 등)에 의한 종괴, 기타 폐에 결절을 형성하는 질환들이 있다.

폐결절의 악성과 양성은 구별이 쉽지 않다. 과거의 흉부 X선 검사 결과와 비교가 매우 중요한데, 2년 이상 크기에 변화가 없으면 양성으로 추정할 수 있다.

악성을 의심할 수 있는 인자로는, 나이가 많은 경우, 흡연자, 결절의 크기가 클 때, 결절 내에 석회화가 없는 경우, 결절에 의한 증상이 있는 경우, 경계가 불규칙적이거나 불명확한 경우, 림프절이 커져 있는 경우, 과거의 흉부 X선 촬영과 비교했을 때 크기가 커진 경우 등이 있다.

악성의 가능성이 남아있는 경우에는 흉부CT 또는 MRI로 위치나 전이여부 등을 확인한 후, 객담세포검사, 기관지내시경검사, 경피적 폐생검 등으로 확진해야 한다.

2. 폐암(lung cancer)

1) 폐암의 분류

폐암은 암세포의 조직형태에 따라 크게 소세포암과 비소세포암으로 구분한다. 그 이유는 소세포암이 비소세포암에 비해 항암제치료와 방사선치료에 더 잘 반응하기 때문이다. 그러므로 폐암은 조직검사의 결과가 치료방법을 결정하는 데 매우 중요하다.

(1) 소세포 폐암(small cell lung cancer)

(2) 비소세포 폐암(non-small cell lung cancer)

① 선암(adenocarcinoma)

② 편평상피세포암(squamous cell carcinoma)

③ 대세포암(large cell carcinoma)

2) 폐암의 원인

(1) 흡연

폐암의 약 85%는 흡연에 의한 것이다. 흡연의 양과 기간도 폐암에 걸릴 확률과 관련이 있다.

흡연 양과 기간을 간편히 측정하는 방법으로 “pack year”를 이용한다. 하루 a갑(pack)의 담배를 b년(year)동안 피웠다면, “a×b” pack year이다. 즉 하루 2갑의 담배를 15년간 피웠다면, 30pack year(2×15=30) 이다.

매일 한 갑의 담배를 40년간 피워 온 사람(40pack year)은 담배를 전혀 피우지 않은 사람에 비하여 폐암에 걸릴 확률이 20배이다. 흡연자들도 금연을 하면 폐암에 걸릴 위험도가 감소한다. 금연 15년 후 폐암에 걸릴 위험도는 비흡연자의 약 2배로까지 감소한다. 그러나 이 이후에도 완전히 폐암에 걸릴 위험도가 비흡연자와 같은 수준으로 떨어지지는 않는다.

흡연이 폐암을 일으킬 위험성은 여성에게 너욱 심하다. 같은 양과 기긴 동안 담배를 피웠더라도 폐암이 발생할 확률은 여자가 남자보다 1.5배 높다.

(2) 흡연 이외의 원인

폐암 환자 중 약 15%는 비흡연자, 여성에서 더 많다. 석면, 라돈, 비소, 카드뮴, 니켈, 방사선, 일부 방향족 탄화수소, 폐 섬유증, HIV감염 등과 관련이 있다.

3) 폐암의 증상

(1) 무증상

폐암은 증상이 나타날 때쯤이면 이미 진행된 경우가 많다. 즉 상당히 진행되기 전까지는 증상이 없는 경우가 흔하다. 폐암 환자의 약 10% 정도만 무증상일 때 폐암으로 진단을 받는다.

(2) 증상이 있는 경우 흔한 증상으로는 기침, 객혈, 흉통, 호흡곤란 등이 발생한다.

(3) 폐암이 발생한 부위에 따른 증상

연하곤란 : 폐암의 종괴가 식도를 압박하면 음식물을 삼키기 어렵다.

쉰 목소리(애성) : 발성에 관여하는 신경을 침범하는 경우에 발생한다.

상대정맥증후군 : 폐암이 상대정맥을 압박하면, 혈액순환장애가 생겨 머리와 팔이 붓고 호흡곤란이 발생한다.

폐첨부에 암세포 종괴가 위치한 경우 : 어깨와 팔의 안쪽부위로 뻗치는 통증이 생긴다.

기관지 폐포암의 경우 : 호흡곤란과 가래 증가 등 때문에 폐렴으로 오인하기 쉽다.

(4) 폐암이 전이된 경우의 증상

뼈에 전이되면 뼈에 심한 통증, 별다른 외상없이 골절(병적 골절)이 발생한다.

뇌에 전이되면 두통, 구역질 등의 증상을 보인다.

4) 폐암의 예후

폐암은 대체로 경과가 좋지 않은 암이다. 5년 생존율, 즉 폐암으로 진단을 받은 후 5년 이후까지 생존하는 비율은 약 12%에 지나지 않는다.

5) 폐암의 예방

금연, 폐암을 예방하는 가장 확실한 방법은 금연이다.

폐결핵(pulmonary tuberculosis)

결핵균(Mycobacterium tuberculosis)은 1882년 로버트 코흐(Robert Koch)가 발견하였다. 폐결핵은 현재 질병이 진행 중인 "활동성(active) 폐결핵"과, 과거에 폐결핵을 앓은 흔적으로 현재는 질병의 진행이 멈춘 "비활동성(inactive) 폐결핵"으로 구분한다. 비활동성 폐결핵의 경우 치료는 필요하지 않지만 재활성될 가능성이 있으므로 추적관찰이 필요하다.

1. 감염경로

폐결핵 환자로부터 나온 미세한 침방울(비말, 飛沫)에 의해 감염된다.

결핵균에 접촉했다고 모두 결핵에 걸리는 것은 아니다. 대개 접촉한 사람의 30% 정도가 감염되고, 나머지 70%는 감염되지 않는다. 감염된 사람도 10% 정도만 결핵 환자가 되며, 나머지 90%의 감염자는 질병이 발생하지 않는다. 발병하는 사람들의 절반 정도는 감염 후 1-2년 안에 발병하고, 나머지는 시간이 지나 특히 면역력이 감소하는 때 발병한다. 이는 사람마다 결핵균에 대한 유전적 감수성이 다르기 때문이다.

2. 폐결핵의 증상

초기에는 감기나 가벼운 호흡기 질환과 증상이 비슷하므로, 기침과 가래 등의 증상이 2주 이상 지속되는 경우에는 반드시 결핵에 관한 검사를 받아보도록 해야 한다.

1) 호흡기 증상 : 기침, 가래, 혈담(피 섞인 가래), 객혈 등
2) 전신 증상 : 발열, 야간 발한, 쇠약감, 신경과민, 식욕부진, 소화불량, 체중감소
3) 폐 이외의 부위(흉막, 림프절, 척추, 뇌, 신장, 위장관 등)에 발병할 경우
   림프절 결핵 : 전신 증상과 함께 목이나 겨드랑이 부위의 림프절이 커지면서 통증, 압통
   척추 결핵 : 허리 통증
   결핵성 뇌막염 : 두통, 구토 등
   장 결핵 : 복통, 혈변 등

3. 폐결핵의 진단

2주 이상 지속되는 호흡기 증상 및 전신 증상이 있는 경우 결핵을 의심하고 검사를 시행해야 한다.

1) 흉부 X선 촬영

폐결핵 진단의 가장 기본적인 검사이다.

2) 투베르쿨린 피부반응 검사(tuberculin skin test)

투베르쿨린 용액을 팔에 피내주사한 후 48-72시간 후에 주사 부위의 피부 결합조직이 단단해지는 경결 반응을 측정한다. 이 때 반응 부위가 10 mm 이상이면 양성으로 판정한다. 우리나라에서는 BCG 접종에 따른 위양성이 많아 결핵균이 감염되었는지 불분명한 경우가 많다.

3) 체외 인터페론 감마(interferon-gamma) 검사

투베르쿨린 피부반응 검사로 인한 위양성 문제를 보완하기 위해 최근 도입된 새로운 검사법이다. 결핵균에 감작된 T-세포만을 자극하는 특이항원을 사용하여 효소면역법(ELISA)으로 인터페론 감마의 농도를 측정하여 결핵의 감염 여부를 판단한다. "QuantiFERON-TB(QFT)"로 상품화되어 사용되고 있다.

4) 중합효소 연쇄반응법(polymerase chain reaction, PCR) 검사

기존의 결핵균 검사에 비해 검사의 정확도가 높지만, 아직은 보조적인 진단 방법으로만 사용된다. 폐결핵이 의심되지만 도말검사에서 음성인 환자가 중합효소 연쇄반응법 검사에서 양성이면 결핵으로 진단할 수 있다. 그러나 중합효소 연쇄반응법 검사가 음성이라고 해서 결핵을 배제할 수는 없다.

5) 항산균 도말검사

가래를 슬라이드에 얇게 발라 결핵균만을 선택적으로 염색해 현미경으로 관찰하는 방법으로, 최소한 3번 이상 시행해야 정확도를 높일 수 있다.

결핵균은 "항산균(acid-fast bacilli, AFB)"이라고도 하는데, 이는 일반적인 세균검사 때 쓰이는 그람(Gram) 염색법으로 염색이 되지 않고, 붉은색의 fuchsin이란 염색약으로 염색이 되는데 한번 염색이 되면 강한 산(acid)에 의해서도 탈색되지 않기 때문이다.

6) 결핵균 배양검사

가래뿐만 아니라 뇌척수액이나 흉수, 농양, 감염된 조직 등에서도 시행할 수 있다. 결핵균은 그 특성상 배양에 오랜 시간이 걸리므로 대개 8주까지 배양 결과를 확인해야 한다. 대개는 3-4주쯤에 양성결과가 나온다. 배양검사에서 결핵균이 자라면 치료약제 선택을 위해 이 균에 대한 약제 감수성 검사를 시행한다.

7) 흉부 CT

8) 기관지 내시경 검사

폐결핵이 의심되는데 객담 검사에서 결핵균이 검출되지 않거나, 또는 악성 종양과의 감별 진단이 필요한 경우에 시행한다.

4. 치료

현재 결핵치료에 사용할 수 있는 항결핵제는 모두 10 가지 정도이다.

표준 단기요법은 아이나, 리팜핀, 에탐부톨, 피라진아마이드 4가지 약물을 2개월간 복용하고, 이후 피라진아마이드를 제외한 3가지 약물을 4-7개월 정도 추가 복용하여, 총 6-9개월 정도 치료하는 것이다.

약을 복용하기 시작해 2주 정도가 지나면 기침이나 발열, 무력감 등의 증상은 거의 사라지게 되고, 전염력이 약해지므로 사회생활이 가능해진다.

5. 예방

BCG 접종이 가장 중요한 예방법이다. BCG는 소에서 결핵을 일으키는 우형(牛形) 결핵균인 Mycobacterium bovis의 독성을 약하게 하여 만든 것으로, 사람에게는 병을 일으키지 않으면서 결핵에 대한 면역력을 갖게 하는 백신이다. BCG는 "Bacillus Calmette-Guerin"의 약자이다. "Bacillus"는 간균(桿菌), "Calmette", "Guerin"은 세균학자의 이름이다.

결핵균에 감염되기 전에 BCG 접종을 하면 접종하지 않은 경우보다 발병률이 1/5로 줄어든다. 출생 후 1개월 이내에 BCG를 접종한다.

늑막염(pleurisy)

늑막염은 여러 원인에 의해 늑막에 발생하는 염증 질환이다. 염증은 늑막을 자극하여 흉부에 통증을 일으키고, 늑막강에 분비물(삼출액)이 생긴다.

늑막(흉막)은 2개의 막으로 되어 있다. 폐를 둘러싸고 있는 장측 늑막(visceral pleura)과 흉벽 안쪽을 둘러싸고 있는 벽측 늑막(parietal pleura)인데, 이 두 늑막 사이의 공간을 늑막강이라 한다. 이 늑막강에는 약간의 액체가 있어 숨을 쉴 때 즉 2개의 늑막이 마찰할 때 윤활작용을 한다.

늑막염의 원인

늑막염의 가장 흔한 세 가지 원인은 세균성 폐렴, 결핵, 암이다.

1) 세균성 폐렴이 진행하여 주변의 늑막에까지 진행한다. 늑막염의 가장 흔한 원인이다.
2) 결핵성 늑막염은 결핵균이 직접 늑막을 침범하기보다는, 결핵균에 대한 면역반응에 의해 늑막에 염증이 생기고 흉수가 고이게 된다. 방사선 소견상 뚜렷한 폐결핵 병변이 없는 경우에도 발생한다.
3) 암은 늑막에서 직접 발생하기도 하나, 대부분 다른 곳에 생긴 암이 늑막으로 전이된 경우이다. 늑막으로 잘 전이하는 암으로는 폐암, 유방암, 임파종 등이 있다.
4) 늑막염을 일으키는 기타 원인들
   (1) 기생충 질환 : 우리나라에서는 폐 디스토마(Paragonimus westermani) 감염이 특히 중요하다.
   (2) 복부질환(췌장염, 간농양 등)에 의한 이차적인 흉수

(3) 류마티스 관절염, 전신성홍반성낭창 등과 같은 자가면역성 질환
(4) 폐색전증
(5) 외상
(6) 기타

흉부촬영에서 발견되는 기타 병변들

흉부 촬영에서 발견되는 여러 병변들은 상황에 따라서 현재 진행 중인 중요한 질병일 수도 있고, 과거에 앓았던 흔적으로 추적관찰만 하면 되는 조우병변일 수도 있다. 그러므로 흉부촬영에서 이런 소견들이 발견되면 현재 진행 중인 질환인지, 과거의 폐렴이나 폐결핵의 흔적인지, 악성종양에 의한 것인지, 다른 어떤 질환의 증상인지 등에 대해 철저히 감별을 해야 한다. 필요에 따라 흉부CT 또는 MRI, 객담세포검사, 기관지내시경검사, 경피적 폐생검 등을 시행해야 한다.

1. 기관지확장증(bronchiectasis)

기관지의 내강이 늘어나 있는 상태로, 대개 폐나 기관지의 감염에 의해 발생한다. 폐의 일부에서만 나타날 수도 있고 폐 전체에 걸쳐 광범위하게 나타날 수도 있다. 기관지 확장증이 있으면 감염에 취약해져서 감기만 걸려도 기침, 가래 등 기관지염 증상이 쉽게 나타난다.

2. 무기폐(atelectasis)

여러 가지 원인에 의해 기관지가 막혀 그 말초부위의 기관지와 폐 조직에 공기가 없이 쭈그러진 풍선처럼 되어있는 상태이다. 그 원인에 대한 감별이 중요하다.

3. 늑막 비후, 늑막 유착

늑막염을 앓고 난 다음에 늑막이 두꺼워지거나(비후, thickening), 늑막의 일부가 서로 붙어버린(유착, adhesion) 경우이다.

02 유방촬영
mammography

목표질환 : 유방암

유방을 압박하며 X선 사진을 촬영하는 검사이다. 유방암을 발견하는데 가장 기본적인 검사이며, 증세가 없는 건강한 여성에서 자가검진이나 의사의 검진으로 찾기 어려운 작은 크기의 유방암을 조기 발견하는데 유용하다.

유방의 구조

유방(breast)은 피부, 피하지방, 유방조직(유선, 유관)으로 구성되어 있다. 모유를 생산하는 곳을 유선(mammary gland)이라고 하는데, 한쪽 유방에 15-20개씩 있으며 유방 전체에 퍼져 있다. 유선은 유관(lactiferous duct)을 통해 유두로 연결된다. 유두(nipple)는 유방의 중앙부에 위치하고 모유가 나오는 곳이다.

유방 뒤쪽에는 지방조직이 있어서, 유방은 늑골을 덮고 있는 대흉근이라고 하는 근육과 구분된다. 유방 자체에 근육은 없다.

섬유조직은 유방 전체를 둘러싼 채 유방의 형태를 유지시키고 있는데 섬유조직이 많을수록 유방은 탄력 있게 느껴진다. 지방조직은 유방 전체에 퍼져 있으며 유선들과 유관들 사이를 채우고 있다. 지방조직이 많을수록 유방은 더욱 부드럽게 된다.

유방에는 많은 림프관들이 광범위하게 뻗어 있어서, 유방 림프선의 약 75%는 액와림프절(axillary lymph node)로 유입되고, 나머지는 내유림프절(internal mammary lymph node)로 유입된다.

유방암은 대개 유관(lactiferous duct)에서부터 발생하고, 겨드랑이의 림프절로 쉽게 퍼진다.

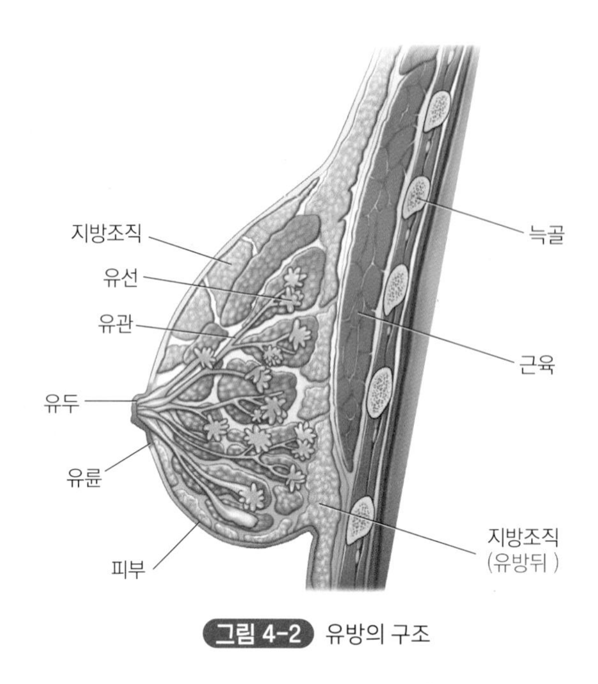

그림 4-2 유방의 구조

유방병변의 위치 기록방법

유방병변의 위치를 기록할 때는 4개의 구역으로 구분한다.

- 상외측(upper outer quadrant, UOQ)
- 상내측(upper inner quadrant, UIQ)
- 하외측(lower outer quadrant, LOQ)
- 하내측(lower inner quadrant, LIQ)

- 왼쪽(left) 유방은 “L”, 오른쪽(right) 유방은 “R”을 앞에 붙인다.

또한 병변의 위치를 시계의 형태에 맞추어 나타내기도 한다. 유방의 위쪽을 12시 방향, 아래쪽을 6시 방향으로 하여 위치를 표시한다. 이때 우측 유방의 2시 방향은 상내측이지만, 좌측 유방의 2시 방향은 상외측에 해당되므로 주의해야 한다.

대부분의 유방조직은 상외측에 위치하기 때문에, 유방암은 유방의 상외측에 가장 많이 발생한다. 이에 비해 하내측은 유방 조직이 가장 적기 때문에 유방암의 빈도가 가장 낮다.

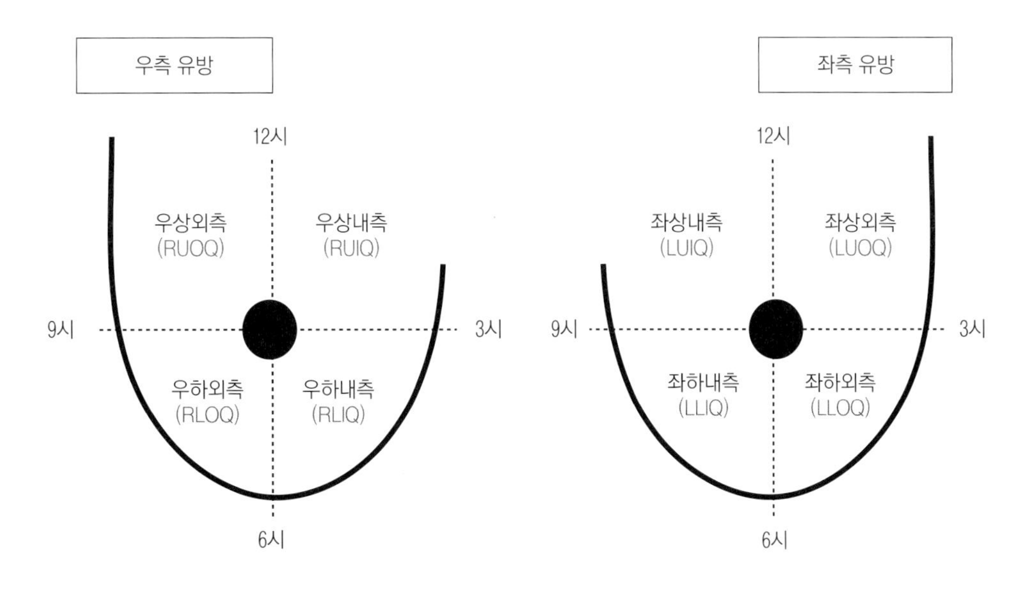

그림 4-3 유방병변의 위치 기준

유방촬영 방법

유방촬영검사는 상의를 모두 탈의하고 바로 선 자세에서, 양쪽 유방을 상하측 방향 및 내외사측 방향으로 각각 2장씩 총 4회 촬영하는 것을 기본으로 한다.

- 상하측 촬영(craniocaudal view, CC로 표기)
- 내외사측 촬영(mediolateral oblique view, MLO로 표기)

특별히 고안된 플라스틱 판(압박 패들)으로 유방을 꼭 눌러서 촬영하는데, 이때 유방조직이 최대한 많이 사진에 포함되도록 적절한 촬영 자세를 취해야 한다. 유방을 많이 눌러서 유방이 납작해질수록 방사선 노출이 적고 유방 내부가 잘 보여 작은 암도 진단할 수 있다.

유방촬영 사진에서 지방조직은 검은색으로, 유방조직은 흰색으로 나타난다. 30세 이하의 여성에서는 특히 유방조직이 많아서 유방촬영 사진이 하얗게 나오는 치밀유방이 많다. 하지만 환자의 연령이 증가함에 따라 지방조직의 양은 증가하고 유방조직은 퇴화하므로 유방촬영 사진에서 더욱 검게 된다.

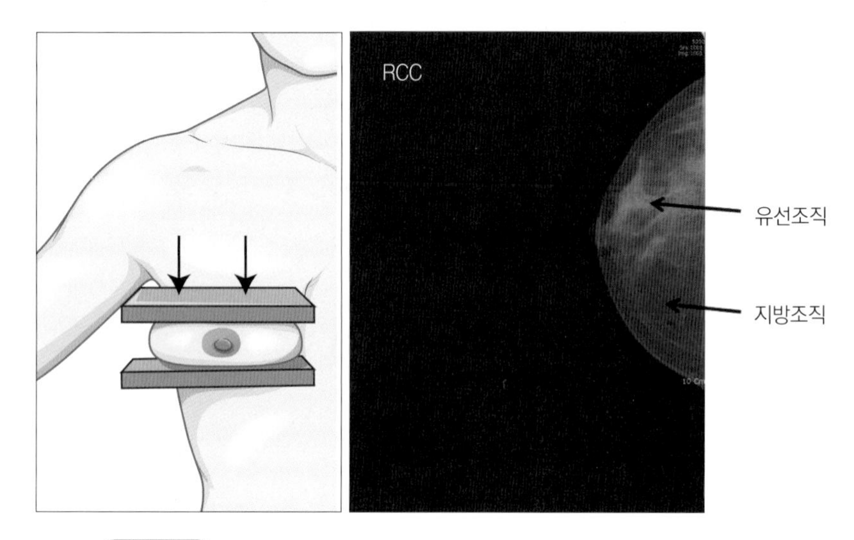

그림 4-4 유방촬영 방법 - 상하측 촬영(RCC, right craniocaudal view)

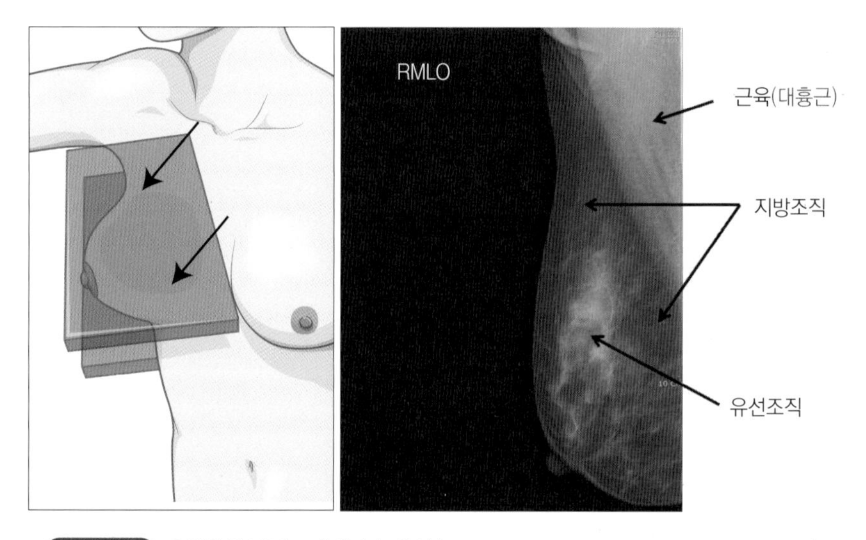

그림 4-5 유방촬영 방법 - 내외사측 촬영(RMLO, right mediolateral oblique view)

[검사방법 및 주의사항]

1. 검사 시기는 유방이 가장 부드럽고 통증이 적은 시기인 생리가 끝난 후 3-5일째가 좋다.
2. 검사 전 과거에 유방수술을 한 적이 있는지(특히, 유방성형수술)를 확인해야 한다.
3. 검사 전에 미리 평소에 멍울이 만져지거나 통증이 있는지, 이전 검사에서 이상 소견이 발견된 경우가 있는지 확인하고, 이런 여성은 좀 더 정확한 검사를 할 수 있게 한다.
4. 방사선을 이용하는 검사이므로 모든 여성에게 임신 중이거나 임신 가능성이 있는지, 또는 수유중이거나 수유를 마친 지 1년 이내인지를 확인해야 하고, 이런 경우에는 유방촬영검사를 시행하지 않고 유방초음

파검사를 하는 것이 좋다.

5. 검사에 지장이 될 수 있으므로 긴 머리는 묶도록 하고, 파스, 반창고, 목걸이 등은 제거해야 한다.
6. 가슴의 땀, 파우더, 바디로션을 사용한 경우 유방 사진에 이물질이 나타날 수 있으므로 미리 닦아야 한다.
7. 검사 전 수검자에게 보다 정확한 진단을 위하여 유방을 압박하여 촬영하기 때문에 불편감이나 통증을 유발할 수 있음을 미리 알려주어야 한다. 통증은 대개 짧게 끝나지만, 일부의 여성에서 오래 지속될 수도 있다. 이 경우에는 진통제를 복용하도록 한다.
8. 유방 촬영은 일반적인 흉부방사선촬영에 비해 방사선 피폭량이 20배나 많고, 방사선이 분산되지 않고 유방에 집중돼 축적되며, 특히 나이가 어릴수록 방사선에 민감하기 때문에 30세 이전에는 유방촬영검사를 될수록 피하는 것이 좋고 유방초음파검사가 권장된다.

[유방촬영검사의 결과판정]

유방촬영검사의 결과를 판정할 때는 미국방사선의학회(American college of radiology)에서 제정한 "유방영상판독 및 데이터 체계(Breast Imaging Reporting and Data system, BI-RADS)"의 기준을 따른다. 이 체계는 유방촬영검사에서 유방병변에 대한 판독의 일관성과 재현성을 유지하기 위해 공통된 용어를 사용하고, 방사선과 의사와 임상의사 간의 원활한 의사교환을 위해 1992년에 제정되었다. 2003년도에 개정된 제4판에서 유방초음파검사에 대한 판독체계가 새롭게 추가되었다.

BI-RADS 분류는 다음과 같다.

1. 유방병변의 이상소견

범주(category) 0, 4, 5에 들면 악성 소견으로, 범주 1, 2, 3에 들면 양성으로 다시 분류한다.

표 4-1. 유방병변의 범주(Category)

범주(Category)	의미
0	추가적인 영상 진단이 필요한 경우, 또는 이전에 검사한 유방촬영검사와 비교해야 하는 경우(need additional imaging evaluation and/or prior mammograms for comparison)
1	음성인 경우(정상)(negative)
2	양성 소견인 경우(benign finding)
3	양성일 가능성이 높은 경우(probably benign finding)
4	악성이 의심되는 경우(suspicious finding) 4a, 4b, 4c로 세분한다.
5	악성을 강하게 의심되는 경우(highly suggestive of malignancy)

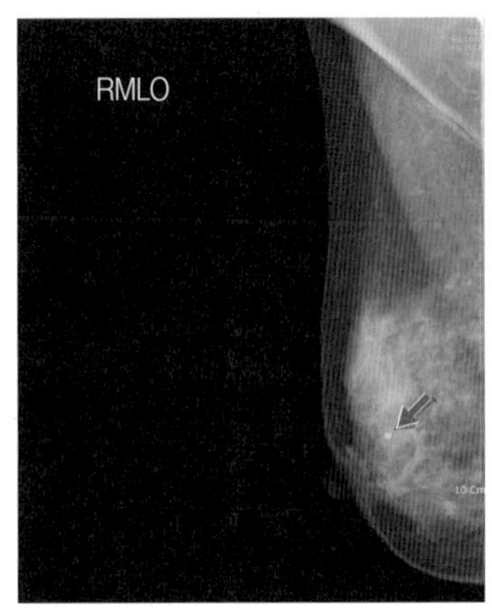

BI-RADS 2 : 양성 석회화

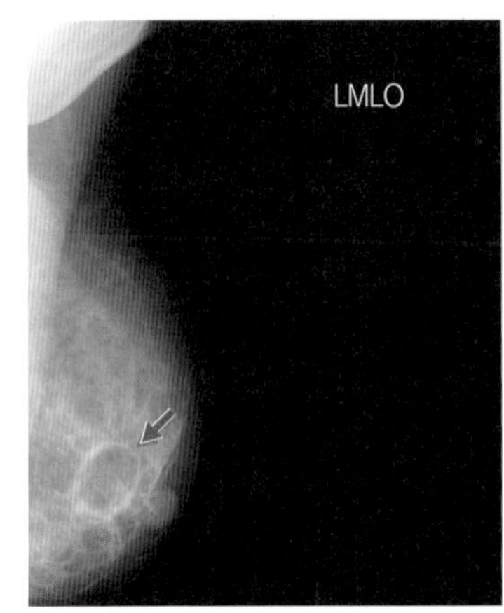

BI-RADS 3 : 유방 종괴-양성 가능성

그림 4-6 유방병변에 대한 BI-RADS분류의 예, 1

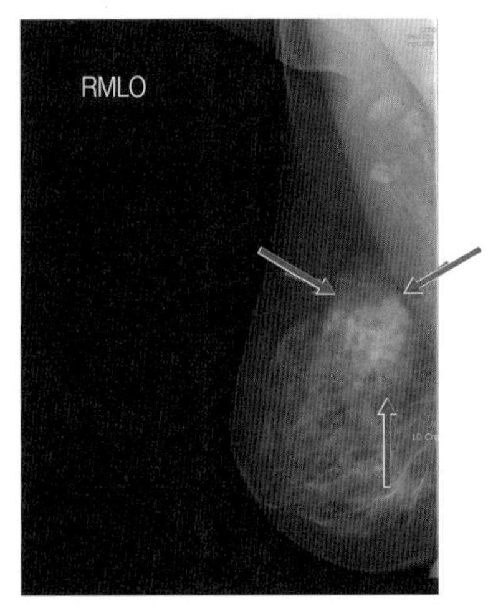

BI-RADS 4 : 유방 종괴-악성 의심

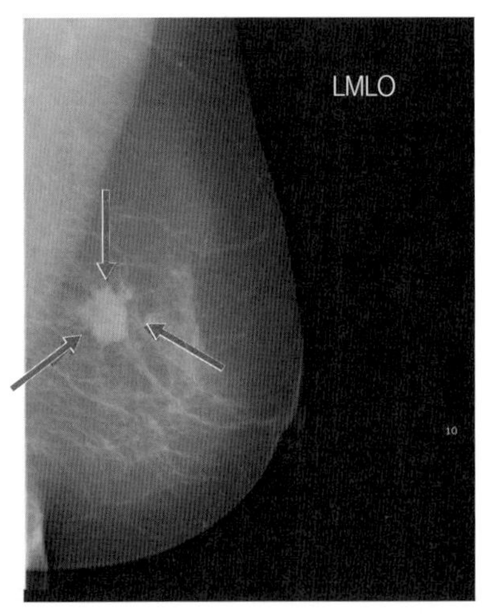

BI-RADS 5 : 유방 종괴-악성 강하게 의심

그림 4-7 유방병변에 대한 BI-RADS분류의 예, 2

BI-RADS의 범주에 따라 치료의 방침이 결정된다.

- 범주2는 양성이므로 대개 1년 후에 추적 검사를 권한다.
- 범주3은 양성일 가능성이 높으므로 조직검사가 필수적이지는 않고, 6개월 간격으로 추적검사를 권한다. 범주3에 해당되는 대표적인 3가지 소견은 석회화되지 않은 경계가 지어지는 고형종물, 국소적 비대칭성, 둥근 석회화(round calcification) 군집 등이다.
- 범주4는 유방암으로 확진할만한 소견은 아니지만 유방암일 가능성이 어느 정도 있으므로 조직검사를 권유한다. 또한 유방암 가능성의 범위가 넓기 때문에 임상의사에게 좀 더 구체적인 영상

정보를 제공하기위해 범주4를 악성 소견 정도에 따라 3가지 범주로 세분한다.

i . 4a(하위, low likelihood of malignancy)

ii . 4b(중간, intermediate likelihood of malignancy)

iii. 4c(중등도, moderate likelihood of malignancy)

■ 범주5는 유방암이 거의 확실하므로 조직 검사를 강력히 권유한다.

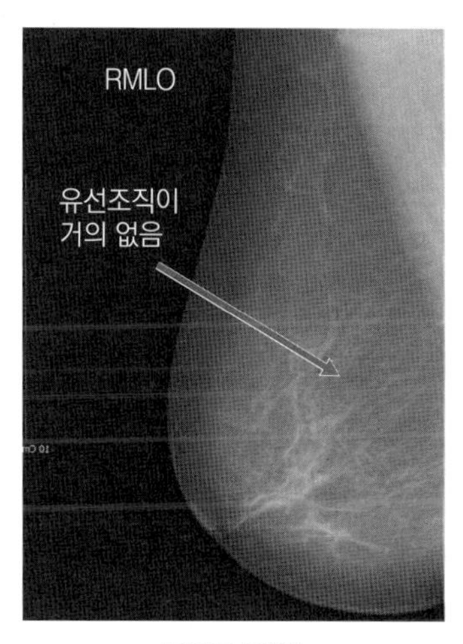

치밀도 1단계

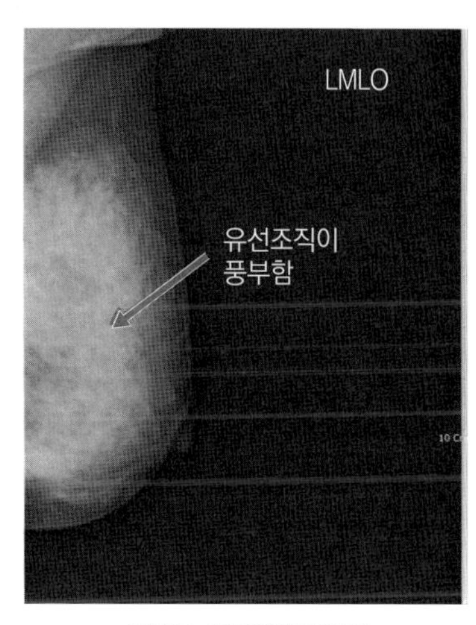

치밀도 4단계(치밀유방)

그림 4-8 유방의 치밀도

2. 유방의 전체적인 치밀도(density)

표 4-2. 유방의 치밀도(Density)

치밀도(Density)	의미
1	대부분 지방인 경우(almost entirely fatty)
2	섬유선조직이 흩어져 있는 경우(scattered fibroglandular tissue)
3	치밀도가 균일하지 않은 경우(heterogenously dense)
4	치밀도가 매우 높은 경우(흔히 "치밀유방"이라 함) (extremely dense)

유방촬영검사와 유방초음파검사

일반적으로 30세 이상의 여성에서는 유방촬영검사가 일차적으로 시행된다. 유방촬영검사에서 종괴나 미세석회화가 나타나면 유방암을 의심해 볼 수 있다. 조기 유방암의 경우에는 종괴는 보이지 않고 미세석회화만으로 발견되는 경우가 많다. 하지만 종괴나 미세석회화 소견들은 양성 유방질환에서도 나타날 수 있으므로 유방촬영검사만으로 유방암으로 결론지어서는 안 된다. 유방촬영검사는 미세석회화 병변이나 미세조직 변화를 조기에 발견하는 데에는 탁월하지만, 치밀유방을 가진 여성에서는 한계가 있다.

유방초음파검사는 종양의 유무 및 종양의 분석(종괴인지 낭종인지)에는 유용하다. 우리나라의 여성은 서양 여성에 비해 30대 여성에서 유방암의 비율이 높고 치밀유방이 많기 때문에, 30세 이전이고 미혼인 경우에는 유방촬영검사보다는 유방초음파검사가 유용하다. 하지만 미세석회화는 유방초음파검사로 구분이 힘들기 때문에 유방촬영검사도 필요하다.

따라서 유방암의 진단에는 유방촬영검사와 유방초음파검사를 서로 보완적으로 병행하는 것이 좋다.

유방에 인공보형물을 삽입한 경우

유방확대 목적으로 인공보형물(식염수, 실리콘 등)을 유방에 삽입한 경우 파열이 없을 때에는 유방초음파검사가 좋다. 삽입한 보형물이 파열되었거나 인공 보형물(파라핀, 실리콘 등)을 유방 내에 직접 주사한 경우에는, 초음파검사를 할 경우 이 물질에 의한 강한 후방 그림자 때문에 검사의 정확도가 떨어지므로 유방MRI를 시행하는 것이 좋다.

실리콘 보형물 삽입

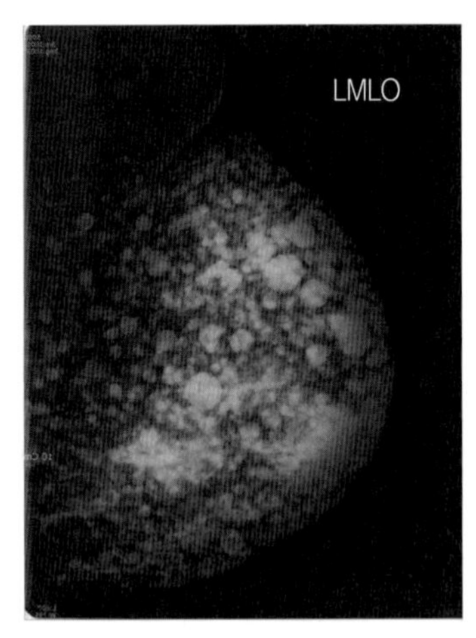

파라핀을 유방에 직접 주입

그림 4-9 유방에 인공보형물 삽입

유방암(breast cancer)

1. 유방암의 원인

정확한 원인은 미상이지만, 유방암의 위험인자로 알려진 것들은 다음과 같다.

1) 에스트로겐(여성호르몬)

유방의 상피세포는 에스트로겐의 자극을 받아 성장 및 분열을 하는데, 유방의 상피세포들이 에스트로겐에 노출된 기간이 길수록 유방암 발생 위험이 높다. 출산 경험이 없는 경우, 모유수유 경험이 없는 경우, 초경이 빠르거나 폐경이 늦어 생리를 오래한 경우 등에서 위험이 증가된다.

2) 유방암의 가족력

3) 음주, 비만 등 생활습관

4) 방사선 노출

5) 기타

2. 유방암의 증상

1) 증상이 없는 경우가 많아, 건강검진에서 우연히 발견되는 경우가 많다.

2) 유방 종괴가 만져진다.

3) 유두 분비물, 특히 혈액성 분비물

4) 기타 피부의 궤양, 함몰, 겨드랑이 종괴 등

유방의 통증은 여성들이 흔하게 경험하는 증상이지만, 유방암과 연관되는 경우는 드물다.

3. 유방암의 조기검진

유방암의 생존율을 향상시킬 수 있는 가장 좋은 방법은 조기발견 조기치료이다. 특히 우리나라 여성은 유방암의 발생 양상이 서양 여성과는 다르다. 서양 여성은 30대에서 80대까지 유방암의 발생률이 지속적으로 증가하지만, 우리나라 여성은 40대에 발생률이 가장 높고 그 이후에는 감소한다. 30대 유방암의 발생률도 서양 여성에 비해 상대적으로 높으면서 암의 성장도 빠르므로 조기에 유방검사를 시작하는 것이 좋다.

이를 위하여 자가검진, 정기적인 의사의 진찰, 정기적인 유방촬영 등이 매우 중요하다.

유방암 조기검진

30세 이후 : 매월 유방 자가검진을 한다.
35세 이후 : 2년 간격으로 의사에 의한 임상진찰을 추가한다.
40세 이후 : 1-2년 간격으로 의사에 의한 임상진찰, 유방촬영검사를 한다. 고위험군의 경우에는 의사와 상담이 권장된다.
단, 유방암 가족력이 있거나 한쪽에 이미 유방암 발생 경력 등이 있는 고위험군은 별도의 검진 계획을 세우도록 한다.

4. 유방암 자가검진

본인이 직접 자신의 유방을 만져보는 검사로, 유방암을 조기 발견하기 위해서는 철저한 유방 자가검진이 중요하다. 손으로 감지할 수 있는 종양의 크기는 대략 1 cm 이므로 웬만한 유방암은 자가검진으로 잡아낼 수 있다.

평상시 자기 유방의 모양이나 촉감에 익숙해야 비정상적인 변화를 쉽게 찾을 수 있기 때문에 유방 자가검진은 매달 정기적으로 해야 한다. 생리 전에는 호르몬의 영향으로 유방이 단단해 질 수 있으므로 유방이 가장 부드럽고 덜 부풀어 있어 만지기 쉬운 시기인 매월 생리가 끝난 후 2-3일째에 자가검진을 하는 것이 좋다.

자가검진에서 양쪽 유방이 비대칭이거나, 겨드랑이에 멍울이 만져지거나, 유방에 딱딱한 멍울이 새로 만져지거나, 촉감이 딱딱하고 손으로 흔들어도 잘 움직이지 않는다면 일단 유방암을 의심해야 한다. 또 유두가 전과 달리 함몰되거나, 유두에 분비물이 있거나, 유방 표면이 돌출, 함몰되거나 유방 굴곡에 변형이 있을 때도 유방암을 의심해야 한다.

유방암 자가검진법(미국암협회 유방암 검진 가이드라인)

1. 목욕 직후 거울 앞에 서서 양쪽 유방을 비교하면서 평소와 다른 유방 모양, 돌출 또는 함몰 부위가 있는지 살펴본다.
2. 양손을 깍지 끼어 머리 위로 올리고 가슴을 편 상태로 다시 관찰한다.
3. 양손을 옆구리에 올려놓고 어깨와 팔을 앞으로 민 상태서 다시 관찰한다.
4. 왼팔을 들고 오른손 중지와 약지를 이용해 왼쪽 유방을 자세히 만져본다. 만질 때는 젖꼭지를 중심으로 원심을 그려가며 만지거나, 안쪽부터 바깥쪽으로, 위아래 지그재그식으로 등 일정한 형식을 정해놓고 만져야 병변을 놓치지 않는다. 겨드랑이를 만지는 것도 필수적이다.
5. 젖꼭지를 짜보아 분비물이 나오는지 살펴본다.
   (오른쪽 유방도 4, 5번 과정을 동일하게 시행한다.)
6. 바로 누워 양쪽 유방을 동일한 방법으로 만진다. 어깨 뒤를 수건 등으로 받쳐주면 가슴이 펴져 작은 멍울도 쉽게 찾을 수 있다.

5. 유방암의 진단

1) 유방촬영술은 조기검진에는 도움이 많으나 특이도가 낮아서 유방병변이 있더라도 악성과 양성을 감별하기 어렵다. 때문에 유방촬영술에서 이상 소견을 보이면 정밀검사를 시행해야 한다.
   (1) 국소압박유방촬영검사(cone down view), 확대유방촬영검사(maginification view) 등 X선 검사
   (2) 유방 초음파검사
   (3) 유방 CT
   (4) 유방 MRI
   (5) Tc-99m MIBI 유방 스캔 등
2) 이들 검사에서 악성이 의심되는 종괴가 있는 경우, 악성의 가능성이 조금이라도 있는 병변이 있는 경우, 또는 악성이 의심되는 미세석회화 침착이 있는 경우, 병변의 모양이 양성이라도 빠르게 자라거나 모양이 변하는 경우에는 조직검사를 시행해야 한다.
   (1) 미세침흡인세포검사(fine needle aspiration biopsy, FNAB) : 가는 주사바늘로 유방조직을 흡인하여 검사한다.
   (2) 초음파유도하 절개생검 또는 절제생검

6. 유방암의 치료

수술적 절제가 유방암의 가장 기본적인 치료방법이다. 보조적으로 항암제 치료, 방사선 치료, 항호르몬 치료, 분자표적 치료 등이 시행된다.

7. 유방암의 경과와 예후

조기 유방암의 경우 5년 생존율이 90%에 이를 정도로 조기에 발견되면 완치될 가능성이 높다. 하지만 병이 진행됨에 따라 생존율이 나빠져 4기 암의 경우 5년 생존율은 20% 미만이다.

유방촬영에서 발견되는 기타 병변들

1. 석회화(calcification)

칼슘이 유방조직에 침착되어 하얗게 보이는 것으로, 석회화의 형태와 분포에 따라 악성과 양성을 구별한다. 감별이 어려울 경우 조직검사가 필요하다.

2. 치밀유방(dense breast)

서양 여성들은 주로 지방이 발달하면서 큰 유방을 가진 경우가 많고, 우리나라 여성들은 지방조직이 상대적으로 적은 반면 유선조직이 치밀하기 때문에 단단하고 작은 유방을 가진 경우가 많다. 이렇게 지방조직이 적고 유선조직이 풍부해 유방촬영검사에서 유방의 75% 이상이 하얗게 보이는 유방을 치밀유방이라고 한다.

젊은 여성들은 유선조직이 풍부해 높은 밀도를 보이는 치밀유방을 가지고 있어서 유방촬영검사에서 하얗게 나오는 경우가 많고, 폐경기를 지나면서 점차 지방조직으로 대치되면서 유방촬영검사에서 검게 나오는 경우가 많다.

이런 치밀유방에서는 하얀 눈밭에서 하얀 공을 찾는 것처럼 유방촬영검사 만으로는 숨어있는 병변 찾기가 어려워서 유방초음파검사를 함께 하는 것이 좋다. 폐경기 이전이거나 폐경된 후에라도 여성호르몬을 복용중이라면 유방초음파검사를 함께 하는 것이 좋다. 치밀유방인 경우에 발생한 암은 예후가 더 나쁘다.

3. 유방의 양성 결절

섬유선종과 섬유낭종이 가장 흔한 유방의 양성 결절이다. 암과의 감별을 위해 결절이 발견될 경우 반드시 유방초음파검사, 조직검사 등 정밀검사를 권고하는 것이 좋다.

1) 섬유선종(fibroadenoma)

유방에 생기는 결절 중에서 가장 흔하다. 경계가 분명하고, 잘 움직이며, 대부분은 통증이 없다. 만져보면 고무지우개를 만지는 느낌이며, 유방의 피부는 함몰되거나 변형되지 않는다.

2) 섬유낭종성 변화(fibrocystic change)

호르몬 교란에 의해 유선과 섬유질이 증식하면서 섬유낭종(fibrocystoma)을 형성하면서 통증을 일으키는 상태이다. 질병 이라기보다는 생리적 현상이다.

03 위장조영촬영 - 상부위장관조영술

X선이 투과되지 않는 물질 즉 조영제(barium)를 용액 상태로 만들어 마시게 한 다음 X선으로 촬영하여 식도, 위, 십이지장 등 상부위장관의 모습을 관찰하는 검사이다. "upper gastro-intestinal series(UGI)"라고도 한다.

위장조영촬영은 위내시경검사에 비해 아주 초기의 위암은 진단율이 떨어지며, 조직검사가 불가능하므로 이상소견이 발견되면 내시경으로 재검사를 해야 하고, 방사선을 이용하므로 임산부에게는 시행할 수 없다는 단점이 있다.

반면에 내시경에 비해 더 안전하므로 노인이나 심폐기능 등이 나쁜 사람에서도 시행하기 좋고, 식도, 위, 십이지장의 전체적인 모양이나 연동운동을 직접을 관찰할 수 있다는 장점이 있다.

최근 건강검진에서 위장관의 검진은 내시경검사가 주로 시행되고 있다. 조기병변의 진단율이 더 높기 때문이다. 하지만 건강검진에서는 정확도도 중요하지만, 안전성 또한 중요하다. 너무 고령이거나 심폐질환 등 심각한 질병이 있는 수검자에게는, 고통이 심한 비수면내시경이나 수면유도제를 사용해야 하는 수면내시경보다는 위장조영술이나 대장조영술을 우선 권장하는 것이 좋다. 물론 특별한 금기사항이 없는 경우에는 내시경검사가 우선되어야 한다.

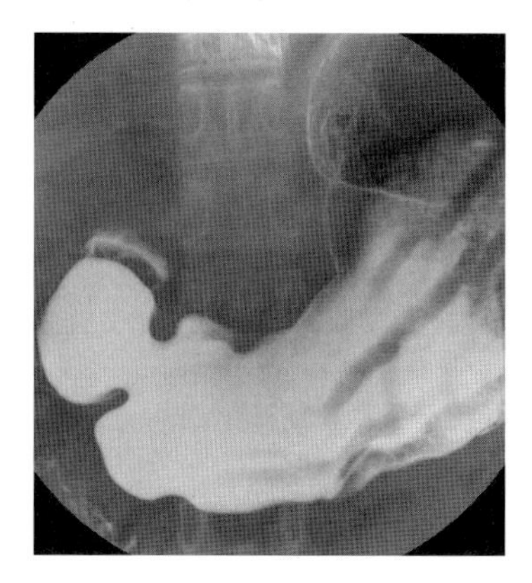

그림 4-10 위장조영촬영

04 대장조영촬영 - 하부위장관조영술

X선이 투과되지 않는 물질인 조영제(barium)와 공기를 적절히 항문 안으로 주입하면서 대장의 모습을 관찰하는 검사이다. 이중조영대장검사(double contrast colon study) 라고도 한다.

대장조영촬영도 대장내시경검사와 비교하면 위장조영촬영과 비슷한 장단점을 가지고 있다. 대장조영촬영은 대장내시경검사에 비해 작은 대장용종이나 대장암은 진단율이 떨어지며, 조직검사가 불가능하므로 이상소견이 발견되면 내시경으로 재검사를 해야 한다. 또한 방사선을 이용하므로 임산부에게는 시행할 수 없다.

위내시경과 달리 대장내시경은 맹장까지 도달하는데 실패할 가능성이 있다. 사람마다 대장의 구조가 다르기 때문이고, 특히 복부수술을 한 사람은 장이 서로 유착되어 굴곡이 지기 때문이다. 이때 대장조영술을 시행하면 대개는 맹장까지 검사가 가능하다. 물론 작은 용종을 찾아내는 정확도면에서는 대장내시경검사에 비해 떨어지지만, 위와 같은 경우에는 대장조영술이 유용하다. 또한 장중첩증(intussusception)이 의심되는 어린이에게는 대장조영술을 이용해 진단검사는 물론 치료까지 가능하다.

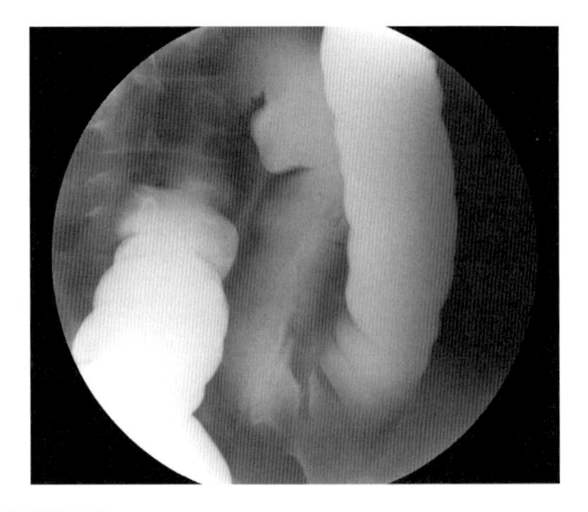

그림 4-11 대장 조영촬영-대장은 굴곡이 심한 경우가 많다.

05 초음파검사
ultrasonography

초음파(ultrasound)

초음파(超音波)란 사람의 귀에 들리지 않는 높은 주파수의 파동을 말한다. 사람이 들을 수 있는 음파를 가청주파수라 하는데 보통 20-20,000Hz 이다. 그 이상의 주파수 즉 20,000Hz 이상의 주파수를 가진 파동이 초음파이다.

초음파는 가청음보다 파장이 짧기 때문에 작은 장애물과 부딪혀도 반사가 잘 일어난다. 이런 성질을 이용해 인체의 내부를 영상으로 나타내 질병을 진단하는 것이 의료용 초음파진단기이다. 의료용 초음파는 주로 1-20 MHz 정도의 주파수를 이용한다.(1 MHz = 1,000,000 Hz)

초음파로 진단이 가능한 장기는 연부조직(soft tissue)으로 된 장기들이다. 간, 담낭 및 담도, 신장, 췌장, 비장, 자궁, 유방, 전립선, 갑상선, 심장 등이 이에 해당된다. 반면에 초음파로 진단이 어려운 장기는 뼈, 뼈로 둘러싸인 장기(뇌, 척수), 그리고 공기가 들어 있는 장기(폐, 위장관 즉 식도, 위, 소장, 대장) 등이다.

[초음파검사의 주의사항]

1. 복부 초음파검사는 공복 상태에서 실시해야 한다. 밥을 먹으면 담낭에 저장된 담즙이 십이지장으로 배출되어 담낭이 잘 보이지 않기 때문이다.
2. 자궁, 방광, 전립선의 초음파검사는 소변을 참은 상태에서 검사해야 한다. 방광에 소변이 있어야 이런 기관들이 잘 관찰되기 때문이다.

Ⅰ. 복부 초음파검사(간, 담낭 및 담도, 신장, 췌장, 비장)

1. 간 초음파검사

목표질환 : 간암

주변질환 : 간염, 간경변증, 지방간

조우병변 : 단순 낭종, 혈관종 등

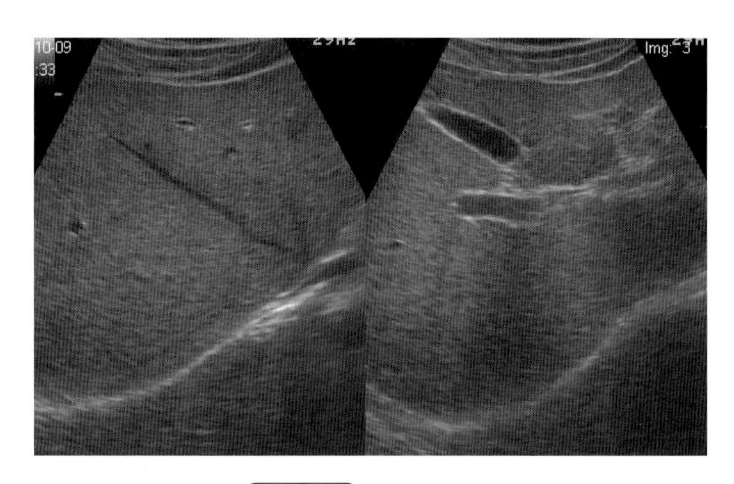

그림 4-12 간초음파 검사

간암(liver cancer)

간암이란 간세포에서 기원하는 악성종양이다. 넓은 의미로는 간에 발생하는 모든 종류의 악성종양을 포함하지만, 간세포암(hepatocellular carcinoma)이 가장 흔하기 때문에 일반적으로 간암이라 하면 간세포암을 의미한다.

간암의 가장 흔한 원인은 만성 B형간염이나 C형간염, 지속적인 음주, 간경변 등이다. 이런 원인요소들에 의해 간의 파괴와 재생이 지속될 경우 간암의 발생 위험이 크게 높아진다.

대부분 증상이 없는 경우가 많아서 건강검진에서 우연히 발견되는 경우가 많다. 간이 있는 오른쪽 윗배에 종괴가 만져질 수 있고, 통증이나 황달이 생길 수도 있다.

만성 B형간염, 만성 C형간염, 지속적인 음주자, 간경변 환자 등 간암 발생의 위험이 있는 사람은 주기적 검진이 필요하다.

간암의 감시

간초음파검사, 간기능검사(AST, ALT, γ-GTP), 종양표지자검사(AFP)
보통 6개월 간격으로 실시한다.

이런 검사에서 이상 소견이 있을 경우 추가적인 간기능검사, 항원항체검사, 복부CT나 MRI 등의 검사가 필요하다.

간세포암의 초음파검사 소견

종양의 크기가 2 cm 미만으로 작은 경우 대부분 둥근 구형이며, 내부에코는 주위의 정상 간조직에 비해 저에코로 관찰된다. 3 cm 정도에서는 둥근 종괴의 가장자리에 저에코의 피막(halo)이 관찰된다. 조금 더 커지면 halo가 소실되면서 불규칙한 테두리를 보인다.

간암 종괴의 내부에코는 다양한 형태로 관찰된다. 내부의 출혈이나 괴사가 격벽처럼 보여 모자이크 형태로 나타나기도 하고, 간암 종괴 내에 또 다른 종괴가 들어있는 것처럼 보이기도 한다. 때로는 정상 간조직과 같은 에코나 또는 고에코로 나타나기도 한다.

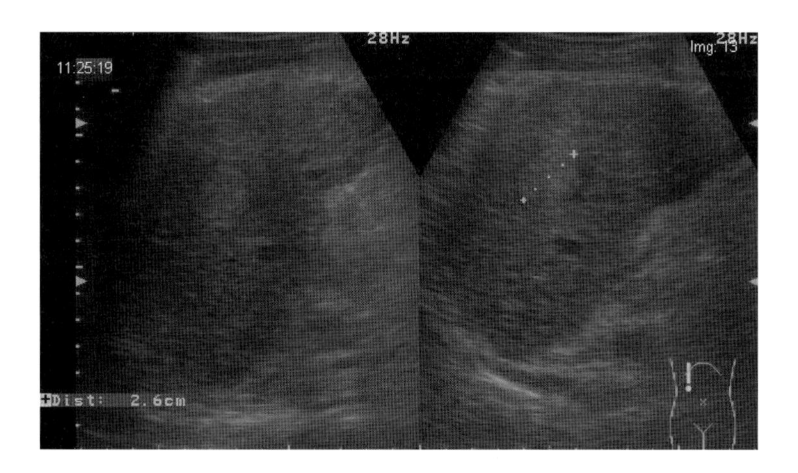

그림 4-13 간암, 초음파영상

간암의 가장 효과적인 치료방법은 수술적인 절제이다. 그러나 수술적인 절제가 불가능할 경우가 더 많아, 다음과 같은 방법들로 치료하는 경우가 많다.

- 경동맥 화학색전술(transarterial chemoembolization, TACE)
  간암세포에 영양분과 산소를 공급하는 혈관을 막아 암세포를 괴사시킨다.

- 경피적 에탄올 주입술(percutaneous ethanol injection therapy, PEIT)
  간암 종괴에 알코올을 주입하여 간암세포를 괴사시킨다.
- 고주파 열치료술(Radiofrequency ablation, RFA)
  고주파를 이용하여 간암세포를 파괴시킨다.
- 경피적 극초단파 응고법(Percutaneous microwave coagulation therapy)
  극초단파를 이용하여 간암세포를 응고 및 파괴시킨다.

기타 필요한 경우, 간이식이나 항암제 치료가 시행되기도 한다.

간암은 종양의 개수, 크기, 혈관 침범의 여부 등에 의해서 예후가 달라진다. 간암 환자의 대부분이 기존 간질환을 동반하고 있어 간기능에 의해 생존기간이 결정되는 경우가 많다. 실제로 간암 환자의 사망은 간암 자체가 아닌 간암 진행에 의한 간기능의 저하가 가장 흔한 원인이다.

지방간(fatty liver)

정상적인 간은 지방이 차지하는 비율이 5% 정도인데, 이보다 많은 지방이 축적된 상태를 지방간이라고 한다. 최근 영양상태가 좋아지고 육식이 늘고 운동량이 적어지는 등 서구적 생활습관으로 변화함에 따라 지방간 환자가 급격히 늘어나는 추세이다.

1. 지방간의 원인과 종류

1) 알콜성 지방간

알코올을 많이 섭취하면 간에서 지방합성이 촉진되어 발생한다. 금주 등의 생활습관 교정을 하지 않고 계속 술을 마시게 되면 증상이 심해져 만성 간염, 간경변, 간암 등으로 발전할 수 있다.

2) 비알콜성 지방간

비만, 당뇨병, 고지혈증, 약물 등으로 인해 발생한다. 성인병에 동반되는 경우가 많아 임상적인 중요성이 최근에 많이 부각되고 있다. 가벼운 경우 대부분 큰 문제가 되지 않으나, 일부에서는 간경변으로 진행할 수도 있다.

2. 지방간의 증상

지방간이 있는 사람은 대부분 외관상 건강해 보인다. 증상이 없는 경우가 많아 건강검진에서 우연히 발견되는 경우가 많다.

증상이 있는 경우에는 피로감, 전신 권태감, 또는 오른쪽 상복부의 통증 등을 호소하는데, 지방간의 증상은 지방의 축적 정도와 축적 기간, 그리고 다른 질환의 동반 유무에 따라 달라진다.

3. 지방간의 초음파검사 소견

간 실질의 에코가 증가되어 밝게 보이며, 간 내부의 심부에코가 감소한다. 간 내부의 혈관이 명료하지 않으며, 간종대(hepatomegaly)가 나타나기도 한다.

4. 지방간의 치료

1) 원인제거가 제일 우선되어야 한다.
   ① 알콜성 지방간 : 금주
   ② 비만 : 체중 감량
   ③ 당뇨병에 수반되어 생기는 지방간 : 혈당 관리
   ④ 고지혈증이 원인 : 혈액 내 지방질의 농도를 정상으로 유지
   ⑤ 약물 : 약물 복용을 중단하거나 다른 약물로 대체
2) 식이요법, 운동요법 등 생활습관이 개선되어야 한다.
3) 약물치료는 대부분 필요하지 않지만, 간기능 검사에 이상이 있을 경우에는 고려해야 한다.

5. 경과 및 예후

알코올성 지방간의 경우 금주하지 않고 계속 술을 마시게 되면 증상이 심해져 만성간염이나 간경변으로 발전할 수 있다. 비만 등에 의한 비알코올성 지방간은 가벼운 경우 문제가 되지 않지만, 일부에서 지방성간염이 발생하고 이는 간경변으로 진행할 수 있어 체중감량 등 적극적인 치료가 필요하다.

기타 간초음파에서 발견되는 소견들

1. 혈관종(hemangioma)

혈관이 실뭉치처럼 뭉쳐진 종괴이다. 출혈의 위험이 없으면 추적관찰 한다.

2. 단순낭종(simple cyst)

물이 들어있는 풍선 모양의 종괴 즉 물혹이다. 모양과 크기의 변화를 추적관찰 한다.

2. 담낭 초음파검사(gallbladder, GB)

목표질환 : 담낭암

주변질환 : 담낭용종, 담석

담낭용종(gallbladder polyp)

담낭용종이란 담낭 내강으로 돌출된 종괴를 말한다. 담낭용종은 매우 흔하여 복부초음파검사를 시행한 정상인에서 3-7%의 빈도로 발견된다.

담낭용종은 비종양성 용종과 종양성 용종으로 분류된다. 비종양성 용종인 콜레스테롤 용종이 46-70%의 빈도로 가장 흔하다. 콜레스테롤 용종은 일반적으로 크기가 10 mm 이하로 작고, 다발성인 경우가 많다. 종양성 용종은 양성종양인 선종과 악성용종이 있다. 담낭용종 중 악성 용종의 빈도는 약 3-8% 정도이다.

일반적으로 담낭용종은 증상이 거의 없으나 드물게 복통과 같은 증상이 발생할 수 있다. 이런 증상이 있다면 담석이 동반되어 있거나 악성용종의 가능성을 생각해야 한다. 또한 체중 감소가 있으면 악성용종의 가능성을 염두에 두어야 한다.

가장 흔한 콜레스테롤 용종은 대개 치료가 필요 없다. 선종과 악성용종은 수술(담낭절제술)로 치료한다. 최근에는 특별한 합병증이 없으면 복강경을 이용한 복강경담낭절제술로 간단히 시행할 수가 있다. 하지만 악성 담낭용종이 담낭암으로 발전한 상태에서는 개복을 통한 광범위한 절제술이 필요하며 예후가 불량하다. 담낭용종의 치료에서 가장 중요한 것은 악성용종을 초기에 진단하여 수술을 하는 것이다.

담낭용종에서 정밀검사 및 수술(담낭절제술)을 고려해야 하는 경우

① 크기가 1 cm 이상인 경우
② 1 cm 이하라도 크기가 점차 증가하는 경우
③ 증상이 있는 경우
④ 담석을 동반한 경우
⑤ 노인에서 발견된 경우(60세 이상)
이에 해당되지 않는 1 cm 미만의 작은 담낭용종은 주기적인 추적관찰을 권고한다.

담석증(cholelithiasis)

담석(gall stone)은 담즙의 구성성분이 담낭이나 담관 내에서 굳어져 결정성 구조물 즉 결석이 생기는 질환이다. 담낭에서 생긴 담석이 담낭 경부, 담낭관 또는 총담관으로 이동하여 폐쇄나 염증 등 증상을 일으키는 것을 담석증이라고 한다.

담석은 그 구성성분에 따라 콜레스테롤담석(cholesterol gallstone)과 색소성 담석(pigment gallstone)으로 구분된다. 한국인은 색소성 담석이 더 잘 발생된다.

1. 담석이 생성되는 원리

담즙 내에 콜레스테롤 등의 지방질이나 무기염, 유기염 등이 비정상적으로 증가되어 과포화 상태가 되면, 이들이 침전되어 담석이 형성된다. 콜레스테롤은 지방성분이므로 담즙에 용해되지 않지만, 콜레스테롤이 담즙산이나 인지질과 함께 작은 미포(micelle)를 형성하게 되면 담즙에 용해되어 용액 상태로 존재할 수 있다. 하지만 비정상적으로 콜레스테롤이 증가하는 경우에는 과포화 상태가 되므로 침전되어 담석이 형성되는 것이다.

콜레스테롤 담석의 위험 인자는 고령, 서양인, 유전적 경향, 고지방 식이, 비만, 임신, 경구용 피임제 등의 약물사용, 당뇨병이나 장결핵 등의 전신 질환 등이 있다.

색소성 담석의 위험 인자로는 동양인, 만성용혈성질환, 간경변증, 췌장염, 고탄수화물 및 저지방식이 등이 있다.

2. 담석증의 증상

담석증의 가장 특징적인 증상은 담도산통(biliary colic)이다. 심한 통증이 심와부나 오른쪽 윗배에 발생하며, 오른쪽 어깨나 견갑하부로 퍼져 나갈 수 있다. 대개 통증은 갑자기 시작되며, 오심과 구토가 흔히 동반된다.

합병증으로 담낭염이나 담관염 등이 발생되면 발열이나 오한 등이 동반될 수 있고, 또한 총담관에 담석증이 발생한 경우에는 혈중 빌리루빈이 상승하여 황달이 나타날 수 있다.

3. 담석증의 진단검사

1) 복부초음파검사

담석을 진단하기 위한 일차적인 검사법이다. 담석은 초음파검사에서 담낭 안의 강한 에코로 나타나며, 후방음향음영(posterior acoustic shadow)을 동반한다. 또한 체위에 따라 움직이는 것이 특징적이다.

2) 경구 담낭조영술(oral cholecystogram, OCG)

검사 전날 조영제를 먹은 후 그 다음날 X-선으로 촬영한다. 담낭의 배출 기능과 담낭관의 폐쇄 정도를 알 수 있고 담석의 개수 판정에 유용하다. 하지만 검사결과가 위장관의 흡수 능력과 간의 분비 능력에 영향을 받으며, 과빌리루빈혈증이 있는 경우에는 진단의 예민도가 떨어진다.

3) 방사선 동위원소 스캔

방사선동위원소 약물(99m Tc-labeled HIDA, DIDA, DISIDA 등)을 정맥주사하면 간세포에서 담즙 내로 빠르게 분비되어 담낭과 담관의 모습을 조영한다. 담낭이 조영되지 않으면 담낭관 폐색이나 담낭염이 있다는 것을 의미한다.

4) 복부 CT

담낭 담석의 진단에 흔히 이용되는 검사는 아니지만 간, 담낭, 췌장을 전반적으로 관찰할 수 있고 종양을 감별하거나 담관의 폐색 여부 등을 진단할 수 있다.

4. 담석증의 치료

담석에 의해 통증이 발생할 경우 우선 금식을 하고 진통제를 투여한다. 급성 담낭염이 의심되는 경우에는 항생제를 투여한다.

1) 약물치료

담석을 용해하는 약물(담석용해제-UDCA, CDCA 등)을 경구복용 한다. 약물치료에 효과가 없는 경우는 다음과 같다.

(1) 색소성 담석

(2) 방사선 비투과성 담석, 또는 석회화 담석

(3) 직경 1.5 cm 이상 큰 담석

(4) 경구담도조영술(OCG)에 잘 보이지 않는 담낭의 담석

2) 체외충격파쇄석술(extracorporeal shock wave lithotripsy, ESWL)

환자의 몸 밖에서 충격파를 보내 담석을 잘게 깨부수는 방법이다. 한국인에서는 색소성 담석이 상대적으로 많아 쇄석술 이후에도 잘게 깨진 담석이 경구담석용해제에 의해 완전히 제거되지 않는 경우가 많기 때문에 쇄석술을 시술하는 빈도가 점차 감소하고 있다. 급성 담낭염, 담도염, 담도폐색, 급성 췌장염 등이 있을 때, 그리고 임신 중에는 사용할 수 없다.

체외충격파쇄석술이 유용한 경우는 방사선투과성 담석인 경우, 경구담도조영술(OCG)에서 정상적으로 기능하는 담낭일 경우, 2.0 cm 이하의 단일 담석(최대 3개까지도 가능) 등 이다.

3) 수술

증상이 있는 담석증은 수술을 해야 한다. 한 번이라도 증상이 있었던 경우에는 1-2년 내에 증상이

다시 발생할 가능성이 매우 높기 때문이다. 복강경 담낭절제술이 주로 시행되며, 이것이 곤란한 경우에는 개복 담낭절제술을 시행한다.

5. 담석증의 예방

1) 콜레스테롤 담석

당분은 콜레스테롤 담석의 형성을 촉진하므로 과식을 피하는 것이 좋다. 섬유질과 적당한 알코올 섭취는 예방적 효과를 나타낼 수 있다. 야채나 과일을 충분히 섭취하고 적당한 운동으로 비만이 되지 않도록 하는 것이 좋다.

2) 색소성 담석

색소성 담석은 한국인에게서 흔히 발생하는데, 음식과의 연관성보다는 담즙의 정체와 세균 감염, 기존에 앓고 있던 질환(간경변증, 용혈성 빈혈 등)이 중요한 원인 인자로 알려져 있으므로 이에 대한 예방이 필요하다.

무증상 담석(silent gallstone)

건강검진에서 발견되는 담석은 대부분 스스로 느끼는 자각증상이 없이 우연히 발견되는 경우가 많은데, 이를 무증상 담석이라 한다. 우연히 발견되는 무증상 담낭담석의 경우 예방적 담낭절제술은 필요하지 않다. 무증상의 담낭담석은 시간이 지나면서 증상이 저절로 좋아지는 경과를 보이는 경우가 많으며, 통증 또는 다른 합병증이 발생할 확률은 1년에 1-2% 미만이다.

예전에는 당뇨병 환자에서 담석증이 발견된 경우에 담석증의 합병증이 발생하면 좀 더 심각한 경과를 보일 것으로 추측하여 무증상 담낭담석이라도 예방적으로 수술을 권유하였다. 그러나 실제로 당뇨병 환자의 담석증이 다른 경우와 비교하여 합병증, 치료결과 등에서 차이가 없는 것으로 밝혀졌기 때문에 무증상의 경우에는 수술적 치료를 권유하지 않는다.

무증상 담낭담석에서 수술을 고려해야 하는 경우

① 2 cm 이상의 큰 담석
② 석회화된 도자기 모양의 담닝(porcelain gallbladder)
③ 담낭용종이 동반되어 있는 경우
④ 췌관-담관 합류이상이 동반 되어있는 경우

3. 신장 초음파검사

목표질환 : 신장암
주변질환 : 요로결석, 수신증, 다낭성 신,
조우병변 : 단순낭종, 혈관종 등

신장암(renal cell carcinoma)

신장암은 신장의 실질에서 발생하는 신장의 상피성 악성종양이다. 신장암 발생의 위험인자는 흡연, 고혈압 등의 환경적 요인과, 장기간 혈액투석환자, 염색체 이상으로 인한 유전적 요인 등이 있다. 특히 흡연하는 사람의 경우 신장암의 발생율이 현저히 높다.

신장암은 종양의 크기가 작을 때는 증상이 거의 없어서 건강검진에서 우연히 발견되는 경우가 종종 있다. 하지만 대부분의 신장암은 종양이 어느 정도 커져서 장기를 밀어낼 정도가 되어야 비로소 증상이 나타나므로 진단이 늦어지는 경우가 많다.

1. 신장암의 증상

종양의 크기가 작을 때는 증상이 거의 없다. 가장 흔한 증상은 혈뇨로 환자의 60%에서 나타난다. 암세포가 생산하는 호르몬 때문에 고혈압, 고칼슘혈증, 간기능 이상 등을 일으킬 수 있다. 전이된 부위에 따라 호흡곤란, 기침, 두통 등의 증상이 나타난다.

2. 신장암의 진단검사

1) 복부 초음파검사

신장의 내부에 고형종괴(solid mass)의 형태로 나타난다. 신장 실질과 비슷하거나 약한 저에코의 내부에코를 갖는다. 신장의 변연이 돌출되어 윤곽이 변형되기도 한다. 종괴의 내부는 출혈, 괴사, 석회화 등으로 불균일한 패턴으로 보인다.

2) 복부 CT

종괴의 정확한 형태와 크기, 림프절과 주변장기로의 전이 등을 파악할 수 있다.

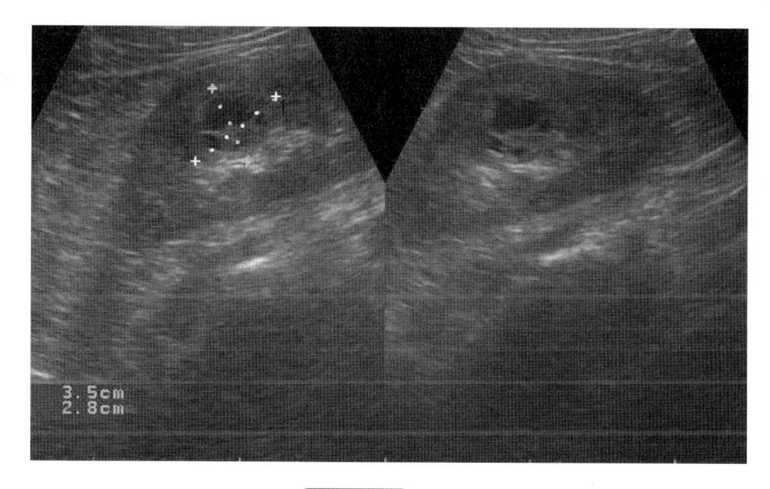

그림 4-14 신장암

3. 신장암의 치료

수술이 가장 중요한 치료법이다. 다른 기관으로 전이되지 않은 경우에는 신장과 그 주위 조직을 광범위하게 절제하는 수술로 치료한다. 종양이 크지 않은 경우에는 복강경을 이용한 신장절제술을 하는 경우도 있다.

그 외의 치료 방법으로는 면역요법, 호르몬요법, 항암화학요법, 방사선요법 등이 있지만 치료효과는 아직까지 좋지 않다.

4. 합병증 및 예후

신장암 환자 중 5-10%는 신장 주위의 혈관에 종양으로 인한 혈전이 생겨 혈관이 막히는 경우가 있다. 종양이 혈관벽을 직접 침범한 경우에는 더 좋지 않은 경과를 보인다.

신장암은 병기에 따라 초기인 경우 5년 생존율은 80-100%로 매우 높지만, 임파선에 전이된 경우에는 5년 생존율이 30% 미만으로 매우 낮아지며, 폐나 뼈 등에 원격 전이가 있는 경우는 치료 결과가 매우 좋지 않아 1년 생존율이 50% 미만이다.

요로결석(urinary stone)

소변이 배설되는 경로 즉 요로에 결석이 생성되어 격심한 통증이 발생하는 질환이다. 가장 중요한 발병 원인은 수분섭취 감소이다. 수분의 섭취가 감소하면 요석의 결정이 소변에 머무르는 시간이 길어져 요석형성이 증가하게 된다. 또한 요로결석의 발생은 유전적인 소인이 있다. 남성이 여성에 비해 3배 이상 발생 위험성이 높고, 20-40대의 젊은 연령층에서 잘 발생한다.

1. 요로결석의 증상

갑자기 옆구리나 측복부에 통증이 발생하는데, 대개 통증이 매우 극심하여 응급실을 방문하게 된다. 통증은 갑자기 나타나고, 수십 분-수 시간 정도 지속되다가 사라진 후 또다시 나타나는 간헐적인 형태를 보이는 경우가 흔하다. 통증은 남성의 경우 하복부, 고환, 음낭으로, 여성의 경우 음부로 방사되기도 한다.

결석으로 요로의 점막이 손상을 받아 혈뇨가 흔히 동반된다. 결석이 방광 근처까지 내려오는 경우에는 빈뇨 등의 방광자극증상도 발생한다. 통증이 심한 경우 구역, 구토, 복부팽만 등이 동반되기도 한다.

2. 진단 검사

신체검사에서 늑골척추각의 통증이 특징적이다. 등에서 갈비뼈와 척추가 만나는 부위를 주먹으로 가볍게 두드리면 통증이 심해진다.

1) 소변검사

대부분 혈뇨가 나타나며 혈뇨가 보이지 않는 경우는 15% 정도이다. 요로감염이 동반된 경우에는 소변 내에 백혈구나 세균이 나타난다.

2) 단순요로촬영(KUB)

단순요로촬영으로 결석을 확인할 수 있다. 하지만 요로결석이 골반뼈에 가려져 있으면 잘 보이지 않을 수도 있고, 대변찌꺼기, 석회화된 임파절, 정맥의 석회화 등과 구별이 어려울 수도 있다.

3) 복부초음파검사

신장실질에 결석이 있으면 강한 에코로 나타나고 후방음향음영(posteror acoustic shadow)가 나타난다. 하지만 신동(renal sinus)에 결석이 있으면 신동 자체의 고에코 때문에 잘 보이지 않는 경우가 많다.

4) 경정맥신우조영술(intravenous pyelography, IVP)

배설성 요로조영술의 일종으로, 정맥으로 조영제를 주입하면 신장을 통해 배설되면서 요로의 모습을 보여준다.

5) 기타 역행성 요로조영술이나 복부CT가 이용되기도 한다.

3. 요로결석의 치료

크기가 작고 하부 요관에 위치한 경우에는 자연적으로 배출되기를 기다린다. 기다리는 도중 통증을 감소시키기 위해 진통제를 투여하며, 소변량을 증가시키기 위해 물을 많이 마시거나 수액을 정맥으로 주입한다. 약물요법으로는 요석의 성분에 따라 용해제를 투여하는 방법이 있지만 잘 시행되지는 않는다.

1) 체외충격파쇄석술(extracorporeal shock wave lithotripsy, ESWL)

몸 밖에서 충격파를 발사하여 결석을 잘게 분쇄하여 자연배출이 되도록 유도하는 치료법이다. 요로 폐색, 출혈 경향이 있는 환자, 임산부, 가임기 여성 등에서는 금기이다. 쇄석술 후에 분쇄된 요석은 대개 2주 이내에 자연적으로 배출된다. 시술의 성공 여부는 3개월 후에 판정한다. 결석이 크거나 단단하면 반복하여 시술하기도 한다.

2) 요관경하 배석술(ureteroscopic lithotripsy)

요관까지 내시경을 통과시켜 결석을 분쇄 혹은 제거하는 시술 방법이다.

3) 경피적 신쇄석술(percutaneous nephrolithotomy)

피부를 통해 구멍을 내고 이를 통해 내시경을 통과시켜 결석을 분쇄하거나 제거하는 시술 방법이다. 신장 내 결석의 크기가 크거나, 체외충격파쇄석술에 반응하지 않거나, 치료 후에도 큰 결석이 남아 있는 경우에 사용된다.

4) 수술

이상의 치료에 반응하지 않는 경우에는 수술을 시행하기도 한다. 복강경을 이용하기도 하고 때에 따라서는 개복수술이 시행되기도 한다.

4. 요로결석의 합병증

결석에 의해 요관이나 신장이 막힐 경우 소변의 흐름이 막혀 신장에 물이 차는 수신증이 발생할 수 있다. 수신증이 발생하면 신장기능이 저하되기 시작하여 치료하지 않으면 신부전에 빠진다.

요로결석에 요로감염이 동반되면 신우신염이나 농신증, 패혈증과 같은 심각한 합병증이 발생할 수 있다.

5. 예방 및 식이요법

요로결석은 10년 내에 50%의 환자에서 재발하는 질환이다. 따라서 요로결석 환자는 치료되었다고 방심하지 말고, 충분한 수분섭취와 식이요법에 신경을 써야 한다.

1) 충분한 수분섭취가 요로결석의 예방에 가장 중요하다. 하루 2 L 이상의 수분을 섭취하는 것이 권장된다.
2) 염분의 과다섭취는 칼슘뇨를 유발하고 구연산의 배설을 감소시키므로 염분 섭취를 제한해야 한다.
3) 소변에 수산화나트륨이 많이 나타나는 고수산뇨증도 요로결석의 위험인자이므로 수산화나트륨의 섭취를 제한해야 한다.
4) 결석성분이 수산화칼슘인 환자는 비타민 C의 복용도 금지해야 한다.
5) 단백질은 요로결석의 잘 알려진 위험 인자이므로 단백질 섭취 역시 제한해야 한다.
6) 요로결석 환자에서 칼슘섭취의 제한은 오히려 결석의 위험도를 증가시키므로 충분히 섭취하는 것이 좋다. 그러나 칼슘약제는 결석의 위험도를 증가시키므로 피해야 한다.
7) 구연산은 결석형성을 억제하는 성분이므로 구연산 함유식품의 섭취는 증가시킨다.

4. 췌장 초음파검사

목표질환 : 췌장암

췌장암(Pancreatic cancer)

췌장암은 예후가 매우 나쁜 암으로 5년 생존율이 5% 이하이다. 대부분 암이 진행된 후에 발견되기 때문에 수술로 절제가 가능한 경우가 20% 이하이다. 수술로 절제하였다 하더라도 눈에 보이지 않는 미세전이가 남아 생존율을 감소시키고, 항암제 및 방사선 치료에 대한 반응이 낮기 때문이다.

생존율을 향상시킬 수 있는 가장 중요한 방법은 증상이 없거나 비특이적일 때 조기에 발견하여 수술하는 것이다. 그러나 췌장은 후복막에 다른 장기들에(전면에 위, 후면에 척추뼈) 둘러 싸여 있고 초기에 증상이 거의 없어 조기진단이 매우 어렵다.

췌장암은 췌관세포에서 발생하는 췌관선암이 대부분이며, 기타 낭종선암, 내분비종양 등이 있다.

1. 췌장암의 원인

췌장암의 원인은 아직까지 명확하지 않다. 췌장암이 발생하기 쉬운 요인에는 다음과 같은 것들이 있다.

1) 45세 이상의 연령
2) 흡연 경력

3) 두경부나 폐 및 방광암의 과거력
4) 오래된 당뇨병
5) 지방이 많은 음식 섭취
6) 만성 췌장염
7) 일부 유전질환

2. 췌장암의 증상

비특이적인 증상이 대부분이다. 가장 흔한 증상은 복통, 체중감소, 황달 등이다. 기타 지방변(지방의 불완전한 소화), 식후 통증, 구토, 오심 등이 나타난다. 당뇨병이 새로 발생하거나 기존의 당뇨병이 악화되기도 하며, 췌장염의 증상을 보이기도 한다.

종양의 위치와 크기, 전이 정도에 따라 나타나는 증상이 다르다.

1) 췌장의 두부에 발생하는 경우 담도를 폐쇄하므로 황달이 나타나는 경우가 많다.
2) 췌장의 체부와 미부에 발생하는 경우에는 초기에 거의 증상이 없어 대부분 시간이 지나서 발견된다.

3. 진단검사

1) 복부 초음파

두부에 발생한 경우에는 경계가 불규칙하고 변연이 불명료한 저에코의 종괴가 관찰되며, 체부와 미부의 췌관이 불규칙하게 확장되어 보인다.

체부에 발생하면 저에코 종괴로 관찰되면서 비정맥(splenic vein)이 압박되고 미부의 췌관이 확장되어 보인다.

미부에 발생하면 췌관의 확장 없이 종괴만 관찰된다.

2) 복부CT, MRI

초음파진단기의 성능이 향상되어 예전보다 췌장을 관찰하기 쉬워졌지만, 췌장의 해부학적 위치 때문에 초음파검사로는 조기발견이 아직도 어려운 경우가 많다. 위험인자가 있는 경우에는 복부CT나 MRI검사를 시행하는 것이 권장된다.

3) 내시경적 역행성 담췌관 조영술(ERCP)

4) 내시경 초음파(EUS)

5) 양성자방출 단층촬영(PET)

6) 종양 표지자 : CA19-9

4. 치료

췌장암의 가장 효과적인 치료는 완전한 외과적인 절제이다. 그러나 이런 근치 수술은 췌장암 환자의 20-25% 정도에서만 가능하며, 그것도 황달이 초기증상으로 나타난 췌장 두부에 종양이 있는 환자에 해당된다. 외과적인 설제가 불가능한 췌장암 환자의 평균 생존 기간은 약 6개월이다.

췌장암의 치료 방법은 암의 크기, 위치, 병기, 환자의 나이와 건강상태 등을 고려하여 수술, 항암 화학요법, 방사선 치료, 보존적 치료 중에서 한 가지 혹은 경우에 따라 여러 방법을 병합하여 치료하기도 한다.

Ⅱ. 골반 초음파검사(자궁, 난소, 방광)

목표질환 : 자궁암, 난소암, 방광암

주변질환 : 자궁근종, 난소낭종

골반 초음파검사는 하복부를 통해 검사하는 경우보다 질이나 직장을 통해 검사하는 것이 더 정확하다.

자궁근종(uterine myoma)

자궁의 대부분을 이루고 있는 평활근에 생기는 종양이며 양성질환이다. 발생하는 위치에 따라 장막하, 점막하, 근층내 근종으로 구분한다. 자궁근종은 양성질환으로 크기의 증가가 서서히 일어난다. 하지만 근종에 이차 변성이 생기거나, 드물기는 하지만 악성변화가 일어나면 크기가 갑자기 커질 수 있다.

1. 원인

원인은 알려져 있지 않으며, 가족력이 있을 때 발병율이 증가한다. 자궁근종은 호르몬의 영향을 받으므로 폐경이 되면 근종의 크기가 감소한다. 임신 중에는 근종이 커질 수 있지만, 대부분의 산모에서는 크기의 변화가 없다.

2. 자궁근종의 이차 변성(secondary degeneration)

평활근 덩어리인 자궁근종이 다음과 같은 것들로 변성된 것을 말한다.

1) 초자(hyaline degeneration)

2) 낭포(cystic degeneration)

3) 석회화(calcification degeneration)

4) 지방(fatty degeneration)

5) 감염(infectious degeneration)

6) 괴사(necrotic degeneration)

7) 육종(sarcomatous degeneration) 등

3. 증상

초기에 크기가 작은 경우에는 증상이 없는 경우가 대부분이다. 증상이 있는 경우에는 자궁근종의 위치나 크기에 따라 증상이 다양하다. 가장 흔한 증상은 월경과다이며, 기타 골반 통증, 월경통, 성교통, 골반 압박감, 빈뇨 등의 증상을 호소한다.

4. 치료

증상이 없는 작은 근종은 경과를 관찰한다. 다음과 같은 경우에 수술을 고려한다.

자궁근종 수술적응증

① 5 cm 이상으로 크거나, 크기가 급속히 증가할 때
② 통증이 있을 때
③ 비정상 자궁출혈(생리과다, 부정기 자궁출혈)이 있을 때
④ 불임, 습관성 유산, 압박 증상(빈뇨, 변비)이 있을 때
⑤ 유경성 근종일 때
⑥ 악성이 의심될 때

1) 수술

근종적출술, 자궁절제술

2) 호르몬요법

GnRH, 임신을 위해 자궁을 보존하고자 하는 경우에 이용된다.

난소 낭종(ovarian cyst)

난소에 발생하는 낭성 종양(cystic tumor)으로 내부가 수액으로 차 있다. 내부의 수분은 종양의 종류에 따라 장액성 액체, 점액성 액체, 혈액, 지방, 농양 등이다. 대부분 생리적인 경우이므로 추적관찰하면

되지만, 가끔 난소암인 경우가 있으므로 주의해야 한다.

난소 낭종은 다음과 같은 것들을 통칭한다.

- 생리적 낭종
  정상적인 낭종으로, 가임기 여성의 배란 과정 중에 빌생한다. 8 cm 이상 큰 경우는 드물고, 대개 수주에서 수개월 내에 자연 소실된다.
- 양성 난소신생물
  장액성 낭종, 점액성 낭종, 자궁내막종, 기형종, 농양 등
- 난소암

1. 원인

생리적 낭종은 배란 과정에 장애가 있을 때에 생기는 경우가 많다. 양성 난소 신생물의 원인은 뚜렷하지 않다.

2. 증상

생리적 낭종의 경우에는 대부분 자각 증상을 느끼지 못한다. 또 낭종이 크지 않을 때에도 자각 증상이 없다.

흔하게 나타날 수 있는 증상은 복부 팽만과 불편감, 복통, 복부 압박증상, 대소변시의 불편감, 소화불량 등이다. 호르몬을 분비하는 종양이 생겼을 때에는 질 출혈이 나타나기도 한다.

낭종이 꼬이거나 복강 내에서 파열되면 급성 복통과 복강 내 출혈을 일으킬 수도 있다.

3. 검사

1) 골반 초음파

2) 복부CT, MRI

3) CA-125 종양표지자 검사

상피성 난소암, 생식세포 난소암, 자궁 내막암, 유방암, 소화기에 발생한 암 등 악성 질환이 있을 때 수치가 상승한다. 하지만 자궁 근종, 자궁선근증, 자궁 내막증, 골반염, 임신 초기나 생리 중에도 상승할 수 있다.

4. 치료

대개 수주에서 수개월 이내에 저절로 소실되므로 생리적 낭종으로 의심되는 경우에는 일단 경과를 관찰한다. 이때 경구 피임약을 복용하면 도움이 된다.

폐경 이후에는 수술하는 것이 원칙이지만, 크기가 작고 증상이 없으면서 초음파에서 단순 낭종으로 판단될 때에는 경과를 지켜본다.

수술이 필요한 경우는 다음과 같다.

난소낭종의 수술 적응증

① 8 cm 이상 큰 경우
② 크기가 점점 증가하는 경우
③ 낭종의 파열이나 염전이 의심되는 경우
④ 초음파검사에서 악성이 의심되는 경우

III. 유방 초음파검사

목표질환 : 유방암
주변질환 : 섬유선종, 섬유낭종, 농양

유방암 조기진단을 위해 유방촬영술(mammography)과 상호보완적으로 사용된다. 우리나라 여성은 유방조직의 양이 많은 치밀유방(dense breast)의 빈도가 높은데, 이러한 경우에 유방촬영술로는 관찰이 어려워 유방초음파를 시행하는 것이 권장된다.

하지만 유방초음파검사만 시행하는 것은 권장되지 않는다. 유방초음파검사에서는 유방암의 초기징후인 미세석회화 병변이 잘 보이지 않기 때문이며, 또한 유방초음파검사는 시야가 좁기 때문에 크기가 작은 유방암이나, 범위가 넓지만 미세한 변화를 보이는 미만성 유방암 등의 발견은 어렵기 때문이다.

유방에서 흔히 발견되는 양성결절은 섬유선종과 섬유낭종이다. 섬유선종(fibroadenoma)은 유방에서 가장 흔하게 발견되는 양성결절이다. 섬유낭종(fibrocystoma)은 호르몬 교란에 의해 유선과 섬유질이 증식하면서 통증을 일으키는 상태이다. 질병 이라기보다는 생리적 현상이며, 섬유낭종성 변화(fibrocystic change)라고 한다.

섬유선종(fibroadenoma)

섬유선종은 가장 흔한 유방의 양성종양이다. 20세부터 50세 사이의 여성에 흔하며 대개 20대 초반에 주로 발견된다. 월경 전 유방통이나 유방암의 가족력이 있는 여성에서 더 많이 발생한다.

1. 섬유선종의 원인

섬유선종의 정확한 원인은 미상이다. 젖을 분비하는 유선(mammary gland)과 그 주위의 결합조직이 과잉증식하여 주위의 조직을 압박한다. 호르몬 불균형과 관련이 있다. 섬유선종이 있는 여성은 프로제스테론의 혈중농도가 낮고 에스트로겐 농도는 차이가 없다. 섬유선종은 정상 유방조직과 유사하므로 호르몬 변화에 대한 반응도 비슷하다. 따라서 섬유선종은 임신기간과 수유기간 중에는 커지는 경향이 있고, 폐경 후에는 정상 유방조직과 함께 위축된다.

2. 증상

섬유선종은 압통이 없고, 유동성이 있으며, 경계가 명확하다. 대부분 단일 종괴이지만, 일부(약 10-15%)에서는 다발성 또는 양측성 종괴로 나타난다. 직경은 대개 1-2 cm 정도이며, 고무지우개 정도의 탄력성을 지닌다.

3. 진단 검사

1) 유방촬영(mammography)

경계가 명확한 둥근 결절로 나타나며, 내부에 팝콘모양의 석회화를 보이기도 한다.

2) 유방초음파검사

난원형 종괴로 나타나며, 중등도나 저에코의 균일한 내부에코를 보인다. 종괴의 주위는 경계벽이 얇고 균일하다. 후방에코증강(posterior acoustic enhancement)이 보인다.

3) 조직검사

절제 생검, 세침흡인세포검사, 맘모톰 등을 통해 조직검사를 시행한다.

4. 치료

치료법은 수술적 절제이다. 최근에는 맘모톰이 많이 이용되고 있다.

맘모톰(mammotome)은 회전칼이 부착된 바늘과 진공장치를 이용하여 유방의 조직을 절제해내는 방법이자 기구의 이름이다. 맘모톰의 바늘은 홈이 패여 있는 안쪽 바늘과 바깥쪽의 회전칼날로 구성되어 있어, 바늘 내에 음압을 가하여 생검 또는 절제를 시행한다.

맘모톰의 장점은 수술적 절제에 비해 피부에 상대적으로 작은 5 mm 정도의 흉터를 남긴다는 점이다. 하지만 종괴를 제거하는 데에는 불완전한 면이 있다. 초음파 영상에 보이는 종괴를 모두 제거했다고 하더라도 조직학적으로는 종괴가 아직 유방 조직에 남아 있는 경우가 있다.

5. 경과

대개 양성이지만, 엽상 낭육종(cystosarcoma phylloides)으로 진행하는 경우도 있다.

Ⅳ. 전립선 초음파검사

목표질환 : 전립선암
주변질환 : 양성전립선비대

전립선 초음파검사는 하복부를 통해 검사하는 경우보다, 항문과 직장을 통해 검사하는 것이 더 정확하다.

양성 전립선비대(benign prostatic hypertrophy, BPH)

전립선은 남성에게만 있는 기관으로 방광의 바로 아래에서 요도를 싸고 있다. 양성 전립선비대는 전립선이 정상보다 커져있는 경우로 악성(암)이 아닌 양성질환이다. 양성 전립선비대의 제일 중요한 발병 요인은 나이 즉 고령이다.

초기 증상은 소변을 누려할 때 시간이 걸리거나 소변을 보고 난 후에도 잔뇨감이 느껴지는 것이다. 질병이 진행됨에 따라 소변을 볼 수 없게 되는 경우도 있다. 특히 술 마신 후에 증상이 심해져 응급실을 방문하는 경우가 종종 있다.

초음파검사로 전립선비대가 관찰될 수 있으나 임상증상과 다를 수 있으므로 주의해야 하며, 전립선암과의 감별이 중요하다.

급성 요폐색이 발생한 경우에는 요도관 삽입으로 배뇨를 시킨다. 초기에는 약물치료로 증상이 호전될 수 있다. 진행된 경우에는 수술로 치료한다.

V. 갑상선 초음파검사

목표질환 : 갑상선암

주변질환 : 갑상선염

조우병변 : 양성 결절, 낭종 등

갑상선 결절(tyroid nodule)

갑상선 세포의 과증식으로 갑상선의 일부가 커져서 발생한 갑상선의 종괴를 말한다. 나이가 증가함에 따라 발생이 증가한다. 양성 종양인지 악성 종양인지 감별하는 것이 중요하다.

갑상선 결절은 원인과 조직학적 특성에 따라 다음과 같이 분류된다.

- 과증식성 결절
  요오드 결핍 등과 같이 갑상선 세포의 증식을 일으키는 요인에 의해 발생한다.
- 콜로이드 결절
  갑상선 세포에서 만들어 내는 콜로이드 성분이 축적되어 발생한다.
- 염증성 결절
  갑상선염이 결절 형태로 성장하여 발생한다.
- 낭성 결절
  기존의 결절이 괴사 및 변성을 일으켜 발생한다.
- 종양성 결절

갑상선 암이 이에 해당된다.

일반 성인의 2-4명 중 1명 정도가 갑상선에 1 cm 미만의 작은 결절을 가지고 있다. 이 중 5% 정도만이 암이며, 또한 갑상선 암은 성장 속도가 매우 느리고 5년 생존율이 높다(93.3%, 국립암센터, 2002년).

갑상선 결절이 발견된 경우 1 cm 이상이면 조직검사를 권고하고, 0.5-1 cm 정도면 고위험군이나 초음파검사에서 악성을 시사하는 소견을 보이면 조직검사를 권고한다. 하지만 경부림프절종대가 동반된 경우에는 크기에 관계없이 조직검사를 권고한다. 낭종인 경우에는 2 cm 이상인 경우에 조직검사를 권고한다.

세침흡인 조직검사(fine needle aspiration biosy, FNAB)는 주사바늘로 갑상선 결절을 피부에서 직접 찔러 세포를 흡인한 후 현미경으로 관찰하여 세포의 모양에 따라 결절의 종류를 판정한다. 10 mm 이상의 큰 결절의 경우 촉진 후 바로 찔러서 검사를 시행할 수도 있으나 대개는 초음파 유도 하에 검사를 시행한다.

Ⅵ. 경동맥 초음파검사

목표질환 : 경동맥 협착(뇌경색의 예방)

경동맥 초음파검사는 목의 경동맥에서 혈관의 상태와 혈류를 초음파로 검사하여 동맥경화의 정도를 확인하는 검사로, 뇌졸중 발생을 예측하는데 유용한 검사이다. 하지만 이미 발병한 뇌졸중을 진단하는 검사는 아니다. 경동맥 초음파검사만으로 뇌졸중의 발병 가능성을 70-80% 이상 예측할 수 있다.

뇌의 혈류 공급

뇌는 4개의 동맥 즉 좌우 경동맥(carotid artery)과 좌우 추골동맥(vertebral artery)에 의해 혈액을 공급받는다. 이 중에서 경동맥이 뇌로 가는 혈액의 약 80%를 맡고 있다. 우측 총경동맥은 무명동맥(innominate artery)에서 시작하고, 좌측 총경동맥은 대동맥궁(aortic arch)에서 시작된다.

총경동맥(common carotid artery)은 3-4 경추 높이에서 내경동맥(internal carotid artery)과 외경동맥(external carotid artery)으로 갈라지는데, 이 부위는 와류(turbulence flow)가 잘 형성되어 죽상동맥경화증이 자주 발생한다.

[경동맥 초음파검사의 방식]

1. B-모드(brightness mode) 검사 : 혈관 벽이나 혈관 내강의 구조를 관찰한다.
2. 펄스파 도플러(pulse wave Doppler) 검사 : 혈류의 속도와 파형을 관찰한다.
3. 컬러 혈류 영상(color flow image)

[초음파검사를 이용한 경동맥의 평가]

초음파검사를 이용하여 경동맥을 평가할 때에는 다음의 3가지 관점을 중심으로 평가한다.

1. 내막-중막 두께(IMT)의 증가
2. 경동맥 죽상경화판의 유무와 성상
3. 경동맥 협착의 정도

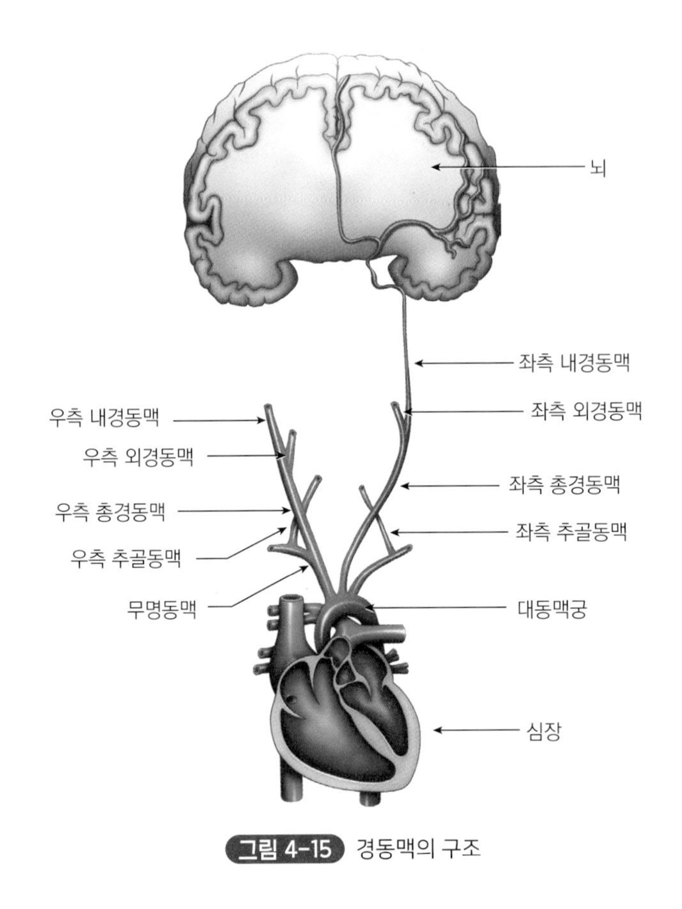

그림 4-15 경동맥의 구조

1. 내막-중막 두께(intima-media thickness, IMT)의 증가

동맥의 벽은 3개의 층 즉 내막, 중막, 외막으로 이루어져 있다. 이 중에서 경동맥에 동맥경화증이 발생하면 내막과 중막이 두꺼워지는데, 경동맥 초음파검사에서는 내막과 중막의 두께를 함께 측정한다. 이를 "내막-중막 두께(IMT)"라고 한다.

경동맥 내막-중막 두께(IMT)는 연령이 증가할수록, 혈압이 높은 고혈압 환자일수록 두꺼워진다. 그리고 이 두께가 두꺼울수록 뇌경색이나 관상동맥질환의 위험이 증가한다. 그러므로 증상이 없는 환자에서 위험도가 높은 환자를 찾아내는데 유용하다.

B-모드 초음파검사에서 관찰되는 정상 혈관의 모습은 다음과 같다.

- 혈관 내강 : 검게 보인다(anechoic).
- 내막 : 밝게 보인다(hyperechoic).
- 중막 : 어둡게 보인다(hypoechoic).
- 외막 : 가장 밝게 보인다(hyperechoic).

이 경동맥초음파 영상에서 2개의 반향성 경계면(echogenic interface)이 관찰된다.

- 저반향성의 혈관 내강-고반향성의 내막 사이
- 저반향성의 중막-고반향성의 외막 사이

이 이중선(double line)을 내막-중막 복합체(intima-media complex)라 하는데, 특히 내막과 중막 만을 합쳐서 내막-중막 두께(IMT)라고 한다

내막-중막 두께(IMT)의 평가

IMT 0.8 mm 이하 : 정상
IMT 1.0 mm 이상 : 뇌경색의 위험도 증가

IMT가 1.0 mm 이상이면 뇌경색의 위험도는 정상의 3.6배, 관상동맥질환의 위험도는 4.4배 증가하며, 추가로 0.1 mm씩 증가할 때마다 뇌경색과 관상동맥질환의 위험도는 유의하게 증가한다.

2. 경동맥 죽상경화판(carotid plaque)의 유무와 성상

죽상경화판의 파열에 의한 폐색이나 색전의 위험도, 즉 뇌경색이나 관상동맥질환의 위험도를 예측할 수 있는 중요한 지표이다.

경동맥 죽상경화판(carotid plaque)의 구별

① 혈관 내강으로 최소한 0.5 mm 이상 부분적으로 침범한 경우
② 주변의 IMT보다 50% 이상 돌출된 국소 병변
③ IMT가 국소적으로 1.5 mm 이상 두꺼워진 경우

경동맥 죽상경화판의 성상

1) 밝기(echogenecity)에 따라 구분 : 혈관 외막을 기준으로 한 상대적 밝기에 따라
   - hypoechoic : 고위험
   - echogenic
   - hyperechoic

2) 균일한 정도에 따라 구분
  - homogenous(균일한)
  - heterogenous(균일하지 않은) : 고위험

경동맥 죽상경화판의 초음파 영상이 hypoechoic하고, heterogenous할수록, 또한 표면에 궤양이나 불규칙한 경계가 보이는 경우에, 파열될 가능성이 높고 뇌경색 위험이 높은 고위험군이다.

3. 경동맥 협착의 정도

동맥이 좁아지면 혈류속도가 빨라지는데, 이 혈류속도를 측정함으로써 동맥이 얼마나 심하게 좁아져 있는지를 검사할 수 있다.

동맥협착이 50% 이하에서는 혈류속도의 변화가 관찰되지 않고, 그 이상의 협착 시에는 혈류속도가 증가 한다. 증상 없이 경동맥이 70% 이상 협착이 있을 경우, 뇌졸중이 올 가능성이 매년 10.5%씩 증가된다. 협착 정도가 10% 증가할 때마다 뇌졸중 위험도는 31%가량 증가한다.

경동맥 협착의 평가 - ICA PSV
(Internal carotid artery peak systolic velocity, 내경동맥의 수축기 최고속도)

1. ICA PSV가 125 cm/sec 이하
   → 정상
2. ICA PSV가 125 cm/sec 이하지만,
   경동맥 죽상경화판이나 혈관 내막의 비후가 확인되면
   → 경증 내경동맥협착(50% 이하의 협착)
3. ICA PSV가 125–230 cm/sec 이고,
   경동맥 죽상경화판이 확인되면
   → 중등도의 내경동맥협착(50–69% 정도의 협착)
4. ICA PSV가 230 cm/sec 이상이고,
   경동맥 죽상경화판이 확인되고,
   펄스파 도플러 초음파검사에서 내강협착(luminal narrowing)소견이 보인다면
   → 심한 내경동맥협착(70% 이상의 협착)

[경동맥 초음파 검사를 시행해야 하는 경우]

1. 50세 이상의 고령

   나이가 들어갈수록 내경동맥의 직경은 감소한다. 정상의 70%로 감소될 때까지는 내경동맥의 혈류량은 비교적 일정하게 유지되므로 환자가 인식할 수 있는 특별한 증상은 없다.

   그 이상으로 내경동맥의 직경이 감소되면 차츰 뇌혈류량도 감소한다. 그러나 전뇌혈관계의 경우 뇌혈류량이 부족해지면 측부순환이 발달해져 부족한 뇌혈류를 보충하므로 내경동맥이 완전히 막혀도 뇌졸중의 증상이 나타나지 않을 수 있다.

   그러므로 혈관 노화가 본격적으로 진행되는 50세부터는 뇌졸중 조기검진을 위한 경동맥 초음파 검사를 받는 것이 좋다.

2. 일과성 뇌 허혈발작

   혈전에 의해 뇌혈관이 막혀 일시적으로 산소공급이 중단되었다가, 혈전이 저절로 녹으면서 다시 정상으로 회복되는 상태이다. 일시적인 마비, 언어장애, 극심한 두통, 시각 장애 등 일반적인 뇌졸중의 증상이 나타난다. 수 분에서 길게는 한 시간까지도 지속되며 발작기간이 끝나면 정상으로 회복된다.

   일과성 뇌 허혈발작을 경험한 사람의 약 5%가 1주일 이내에 뇌경색이 일어나고, 뇌경색 환자의 20-40%가 발병 전에 일과성 뇌 허혈발작을 경험한다. 즉 뇌 허혈발작은 뇌경색의 전조증상이므로, 이런 증상을 경험했다면 뇌경색이 발생할 가능성이 매우 높으므로 검사를 받아야 한다.

3. 무증상 뇌경색

   뇌경색이 일어났지만 어떤 증상도 느끼지 못하는 경우이다. 혈관이 막혀 뇌 세포가 죽었지만 다행히 죽은 세포가 중요한 역할을 하지 않거나 죽은 범위가 작아서 마비와 같은 증상이 나타나지 않는다. 이 경우에도 증상을 일으킬 정도로 큰 뇌경색이 생길 가능성이 높으므로 검사를 받아야 한다.

[검사방법 및 주의사항]

1. 검사 전에 금식은 필요 없다. 양쪽 모두 검사하는데 보통 20-30분 정도 걸린다.
2. 수검자는 편안하게 침대에 반듯이 눕는다. 목을 뒤로 젖히고 검사하고자 하는 혈관의 반대방향으로 머리를 돌린다.
3. 검사자가 탐촉자로 목을 압박하므로 불편감이 있을 수 있다. 이때, 목을 과격하게 돌리거나 탐촉자로 세게 누르지 않는다. 목이 너무 두껍거나 모양이 비정상적인 경우에는 검사가 어려울 수도 있다.
4. 먼저 B-모드 검사를 시행하는데 5-12 MHz의 선형 탐촉자를 이용하여 목 좌우 각각에서 총경동맥, 내경동맥, 외경동맥의 종단면 및 횡단면을 관찰한다. INT를 측정하고, 경동맥 죽상경화판의 유무를 관찰한다.
5. 다음에 도플러검사를 시행하여 경동맥의 혈류속도와 협착정도를 관찰한다.
6. 혈관을 살짝 압박하므로 검사 후에는 대기실에서 5분 정도 휴식을 취하는 것이 좋다.

경동맥 초음파검사에서 경동맥 협착이 발견되었을 때 뇌졸중의 예방

1. 생활습관의 개선

   식이요법, 운동요법, 금연 등 생활습관 개선이 우선되어야 한다.

2. 약물치료

   아스피린 등의 항혈소판제가 사용된다. 경동맥 협착이 50% 미만일 경우에 해당되며, 협착이 심하더라도 증상이 없으면 약물치료로 호전이 가능하다.

3. 주기적 추적관찰

   경동맥 협착이 50-69% 정도인 경우에는 6개월마다 추적관찰 하여 수술의 필요성을 결정한다.

4. 스텐트 삽입 또는 수술(경동맥 내막절개술, carotid endarterectomy)이 필요한 경우

   경동맥 협착이 70% 이상일 때, 최근에 뇌졸중이 발병했을 때, 일과성 뇌 허혈증이 있을 때 시행한다. 최근에는 경동맥 협착이 50%에서 69% 정도인 경우에도 권고되고 있다.

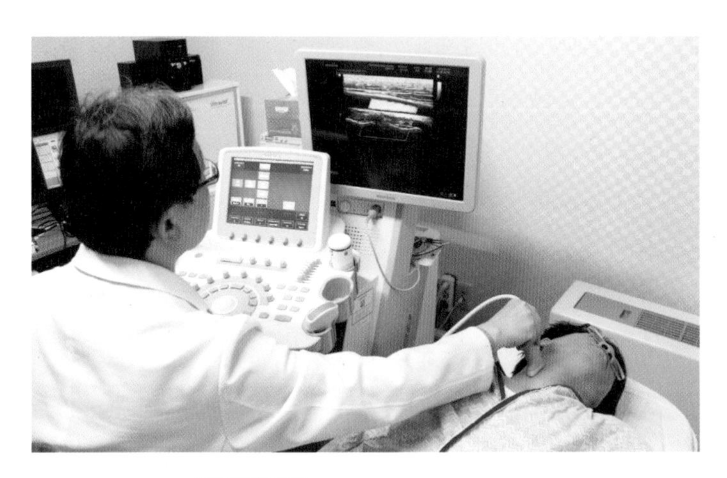

그림 4-16 경동맥 초음파검사 방법

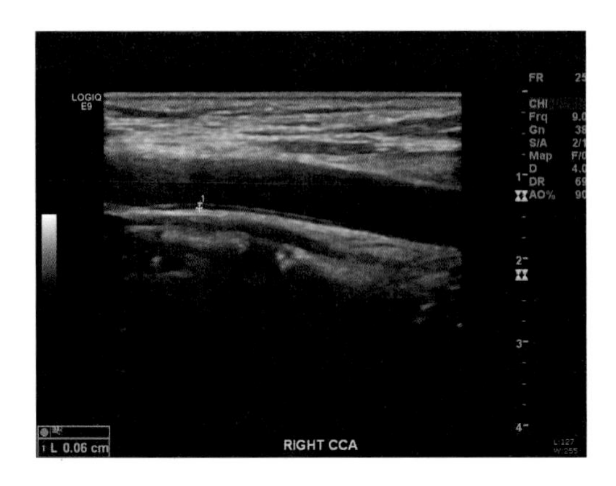

그림 4-17 정상 경동맥 초음파 영상
(우측 총경동맥의 IMT 측정)

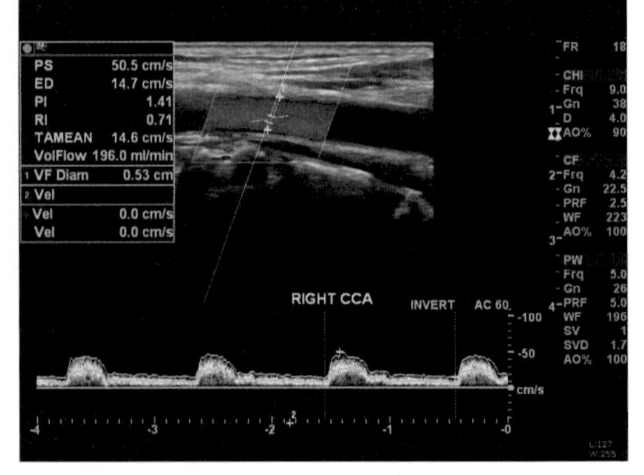

그림 4-18 정상 경동맥 초음파 영상
(우측 총경동맥의 혈류 측정)

뇌졸중(cerebro-vascular accident, CVA)

뇌졸중(腦卒中)은 크게 두 가지로 분류된다.

1. 출혈성 뇌졸중(뇌출혈) : 뇌혈관이 파열되어 뇌에 피가 고인다.
2. 허혈성 뇌졸중(뇌경색) : 뇌혈관이 막혀 뇌세포로 혈액이 공급되지 않는다.
   1) 혈전성 뇌졸중 : 뇌혈관 안에 생긴 혈전이 뇌혈류를 막아 발생한다. 혈전은 혈관 벽에 지방성분이 들어붙은 것이다.
   2) 색전성 뇌졸중 : 혈관을 타고 떠돌아다니던 색전이 뇌혈류를 막아 발생한다. 색전은 혈액 안에 생긴 찌꺼기로, 심방세동이나 심한 심부전 등에서 발생한다.

1980년대까지는 출혈성 뇌졸중이 대부분이었으나, 1990년대 이후 허혈성 뇌졸중의 비중이 크게 늘어 전체의 절반 정도를 차지하며, 앞으로 더 증가할 것으로 예상된다. 뇌졸중 환자의 75%가량이 경동맥에 문제가 있었던 것으로 밝혀졌으며, 따라서 경동맥을 검사해 뇌졸중의 발병 가능성을 미리 예측해서 적절히 치료하는 것이 중요하다. 이것을 가장 쉽고 빠르게 진단하는 방법이 경동맥 초음파검사이다.

고맙습니다. 건강검진 경동맥 초음파검사

68세이신 저희 아버지께서는 시골에서 농사를 짓고 계십니다. 고지혈증 약을 수년간 복용하고 계시고, 가끔 허리와 무릎이 아파 동네병원에 물리치료를 하러 다닌 것을 빼면 특별한 문제없이 잘 지내고 계십니다. 술은 가끔 막걸리 한두 잔 정도 하십니다. 명절 때가 되면 부모님께 매년 검진을 해드리고 있습니다. 이번에는 예년과 달리 뇌-심장혈관을 중점적으로 보는 검진을 해드렸습니다.

아버지의 검사 결과, 뇌혈관과 심장혈관에 큰 문제는 없지만 경동맥에 죽상동맥경화성 변화가 오고 있다고 했습니다. 우측 내경동맥이 1.8 mm 정도로 두꺼워져 있고, 좌측 총경동맥에 길이가 9 mm 정도 되는 죽상경화반이 있어서 혈관내부가 약 29% 정도 협착이 왔다고 합니다.

한 마디로 중풍에 걸릴 수도 있다는 말이었는데 듣고 나서 깜짝 놀랐습니다. 3년째 중풍으로 누워계신 어머니를 간호하고 있는 친구가 있는데, 제 아버지가 그렇게 될 수 있다니 끔찍했습니다.

나이가 65세 이상인 사람의 약 5-10% 정도가 경동맥 협착이 50%이면서도 증상이 없는 경우라는데, 그런 사람은 뇌졸중으로 진행되는 경우가 많다고 합니다. 비록 증상은 아직 없으시지만, 혈액검사에서 뇌-심장혈관 질환과 관련된 호모시스테인이 약간 높다며, 혈관에 찌꺼기가 더 생기지 않도록 항혈소판제 복용과 호모시스테인을 낮추는 치료를 권유해주셨습니다.

건강검진 덕분에 아버지의 뇌졸중을 조금이나마 예방해드릴 수 있게 된 것 같아서 마음이 놓입니다. 고맙습니다.

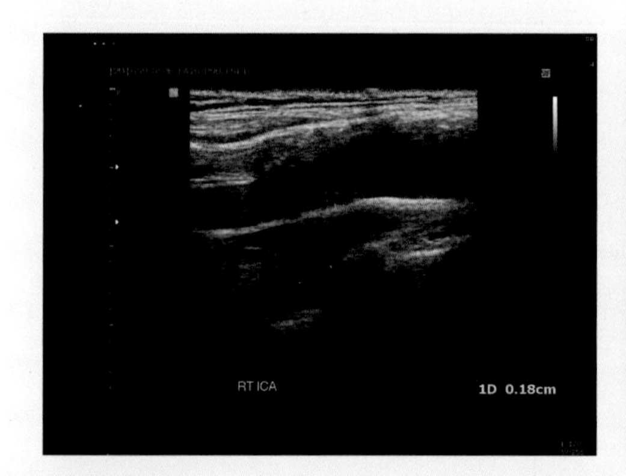

그림 4-19 경동맥 초음파 검사 - 우측 내경동맥이 두꺼워짐(1.8 mm)

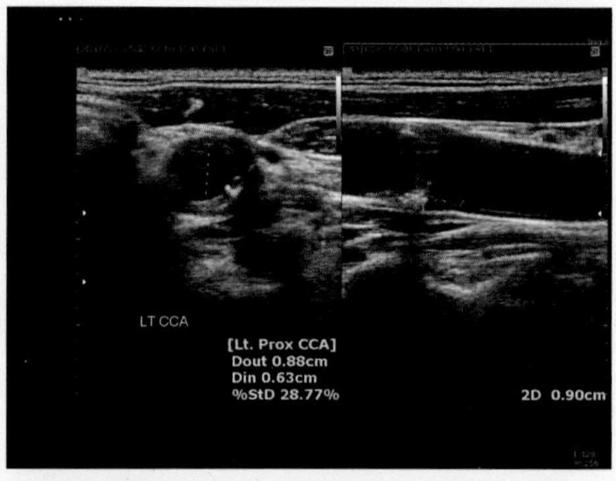

그림 4-20 경동맥 초음파 검사 - 좌측 총경동맥에 죽상경화반(9 mm)과 협착(29%)

Ⅶ. 경두개 초음파검사(Transcranial Doppler, TCD)

목표질환 : 뇌동맥의 협착 또는 폐쇄

초음파를 이용하여 두개골 안에 있는 뇌혈관의 혈류속도와 방향을 측정해서 뇌혈관의 상태를 확인하는 검사이다. 혈관이 좁아지면 혈액이 빨리 흐르는 원리를 이용하며, 뇌졸중 위험이 높은 환자를 발견하는데 도움이 되는 검사이다. 일명 "뇌혈류검사"라고도 한다. 뇌혈관의 협착이나 폐색이 있는지, 그 위치가 어디인지, 측부 순환(collateral flow)이 형성되어 있는지, 뇌혈류의 방향은 어떤지 등을 알 수 있다.

뇌혈관조영술에 비해 매우 안전하고 비침습적인 방법이며, MRA에 비해 가격이 저렴하여 경제적이다. 또한 MRA에서는 알 수 없는 뇌혈류의 방향성, 뇌색전의 검출에 대한 정보를 얻을 수 있다.

하지만 두개골 안에 있는 혈류를 검사하기 때문에 해부학적 구조에 따라 잘 안 보이는 혈관들이 있어서 혈관 상태를 완전히 파악할 수는 없으며, 뇌혈관을 직접 보면서 하는 검사가 아니기 때문에 이에 따른 착오가 있을 수 있다. 검사자간에 측정치가 약간씩 다를 수 있으며, 측두창(temporal window)이 좋지 않은 수검자는 검사에 어려움이 있을 수 있다.

고혈압, 당뇨병, 고지혈증 환자나 고령자, 뇌졸중 가족력이 있는 사람은 1-2년에 한 번 정도 경두개 초음파검사를 시행하고, 이상이 발견되면 MRA 또는 뇌혈관조영술등의 정밀검진을 해야 한다.

경두개 초음파검사의 이용

1. 뇌혈관 질환의 선별검사
   뇌혈관의 협착 여부와 그 정도를 측정함으로써, MRA나 뇌혈관조영술과 같은 정밀검사가 필요한지 여부를 판단하는데 도움이 된다.
2. 혈관연축의 여부
   혈관연축은 뇌동맥류의 파열에 의해 발생하는 지주막하출혈의 합병증으로, 중대뇌동맥의 혈류속도를 측정하는 것이 가장 유용한 데 침습적인 뇌혈관조영술을 하지 않고도 경두개 초음파검사로 발견할 수 있다.
3. 편두통 환자의 진단 및 치료에 대한 반응 확인
   편두통 환자는 경두개 초음파검사에서 평균혈류속도가 상승되어 있다. 약물투여로 편두통 발작의 빈도와 심한 정도가 호전되면 평균혈류속도도 비례해서 감소한다.

4. 파킨슨병의 진단에 유용
   중뇌의 흑질(substantia nigra)에서 반향성이 증가(hyperechogenicity)되는 소견을 보인다.
5. 기타 실신이나 두통환자에서 그 원인과 정도의 평가를 위해 시행한다.

[검사방법 및 주의사항]

1. 수검자를 의자에 앉히고 고개를 약간 숙이게 한다. 수검자의 목 뒤쪽에 초음파 탐촉자를 접촉하여 뇌저동맥, 추골동맥을 관찰한다.
2. 수검자를 옆으로 눕게 하고 초음파 탐촉자를 수검자 귀의 약간 앞쪽 위에 위치한 관자놀이 부위에 접촉한다. 이 부위는 측두창(temporal window)으로 이곳을 통해서 전대뇌동맥, 중대뇌동맥, 후대뇌동맥을 관찰할 수 있다. 측두창을 쉽게 통과하는 2 MHz의 저주파 초음파를 사용한다.
3. 탐촉자를 약간 전상방으로 기울이고 초음파 깊이를 54-56 mm로 하면, 중대뇌동맥의 근위부(MCA M1 분절)의 혈류를 찾을 수 있다. 초음파의 각도와 깊이를 조절하여 나머지 뇌혈관을 찾는다.
4. 검사가 완료되기 전에는 탐촉자를 검사부위에서 떼지 않도록 하고, 한쪽 측두창만으로 검사가 용이하지 않을 때는 반대측 측두창으로부터 중앙선을 넘어서 반대측 뇌혈관을 검사한다.
5. 검사를 하는 동안 탐촉자가 움직이게 되면 부정확한 검사결과가 나올 수 있으므로, 수검자가 말을 하거나 머리를 움직이지 않아야 한다.
6. 이 검사에 연관된 어떠한 불편감도 없다는 것을 확신시킨다.
7. 적어도 검사 30분 전부터 흡연을 삼가도록 한다.

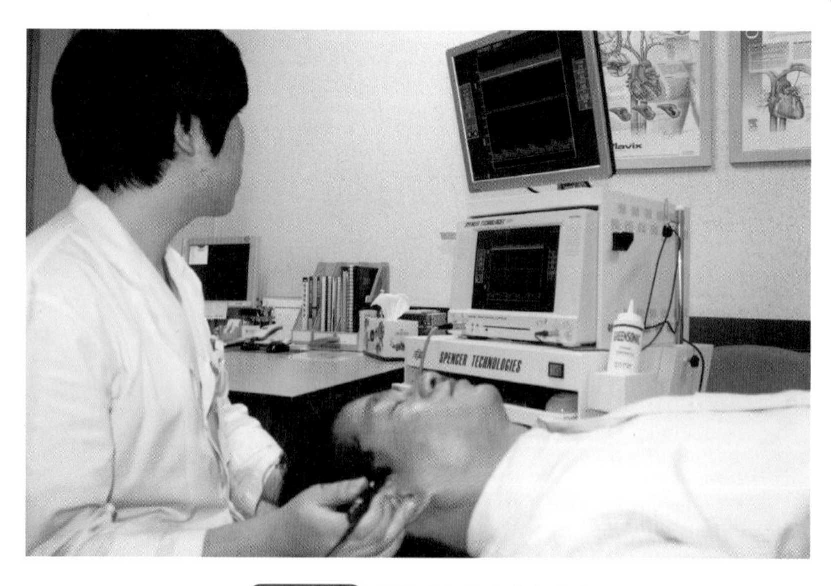

그림 4-21 경두개 초음파검사 방법

뇌동맥 협착

인간의 뇌는 혈류량을 일정한 수준으로 공급하는 자동조절기능을 갖고 있어서, 어느 정도 뇌동맥의 협착이 있으면 병변 부위보다 원위부의 혈관이 보상성으로 확장되어 뇌혈류량을 일정하게 유지시킨다.

그러나 협착이 만성적으로 진행되면 보상성으로 확장된 혈관이 최고 수준으로 확장된 이후에는 뇌혈류량이 떨어지게 된다. 협착이 더 심해지면서 측부순환이 부족해지거나 협착된 뇌동맥에서 미세색전(microembolism)이 발생하면 뇌허혈이나 뇌경색이 발생할 수도 있다.

뇌동맥 협착의 치료

뇌동맥의 협착이 있는 경우 뇌경색 발생 위험이 매년 증가하므로 가능한 빨리 치료를 시작하는 것이 좋다.

1. 항응고제나 항혈소판제
   미세색전이 발생하는 것을 방지하기 위해 사용한다.
2. 혈관내 치료(풍선 혈관확장술 또는 스텐트 삽입술)
   뇌동맥에 50-70% 이상의 협착이 있으면서, 과거에 일과성 뇌허혈 발작이 있었거나 현재 신경학적 증상이 있는 경우에 시행한다. 치료 시기는 증상 발현 후 2주 이내에 시행하는 것이 가장 효과적이지만, 뇌동맥 협착의 경우 매우 빠른 뇌졸중 재발과 진행을 보이고 있어 증상 후 가능한 빨리 시행하는 것이 좋다.

고맙습니다. 건강검진 경두개 초음파검사

저는 44세 남자입니다. 바쁘다는 이유로 검진을 해볼 여유가 없이 지내왔습니다. 친구가 명절 무렵에 교통사고로 입원해서 병문안 하러 갔다가, 병원에서 주최하는 음악회를 구경하게 되었습니다. 행사 끝 무렵에 여러 기지 다양한 행운권 추첨이 있었는데, 운이 좋았던지 건강검진권을 상품으로 받았습니다. 경두개 초음파검사라는 다소 생소한 검진권 이었습니다.

평소에 특별한 증상 없이 잘 지내고 있었고, 고혈압이나 당뇨병도 없었습니다. 약 20년 동안 하루 1-2갑 정도 흡연, 그리고 거의 매일 조금씩이라도 음주를 했습니다. 아버지는 당뇨병이 있으시고, 어머니는 고혈압이 있으셨습니다. 항상 일 때문에 스트레스가 많았던 것 같습니다.

시간을 내서 검사를 받았습니다. 경두개 초음파검사에서 우측 중대뇌동맥의 혈류속도가 매우 증가된 것으로 보아 뇌동맥의 협착이 의심된다며 뇌 정밀검사를 권유받았습니다. 뇌 정밀검사에서도 같은 소견이 보이고, 혈액검사에서 고지혈증과 당뇨병까지 발견되어 뇌수술(풍선 혈관확장술)을 받게 되었습니다.

우연한 기회였지만 뇌졸중을 예방할 수 있게 되어 고맙습니다.

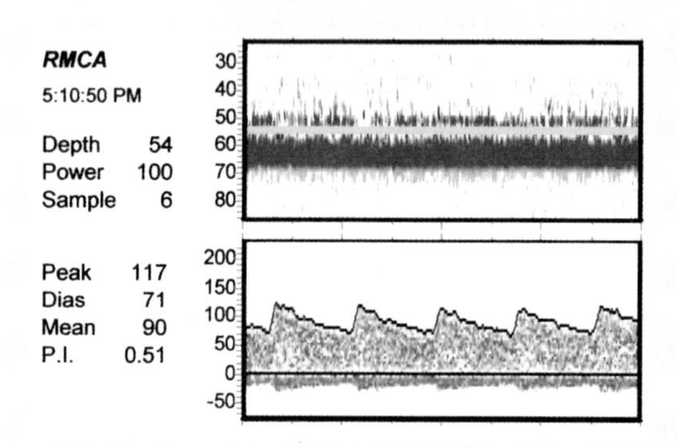

그림 4-22 경두개 초음파검사 - 우측 중대뇌동맥의 혈류속도 증가

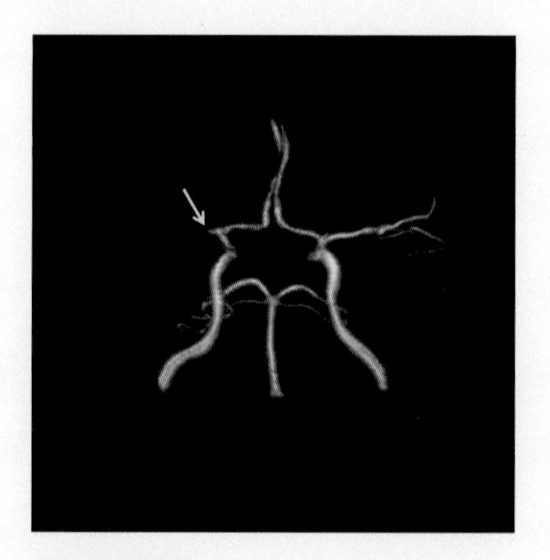

그림 4-23 MRA - 우측 중대뇌동맥의 심한 협착

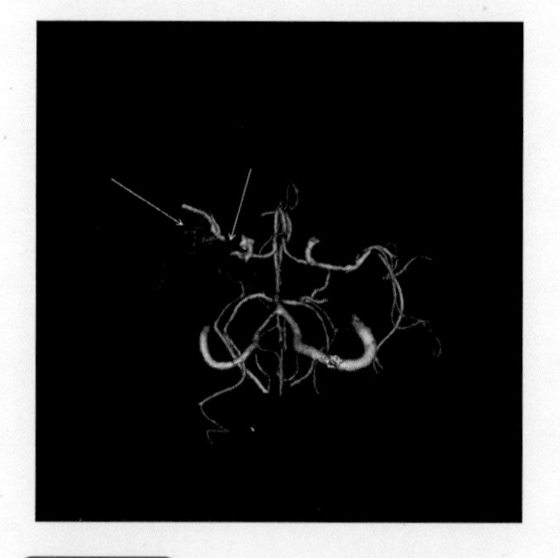

그림 4-24 뇌MDCT - 우측 중대뇌동맥의 심한 협착과 측부 순환이 발달되어 보인다.

Ⅷ. 심장초음파검사(Echocardiography)

목표질환 : 허혈성 심장질환, 심근증, 심장판막질환, 심낭질환, 심장종양, 감염성 심내막염

주변질환 : 좌심실 이완기능 장애

초음파를 이용하여 심장판막의 움직임, 심방 및 심실의 크기와 상태, 혈류의 움직이는 방향과 속도 등 심장의 형태나 운동을 영상으로 나타내 진단하는 검사이다. 복부초음파는 주로 정지되어있는 장기(간, 담낭, 신장, 췌장 등)를 보는 데는 좋지만, 활발히 움직이는 심장의 기능을 파악하기는 어렵다. 그래서 심장만을 검사하는 해상도와 성능이 특수한 초음파기기가 따로 필요하게 되었다.

1. 심장의 구조

사람의 심장은 4개의 방으로 되어 있다. 2개의 심방(우심방, 좌심방)은 혈액을 심실로 보내기 전에 잠시 대기하는 곳이며, 2개의 심실(우심실, 좌심실)은 각각 폐와 전신으로 혈액을 내보내는 펌프 역할을 한다.

또한 심장에는 4개의 판막이 있어서 심장의 혈액이 역류되지 못하도록 하는 역할을 한다.

우심방과 우심실 사이 : 삼첨판(tricuspid valve)

우심실과 폐동맥 사이 : 폐동맥판(pulmonary valve)

좌심방과 좌심실 사이 : 승모판(mitral valve)

좌심실과 대동맥 사이 : 대동맥판막(aortic valve)

승모판은 두 개의 작은 판엽(leaflet)으로 구성되어 있고, 나머지 세 군데의 판막은 세 개의 작은 판엽으로 구성되어 있다.

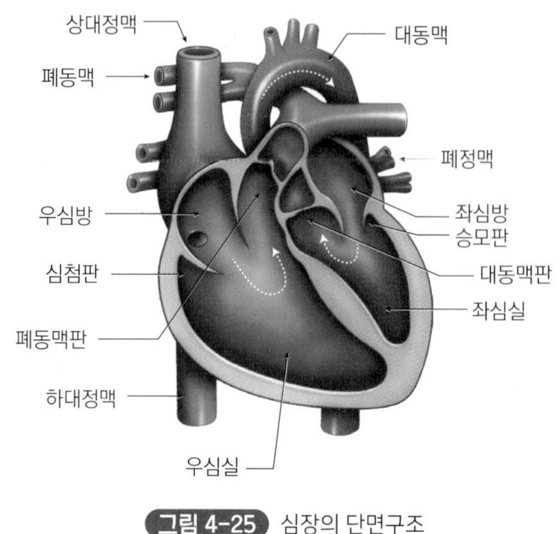

그림 4-25 심장의 단면구조

2. 혈액순환의 경로

전신에서 돌아온 산소가 부족한 혈액(정맥혈)은 대정맥을 통해 심장의 우심방으로 들어와 우심실을 거쳐 폐동맥을 통해 양쪽 폐로 운반된다. 폐 모세혈관을 지나면서 이산화탄소를 배출하고 산소를 공급받아 동맥혈이 되어 폐정맥을 통해 심장의 좌심방으로 들어온다. 좌심실을 지나 대동맥을 통해 전신의 동맥으로 운반되어 각 조직에 산소를 공급해준다.

1) 심장초음파검사의 목표질환

심장초음파검사는 다음의 질환들을 진단하는 데는 도움이 된다. 하지만 초음파는 공기, 지방, 뼈 등은 잘 투과하지 못하므로 비만환자나 폐질환이 있는 환자는 좋은 심장영상을 얻을 수 없다.

(1) 허혈성 심장질환(ischemic heart disease)

심근허혈을 조기에 진단하는데 매우 큰 도움이 될 수 있다. 심근허혈이 있을 경우 허혈부위의 심장근육이 잘 수축하지 않게 되는데, 심장초음파검사는 이런 심장 벽의 운동장애를 파악할 수 있다.

관상동맥은 두께가 3 mm 정도밖에 되지 않아 심장초음파검사로 관상동맥 자체를 잘 볼 수는 없지만, 운동이상을 보이는 심근의 영역에 따라 심근허혈의 원인이 된 관상동맥을 비교적 정확하게 예측할 수 있다.

다만 심장초음파검사상의 심장 벽의 운동이상만으로는 급성 심근경색과 오래된 심근경색을 감별할 수 없고, 심근경색과 일시적인 심근허혈의 감별에도 어려움이 있다.

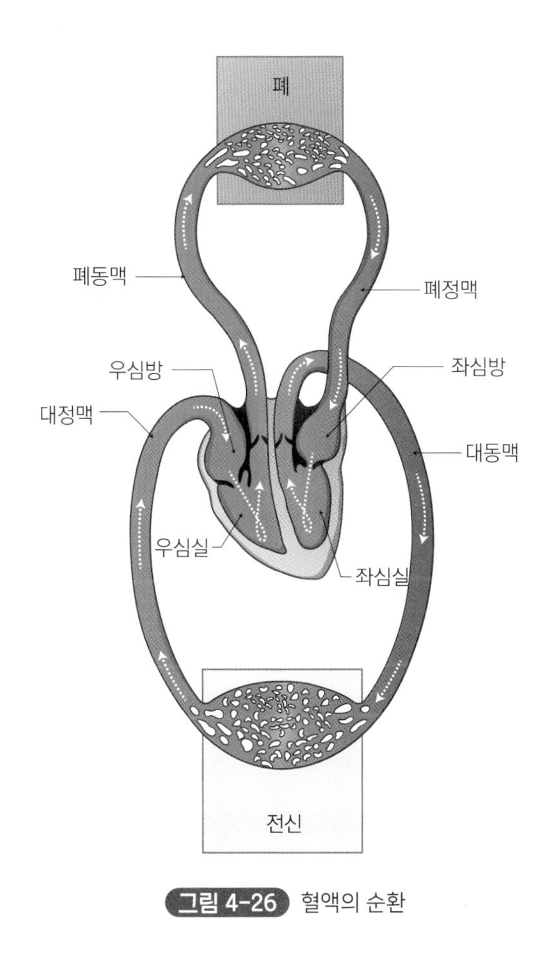

그림 4-26 혈액의 순환

(2) 심근증(cardiomyopathy)

① 비후성 심근증(hypertrophic cardiomyopathy)

심실중격이 비후되어 수축기에 좌심실 유출로가 폐쇄된다. 원발성 질환이 없이 심근의 비후가 발생한다.

② 제한성 심근증(restrictive cardiomyopathy)

질환의 초기에 주로 이완기능의 장애로 인한 우심부전 증상을 나타낸다.

③ 확장성 심근증(dilated cardiomyopathy)

심방과 심실이 모두 커져 둥근 구형의 심장 모습을 보이고, 심실의 수축력이 저하되어 구혈율이 감소한다. 심벽의 두께는 정상이거나 얇아지고, 승모판 유입혈류나 대동맥판 유출혈류 등이 모두 감소된다.

(3) 심장 판막질환(valvular heart disease)

① 승모판 협착증 : 드물게 선천적인 경우도 있으나, 대부분 류마티성 심장질환이 원인이다.

② 대동맥판 협착증
③ 승모판 폐쇄부전증
④ 대동맥판 폐쇄부전증
⑤ 삼첨판 폐쇄부전증 등

(4) 심낭질환 : 심낭삼출, 심낭염 등
(5) 심장종양
(6) 감염성 심내막염(infectious endocarditis)

3. 심장초음파검사의 방법

심장초음파검사는 기본적으로 다음 3가지로 구성되어 있다.

- 이면성 심장초음파
- M-형 심장초음파
- 도플러 심장초음파

그 외에 특별한 경우에 다음과 같은 검사를 시행하는 경우도 있다.

- 부하 심장초음파검사
- 경식도 심장초음파검사
- 조영 심장초음파검사

1) 이면성 심장초음파(two-dimensional echocardiography)

B형 심장초음파검사(Brightness-mode echocardiography)라고도 한다. 심장에서 반사되는 초음파의 강도를 밝기(brightness)로 이면성 평면 영상으로 나타낸다. 심방과 심실, 대동맥과 폐동맥의 크기와 기능, 승모판륜을 포함한 판막의 형태학적인 평가를 할 수 있다.

2) M형 심장초음파(Motion-mode echocardiography)

B형 심장초음파검사의 밝기 정도를 시간의 변화에 따른 움직임(motion)으로 나타낸다. 파도 모양의 영상으로 나타난다. 수축말기 및 이완말기 좌심실 내경, 이완말기 심실중격과 좌심실 후벽의 두께, 대동맥 직경 및 좌심방 크기 등을 측정하는 데 사용된다.

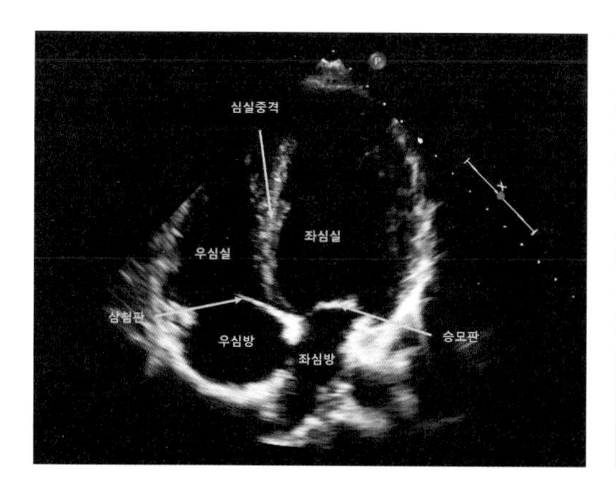

그림 4-27 이면성 심장초음파검사 - 심장의 단면구조 측정

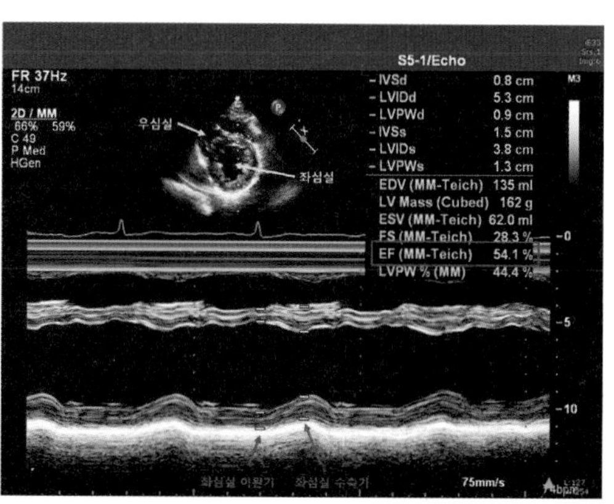

그림 4-28 M형 심장초음파검사 - 심실벽의 두께 측정

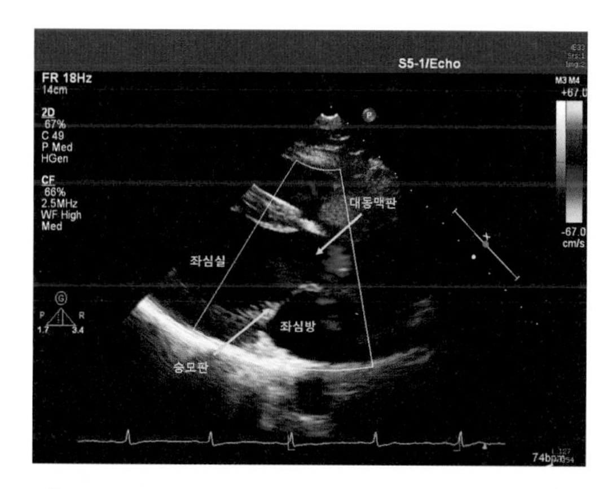

그림 4-29 도플러 심장초음파검사 - 승모판과 대동맥판의 혈류 측정

3) 도플러 심장초음파(Doppler echocardiography)

"도플러 효과(Doppler effect)"란 움직이는 물체에 초음파를 발사하면 물체의 이동방향과 속도에 따라서 반사되는 초음파의 주파수가 변하는 현상이다. 이를 응용하여, 심장 내 혈액의 혈구들에게 초음파를 발사하여 돌아오는 주파수의 변화를 측정하여 혈류의 방향과 속도를 기록한 것이다. 이때 혈류의 방향과 속도를 색깔로 나타내어 볼 수 있는데, 보통 탐촉자에 가까워질 때 붉은색, 멀어질 때 푸른색으로 표시한다. 심박출량, 혈류량, 판막의 면적 및 심장 내 압력 등을 측정할 수 있다.

4) 부하(스트레스) 심장초음파검사(stress echocardiography)

허혈성 심장질환을 가지고 있는 사람도 안정 상태에서는 심장의 기능이 정상으로 나타나는 경우가 많다. 수검자에게 운동을 시키거나 약물을 주입하여 심장에 스트레스를 줌으로써 인위적으로 심근허혈을 유발하여 협심증과 같은 허혈성 심장질환을 진단하는 검사이다.

심근허혈을 유발하기 때문에 위험성이 있을 수 있는 검사이다. 그러나 혈압측정, 심전도 모니터링과 표준화된 검사방법과 순서에 따라 시행하면 비교적 안전하게 시행할 수 있다.

5) 경식도 심장초음파검사(trans-esophageal echocardiography, TEE)

식도와 심장은 바로 인접해 있으므로 위내시경 검사와 비슷한 방법으로 초음파 탐촉자가 달린 작은 관을 식도에 삽입하여 식도 속에서 심장을 관찰하는 검사이다. 비만환자나 폐질환이 있는 환자처럼 일반적인 심장초음파검사에서 좋은 심장영상을 얻기가 어려운 경우, 또는 더 자세한 영상 정보가 필요한 경우에 시행한다. 좌심방 혈전, 대동맥질환, 판막질환과 감염성 심내막염의 진단에 매우 유용하다.

6) 조영 심장초음파검사(contrast echocardiography)

관상동맥에 질병이 있을 때에는 심장근육에 공급되는 혈류량이 감소한다. 일반 심장초음파검사를 시행하면서 특수하게 제작된 조영제(미세기포)를 혈관에 주사하여 이 조영제가 심장근육에 흡수되면 심장근육의 혈류공급 상태를 초음파로 평가하는 검사이다. 관상동맥 질환으로 인한 심근허혈의 평가, 좌심실의 심내막경계 확인, 난원공개존의 확인에 매우 유용하다.

[심장의 구조와 기능의 평가]

- 심실내강 및 심벽의 평가
- 좌심실 용적의 측정
- 좌심실 수축기 기능의 평가
- 좌심실 이완기 기능의 평가
- 심근질량(myocardial mass)의 평가
- 심실벽 운동의 평가

1. 심실내강 및 심벽의 평가

   주로 M-형 검사법이나 이면성 검사법을 이용한다. 심실내강의 크기나 심벽의 두께는 심장박동주기에 따라 달라지므로, 수축기 및 이완기 때 심실내강의 크기와 심벽의 두께를 측정하여, 심실내강의 확장여부와 심근의 비후유무 등을 관찰한다.

2. 좌심실 용적의 측정

   이면성 초음파검사를 이용한다. 좌심실 용적은 심장기능의 평가 및 다양한 심장질환의 예후지표로서 중요한 역할을 하므로 정확한 측정이 필요하다.

3. 좌심실 수축기 기능의 평가

이면성 검사법을 이용한다. 이완기후용적과 수축기후용적을 구하고 이 두 용적의 차이를 이용해 좌심실 구혈률(ejection fraction, EF)을 계산한다. 대부분의 심장질환에서 좌심실의 수축기 기능을 평가하는데 유용하며, 심장초음파검사의 가장 중요한 지표이다.

구혈률이 저하되어 있으면 좌심실의 수축기 기능이 저하되어 있음을 의미하고, 적절한 심박출량의 증가가 동반되지 않기 때문에 운동시 호흡곤란을 초래하는 수축기 심부전이 발생할 수 있다. 좌심실 구혈률의 정상은 45% 이상이다.

4. 좌심실 이완기 기능의 평가

도플러 검사법을 이용하며, 승모판막 유입혈류(mitral inflow)를 측정하면 좌심실의 이완기 기능을 평가할 수 있다.

좌심실의 수축기 기능이 저하된 환자들이 모두 안정 상태에서 호흡곤란까지 초래하지는 않는다. 또, 좌심실의 수축기 기능이 정상임에도 불구하고 심부전에 의한 호흡곤란이 나타날 수 있는데, 이를 좌심실의 이완기 기능의 장애에 의한 이완기 심부전이라고 한다. 이 같은 현상은 주로 수축기 기능장애보다 선행되는 것으로 알려져 있고, 특히 노년층 심부전의 중요원인이기도 하다.

승모판막 유입혈류를 통해 2가지 비율을 산출해서 좌심실 이완기압 상승여부를 판단할 수 있다. 초기 좌심실이완에 따른 유입혈류의 최고속도(E)와 후기 좌심방수축에 따른 유입혈류의 최고속도(A)를 측정해서 E/A 비율을 측정한다. 젊은 성인에서 좌심실의 이완기능의 정상 E/A비율은 0.75 이상이다.

초기 좌심실이완에 따른 유입혈류의 최고속도(E)와 초기 좌심실이완에 따른 승모판막륜 운동속도(E,)를 측정해서 E/E′ 비율을 측정하는데 이것은 좌심실 충만압을 잘 반영한다.

이 지표를 이용하여 좌심실의 이완기능 장애(diastolic dysfunction)를 분류한다.

1) 정상 이완기능

E/A비율이 0.75-1.5정도이고, E/E′비율이 8이하 이다.

정상적으로 연령이 증가함에 따라 심근의 이완이 늦어지고 심근벽의 두께가 증가한다.

연령이 증가함에 따라 E/A 비율이 줄어든다.

2) 경도 이완기능장애(grade 1)

"이완 이상(relaxation abnormality)" 이라고 한다.

E/A 비율이 0.75 미만이고, E/E′ 비율이 9-14 정도이다.

좌심실의 이완기능에 장애가 발생하여 초기급속충만이 감소되었지만, 후기확장기의 좌심방수축이 증가되어 좌심실의 이완기말 압력은 정상인 상태이다. 이러한 이완기능장애는 고령자, 고혈압, 관상동맥질환, 비후성 심근증 등 다양한 질환에서 나타나게 되는데 많은 경우 안정시의 좌심실이완기압은 정상이어서 안정시 호흡곤란을 일으키지는 않으나, 운동시 호흡곤란을 초래할 수 있다.

3) 중등도 이완기능장애(grade 2)

"가성 정상화(pseudonormalization)" 라고 한다.

E/A 비율이 0.75-1.5정도이고, E/E′ 비율이 15 이상이다.

이완기 기능장애가 더 심해지면 이를 보상하기 위해 좌심방 압력이 증가하여 초기급속충만을 개선시킨다. 이로써 승모판막 유입혈류가 정상과 유사한 모양을 나타내지만, 실제로는 상당히 진행한 이완기장애를 의미하므로 호흡곤란의 원인을 감별하고 치료하는데 중요한 의미가 있다. 이완이상과 제한적 소견의 중간과정으로 생각되고 있다.

4) 중증 이완기능장애(grade 3)

"가역적 제한적 소견[restrictive physiology(reversible)]" 라고 한다.

E/A 비율이 1.5 이상이고, E/E′ 비율이 15 이상이다.

이완기 기능장애가 더 심해지면 좌심실 압력이 급격히 상승하여 좌심방에서 좌심실로의 혈류가 조기에 차단되므로, 좌심실 충만이 초기이완기에만 일어나고 다른 시기에서는 좌심실 충만이 거의 이루어지지 않는 경우를 말한다.

5) 중증 이완 기능장애(grade 4)

"불가역적 제한적 소견(restrictive physiology(irreversible))" 라고 한다.

E/A 비율이 1.5 이상이고, E/E′ 비율이 15 이상이다.

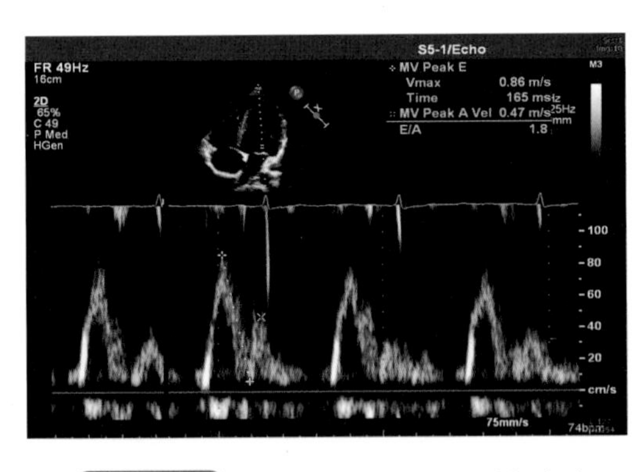

그림 4-30 심장초음파검사 - E/A 비율 측정

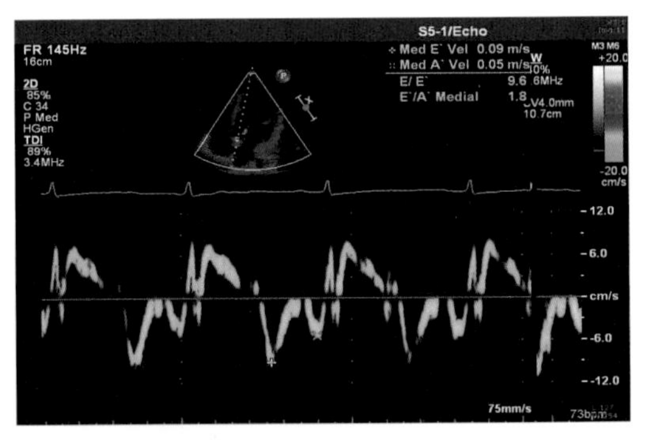

그림 4-31 심장초음파검사 - E/E′ 비율 측정

5. 심근질량(myocardial mass)의 평가

M-형 초음파나 이면성 초음파를 이용해서, 심장질환의 예후와 연관이 있다고 알려진 심근 질량을 계산하면 심실비후를 측정할 수 있다.

6. 심실벽 운동의 평가

이면성 검사법을 이용해서, 심실벽의 운동을 평가하고, 심실벽의 운동장애가 관찰되면 허혈성 심장질환을 예측할 수 있다.

[검사방법 및 주의사항]

1. 검사 전에 특별한 처치가 필요 없고, 복부초음파검사와 달리 금식을 할 필요가 없다.
2. 통증이나 위험이 없으므로 수검자는 편하게 누워 있으면 된다.
3. 상의를 벗은 상태에서 가슴에 심전도 전극을 부착한다.
4. 수검자를 왼쪽 옆으로 누이고, 초음파용 젤리를 탐촉자에 바른 후에 검사를 시작한다.
5. 초음파용 젤리 때문에 차가운 느낌이 들 수 있으므로 미리 설명을 한다.
6. 탐촉자를 피부와 완전히 밀착시킨 후 검사부위를 문지르면서 검사를 시행한다.
7. 검사는 이면성 초음파, M-형 초음파, 도플러 초음파를 사용하여 심장의 구조와 기능을 관찰한다.
8. 좋은 영상을 얻기 위해 검사 중 잠시 숨을 들여 마신 후 참아야 할 때도 있다.
9. 검사 도중 환자가 느끼는 불편감은 거의 없다.

고맙습니다. 건강검진 심장초음파검사

저는 42세 남자입니다. 결혼 10주년을 맞이하여 아내와 함께 종합검진을 받기로 했습니다. 항상 고생만 시켜서 미안했는데, 근사한 외식보다는 종합검진이 더 의미가 있을 것 같았습니다. 아내도 흔쾌히 수락했습니다. 저는 별다른 질병은 없었고, 하루 1갑 정도의 흡연을 하고 있습니다.

검사결과 심장초음파검사에서 승모판 협착증이 있다는 진단을 받았습니다. 주로 10대 무렵에 인후염을 앓고 난 몇 주 후에 류마티스 열이 발생된 경우, 일부 환자에게서 승모판에 염증이 생겨 판막이 굳어지고 좁아지는 질병이라고 합니다.

승모판 구면적(mitral valve orifice area)의 정상이 4-6 cm^2 이고, 그 면적이 약 2 cm^2이하로 될 때까지는 별 증상이 나타나지 않다가, 점차 작아져 1.0 cm^2정도까지 작아지면 호흡곤란이나 심방세동에 의한 뇌경색이 올 수 있어서 판막수술을 해야 한다고 합니다.

저의 경우는 2.46 cm^2 정도이고 지금은 증상이 없으므로, 특별한 약물치료는 필요 없지만 심장의 부담을 줄여 주기 위하여 과격한 육체적인 활동을 피하라고 하셨습니다. 저염식을 권하셔서 평소 짜게 먹던 식습관도 바꾸고, 치과 치료나 특정 수술을 받을 때 세균이 혈액에 들어가 감염성 심내막염을 일으킬 수 있으므로 예방적 항생제를 복용해야 한다고 했습니다. 앞으로도 변화를 관찰하기 위해 주기적으로 병원을 방문하기로 했습니다.

아직 젊은 나이인데, 모르고 있었으면 큰 병이 생겼을 수도 있는 이런 심장병을 찾아준 건강검진이 감사할 따름입니다.

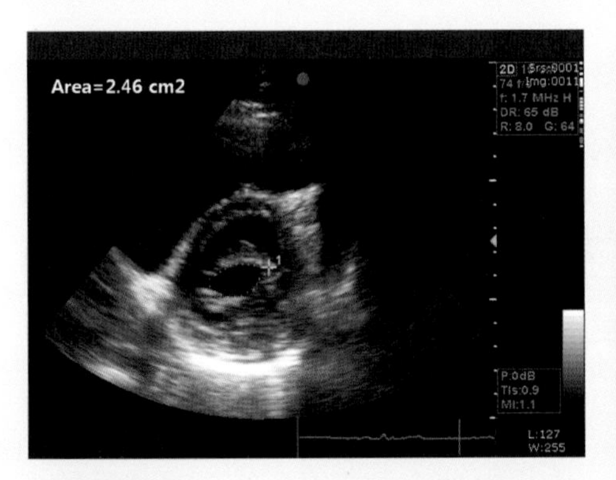

그림 4-32 이면성 심장초음파 - 류마티성 승모판 협착증

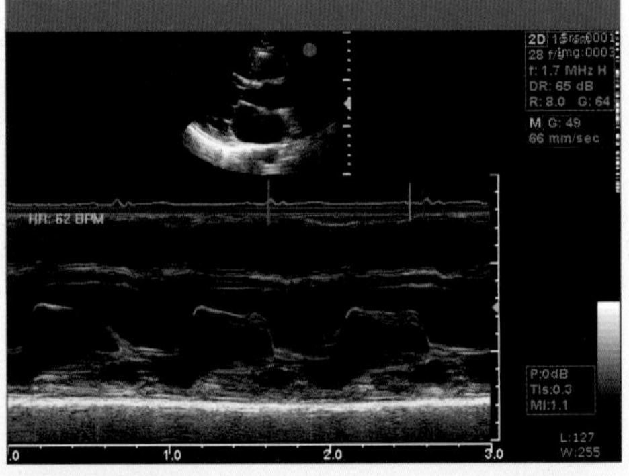

그림 4-33 M형 심장초음파 - 류마티성 승모판 협착증

06 전산화 단층촬영
Computed Tomography, CT

목표질환 : 각종 악성종양(암), 기타 형태적 변화를 보이는 질환들

CT의 촬영부위에 따른 구분과 목표질환

- 두경부 CT : 뇌종양, 경추간판탈출증
- 흉부 CT : 폐암
- 복부 CT : 간암, 담낭 및 담도암, 췌장암, 신장암 등
- 척추 CT : 요추간판탈출증
- 기타 부위

CT는 원통형 촬영기 안에 수검자를 두고 여러 각도에서 촬영을 하여 얻은 데이터를 컴퓨터로 재구성하여 마치 인체를 단면으로 자른 것처럼 보여주는 영상장치이다. 단순 X선 촬영은 3차원의 인체를 2차원의 평면으로 보여주므로 구조물들이 서로 겹쳐져 보이는 반면, CT는 인체를 가로로 자른 횡단면의 영상을 보여주므로 구조물이 서로 겹쳐지지 않아 병변을 좀 더 명확히 관찰할 수 있다. 거의 모든 장기의 종양성 질환을 진단할 수 있다. 특히 두경부, 폐, 식도, 종격동, 간, 위장관, 뼈 등의 질환을 진단하는데 유용하다.

CT의 발전

- 1970년대 후반, CT가 처음으로 보급
  영상검출기가 1개 이므로 한 장의 단층영상을 얻는데 소요되는 시간이 5-6초 정도였다.
- 1990년대 말, 4-채널 MDCT 보급
  MDCT(multi-detector computed tomography, 다중검출 컴퓨터단층촬영)의 초기 버전으로, 영상 검출기가 4개로 증가되어 1초에 8장의 단층영상을 얻을 수 있을 만큼 촬영속도가 증가 되었다. 하지만 4채널은 물론이고 16채널 MDCT도 심장 등 움직이는 장기에 대한 영상은 얻을 수 없었다.

- 2005년, 64-채널 MDCT 도입

  검사 속도가 획기적으로 빨라져 수축과 이완을 빠르게 반복하는 심장에 대해서도 훌륭한 정지 영상을 제공할 수 있게 되었고, 3차원 입체영상으로도 재구성할 수 있게 되었다.

  지난 수 십 년 동안 협심증, 심근경색 등의 허혈성 심장질환의 진단은 위험성이 있는 관상동맥 조영술(coronary angiography)에 의존해 왔으나, 64-채널 MDCT가 개발되면서 3차원 영상재 구성 방법을 통해 허혈성 심장질환의 진단 방법이 획기적으로 진화되었다. 최근에는 128-채널 MDCT가 도입되고 있다.

  64-채널 MDCT는 X선관이 0.33초에 1회전 하면서 64장의 사진을 동시에 촬영하며, 1초에 12 cm 정도를 스캔할 수 있다. 성인 남성의 경우 몸 전체를 스캔하는데 1 mm 미만의 영상 두께로 20초 이내에 가능하다. 심장의 경우에는 약 8-10초 만에 약 1 mm 정도의 작은 혈관까지 촬영이 가능하다. 또한 이것을 3차원 입체영상으로 만들어 질병을 입체적으로 진단할 수 있다.

관상동맥 MDCT(Coronary MDCT)

목표질환 : 허혈성 심장질환

관상동맥 MDCT는 MDCT 관상동맥조영술(MDCT coronary angiography)라고도 하며, 흔히 심장 MDCT 라고도 부른다. 64-채널 이상의 MDCT를 이용하여 심장의 혈관인 관상동맥을 3차원 입체 영상으로 나타내 질환의 유무를 진단하는 검사법이다.

64-채널 MDCT는 64개의 영상검출기를 가지고 있어서 기존 CT검사로는 불가능했던 움직이는 장기, 특히 심장의 관상동맥, 대장 등에 대한 영상을 얻을 수 있다. 특히 허혈성 심장질환에서 관상동맥의 협착 정도를 평가하는데 유용하며, 급성 관상동맥증후군을 유발하는 죽상동맥경화반(atherosclerotic plaque)의 특성을 비침습적으로 영상화할 수 있어서 이를 조기에 발견하고 쉽게 추적관찰 할 수 있다.

관상동맥 MDCT의 적응증

- 심장질환을 걱정하는 건강검진 수검자
- 비전형적인 흉통을 호소하는 환자
- 각종 심장검사의 결과가 애매모호한 경우
- 허혈성 심장질환이 의심되는 환자
- 관상동맥우회술을 시행한 환자, 관상동맥스텐트 시술을 한 환자

- 응급실에서 급성 관상동맥증후군이나 폐색전 및 급성 대동맥박리가 의심되는 환자 등

[검사방법 및 주의사항]

1. 불규칙한 심장박동(심방세동 등)이 있는지 확인해서 검사를 피해야 한다.
2. 수검자의 체내에 금속 삽입물이 있는지 물어봐서 검사를 피해야 한다.
3. 조영제 사용이 위험한 환자 즉 조영제 알레르기, 심부전, 신장질환(혈청 크레아티닌 2.0 mg/dL 이상)이 있는 환자는 검사를 피해야 한다.
4. 당뇨병 치료제인 메트포르민을 복용중인 수검자는 조영제를 정맥 투여할 경우 신기능장애를 일으킬 수 있으므로 검사 48시간 이전에 중지해야 하고, 검사가 끝나고 48시간 이후에 약물복용을 재개해야 한다.
5. 검사 6시간 전부터 금식한다. 조영제의 과민반응으로 오심, 구토 등의 증상이 발생할 수 있기 때문이다.
6. 검사 전에 카페인이 함유된 음식은 피해야 한다.
7. 방사선이 태아에 영향을 미칠 수 있으므로 임산부나 임신가능성이 있는 경우에는 검사를 피해야 한다.
8. 방사선 노출에 대한 정보를 제공해야 한다. 관상동맥 MDCT로 인한 방사선 피폭정도는 많지 않지만, 이를 최소화하기 위해 노력해야한다. 방사선 피폭량은 다음과 같다.
   64채널-관상동맥 MDCT : 1 mSv(밀리시버트) 이내
   유방촬영술(mammography) : 0.3-0.6 mSv 정도
   원자력발전소 방사선작업자 : 상대적으로 많이 피폭하는 종사자가 1년에 약 4 mSv
9. 다음 약물에 대해 주의를 기울여야 한다.
   1) 베타차단제에 대한 금기증이 있는지 확인해야 한다.
      수검자의 심장박동수가 분당 60-65회 이상으로 빠르면 영상이 뿌옇게 되는 등의 현상이 나타날 수 있다. 이 경우 베타차단제(경구 또는 정맥주사)를 사용해 심장박동수를 낮춰줘야 하는데, 수검자가 베타차단제에 대한 금기증(기관지 천식, 2도 이상의 방실차단 등)이 있으면 이를 피해야 한다. 베타차단제 사용이 금기인 환자는 diltiazem이나 verapamil을 사용하기도 한다.
   2) 니트로글리세린(nitroglycerin)에 대한 금기증이 있는지 확인해야 한다.
      지름이 5 mm 이하인 관상동맥을 영상화할 때 CT의 공간해상도를 좋게 하기 위해 검사 직전에 니트로글리세린을 설하투여 하거나 구강에 스프레이로 뿌려 관상동맥을 확장시킨다. 이때 수검자가 니트로글리세린에 대한 금기증이 있으면 이를 피해야 한다.
   3) 발기부전으로 비아그라를 사용하는 환자인지 확인해야 한다.
      비아그라는 검사하기 최소 48시간 이전부터 중지해야 한다.
10. 검사하는 동안 약 8-10초간 숨을 최대로 들이마신 후 호흡을 정지해야 한다.
11. 검사가 시작되면 조영제를 빠른 속도로 주입하는데, 이때 온열감이 있을 수 있으므로 놀라지 않도록 미리 설명한다.

12. 심전도를 가슴에 부착하고 검사가 진행되며, 의료진이 모니터를 통해 수검자의 혈압, 심박수의 변화 및 부정맥의 출현 유무를 주의 깊게 관찰하고 있음을 설명해준다.
13. 검사 중에 사용한 조영제가 잘 배출되도록 검사 후에는 물을 많이 마신다.
14. 검사 후 식사는 의사 처방에 따르도록 한다.
15. 검사가 끝난 후 저녁이나 야간에 조영제의 과민반응으로 인한 두드러기, 가려움, 부종 등의 부작용이 있을 수 있으므로 미리 설명하고 대비한다.

[관상동맥 MDCT의 판독방법]

1. 관상동맥의 협착정도 : % 단위로 표시한다.
2. 관상동맥경화반(atherosclerotic plaque)의 성상 : 석회화(calcified), 혼합성(mixed), 비석회화(non-calcified)로 분류한다.
3. 관상동맥의 분절별로 그 위치를 기록한다.

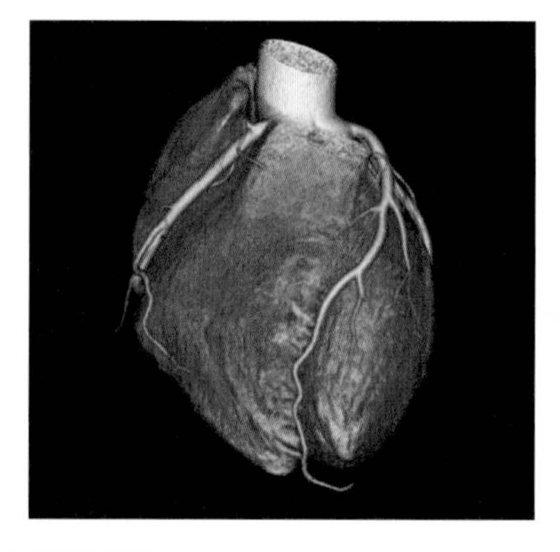

그림 4-34 관상동맥 MDCT - 심장과 관상동맥

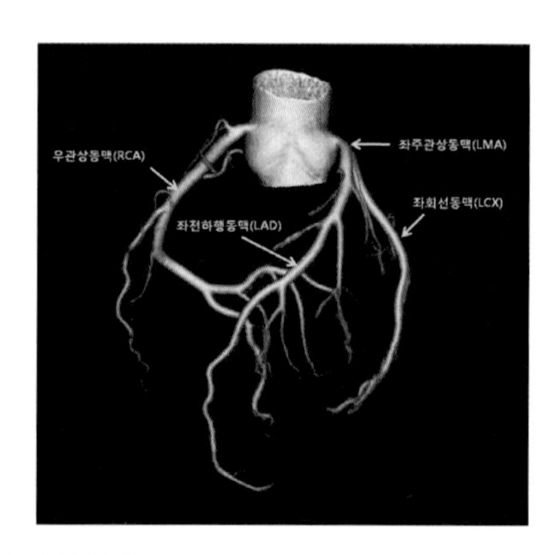

그림 4-35 관상동맥 MDCT - 관상동맥(입체)

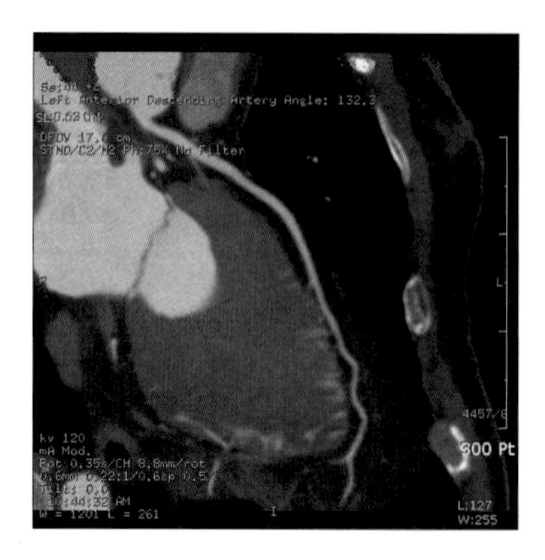

그림 4-36 관상동맥 MDCT - 관상동맥(단면)

고맙습니다. 건강검진 관상동맥 MDCT 검사

안녕하세요. 저는 56세 남자입니다. 회사에서 근무한지가 20년이 넘었고, 곧 퇴직할 나이가 되어갑니다. 회사에서 장기 근속자를 위한 종합검진을 마련해주어, 이번에는 예년에 했던 검진보다 더 많은 종류의 검사를 하게 되었습니다.

술은 거의 마시지 않고 담배도 피우지 않습니다. 5년 전부터 고혈압 치료를 받고 있으며 혈압조절은 잘 되고 있습니다. 2년 전부터 고지혈증이 생겨서 치료를 같이 하고 있습니다. 최근 들어 피로감을 느끼는 횟수가 조금씩 늘어나는 것 외에 일상생활이나 직장생활 하는 데는 별 무리 없이 지내고 있습니다. 부모님 모두 생존해 계시고, 가족 중에 심혈관질환으로 돌아가신 분은 없습니다.

검사결과 관상동맥 MDCT 검사에서 관상동맥이 매우 좁아져 있다고 했습니다. 우관상동맥과 좌회선동맥이 석회화를 동반한 경화반으로 인해 약 60% 정도가 협착되어있다고 했습니다. 지금은 증상이 없지만 심해지면 심근경색이 발병되어 생명이 위험해 질 수 있다고 했습니다. 추가로 심장에 대한 정밀검사를 해보고 필요하다면 수술을 하게 될 수도 있다고 했습니다.

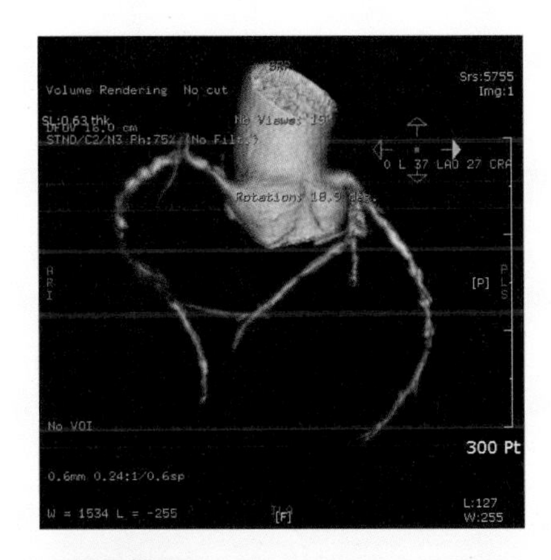

그림 4-37 관상동맥 MDCT - 우관상동맥과 좌회선동맥의 협착(입체)

의뢰해주신 대학병원에서 관상동맥조영술을 했고, 협착이 심하다는 결과가 나와서 좁아진 혈관을 넓혀주는 경피적 심혈관중재술을 받았습니다.

지금은 고혈압과 고지혈증 치료를 열심히 하고 있고, 의사선생님이 권해주신 대로 싱겁게 먹기, 매일 30분 이상 가볍게 운동하기, 규칙적으로 식사하기, 물 많이 마시기를 생활화하고 있습니다.

평소에 증상도 없이 조용히 진행되는 심장혈관질환을 조기에 찾아내서 치료하게 되어 얼마나 다행인지 모르겠습니다. 종합검진 덕분에 큰 병을 예방할 수 있어서 고맙습니다.

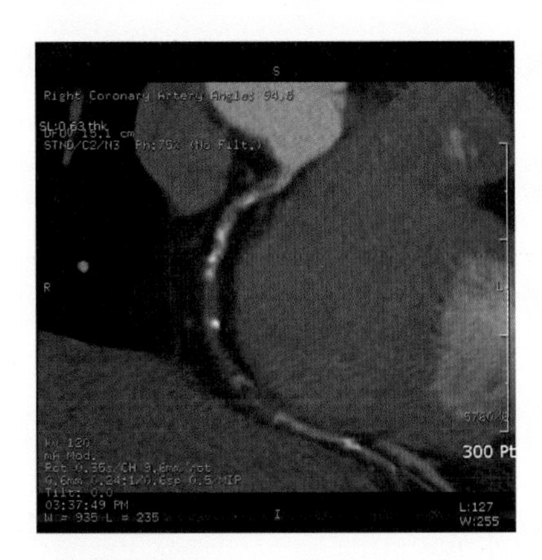

그림 4-38 관상동맥 MDCT - 우관상동맥의 협착(단면)

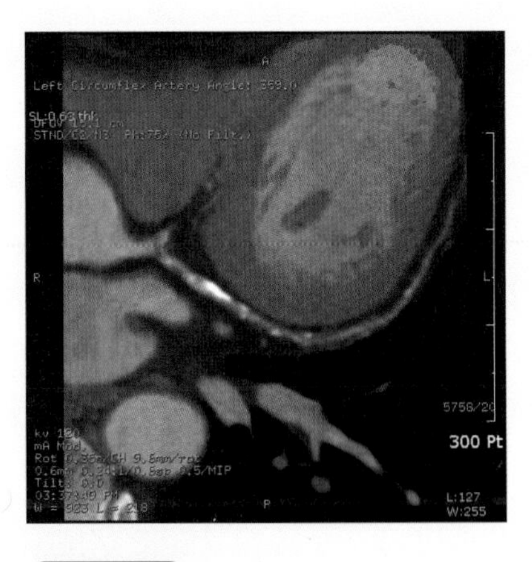

그림 4-39 관상동맥 MDCT - 좌회선동맥의 협착(단면)

07 자기공명영상
Magnetic Resonance Imaging, MRI

목표질환 : 뇌종양, 뇌경색, 뇌출혈

주변질환 : 열공경색, 뇌위축, 부비동 질환, 유양돌기염 등

조우병변 : 선천성 기형(지주막 낭종, 거대 낭종), 뇌 석회화 등

MRI는 인체 여러 부위의 진단에 이용되지만, 건강검진에서는 주로 뇌질환의 선별검사에 이용되므로 여기서는 뇌 MRI (brain MRI)를 중심으로 설명한다.

1. MRI(magnetic resonance imaging)

강력한 자기장을 발생시키는 장치 안에 수검자를 눕히고, 수소원자핵만을 공명시키는 고주파를 순간적으로 발생시켰다가 끊으면 인체내부 조직의 수소원자핵에서 신호가 나온다. 인체 조직의 종류에 따라 다르게 나오는 이 신호의 차이를 측정하여 컴퓨터를 이용해 영상으로 재구성하여 질병의 유무를 진단하는 검사가 MRI검사 이다.

1) MRI의 장점

CT와 비교하여 MRI는 다음과 같은 장점이 있다.

(1) 방사선(X-선, 감마선)을 이용하지 않고 비전리방사선인 고주파를 이용하므로 인체에는 거의 해가 없다.

(2) CT는 한번 촬영할 때 한 단면의 영상만을 얻을 수 있지만, MRI는 환자 자세의 변화 없이 시상면, 관상면 및 횡단면 등 다양한 방면의 입체적 영상이 가능하다.

(3) MRI는 CT에 비하여 수소 입자가 많은 연부조직(soft tissue)을 잘 표현해내므로 근육, 인대, 연골, 뇌실질 병변 등의 진단에 더 유용하다.

2) MRI의 적응증

(1) 뇌질환 : 뇌종양, 뇌경색, 뇌출혈 등

(2) 척추질환 : 추간판 탈출증(디스크), 척수 종양 등

(3) 근골격계질환 : 골수염, 관절 및 인대손상, 관절염 등

(4) 간 담도계 질환

(5) 비뇨생식계 질환

(6) 기타 질환

2. 뇌의 구조

사람의 뇌(brain)는 대뇌, 뇌간, 소뇌로 구성되어 있다. 그 중에서 뇌간은 간뇌, 중뇌, 뇌교, 연수로 구성되어 있고, 척수와 연결되어 있다. 각 부분의 기능은 다음과 같다.

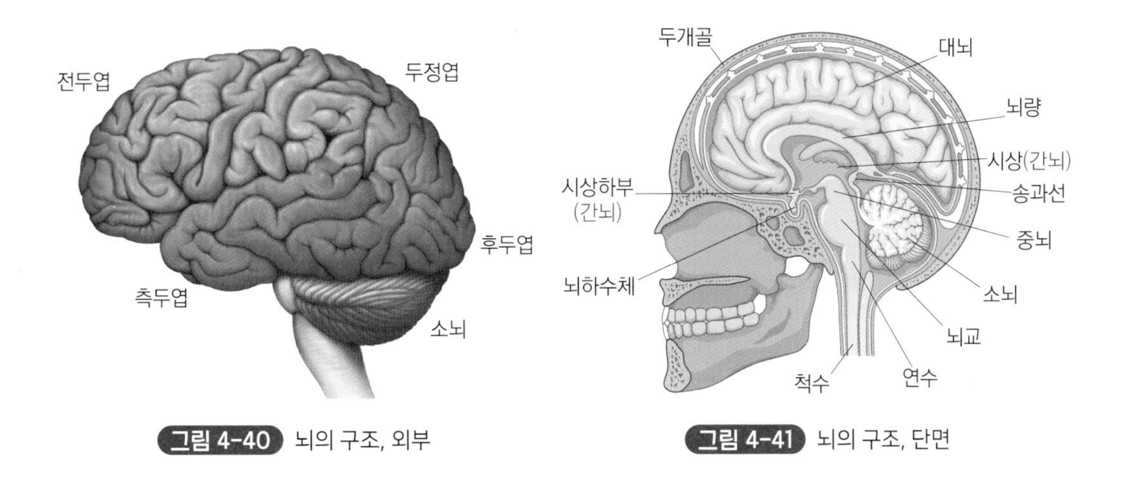

그림 4-40 뇌의 구조, 외부

그림 4-41 뇌의 구조, 단면

1) 대뇌(cerebrum)

정보의 기억, 추리, 판단과 감정, 의지 등 정신활동을 담당하며 조건반사의 중추이다. 대뇌는 좌반구와 우반구로 나뉘어져 있으며, 뇌량(corpus callosum)이 이를 서로 연결시켜 준다. 대뇌의 가장 바깥쪽 부위를 대뇌피질(cerebral cortex)이라 하며 다음의 네 부분으로 구분되어 있다.

(1) 전두엽(frontal lobe) : 운동, 생각, 말하기, 정신영역 등을 담당한다.

(2) 두정엽(parietal lobe) : 인체 각 부위의 모든 지각을 통합하는 역할을 한다.

(3) 후두엽(occipital lobe) : 시각정보를 처리한다.

(4) 측두엽(temporal lobe) : 언어 기능, 청각 처리, 장기기억과 정서를 담당한다.

2) 뇌간(brain stem)

(1) 간뇌(diencephalon, interbrain)

내상, 혈관 등에 분포하는 자율신경을 관리하고, 시상, 시상하부, 뇌하수체로 구성되어 있다.

① 시상(thalamus) : 몸 전체에서 후각 이외의 모든 감각을 전달하는 신경섬유의 중계점이다.

② 시상하부(hypothalamus) : 자율신경계나 내분비계의 중추이며, 체온이나 소화, 수면 등을 조절한다.

③ 뇌하수체(pituitary gland) : 대부분의 호르몬을 분비한다.

(2) 중뇌(mesencephalon, midbrain)

안구의 움직임, 동공의 크기 조절 등을 담당한다.

(3) 뇌교(pons)

대뇌피질에서 소뇌로 향하는 신경의 중계점이다. 소뇌와 함께 온 몸의 근육운동을 조절하고 얼굴과 눈을 움직이는 신경이 나온다.

(4) 연수(medulla oblongata)

소화, 호흡, 심장의 작용을 조절하며, 재채기, 콧물, 하품, 눈물, 구토 등 무조건반사의 중추이다.

3) 소뇌(cerebellum)

몸의 균형을 유지하고, 미세한 운동을 조절한다.

3. MRI의 물리학적 원리

인체의 75%는 물로 구성되어 있다. 물분자(H2O)는 수소원자 2개와 산소원자 1개가 결합되어 있다. 그중 수소원자는 하나의 양성자(H+)와 하나의 전자(e-)로 구성되어 있으므로, 수소의 원자핵은 단 한 개의 양성자(H+)로 구성되어 있다.

수소 원자핵(양성자, H+)은 축을 중심으로 팽이처럼 회전운동(spin)을 하면서 주위에 자기장을 형성하여 두 개의 극을 가진 작은 자석이 된다. 이들은 외부에서 자석이 접근하지 않는 한 특정한 방향성 없이 제멋대로 놓여있다. 이때 외부에서 강한 자기장을 걸어주면 여러 방향으로 제멋대로 있던 수소 원자핵들은 일정한 방향으로 정렬하게 된다.

검사하려는 부위에 특수안테나(coil)를 사용하여 고주파를 단시간에 발생시켜주면, 수소 원자핵이 에너지를 흡수하여 높은 에너지 상태로 전이되는 공명(resonance)현상이 일어난다. 그 후에 고주파를 끊으면, 수소 원자핵은 자기가 흡수했던 에너지를 방출하면서 원래의 에너지 상태로 돌아간다. 이 과정을 완화(relaxation)라 하는데 이렇게 방출된 에너지 신호를 검출하여 컴퓨터를 이용하여 영상을 얻는다.

어떤 세포에서 방출하는 자기공명신호는 세포 속의 수소 원자핵의 밀도와 연관이 있으며, 이는 또한 세포 속의 물의 양을 말해주므로 체내 물의 분포를 측정할 수 있다. 인체조직의 수분의 양은 조직의 특성에 따라 달라지므로, MRI를 이용하면 각 조직이 함유하고 있는 수소원자의 밀도 차이, 수소 원자핵을 둘러싸고 있는 화학적 환경의 차이, 그리고 수소 원자핵의 물리적 상태에 따라 각 조직들의 구별이 가능하다. 즉 조직마다 물리화학적 성질이 다르므로, T1완화와 T2완화가 다른데 이 차이를 영상화시킨 것이 MRI 이다.

1) T1 완화 : 종축 이완시간(longitudinal relaxation time)

고주파를 가한 후 원래의 축으로 돌아가는 데 걸리는 시간, 즉 외부자장에서 종축자기화의 63%에 도달할 때까지의 시간을 T1완화시간이라 한다. 고주파를 반복해서 가하는 시간 사이의 간격인 반복시간(repetition time, RT)이 짧을수록 강조되어 나타난다.

T1 완화시간이 길수록 T1 강조영상에서 검게 나타나고, 짧을수록 희게 나타난다.

2) T2 완화 : 횡축 이완시간(transverse relaxation time)

고주파를 가한 후 원래의 축과는 다른 방향으로 돌아가는 데 걸리는 시간, 즉 횡축면에서 자화가 소멸되는 시간으로, 핵의 37%가 감쇠되는데 걸리는 시간을 T2완화시간이라 한다. 반복시간이 길수록 강조되어 나타난다.

T2 완화시간이 길수록 T2 강조영상에서 희게 나타나며, 짧을수록 검게 나타난다.

MRI 영상에서 인체조직의 대비(contrast)는 통상적으로 T1 강조영상과 T2 강조영상에 따라 차이가 난다.

1) T1 강조영상(T1 weighted image)

MRI에서 T1에 의한 조직 간의 서로 다른 신호강도의 차이를 강조한 영상이다.

지방은 신호 강도가 높아 하얗게 보이고, 물은 신호 강도가 낮아 검게 보인다.

연부조직 사이의 대조가 우수해서 해부학적인 구조물을 좀 더 명확하게 구별할 수 있다.

2) T2 강조영상(T2 weighted image)

MRI에서 T2에 의한 조직 간의 서로 다른 신호강도의 차이를 강조한 영상이다.

물은 하얗게 보이고, 지방은 물보다 어둡게 보인다.

대부분의 병적인 조직은 물을 많이 함유하므로 T2강조영상에서 정상조직보다 높은 신호강도를 나타내므로, T2강조영상은 병적인 병변을 보는데 유용하다.

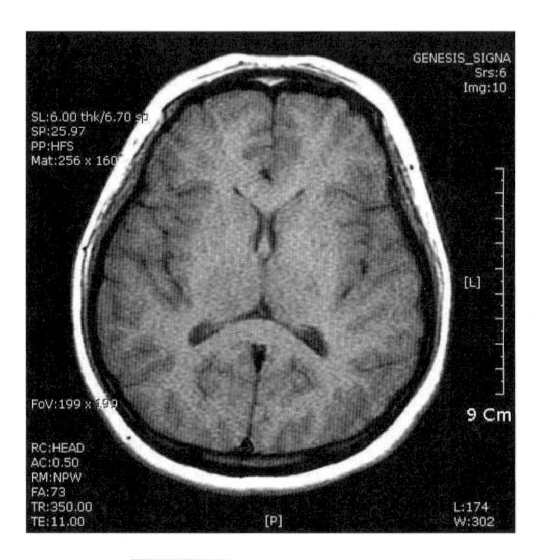

그림 4-42 MRI - T1 강조영상

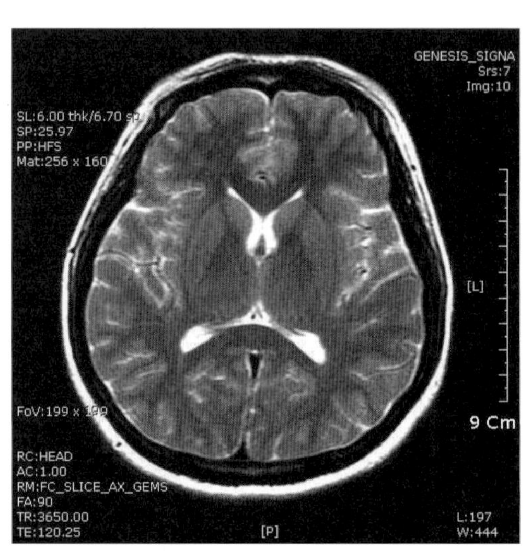

그림 4-43 MRI - T2 강조영상(수평면)

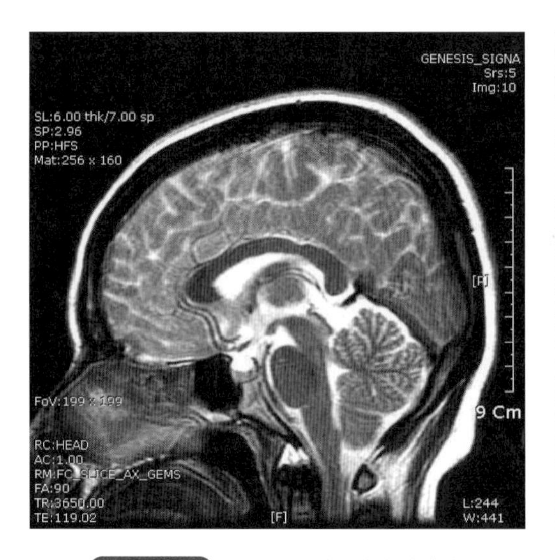

그림 4-44 MRI - T2 강조영상(시상면)

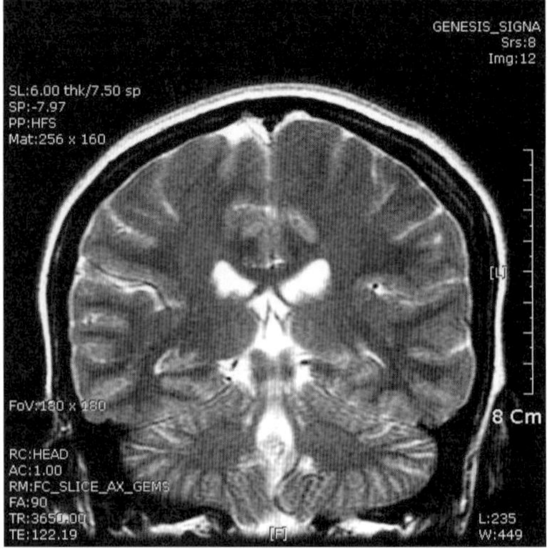

그림 4-45 MRI - T2 강조영상(관상면)

"tesla(T)"는 자석의 세기를 나타내는 단위로, MRI의 등급을 표시할 때 이용된다. MRI는 자기장을 이용하는 기계이므로 매우 강력한 자석을 필요로 한다. 그래서 자석의 세기에 따라 MRI의 등급이 정해진다. MRI는 보통 1T 이상의 자기장을 가해주게 되며, 1.5T, 3.0T 또는 그 이상의 MRI가 사용되고 있다.

참고로, 자석의 세기를 나타내는 단위로는 tesla 외에 gauss(G)가 있다. 1T 는 10,000G이다. 지구 자기장의 세기는 약 0.3-0.6G 이고, 막대자석의 세기는 10G이며, 냉장고 문 자석의 세기는 약 100G이다. 그리고 태양 흑점의 자기장의 세기는 약 2,000G이다. Tesla와 Gauss는 전자기학자의 이름이기도 하다.

뇌종양(brain tumor)

악성 뇌종양은 암세포가 아주 빠르게 자라고 주변의 뇌 조직으로 쉽게 퍼져 나가므로 빨리 진단하여 치료해야 한다. 반면 양성 뇌종양은 서서히 자라고 주요 구조물을 파괴하지 않아서 수술로 완전히 제거하면 재발하지 않는다. 그러나 뇌종양은 조직적으로 양성 종양이라도 크기가 커지면 뇌를 심하게 압박하거나 중요한 기능을 하는 부위에 위치하면 임상적으로 악성으로 생각해야하는 경우도 있다.

1. 원발성 뇌종양의 분류

1) 신경교종(glioma) : 40%, 가장 흔하다.

2) 뇌수막종(meningioma) : 20%

3) 뇌하수체 선종(pituitary adenoma) : 15%

4) 신경초종(Schwannoma) : 15%

5) 기타

2. 뇌종양의 증상

종양의 종류와 관계없이 위치와 크기에 따라 다르게 나타난다.

1) 두통, 구토 : 종양이 커지면서 뇌압이 상승되어 나타난다.

2) 팔다리의 마비 : 종양이 주위의 신경을 압박하여 발생한다.

3) 간질 발작 : 대뇌피질이 자극되어 발생한다.

4) 시력장애, 안면신경 마비 : 종양에 의해 뇌가 밀려서 발생한다.

가장 흔한 증상은 두통과 신경마비이다. 뇌종양에 의한 두통의 특징은 아침에 잠에서 깨자마자 심한 두통을 느끼고, 구토가 동반되며, 시간이 지날수록 점차 두통의 정도와 빈도가 심해진다.

3. 뇌종양의 치료

수술이 근본적 치료법이며, 방사선 치료나 항암 화학요법 등도 이용된다. 최근에는 감마 나이프도 이용되고 있으며, 그 외 실험적으로 유전자 치료, 면역요법, 광역학 치료법 등이 연구되고 있다.

4. 뇌종양의 예방

원인이 명확하지 않기 때문에 뇌종양을 예방할 수 있는 특별한 방법은 없다. 정기적인 건강검진이 중요하고, 증상이 있을 때는 지체하지 말고 검사를 받아 조기에 진단하는 것이 최선의 방법이다. 건강검진으로 시행하는 뇌 MRI가 뇌종양의 선별검사에 가장 유용하다.

[검사방법 및 주의사항]

1. MRI로 두부를 검사할 때는 검사 전에 음식이나 약은 먹어도 된다. 그러나 복부 및 골반을 검사할 때는 장의 연동운동을 감소시키기 위해 검사 8시간 전부터 금식을 하고, 검사 30분 전에 진경제를 근육주사한다.
2. 협소한 공간에 들어가야 하고 시간이 많이 걸리므로(부위에 따라 30분에서 1시간 이상), 일부 수검자는 검사 도중 폐쇄공포증을 경험할 수도 있다. 그러므로 검사 전에 미리 수검자에게 설명해서 안심시켜야 한다.
3. 폐쇄공포증이 심한 경우 검사 전에 진정제를 투여할 수도 있다. 최근에는 개방형 MRI가 보급되어 폐쇄공포증이 있는 환자들도 편안히 검사할 수 있다.
4. 검사 중에는 절대로 몸을 움직이면 안 된다. 약간의 움직임도 검사의 정확도를 떨어뜨릴 수 있기 때문이다. 기침, 재채기, 심호흡 등을 자제하고, 호흡도 고르게 유지해야 한다.
5. 뇌를 검사하는 동안에 팔과 다리는 움직일 수 있고 침도 삼킬 수 있으나 머리는 고정 자세로 있어야 한다. 필요한 경우 끈이나 베개 등을 이용해 머리를 고정시키기도 한다.
6. 검사가 시작되면 매우 시끄러운 소리가 나므로 미리 설명하고, 귀마개나 헤드폰을 착용시키고 검사를 진행한다.
7. 내장 마이크가 있어서 외부와 연락이 되므로 필요한 경우 도움을 요청할 수 있음을 설명한다.
8. 검사가 시작되면 끝날 때까지 검사를 중단할 수 없으므로, 검사 전 소변을 모두 보고 난후 검사를 하도록 한다.
9. 다음과 같은 물건이 몸에 삽입되어 있거나 소지하고 있는 경우에는 주의를 요한다.
   1) 심장박동기를 몸에 부착하고 있는 사람은 절대로 검사를 하면 안 된다.
   2) 심장수술(인공심장판막, 혈관스텐트 등을 삽입), 뇌동맥류수술(금속성클립 삽입), 보청수술(달팽이관 이식기), 안구에 금속성 이물질(파편 등)이 들어 있는 경우, 신경자극기를 몸에 부착하고 있는 경우에는 검사가능 여부를 의료진과 상의해야 한다.

3) 금속성 인공관절, 금속파편(총탄 등)이 몸속에 있는 경우에는 영상을 왜곡시킬 수 있으므로 주의를 요한다.
4) MRI실 내부에는 매우 높은 자장이 발생되어 상해의 위험성이 있으므로 목걸이, 반지, 귀걸이, 브래지어, 거들, 팔찌, 틀니, 보청기구, 안경, 머리핀, 넥타이핀, 동전, 열쇠, 펜 종류 등 모든 금속성 물건을 소지하고 들어가면 안 된다.
5) 신용카드나 통장은 자기 정보가 지워질 수 있고, 시계나 휴대전화기 등은 고장 날 수 있으므로 따로 보관해야 한다.
6) 금속 지지체를 함유한 패취제(멀미 예방약, 금연 보조제 등)를 부착한 채 검사하면 부착부위에 피부화상을 유발할 수 있으므로 검사 전에 이를 제거해야 한다.

10. 임신부의 경우 MRI가 태아에게 미치는 영향은 아직 보고된바 없지만, 보통 임신 초기 3개월에는 가급적 검사를 피하고, 부득이한 경우 검사 전 환자의 서면동의서를 받아야 한다.

고맙습니다. 건강검진 MRI 검사

제 어머니는 69세입니다. 시골에서 혼자 사신지 오래되었습니다. 멀리 떨어져 살다보니 1년에 몇 번 찾아 뵙지도 못합니다. 평소 가까운 보건소에서 혈압약을 복용하시는 것 말고는 달리 드시는 약은 없습니다. 가끔 두통이 있을 때면 보건소에서 치료하셨고, 수 년 전부터 청력이 약간 떨어지셨지만 생활에 지장이 있을 정도는 아니었습니다.

특별히 불편해 하시는 것이 없어서 일반검진만 해오시다가, 최근에 같은 마을에 사시는 분들이 이런저런 병으로 고생하시는 것을 보고 당신의 건강을 걱정하시는 것 같았습니다. 그래서 이번에는 종합검진을 해드리기로 했습니다.

검사 결과, 뇌MRI에서 오른쪽 뇌교 부위에 종양이 발견되었다는 연락을 받았습니다. 소뇌교각부 종양(cerebellopontine angle tumor, CPA)이라는 종양으로 크지는 않지만, 시간이 지나면서 청력소실, 이명, 어지러움, 안면마비가 올 수 있고, 주변의 뇌조직을 압박할 경우 생명에 위험을 줄 수도 있다고 했습니다. 다행히 더 커지기 전에 발견되어 수술로 완치도 가능하다고 합니다.

얼마나 다행인지 모릅니다. 고맙습니다.

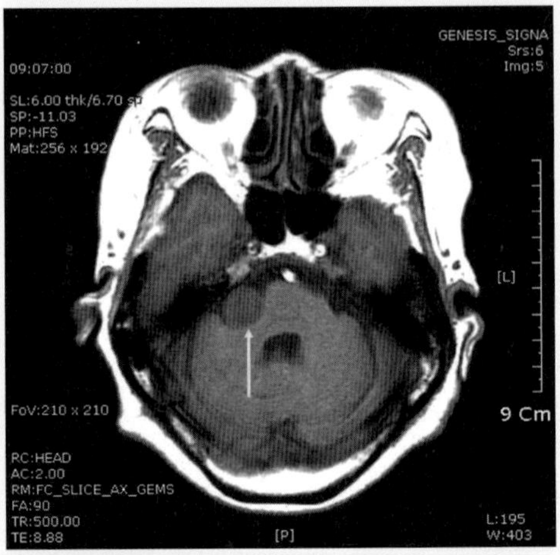

그림 4-46 뇌MRI, 우측 소뇌교각부 종양의 T1 강조영상

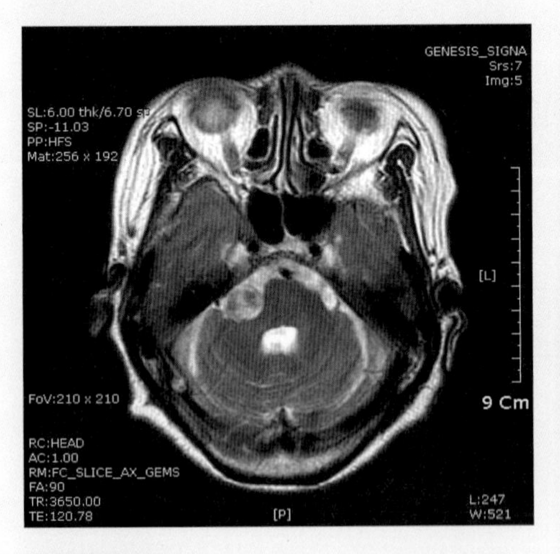

그림 4-47 뇌MRI, 우측 소뇌교각부 종양의 T2 강조영상

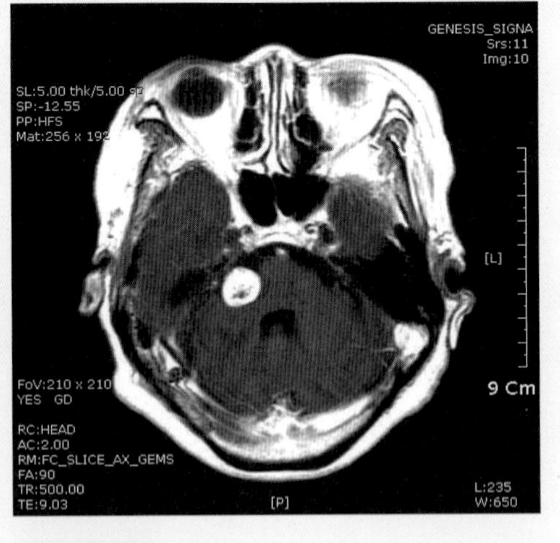

그림 4-48 뇌MRI, 우측 소뇌교각부 종양의 조영제를 사용한 T2 강조영상

08 자기공명 혈관조영술
Magnetic Resonance Angiography, MRA

목표질환 : 뇌동맥의 기형(동맥류, 동정맥 기형), 뇌동맥의 협착
주변질환 : 뇌동맥의 형성저하(hypoplasia)

MRA는 뇌혈관의 상태를 알아보기 위한 검사로, 뇌MRI를 촬영한 후에 뇌혈관 특히 뇌동맥만을 선택적으로 영상화한 것이다. MRA는 주로 뇌혈관을 관찰하기 위해 사용되므로, 여기서 MRA는 뇌MRA를 중심으로 설명한다.

뇌MRI는 자기공명을 이용하여 뇌 전체의 영상을 얻는 것이고, MRA는 뇌혈관만의 영상을 얻는 것이다. 뇌혈관 내의 혈류는 계속 흐르고 있기 때문에 뇌MRI에선 영상을 볼 수 없지만, MRA는 특수 소프트웨어에 의해 혈류가 흐르는 부분만 나타나게 한 것이다. 뇌혈관 질환이 의심되면 뇌MRI와 MRA를 함께 촬영하는 것이 바람직하다.

1. 뇌혈관의 구조

뇌는 한 쌍의 추골동맥(vertebral artery)과 한 쌍의 내경동맥(internal carotid artery)으로부터 혈액을 공급받는다. 좌우 추골동맥이 합쳐져 뇌저동맥(basilar artery)을 형성한다. 뇌저동맥은 간뇌의 하부에서 두 개의 후대뇌동맥(posterior cerebral artery)으로 나뉘면서 끝난다. 후대뇌동맥은 대뇌 반구의 내측면 하부에 분포하며 대뇌반구의 하면에도 분포한다. 후대뇌동맥은 뇌저동맥으로 부터 기시하는 부위 가까이에 후교통동맥(posterior communicating artery)을 받음으로써 내경동맥과 교통한다. 내경동맥은 커다란 중대뇌동맥(middle cerebral artery)을 분지하여 대뇌반구의 외측면 대부분에 분포한다. 전대뇌동맥(anterior cerebral artery)도 내경동맥에서 기시하여 대뇌반구 내측면 상부에 분포한다. 전대뇌동맥끼리는 전교통동맥(anterior communicating artery)에 의해 서로 연결되어 있다. 이 때문에 완전한 동맥륜을 형성하고 있다. 이를 대뇌동맥륜(arterial circle of cerebrum, Willis circle)이라고 부른다.

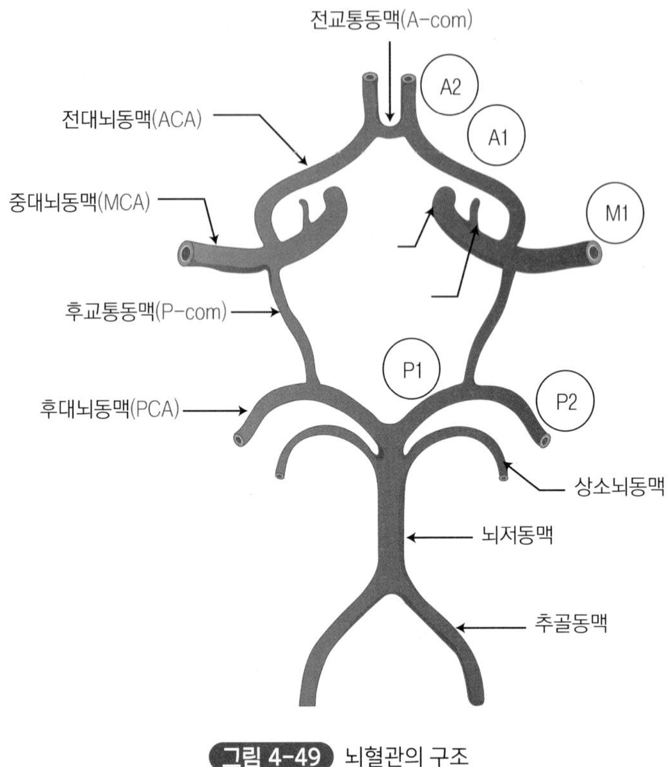

그림 4-49 뇌혈관의 구조

2. 뇌혈관의 상태를 검사하는 방법

- 경두개 초음파검사
- MRA
- 뇌혈관조영술

뇌혈관에 대한 선별검사를 하려면 먼저 비침습적인 방법인 경두개 초음파검사나 MRA를 해 보고, 이들 검사에서 뇌혈관의 이상이 의심되면 침습적인 뇌혈관조영술로 확진을 하는 것이 좋다.

1) 경두개 초음파검사(transcranial Doppler, TCD)

두개골 외부에서 초음파를 이용해 두개골 안에 있는 뇌혈관의 혈류속도와 방향을 측정하여 뇌혈관의 상태를 확인하는 검사 방법이다. 경제적인 방법이지만, 뇌혈관의 전부를 측정하기 어렵고 정확도면에서도 약간 떨어진다.

2) MRA

입원이 필요 없고 조영제를 투여하지 않으므로 합병증 발생의 위험이 없다. 하지만 다음과 같은 몇 가지 단점이 있다.

① 혈류가 흐르는 부분만 보여주므로 혈관을 평가할 때 반드시 정확하다고 보기 어렵다.

② 혈류역학에 민감하여 각종 인공물(artifact)이 생기는 경우가 많다.

③ 일반적으로 MRA는 실제 협착보다 약간 과장되게(2.4-3.8% 정도) 보여주는 경향이 있다. 협착 부위 직후에 발생하는 와류에 의해 신호감소가 일어나기 때문이다.

3) 뇌혈관조영술(cerebral angiography)

대퇴동맥을 통해 도관(catheter)를 꽂아 뇌혈관까지 밀어 넣은 상태에서 조영제를 주사하여 뇌혈관을 검사하는 방법이다. 정확도나 해상도가 다른 검사방법보다 우수하지만, 합병증 발생의 위험이 있고 입원을 해야 하는 불편이 있다. 합병증으로는 도관이나 유도철선에 의해 발생하는 혈전, 또는 혈관에 있던 죽상경화판이 떨어져 나가 뇌혈관을 막으면서 의인성 뇌경색이 발생할 수 있다.

최근에는 디지털 감산 혈관조영술(digital subtraction angiography, DSA)이 사용되고 있다. 이는 소량의 조영제를 투여한 후 촬영한 영상에서, 조영제를 투여하지 않은 상태에서 얻어진 영상을 감산하여 얻어진 영상으로, 겹쳐지는 구조들이 제거된 깨끗한 혈관영상을 볼 수 있다.

3. MRA 촬영방법

1) 유체속도강조 자기공명혈관조영술(time-of-flight MRA, TOF-MRA)

조영제를 쓰지 않는다. 주로 두개강 내 뇌혈관의 평가에 이용된다.

2) 조영증강 자기공명혈관조영술(contrast-enhanced MRA, CE-MRA)

조영제(Gadolinium)를 주입한 뒤 적절한 시기에 고속으로 촬영한다. 주로 경동맥의 평가에 이용된다.

뇌동맥류(cerebral aneurysm)

뇌동맥 내벽의 결손 혹은 소실로 인해 약해진 부분이 혈관내로 흐르는 혈액의 압력을 이기지 못하고 혈관 밖으로 풍선이나 꽈리처럼 부풀어 오른 상태를 말한다. 뇌동맥류는 언제 터질지 알 수 없는 뇌 속의 시한폭탄과 같다. 갑자기 혈압이 오르는 상황이나, 극심한 스트레스를 느낄 때, 무거운 물건을 들 때 가장 많이 발생한다. 배변, 사우나, 갑작스런 흥분이나 성관계에 의해서도 발생할 수 있다.

발생율은 전체 인구의 약 1-5%이며, 뇌동맥류를 갖고 있는 사람에서 파열될 확률은 매년 약 1%로 추정된다. 뇌동맥류의 약 80%는 대뇌동맥륜(Willis circle)의 전반부에 위치한다.

1. 뇌동맥류의 증상

1) 파열되지 않은 경우 : 증상이 없거나, 국소적인 두통, 뇌신경 마비, 간질발작 등이 나타낼 수 있고, 그 자체의 압박으로 동안신경 마비를 일으키기도 한다.

2) 파열된 경우 : 지주막하출혈에 의한 격심한 두통, 마치 머리를 둔기로 심하게 맞은 것 같은 느낌의 두통, 구토, 경부 강직, 의식소실, 뇌신경 마비 등의 증상이 나타날 수 있고, 큰 동맥류가 파열된 경우에는 급사하는 경우도 있다.

2. 뇌동맥류의 치료

뇌출혈의 과거력이 없고, 증상이 없이 뇌동맥류의 크기가 7 mm 이하인 경우에는 예후가 양호한 경우가 많으므로 특별한 치료 없이 정기적인 추적검사를 권장한다.

치료의 목적은 부풀어 오른 부위가 더 이상 커지거나 파열되지 않도록 하는 것이다.

1) 뇌동맥류 경부 결찰술

두개골을 절개하고 뇌동맥류에 접근한 다음, 부풀어 오른 동맥류의 목 부위를 수술용 클립(surgical clip)으로 결찰한다.

2) 동맥류 코일 색전술

서혜부의 대퇴동맥을 통해 미세도관(microcatheter)을 삽입하여 부풀어 오른 뇌동맥류에 도달하게 한 다음, 부풀어 오른 동맥류 안에 미세한 백금코일을 채워 넣어서 혈류를 차단하여 파열을 막는 방법이다. 두개골을 절개하지 않고 뇌동맥류를 치료할 수 있다. 뇌출혈의 과거력이 있고, 증상이 없이 뇌동맥류의 크기가 7 mm 이상이면서, 다른 신체적 질환과 동반되어 있는 경우에 추천되는 치료법이다. 특히 70세 이상의 고령의 환자에서 안전하게 사용할 수 있다.

3. 뇌동맥류 출혈의 예방

뇌동맥류가 파열되어 뇌출혈(지주막하출혈)이 발생되기 전에는 대개 자각 증상이 없어 전혀 모르고 지내다가, 파열되어 뇌출혈이 생겨서야 병원을 방문하게 되는 경우가 대부분이다. 뇌출혈이 발생한 경우에 환자의 약 40-50%가 심한 뇌손상으로 사망하거나, 생존한 환자에서도 정신 및 신경의 심각한 후유장애를 남기게 되는 매우 위험한 질환이므로 뇌동맥류를 미리 찾아내어 파열되기 전에 예방적 치료를 하는 것이 매우 중요하다.

고혈압, 당뇨병, 흡연자, 과도한 음주자, 노인, 가족 중에서 뇌동맥류가 있었던 사람은 뇌동맥류의 발생률이 높아지므로 예방적 차원에서 미리 MRA를 해보는 것이 좋다.

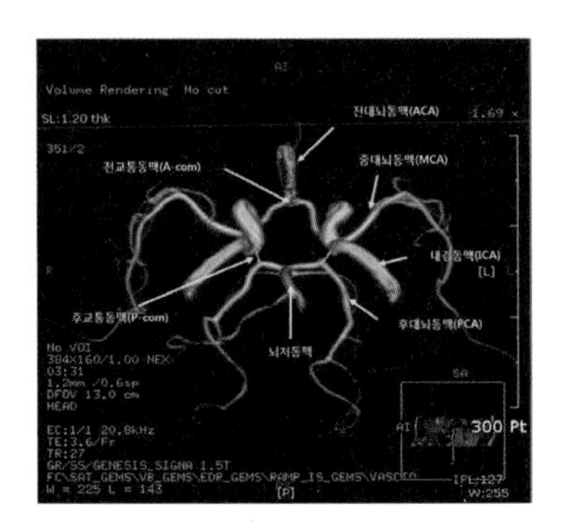

그림 4-50 정상 MRA

[검사방법 및 주의사항]

뇌MRI를 검사할 때와 같은 방법으로 검사한다. 다만 검사 시간이 뇌MRI에 비해 짧다.

고맙습니다. 건강검진 자기공명혈관조영술(MRA)

저는 57세 남자입니다. 4년 전에 큰형님께서 뇌동맥류에 의한 지주막하출혈이 원인이 되어 돌아가셨습니다. 그 일로 가족들도 뇌혈관검사를 받아볼 것을 권유받고, 부모님과 형제들 모두가 종합검진을 하게 되었습니다.

다른 형제들은 뇌혈관에 별다른 이상이 없었고, 어머니는 뇌동맥류가 있었지만 크기가 작아 정기적인 추적검사만 해도 된다고 했습니다. 저는 MRA에서 제법 큰 뇌동맥류가 좌우 양쪽 중대뇌동맥의 기시부에서 발견되었습니다. 평소에 고혈압, 고지혈증으로 약을 복용하고 있어서, 심장에 대한 걱정만 있었지 뇌에 대해서는 무관심했던 것 같습니다. 예방적 수술을 권유받아 그리 힘들지 않게 수술을 받았고, 지금까지 정기적으로 추적검사하면서 약물치료를 하고 있습니다.

종합검진 덕분에 머리 속의 시한폭탄을 제거하게 되어 감사합니다.

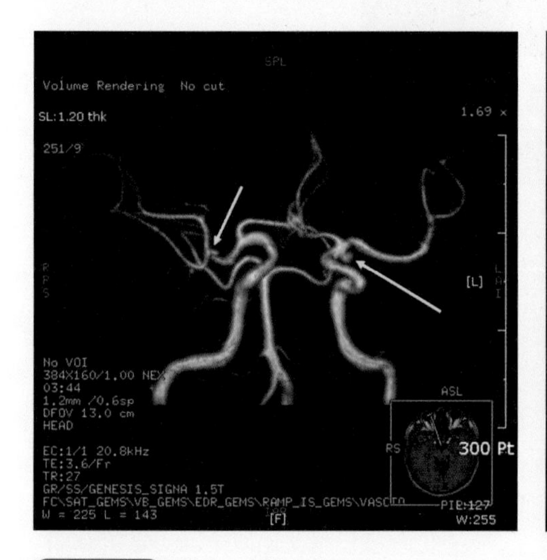

그림 4-51 MRA - 양쪽 중대뇌동맥 기시부의 동맥류

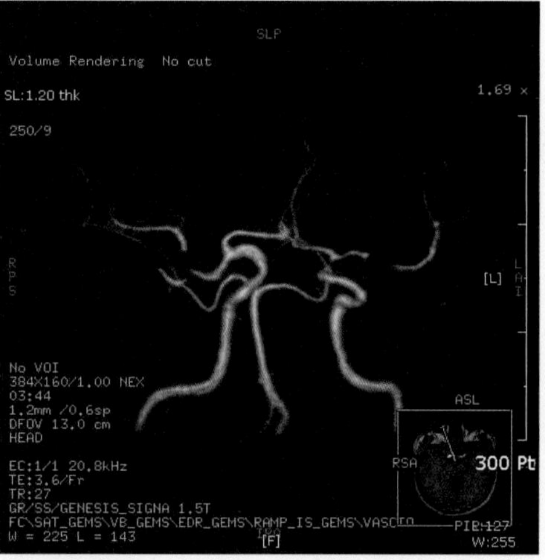

그림 4-52 MRA - 뇌동맥류 수술 후 1년 6개월 경과

SECTION 5

핵의학검사

01 PET-CT검사

01 PET-CT검사

목표질환 : 각종 악성종양(암)

주변질환 : 염증성 질환(폐렴, 폐결핵, 관절염 등)

조우병변 : 양성결절, 낭종

PET-CT는 방사성 동위원소를 이용하는 양전자방출단층촬영(PET)과 X-선을 이용하는 전산화단층촬영(CT)을 하나로 결합하여, PET의 기능적 영상과 CT의 해부학적 영상을 동시에 얻기 위해 만든 의료장비이다.

1. PET(양전자방출단층촬영, positron emission tomography)의 원리

우리가 알고 있는 일반적인 전자(electron)는 음전하(-)를 가지고 있는데, 이것과 물리적 특성은 유사하지만 정반대로 양전하(+)를 가지고 있는 것을 양전자(positron)라고 한다. 양전자는 방사성 동위원소(C11, N13, O15, F18 등)에서 방출되는데, 이런 원소들은 인체의 주요 구성성분이므로 방사성약물로 만들어 주사할 수 있다. 양전자를 방출하는 방사성약물을 이용하여 인체의 구조 및 기능을 영상으로 나타낼 수 있는 핵의학적 검사법이 PET이다.

인체 대사작용의 기본물질(예를 들어, 포도당)에 양전자를 방출하는 동위원소(예, F18)를 표지한 방사성약물을 정맥주사한 후, 체내에서 일어나는 생화학적 대사를 영상으로 나타낸다. 암을 진단하는 경우 암세포의 포도당대사가 정상조직이나 양성종양에 비해 현저히 증가되는 점을 이용한다.

가장 흔히 사용되는 F18-FDG는 포도당과 유사한 물질인 FDG (fluorodeoxyglucose)에 방사성 동위원소인 F18을 표지한 방사성약물이다. 이 F18-FDG 를 체내에 정맥주사하면 포도당 대사가 항진된 부위 즉 암세포에 많이 모이게 된다. 이 부위에서 방출된 양전자(+)는 방출 후 아주 짧은 시간동안 운동에너지를 모두 소모하고 가까이 있는 전자(-)와 결합하여 소멸된다. 이때 180°의 각도로 2개의 방사선(γ-선)을 방출하는데, 이 방사선을 측정하여 인체의 어느 부위에 이런 방사선 물질이 많이 모이는지를 영상으로 재구성하는 기계가 PET이다.

어떤 약품을 이용하느냐에 따라 포도당대사, 단백질대사, 핵산대사, 혈류 등의 다양한 체내변화를 영상으로 얻을 수 있으며, 이 중 포도당대사를 관찰하는 검사가 가장 흔히 쓰인다.

2. PET-CT검사

PET검사에서 발견된 악성종양의 해부학적 위치와 크기를 CT검사를 통해 정확하게 파악함으로써, 단 한 번의 촬영으로 전신의 암을 초기단계부터 가장 예민하게 진단 할 수 있는 방법이다.

PET검사는 암의 형태적 변화가 나타나기 전에 대사이상을 보이는 단계에서 정확하게 찾아내므로 암의 조기진단이 가능하지만, 구조적인 정보 즉 병변의 해부학적인 위치파악이 힘들다. 반면 CT검사는 종양의 위치와 크기 등 해부학적 형태를 관찰하는 데는 좋지만, 아직 형태적 변화가 나타나지 않은 초기상태의 암은 찾아내기가 어렵다. 이런 장단점을 가진 PET와 CT를 서로 결합하여 형태적 변화가 일어나기 이전의 초기상태의 암을 그 해부학적 위치와 크기까지 정확하게 볼 수 있도록 만든 기계가 PET-CT이다.

1) PET-CT의 적응증

① 각종 암의 조기발견이 가장 대표적인 적응증이다.

② 그 외 암의 전이여부, 양성과 악성종양의 감별, 암 치료를 위한 병기설정, 암 치료 후의 효과 판정, 암의 재발여부 판정

③ 치매, 파킨슨병과 같은 중추신경계 질환의 조기진단

④ 허혈성 심장질환에서 치료방법의 결정을 위한 심근생존능력의 평가

2) PET-CT에서 주로 사용하는 방사성약물

① F^{18}-FDG : 암의 진단에 사용된다.

② C^{11}-PIB : 치매의 진단에 사용된다. 알츠하이머병의 원인으로 생각되고 있는 아밀로이드 반(amyloid plaque)에 결합하여 축적된다.

③ F^{18}-FP-CIT : 파킨슨병의 진단에 사용된다. 도파민신경세포의 말단에 결합한다.

④ Rb^{82}, N^{13}-ammonia : 허혈성 심장질환의 진단에 사용된다. 혈류가 감소된 곳 즉 관상동맥이 좁아진 부위에서 섭취가 저하된다.

3) PET-CT검사의 결과판정

- FDG섭취 양성 : 병변이 주위 연부조직보다 높은 섭취를 보인다.
- FDG섭취 음성 : 병변이 주위 연부조직과 같은 정도의 섭취를 보인다.

FDG섭취 양성을 보이는 병변이 보이면, 관심영역을 설정한 후 표준섭취계수(SUV)를 측정하고, 가장 강한 섭취를 보이는 부위에 최대표준섭취계수(SUVmax)를 구한다. SUV를 평가해서 양성과 악성 병변을 감별한다.

표준섭취계수(standardized uptake value, SUV)는 연부조직의 FDG섭취 정도를 객관적인 수치로 등급을 정한 계수이다. 평가하는 조직에 따라 달라진다.

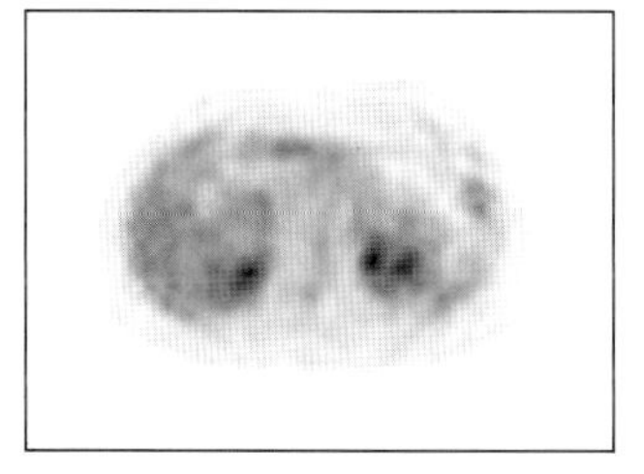

PET 영상

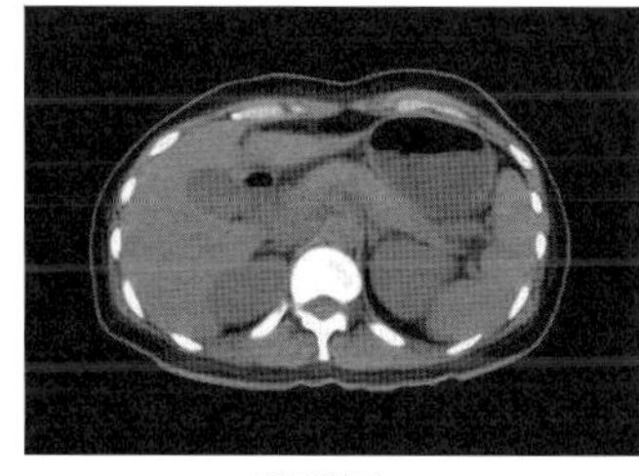

CT 영상

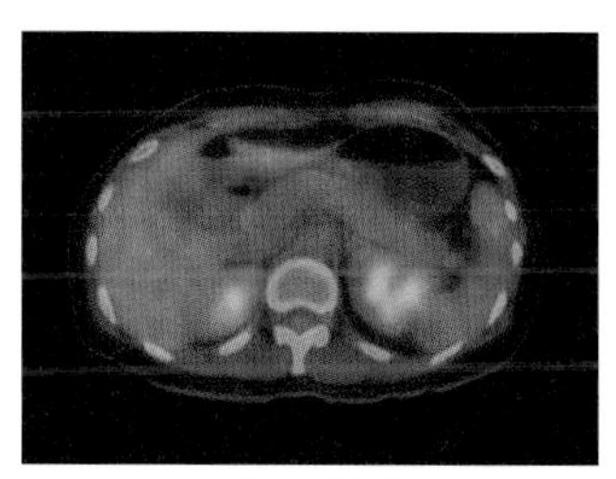

PET-CT 영상

그림 5-1 PET 영상, CT 영상, PET-CT 영상

4) PET-CT검사의 한계

① 암의 분화도가 좋은 간암이나 조기위암 등의 진단율은 약간 떨어진다.

② 대사항진이 높지 않은 3-4 mm 이하의 작은 암은 발견되지 않을 수도 있다.

③ 신장, 요관, 방광, 전립선 등 비뇨생식기계 암은 소변으로 인해 진단에 주의를 기울여야 한다.

5) PET-CT검사를 하면 CT검사는 하지 않아도 되는가?

PET-CT검사 중에 시행하는 CT는 일반적인 CT검사와 그 방법과 목적이 다르다. 또한 일반적인 CT검사는 조영증강과 3차원 재구성 등 독자적인 기법을 활용하며 몸의 부위에 따라 촬영기법이 다양하다. 그러므로 목적에 맞게 PET-CT검사와 일반적인 CT검사를 구분해서 사용하는 것이 좋다.

[검사방법 및 주의사항]

1. 검사 전 주의사항

(1) 검사에 사용되는 방사성약물이 검사 당일에 만들어지고 사용되어야 하므로, 수검자가 검사의 취소나 변경을 원하는 경우에는 늦어도 검사 하루 전에 연락을 하게 한다. 검사 당일에 취소를 하는 경우에 방사성약물의 비용을 본인이 부담해야 하므로 주의해야 한다.

(2) 검사 전 혈당이 130 mg/dl 이상이면 위음성으로 나올 수 있으므로, 검사시작 전에 혈당검사를 하여 혈당이 너무 높거나 또는 너무 낮은 경우 검사가 연기되거나 취소 될 수 있음을 미리 설명한다.

(3) 당뇨병이 있는 수검자는 혈당이 잘 조절되어야 검사가 가능하다.

(4) 당뇨병으로 인슐린 주사 또는 경구 당뇨약을 복용하는 수검자는 금식하는 동안 중지해야 한다. 뼈를 자극하는 약물(GCSF, neutrogin 등)과 스테로이드 제재로 치료중인 수검자는 치료에 큰 영향을 주지 않는다면 검사 5일 전부터 중지하도록 한다. 고혈압약, 진통소염제, 갑상선약 등은 평소처럼 복용해도 된다.

(5) 검사 8시간 전부터 금식을 해야 한다. 금식에는 커피, 껌, 사탕, 담배 등이 포함된다. 오전에 검사할 때는 검사 전날 밤 9시부터 금식하며, 오후에 검사할 때는 아침 8시 이전에 가볍게 식사한 후 금식한다.

(6) 수분을 많이 섭취할수록 소변 배출이 잘 되어 검사에 도움이 되므로 금식하는 동안 물을 1000 cc 정도 충분히 마신다. 생수를 마셔야 하며, 당분이 함유된 음료 즉 주스, 콜라, 커피, 보리차, 홍차, 녹차 등은 마시면 안 된다.

(7) 소변 배설을 원활히 하기 위해 이뇨제(라식스 20 mg)를 복용하기도 한다.

(8) 입원환자의 경우, 포도당이 포함된 정맥주사는 최소한 검사 4시간 전까지 중단해야 한다. 수액공급이 반드시 필요한 경우에는 생리식염수처럼 포도당이 전혀 들어있지 않은 수액제제로 전날 밤부터 바꿔서 투여해야 한다.

(9) 검사 전날에는 일체의 운동이나 마사지를 삼가고 충분한 휴식과 수면을 취해야 한다.

(10) 검사당일 검사시간에 늦어서 뛰어오면 근육에 방사성 의약품이 많이 섭취되어 검사에 영향을 줄 수 있으므로 가능하면 10-20분 전에 검사실에 도착해야 한다.

(11) 검사 전에 입이 마르다는 이유로 껌을 씹거나 사탕 등을 먹지 않도록 하고 말을 많이 하는 것도 피해야 한다.

(12) 조영제를 사용한 검사 즉 대장조영검사, 위장조영검사, 조영제를 사용하는 CT 등은 검사에 영향을 주므로 수일의 간격을 두어야 한다.

(13) 임산부나 임신가능성이 있는 경우에는 검사를 할 수 없으며, 수유 중인 경우 검사 후 1일 정도는 수유가 불가능함을 설명한다.

2. 검사 순서

(1) 검사 8-10시간 전부터 금식한다.

(2) 촬영 60분 전에 혈당검사를 실시한다.

(3) 방사성약물(체중kg 당 0.2 mCi의 F18-FDG)을 정맥주사 한다.

(4) 대기실 침대에서 1시간 정도 누워서 안정을 취한다. 대기하는 동안 걸어 다니거나 대화하는 것을 최대한 자제하도록 한다.

(5) 소변은 자주 보도록 하고 소변이 옷이나 피부에 묻지 않도록 해야 한다. 검사 직전에 소변을 본다.

(6) 위를 잘 관찰하기 위해 검사직전 500 cc 정도의 생수를 마신다.

(7) 조영증강 없이 CT로 전신을 3-4분간 먼저 촬영하고, 이후에 약 20-30분간 PET 검사를 시행한다. 검사 시간은 정맥주사를 시작한 시간부터 약 1시간 30분 정도 소요된다.

(8) 검사가 진행되는 동안에는 움직이지 않고 가만히 누운 채 눈을 감고 있게 한다. 만일 검사 중 불편한 사항이 있을 때는 장비에 설치된 마이크를 통해 검사자에게 이야기하도록 한다.

(9) 필요에 따라 조영제를 사용할 수 있으므로 조영제에 대한 부작용이 있는지 미리 확인한다.

(10) 전신검사가 끝나고 추가검사가 필요할 수도 있다.

3. 검사 후 주의사항

검사 후 방사성약물을 몸 밖으로 빨리 배출하기 위해 물을 많이 마셔야 한다.

고맙습니다. 건강검진 PET-CT검사

저는 64세 남자입니다. 4년 전 환갑을 맞이하여 자식들이 외국여행도 시켜주고 큰돈을 들여 종합검진도 해주었습니다.

다른 검사는 그다지 어렵지 않았는데, PET-CT 검사는 좀 힘들었습니다. 주사를 맞고 1시간 동안 누워있는 건 별 문제없었는데, 큰 통속에 들어가 20분 이상 꼼짝 않고 누워있으려니 불안한 마음도 들고 답답하기도 해서 어서 빨리 끝났으면 하는 마음만 들었습니다.

검사를 겨우 끝내고 의사선생님 상담을 받았습니다. 의사선생님 말씀이 지금까지 나온 검사결과는 문제가 될 만한 소견은 없으나, 갑상선초음파검사에서 왼쪽 갑상선에 크기가 약 1 cm 정도 되는 갑상선 결절이 발견되었다더군요. 모양을 봐서는 양성결절로 보인다며, 악성만 아니면 수술은 하지 않아도 되고 사는데 지장이 없다고 했습니다. 일단 PET-CT검사 결과를 보고 조직검사를 하기로 했습니다.

다음날 약간 초조한 마음으로 병원을 방문했습니다. PET-CT검사 결과, 갑상선에서 포도당유사체 섭취 양성을 보이는데, 미만성 섭취증가에 국소적 섭취증가를 보였답니다. 국소적으로 섭취가 증가된 곳에 대해 조직검사를 권유받았습니다.

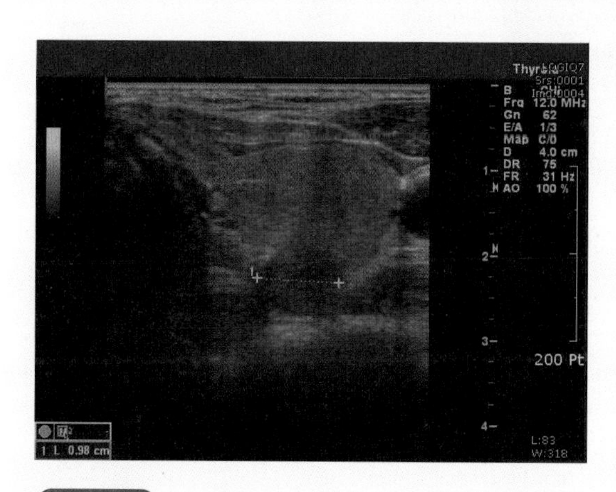

그림 5-2 갑상선초음파검사에서 발견된 결절(수술 전)

수 일후 조직검사 결과가 양성으로 판정되었다는 전화를 받았습니다. 하지만 의사선생님은 PET-CT검사에서 보인 갑상선의 포도당유사체의 섭취가 조금 높다며, 3개월 후에 조직검사를 꼭 다시 하도록 강조했습니다.

잊지 않고 3개월 후에 조직검사를 다시 시행하였고 갑상선암으로 판정되었습니다. 갑상선 제거수술을 받고 현재까지 갑상선약을 복용하고 있습니다. 수술한 뒤로 여러 차례 PET-CT검사를 했고, 최근에 검사한 바로는 섭취증가를 보이는 병변은 없다고 하네요.

양성으로 판정된 조직검사 결과에만 의지하지 않고, PET-CT검사 결과까지 염두에 두고 추적검사를 권해준 의사선생님께 감사드리고, 암의 가능성을 보여주어 계속 관심을 갖게 해준 PET-CT검사가 고맙습니다. 종합검진 덕분에 큰 병을 예방할 수 있어서 고맙습니다.

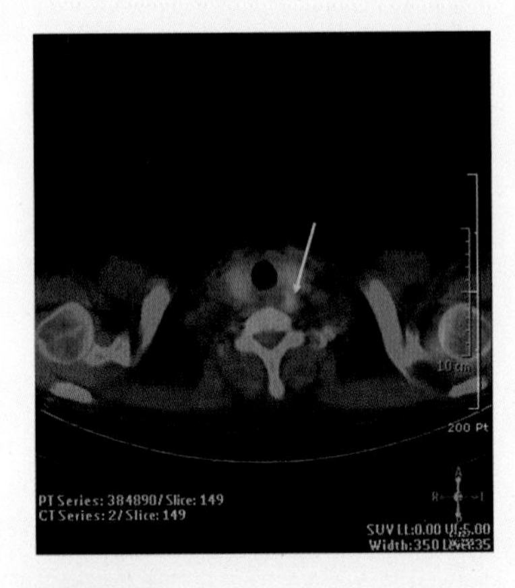

그림 5-3 PET-CT 단면영상에서 관찰된 갑상선 결절(수술 전)

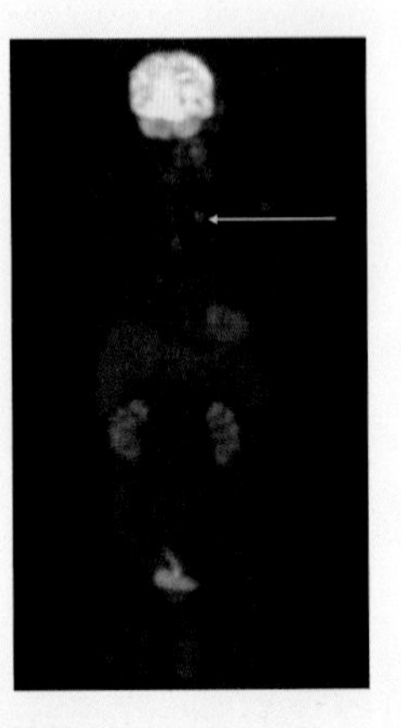

그림 5-4 PET-CT 전면영상에서 관찰된 갑상선 결절(수술 전)

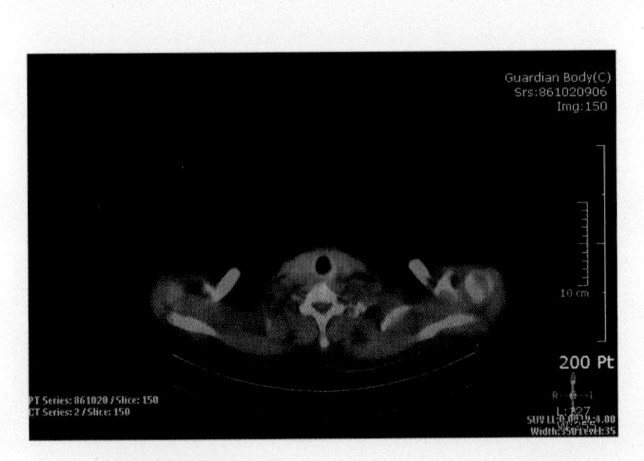

그림 5-5 PET-CT 단면영상(수술 후 3년)

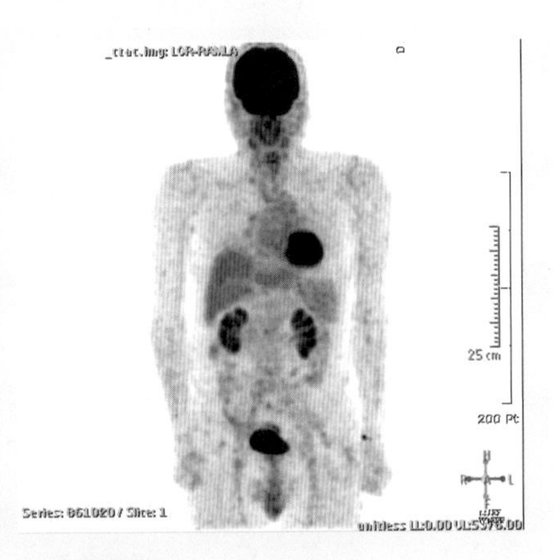

그림 5-6 PET-CT 전면영상(수술 후 3년)

SECTION 6

내시경검사

■ 내시경
01 위내시경
02 대장내시경

내시경

1. 내시경의 원리

내시경(內示鏡)은 “안을 들여다보는 기구”이며, 일종의 카메라이다. 즉 내시경은 인체의 내부를 들여다보고 진단 및 간단한 치료를 할 수 있도록 만들어진 기계이다.

빛은 반드시 직선으로 나아가는 직진성이 있는데, 내시경에서는 빛이 휘어진다. 왜 그럴까?

이는 내시경이 프리즘(prism)의 원리를 응용해 만들어졌기 때문이다. 직진하는 빛이 프리즘을 통과하면 휘어진다. 이는 빛의 굴절 때문이며, 이 원리에 따라 아주 작은 프리즘이 계속 연속되어 있다면 빛은 휘어지는 것처럼 보일 수 있다. 이것을 응용해 만든 것이 광섬유(optical fiber)이다. 최초의 굽어지는 내시경 즉 연성내시경은 이 광섬유를 이용해 1957년 Basil Hirschowitz가 개발하였다.

이후 1983년에는 미국에서 광전효과(Photo-electronic effect)를 이용한 완전히 새로운 전자내시경이 개발되었는데, 이는 실리콘 반도체인 CCD (Charge-coupled device)가 빛을 전기적 신호로 바꾸고 이 신호를 모니터로 전달하여 영상으로 볼 수 있게 만든 것이다.

의료용 내시경은 위내시경, 대장내시경, 복강경, 관절내시경, 방광내시경 등이 있으며, 다양한 분야로 발전되고 있다. 건강검진에 이용되는 내시경은 위내시경, 대장내시경이 대부분이다.

참고로 소장의 검사에는 캡슐내시경이나 이중풍선내시경이 이용된다. 캡슐내시경은 캡슐 모양으로 만들어져 약처럼 삼키면 위장관 내부에서 자동으로 사진을 찍어 인체 외부의 수신기로 전송한다. 원하는 부위를 집중적으로 관찰할 수 없고 조직검사 등 조작이 불가능하다. 이중풍선내시경(double balloon enteroscopy)은 내시경에 2개의 풍선이 달려있어 이를 이용해 구불구불한 소장을 검사할 수 있다. 캡슐내시경이나 이중풍선내시경은 소장의 검사가 반드시 필요한 경우에만 선택적으로 이용되며, 건강검진에서는 많이 이용되지 않고 있다.

2. 내시경의 구조

내시경은 일종의 카메라이므로 카메라의 기본구조를 지니고 있다. 이외에 공기와 액체를 주입하거나 흡인하는 장치, 조직검사를 수행할 수 있는 장치, 촬영된 사진을 저장할 수 있는 컴퓨터시스템 등도 포함하고 있다. 내시경을 구성하고 있는 기본적 장치들은 다음과 같다.

- 빛을 공급하는 광원(light source)
- 사진을 저장하는 필름, 또는 저장파일
- 공기를 공급하는 장치(air compressor)
- 공기와 액체를 흡인하는 장치(suction device)
- 생검겸자(forceps)의 통로
- 내시경의 선단을 상하좌우로 조작하는 손잡이(knob)

3. 내시경의 세척

내시경을 시행한 후에는 다음 수검자를 감염시키지 않도록 반드시 물과 세척제를 사용하여 내시경을 세척해야 한다. 건강검진으로 내시경을 받는 수검자 중에는 내시경이 불결하여 감염이 되지 않을까 걱정하는 사람이 많은데, 철저히 소독하고 이를 수검자에게 알려서 안심시키고 신뢰감을 주도록 노력해야 한다. 내시경의 사용 후 처리과정은 다음과 같다.

내시경 세척 및 소독 지침(대한소화기내시경학회, 2020년)

1. 전세척

1) 내시경 검사 직후 세정제나 멸균 증류수를 묻힌 거즈로 내시경 표면의 이물질을 제거한다.
2) 내시경 선단을 세정제에 넣고 세정액을 흡입하고 공기를 불어넣는 작업을 반복하여 겸자공에 남아 있는 오염물질을 제거한다.
3) 내시경을 전원에서 분리한 후 전용 용기에 넣어 검사실과 분리된 세척실로 이동하고 세척실까지의 거리가 멀 경우 덮개로 덮어 운반한다.

2. 세척

1) 분리 가능한 부품은 모두 제거한다.
2) 누수 검사를 시행한다.
3) 세척액을 이용하여 내시경을 세척하고, 겸자공 및 내시경과 분리된 부품은 모두 솔을 사용해 세척한다.
4) 솔 세척이 어려운 부위가 있는 부속품들은 세척액 속에 넣고 초음파세척기를 이용하여 추가로 세척한다.

5) 남아 있는 세척액을 깨끗한 물로 모든 부위에서 완전히 씻어낸다(자동세척소독기를 사용하는 경우에도 이 과정까지는 손세척을 해야 한다).

3. 소독

1) 제조사에서 제시한 유효 농도, 적용시간, 유효 기간 및 사용 온도 등의 조건을 맞춰 고수준 소독제를 사용한다.
2) 손으로 소독하는 경우 소독액에 부식되지 않는 충분한 크기의 용기를 이용한다. 고수준 소독액에 내시경과 부속기구들을 완전히 담그고 각 채널 안에도 빈 공간이 생기지 않도록 소독제를 주입한다.
3) 자동세척소독기를 이용하는 경우에는 제조사의 매뉴얼에 따라 소독한다.

4. 헹굼

1) 충분히 깨끗한 물을 이용하여 내시경과 각종 밸브들을 충분히 씻어낸다.

5. 건조

1) 깨끗한 천으로 내시경 표면의 물기를 닦아내고, 압축된 공기와 70-90% 에틸알코올 또는 이소프로필알코올을 각 겸자공에 관통시켜 남은 물기를 없앤다.

6. 보관

1) 내시경은 환기가 잘되는 전용장에 수직으로 세워 걸어서 선단이 바닥에 닿지 않게 보관 하거나 각 채널에 지속적으로 공기를 공급하는 전용장에 수평으로 보관한다.

7. 내시경 부속기구

1) 재사용 가능한 부속기구에 한하여 소독한다.
2) 내시경에서 분리하여 세척액에 담근 뒤 모든 부속물의 관 내부까지 솔과 스펀지 등을 사용해서 잘 닦는다.
3) 세척액에 담아 초음파 세척기를 이용해 세척한다.
4) 깨끗한 물로 헹구고 깨끗한 천과 압축공기를 이용해 물기를 제거하고 건조한다.
5) 기구 종류에 따라 각 제조사에서 권장하는 방법으로 멸균 또는 소독한 뒤 보관한다. 내시경에 부착하는 밸브 등은 높은 수준의 소독을 시행한 후 재사용한다. 소독 실시 후 밸브의 마모상태를 확인 후 필요시 교체한다.
6) 일회용 부속기구는 일회 사용 후 적절히 폐기해야 한다.

8. 송수병과 연결기구

1) 송수병과 연결기구는 하루 한 번씩 높은 수준의 소독 또는 멸균을 하고 물은 멸균수를 넣는다.

4. 내시경검사에서 사용하는 약물

1) 수면유도제

(1) propofol

수면유도에 걸리는 시간이 짧고 반감기가 짧아 쉽게 깨어나므로, 많은 사람을 빠르게 검진해야 하는 건강검진센터에서 많이 사용한다. 수면을 일으키는 혈중농도와 무호흡과 같은 부작용을 일으키는 혈중농도의 간격이 좁아 위험할 수 있으므로 주의해야 한다.

(2) midazolam

수면유도에 걸리는 시간이 길고, 반감기가 길어 천천히 깨어난다. 해독제(anexate)가 있어 부작용이 생겼을 때 대처하기 쉽다.

2) 거품제거제

식도, 위, 십이지장 등 위장관에는 거품이 많아 관찰이 어려우므로 내시경 시행 전에 거품제거제를 물에 타서 마시게 한다.

3) 국소 마취제

혀와 인두부의 구역반사(gag reflex)를 없애기 위해 사용한다. 주로 입안에 분무하는 스프레이제제가 많이 사용된다.

4) 진경제

위장관의 경련이나 연동운동이 심해 내시경의 진입이나 관찰이 어려울 때 사용한다. 특히 대장내시경에서 주로 사용된다.

5) 대장정결제

소장과 대장에 들어있는 대변을 제거하기 위해 사용한다. 주로 2가지 약물이 사용되고 있다.

(1) 폴리에틸렌글리콜(polyethyleneglycol, PEG) 용액

마셔야 하는 양이 많아(4리터) 다소 불편하지만, 전해질 불균형 등을 일으키지 않아 비교적 안전하다. 건강검진으로 실시하는 대장내시경검사에 적합한 약물이다.

(2) 인산나트륨(sodium phosphate) 용액

마셔야 하는 양은 적지만(90 ml), 탈수나 전해질 불균형 등을 일으킬 수 있어 신장 질환, 심부전, 복수를 동반한 간질환 및 전신상태가 불량한 환자 등에서는 사용을 피해야 한다. 임의의 수검자

에게 의사의 사전진찰 없이 대장내시경검사를 실시해야 하는 건강검진센터에서는 적합하지 않은 약물이다.

(3) 경구용 황산염 액제(Oral Sulfate Solution, OSS)

최근에 도입된 제제로, 3가지 황산염(무수황산나트륨, 황산칼륨, 무수황산마그네슘)에 가스 제거제인 시메티콘을 함께 넣어 알약 형태로 만든 제품이다. 복용하기가 쉽다는 장점이 있지만, 구역, 구토, 복통을 일으키는 부작용이 있다.

5. 내시경검사의 위험과 합병증

내시경 시술에는 많은 위험과 합병증이 있을 수 있으므로, 반드시 이에 대한 설명을 하고 동의서를 받아야 한다.

1) 수면유도제에 의한 위험

(1) 무호흡

가장 흔하면서도 위험한 합병증이다. 기도를 유지하고, 산소를 공급하고, 복부를 횡경막 방향으로 압박하여 폐의 환기를 유지시켜주는 등 비교적 간단한 처치로 대부분 회복된다.

하지만 심한 경우에는 심폐소생술이 필요할 수도 있으므로 내시경실에는 반드시 이에 대한 기구를 준비해 두어야 한다.

(2) 흡인성 폐렴

위의 내용물을 구토하여 기관지와 폐로 들어간 경우에 생긴다. 몸과 머리를 반드시 좌측와위(왼쪽 옆구리와 왼쪽 귀가 바닥에 닿는 자세)로 유지 하여 이를 예방해야 한다.

(3) 추락(fall down)

내시경실에서 가끔 발생할 수도 있는 위험한 상황이다. 수검자가 수면에서 깨어난 후 혼자서 움직이려다 침대에서 떨어져 다치게 된다. 완전히 깨어날 때까지 감시를 철저히 해야 한다.

(4) 검사직후 운전이나 기계조작 위험

건강검진이 끝난 후 바로 운전을 하고 돌아가려는 수검자가 많은데, 수면유도제의 영향이 남아 있으면 교통사고 등의 위험이 있으므로 이를 방지해야 한다. 약물의 효과가 수 시간 이후에도 나타나므로, 검사 당일에는 운전이나 위험한 기계를 조작하지 않도록 해야 한다.

2) 내시경에 의한 기계적 손상

(1) 인후부 손상

내시경이 인후부와 식도입구를 통과할 때 약간의 손상을 줄 수 있다. 통증 또는 이물감을 호소하는데 대부분 1-2일내에 호전되므로 안심시킨다. 심할 경우 소염진통제를 처방하는 경우도 있다.

(2) 위염

아주 가끔 내시경에 의해 위염이 발생할 수 있다. 기존의 위염이나 궤양이 심해지는 경우도 있다. 급성위점막병변(acute gastric mucosal lesion, AGML)이 발생하는 경우도 있다.

(3) 장관 천공

내시경 선단의 딱딱한 부분에 의해 장관의 벽이 찢어질 수도 있다.

(4) 출혈, 혈종

내시경에 의해 점막을 손상시키거나 조직검사 등의 조작으로 혈관을 손상시켰을 때 일어날 수 있다. 특히 아스피린 같은 항응고제를 복용하는 사람들에서 주의해야한다.

(5) 감염

내시경 세척이 불완전할 때 세균감염이 일어날 수 있다. 특히 대장내시경으로 조직검사나 용종절제술을 시행한 후에는 감염 예방에 신경을 써야한다.

6. 검진내시경

위장관내시경은 시술 목적에 따라 진단내시경과 치료내시경으로 구분된다. 검진내시경(screening endoscopy)은 진단내시경에 포함되며, 보통은 진단내시경과 동일시되기도 한다. 하지만 목적이 다르므로 서로 약간의 차이점이 있다.

일반적으로 내과 외래에서 시행되는 진단내시경은 복통이나 속쓰림 등 위장관 증상을 호소하는 환자에게 시술되는 검사이므로, 증상의 원인이 무엇인가가 검사의 목적이다. 반면에 건강검진센터에서 시행되는 검진내시경은 아무 증상이 없는 사람에게 시술되는 검사로, 위암 등 치명적인 질병이 있는가가 검사의 목적이다.

예를 들어 경증의 역류성 식도염이 발견된 경우 내과 외래에서는 증상완화를 위해 약물처방을 해야 하지만, 건강검진센터에서는 식사 후 바로 눕지 않게 하고 피해야 하는 음식을 알려주는 등 생활습관 개선을 권고해주는 것만으로도 충분하다.

7. 검진내시경에서 문진의 중요성

내시경검사는 위에 설명한 위험과 합병증이 발생할 수도 있는 검사이며, 건강검진으로 시행하는 검사 중에서는 가장 위험한 항목이 내시경검사이다. 하지만 건강검진센터에서는 의료기계를 사용한 검사가 중시되고 의사의 문진과 진찰이 소홀해지는 경향이 있어서, 내시경검사를 시행하는데 위험한 병력을 가진 환자가 사전에 걸러지지 않은 채 검사를 받게 되는 경우가 많다.

내시경 검진의는 이런 상황을 잘 알고, 검사를 시행하기 전에 충분한 문진과 진찰을 시행해야 한다. 주의 깊게 살펴보아야 할 사항은 다음과 같다.

- 일반상태 - 전체적으로 건강상태는 양호해 보이는가?
- 과거병력 - 기존 질병(고혈압, 당뇨병, 폐결핵, 간염, 천식, 심장병 등), 수술 경력, 약물 부작용 등은 없는가?
- 현재의 증상 - 복부증상(소화불량, 복통, 속쓰림, 설사, 변비 등), 기타 최근에 발생한 다른 신체증상은 없는가?
- 가족력 - 가족 중에서 암환자나 유전질환 환자가 있지는 않았는가?
- 직업력 - 야간근무나 교대근무를 하지 않는가? 직장 내 스트레스는 심하지 않은가?
- 생활습관 - 음주, 흡연, 운동 등
- 이전의 내시경검사에서 특이소견 여부
- 기타 의학적으로 중요한 사항

01 위내시경(상부위장관내시경)
Esophagogastroduodenoscopy, EGD

목표질환 : 위암, 식도암, 십이지장 근위부의 악성종양, 간혹 후두암

주변질환 : 양성 위궤양, 십이지장궤양, 역류성 식도염, 위용종

조우병변 : 상부식도의 이소성 위점막, 게실, 황색종, 식도유두종 등

상부위장관의 구조 및 병변의 위치표시

상부위장관은 입에서 항문 쪽으로 다음과 같은 구조물들로 구성되어 있다. 내시경이 지나는 경로이기도 하다.

입술 - 치아(문치, incisors) - 구강 - 인후부
- 상부식도괄약근 - 식도 - 위식도 경계부(esophagogastric junction)
- 위 분문부(cardia) - 위 저부(fundus), 체부(body), 전정부(antrum), 유문(pylorus)
- 십이지장 구부(duodenal bulb) - 십이지장 하행부 - Vater 유두부(papilla of Vater)

1. 식도의 구조 및 병변의 위치표시

식도는 상부식도괄약근부터 위식도 경계부까지 이며, 경부식도와 흉부식도로 구분된다. 내시경에서 병변의 위치는 수검자의 앞니(상절치, upper incisors)로부터의 거리로 기록한다.

1) 상부식도괄약근(14 cm from upper incisors)

   후두와 인접하여 있으며 음식을 삼킬 때 외에는 항상 닫혀 있다.

2) 중부식도 협착부(27 cm from upper incisors)

대동맥과 기관지에 눌려 내강으로 약간 돌출되어 있다.

3) 위-식도 경계부(40 cm from upper incisors)

식도의 편평상피는 약간 흰색을 띠고, 위의 원주상피는 붉은 색을 띠므로 정상인 경우에는 경계가 선명하다. 이 경계를 "Z-line"이라고 한다.

2. 위의 구조 및 병변의 위치표시

위는 입구인 분문부(cardia)부터 출구인 유문륜(pyloric ring)까지 이며, 길이 방향과 횡방향으로 다음과 같이 구분된다. 내시경에서 병변의 위치는 이에 따라 기록한다.

1) 길이 방향으로 3부분으로 구분된다.

(1) 위저부(fundus)

분문부보다 윗부분이다. 지붕 또는 돔(dome)과 비슷한 모양이다.

(2) 체부(body, corpus)

체부는 길어서 상체부, 중체부, 하체부로 구분해서 기록하기도 한다.

(3) 전정부(antrum)

위각부(angle)에서 유문륜(pyloric ring)까지 이다.

2) 횡방향으로 4부분으로 구분된다.

(1) 대만(greater curvature)

주름이 많고 좌측와위 상태에서 위액이 고여 있다.

(2) 소만(lesser curvature)

대만의 반대쪽에 주름이 없는 부분이다.

(3) 전벽(anterior wall)

내시경을 삽입할 때 전면에서 만나는 부분이다.

(4) 후벽(posterior wall)

전벽의 반대쪽으로, 내시경 삽입방향에서 벗어나 있어 관찰이 어려운 사각지대이다.

3. 십이지장의 구조

십이지장의 4부분(구부, 하행부, 횡행부, 상행부) 중에서 구부와 하행부까지만 관찰이 가능하다. 구부와 하행부의 사이는 굴곡이 심해 관찰이 어려우므로 주의 깊게 관찰해야 한다.

1) 구부(bulb)
   공 속처럼 둥글게 되어 있다.
2) 하행부(descending portion)
   담즙과 췌장액이 분비되는 Vater 유두부가 개구하고 있다.

4. 위내시경 삽입의 구조적 어려움

인후부 바로 아래에 기도와 식도가 인접해 있고, 또한 상부식도는 괄약근으로 항상 닫혀 있으므로 내시경 삽입에 어려움이 있다. 내시경 후에 목 부분의 불편감을 호소하는 것은 내시경이 이 상부식도 괄약근 부위를 지날 때 약간의 손상을 주기 때문이다. 1-2일 지나면 대부분은 호전된다.

[검사순서 및 주의사항]

1. 검사가 시작되기 전에 미리 거품제거제를 마시게 한다.
2. 생리식염수를 정맥내 주사하여 혈관을 확보한다.
3. 틀니가 있으면 내시경도중 분실되거나 기도로 들어가 위험하므로 제거하게 한다. 다만 여러 개가 연결된 경우에는 큰 문제가 없으므로 그냥 착용하게 한다.
4. 안경이나 휴대폰은 안전한 곳에 보관한다.
5. 국소마취제 스프레이를 구강 뒤쪽에 분사한다. 국소마취제에 부작용을 나타내는 사람이 있을 수도 있으므로 주의해야 한다.
6. 수검자를 침대에 좌측와위로 눕히고, 마우스피스를 물게 하고 탄력 있는 고무줄로 고정한다. 수면유도 중에 수검자가 입을 움직이면서 마우스피스가 빠져버리는 경우가 있는데, 이 경우 내시경이 손상되는 것은 물론 수검자가 다치게 되고 검사가 진행되기 어려워지므로 매우 주의해야 한다.
7. 내시경도중 호흡마비를 감시하기 위해 산소포화도측정기(pulse oxymeter)를 손가락에 부착시킨다.
8. 수면유도용 약물을 천천히 정맥내로 주사하고, 수검자가 적절히 준비되었으면 내시경을 삽입한다.
9. 내시경 도중에 몸부림을 심하게 치면 약물이 부족한 것이므로 추가로 약물을 주사한다. 상황에 따라서는 보조자가 붙잡아야 하는 경우도 있다.

10. 검사 도중 산소포화도가 떨어지거나 호흡이 마비된 징후가 있으면, 기도를 바르게 유지하고 산소를 공급한다. 구강 내에 분비물이 있으면 흡인한다. 그래도 회복되지 않으면 보조자가 손으로 배꼽주위 하복부에서 횡경막을 향해 압박을 가해(modified Heinrich method) 환기가 이루어지도록 한다.
11. 이런 방법으로 대부분 호흡이 돌아오지만, 만약의 경우를 대비해 인공호흡장치(ambulatory bag and mask)와 기관내 삽관(endotracheal intubation)기구를 내시경실에 항상 비치해 두어야 한다.
12. 검사가 끝난 뒤에는 수면에서 깨어날 때까지 잘 지켜보아야 한다. 호흡마비가 뒤늦게 나타날 수도 있고, 침대에서 일어나 앉아 있다가 침대 밖으로 떨어질 수도 있으므로 수검자가 완전히 깨어날 때까지는 주의를 기울여야 한다.
13. 검사가 끝난 뒤에도 수면유도제에서 완전히 회복하기 전에는 자동차 운전, 위험한 기계조작 등은 하지 말도록 권고한다.

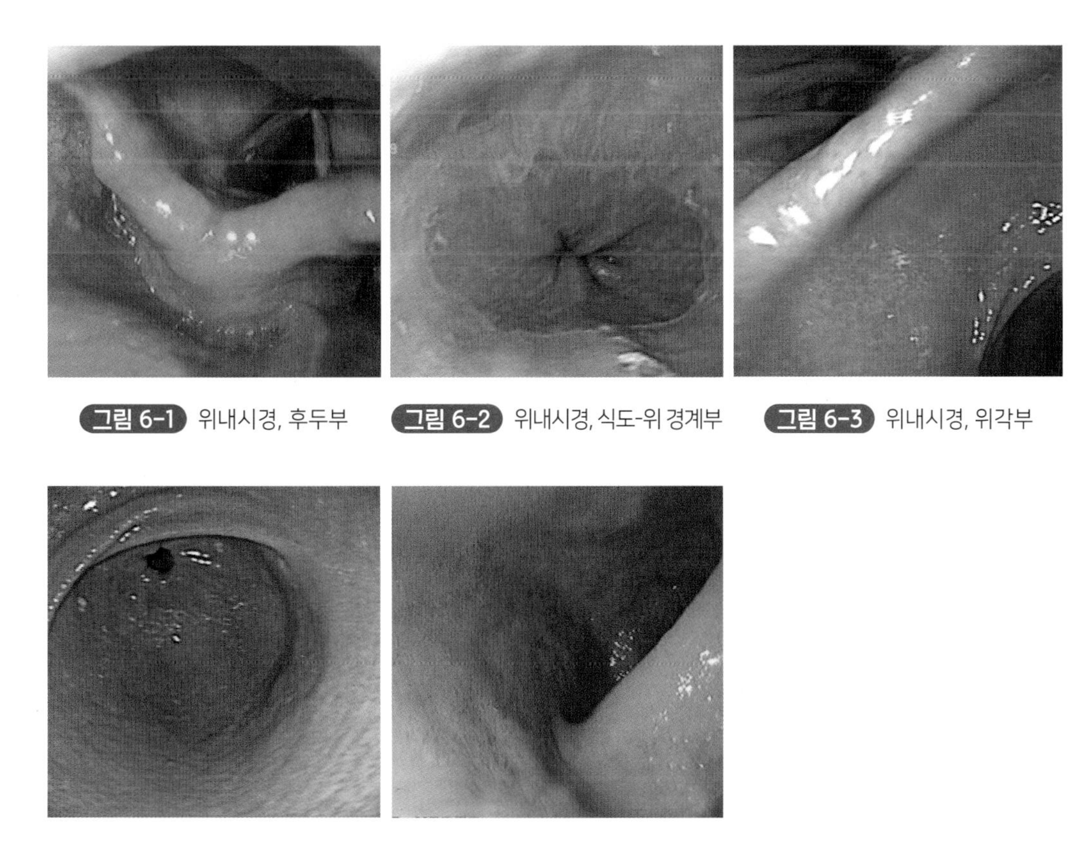

그림 6-1 위내시경, 후두부

그림 6-2 위내시경, 식도-위 경계부

그림 6-3 위내시경, 위각부

그림 6-4 위내시경, 전정부

그림 6-5 위내시경, 십이지장 구부

식도암(esophageal cancer)

1. 식도암의 특징

1) 식도에는 상막(serosa)이 없고, 식도의 벽을 따라 림프조직이 발달해 있다. 그래서 암의 림프절 전이나 원격전이가 쉽게 일어나므로, 식도암은 예후가 좋지 않은 암이다.

2) 식도암은 다발성 병변이 흔하므로, 한 곳에서 병변을 발견했다면 다른 곳에 병변이 있는지 반드시 확인해야한다.

2. 식도암의 분류

1) 편평상피세포암(squamous cell carcinoma) : 가장 흔하다.

2) 선암(adenocarcinoma) : 이소성 위점막에서 발생하거나, 위의 분문부 종양이 식도로 퍼진 경우이다. 식도-위 경계부에 가장 많이 발생한다. 최근에 증가하고 있다.

3) 기타 비상피성 종양 : 평활근육종(leiomyosarcoma) 등

3. 식도암의 위험인자

1) 식도 이완불능증(achalasia)

2) 두경부 암

3) 방사선 조사

4) 부식성 식도손상

5) 열 손상

6) 전신경화증

7) 기타

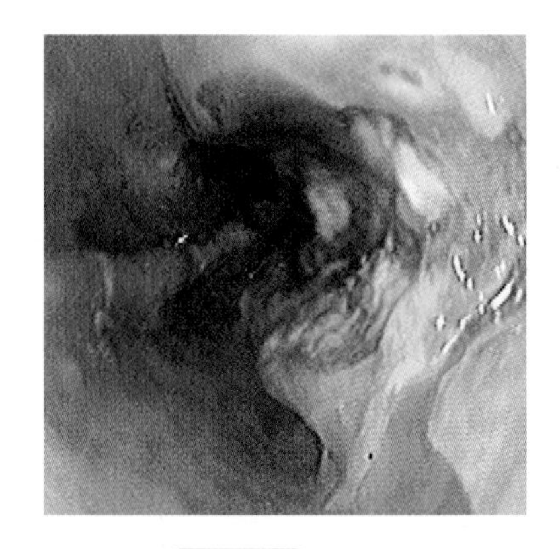

그림 6-6 식도암

4. 식도암의 형태

1) 돌출된 종괴형 - 가장 흔하다.

2) 궤양형 - 두 번째로 흔하다.

3) 미만성 침윤형 - 드물다

5. 식도암의 증상

음식물을 삼키지 못한다. 체중이 감소하고, 흉통을 호소하기도 한다. 침분비가 증가되거나, 입냄새가 날 수도 있다.

식도의 양성종양

- 유두종(papilloma)
  젖꼭지 모양으로 식도 내강으로 돌출되어 있다. 위내시경 도중 흔하게 발견된다.
- 평활근종(leiomyoma)
- 지방종(lipoma)
- 신경초종(Schwannoma)
- 림프관종(lymphangioma)
- 과립세포종(granular cell tumor)

역류성 식도염(reflux esophagitis)

위산이 위에서 식도로 역류하여 내시경으로 관찰했을 때 식도점막에 염증성 변화가 발생한 질환이다. 건강검진 위내시경검사에서 매우 흔하게 관찰되는 병변이다.

역류성 식도염, 위식도 역류장애, 인후 신경증 등의 용어가 혼재되어 사용되는데 정확한 의미는 다음과 같다.

위식도 역류장애(gastro-esophageal reflux disorder, GERD)는 위산이 식도나 후두로 역류하여 불편한 증상(속쓰림, 목 불편감 등)을 나타내는 상태를 의미한다. 이중 내시경검사에서 식도에 미란, 점막결손 등의 형태학적 변화가 일어난 상태를 "역류성 식도염" 또는 "미란성 식도염"이라고 하고, 위식도 역류장애의 범주에 속하지만 내시경 검사에서 점막 손상이 관찰되지 않는 경우에는 "비미란성 역류장애"라 한다.

인후 신경증(pharyneal neurosis, globus hystericus)은 목 안에 뭔가가 붙어 있는 듯한 불편감(가래가 있는 듯한 느낌)을 만성적으로 호소하는 경우이다. 먼저 인후부 종양이나 부비동염 등의 질환을 감별해낸 후에도 아무런 이상을 발견하지 못하면 인후 신경증이라 한다. 가장 많은 원인이 위식도 역류장애 때문이다.

1. 위-식도 역류의 원인

1) 하부식도괄약근(lower esophageal sphincter)의 기능부전
2) 하부식도 괄약근의 낮은 압력
3) 식도열공 헤르니아(Hiatal hernia)와 같은 해부학적 이상

2. 증상

1) 속쓰림(heartburn) : 가장 전형적인 증상

2) 심할 경우 : 연하통, 연하곤란, 오심(nausea) 등

3) 만성적인 후두부 증상 : 인후부 이물감(인후 신경증), 만성 기침, 쉰 목소리

3. 역류성 식도염의 등급

역류성 식도염을 분류하는 방법에는 여러 가지가 있는데, 그 중에서 LA분류법이 가장 널리 사용되고 있다. 1994년, Los Angeles World Congress of Gastroenterology에서 채택되었다. 점막결손(mucosal break)의 길이를 기준으로 한다.

역류성 식도염의 분류 : LA classification

Group A : 점막결손의 길이가 5 mm 미만인 경우
Group B : 점막결손의 길이가 5 mm 이상이 하나라도 있는 경우
Group C : 점막결손이 원주방향으로 융합하는데, 식도둘레의 75% 미만인 경우
Group D : 점막결손이 전체 식도둘레에 융합되어 있는 경우

I. 미세변화(minor change) : 발적, 점막연결부의 불분명, 취약성(friability), 혈관상 증가, 부종
→ Group M 또는 0 으로 기술하기도 한다.
II. 점막결손(mucosal breaks)
→ Group A, B, C, D 로 구분한다.
III. 궤양(ulcer)
IV. 협착(stricture)
V. 화생(metaplasia, 바렛식도)

LA분류는 건강검진을 받는 수검자에겐 어려운 용어이므로, 결과 판정을 낼 때에는 다음과 같이 표현하는 것이 좋다.

경증 역류성 식도염 : minor change, Group A

중등도 역류성 식도염 : Group B

중증 역류성 식도염 : Group C, D

4. 치료

위식도 역류질환에서 치료의 목적은 역류로 인해 발생하는 불편한 증상을 없애고 합병증을 예방하는 것이 목적이다. 약물로는 위산 분비를 감소시키는 약제가 사용된다.

1) 프로톤 펌프 억제제(proton pump inhibitor, PPI)

2) H_2 수용체 길항제(H_2 receptor antagonist)

5. 위식도 역류의 예방

역류성 식도염은 현대인에게 아주 흔하게 발생하는 질환이다. 과식, 기름진 음식, 야식 또는 음주 후 취침 등 위식도 역류를 일으킬 수 있는 생활습관이 보편화되어 있기 때문이다. 그러므로 약물치료도 중요하지만, 그보다 역류를 예방하기 위한 생활습관의 개선이 더 중요하다. 건강검진센터에서는 이런 경우에 수검자에 대한 교육에 신경을 써야 한다.

위식도 역류를 예방하기 위한 생활습관

① 식사 후에 바로 눕지 말고 최소 2-3시간 경과 후에 눕도록 한다. 잠들기 직전에는 물을 마시지 않는다.
② 잘 때는 침대의 머리 부분을 올리고 잔다.
③ 술은 잠자는 도중에도 위산이 계속 분비되도록 하며 위의 내용물이 식도로 쉽게 역류하게 하므로 금한다.
④ 흡연, 과다한 커피, 지방이 많은 기름진 음식 등은 하부식도괄약근의 압력을 줄여 역류가 잘 일어나게 하므로 금한다.
⑤ 산성을 띈 음료수들은 증상을 악화시키므로 금한다.

바렛식도(Barrett's esophagus)

만성적인 역류성 식도염으로 인하여 하부식도의 점막이 정상적인 편평상피에서 원주상피로 변화한 경우를 일컫는다. 이론은 있지만 일반적으로, 조직검사를 실시하여 술잔세포(gublet cell)이 나타나는 장상피화생이 동반되는 경우를 지칭한다.

바렛식도는 식도 선암의 전암성병변으로, 일년에 약 0.5-1%에서 선암이 발생하는 것으로 추정되고 있다.

프라하 진단기준(Prague criteria)

바렛식도의 내시경적 기술법으로 2006년에 발표되었다. 내시경적으로 위점막 주름의 가장 근위부를 위-식도의 경계로 한다.

- 위-식도 경계에서 환상의 바렛식도의 근위부연까지의 거리를 "C"로 정의한다.
  C : circumferential extent of metaplasia

- 위-식도 경계에서 혀모양의 바렛식도의 근위부연까지의 거리를 "M"으로 정의한다.
  M : maximal extent of metaplasia

예를 들면,
환상형 상피화생이 2.0 cm이고, 혀모양의 최대길이가 5.0 cm인 경우 → C2M5
환상형 상피화생이 없이, 혀모양의 최대길이가 3.0 cm인 경우 → C0M3
단순히 Z-line이 불규칙한 경우 → C < 1 M < 1

바렛식도가 발견되면 하부식도괄약근의 상부 2 cm부터 시작하여 위로 2 cm간격으로, 각각 4방향에서 조직검사를 시행한다.

① 이형성이 없는 경우 : 2년 간격으로 내시경검사 시행
② 저등급의 이형성이 있는 경우 : 8-12주간 위산분비억제제를 사용한 후 다시 조직검사를 실시
③ 고등급의 이형성이 발견되면 : 추가검사를 통해 침습성 암의 여부 및 병기를 결정한 후, 내시경적 또는 수술적 치료를 시행한다. 치료를 하지 못한 경우 3개월마다 조직검사를 시행한다.
④ 이형성 여부가 불확실하거나, 급성염증 소견이 있는 경우 : 위산분비억제제를 8주간 사용한 후에 조직검사를 시행한다.

위암(gastric cancer)

건강검진으로 위내시경을 시행하는 가장 중요한 이유는 위암을 조기에 발견하는 것이다. 우리나라 사람에서 발생율이 높은 암 중의 하나이며, 조기에 발견되면 완치율이 높아 건강검진의 대표적인 목표 질환이 바로 위암이다.

조기위암은 증상이 없거나, 있더라도 소화불량 복부불편감 등 경미한 정도인 경우가 많아 위내시경을 주기적으로 시행하는 것이 위암을 초기에 발견하는 가장 좋은 방법이다.

건강검진 목적의 위내시경은 40세 이상에서 2년마다 시행하는 것이 권장되고 있다. 하지만, 20-30대에서도 위암이 발생되므로 이 연령대에서도 시행하는 것이 좋으며, 또한 검사 간격도 짧을수록 조기진단이 가능해지므로 위험요인이 있는 수검자의 경우에는 1년마다 시행하는 것이 좋다.

1. 위암의 분류

1) 조직학적 분류

(1) 선암(adenocarcinoma) - 가장 흔하다.

- 관상(tubular)
- 유두상(papillary)
- 점액성(mucinous)
- 도장반지세포암(signet ring cell carcinoma)

(2) 선암-편평상피암(adeno-squamous cell carcinoma)

(3) 편평상피암(squamous cell carcinoma)

(4) 미분화암(undifferentiated cancer)

2) 육안적 형태에 따른 분류

(1) 조기위암(early gastric cancer, EGC)

암세포가 점막과 점막하층에만 국한된 초기의 위암

조기위암의 분류

type I 융기형(protruded)
type II 표면형(superficial)
 IIa superficial-elevated
 IIb superficial-flat
 IIc superficial-depressed
type III 함요형(excavated)

(2) 진행위암(advanced gastric cancer, AGC)

암세포가 근육층 깊숙이 침범된 위암

진행위암의 분류 - Borrmann's classification

type 1 융기형(nodular polypoid lesion without ulceration)
type 2 궤양융기형(fungating disklike circumscribed tumor with defined sharp margin that may have an ulceration in the dome)
type 3 궤양침윤형(ulcerated tumor with a penetrating ulcer base)
type 4 미만침윤형(diffuse thickenning of gastric wall – linitis plastica)

2. 위암의 전암성 병변(precancerous lesion)

위암이 발생할 확률이 높은 병변들로 다음과 같은 것들이 있다. 이런 병변들이 있는 경우에는 정상적인 경우보다 더 자주 위내시경을 시행하는 것이 좋다.

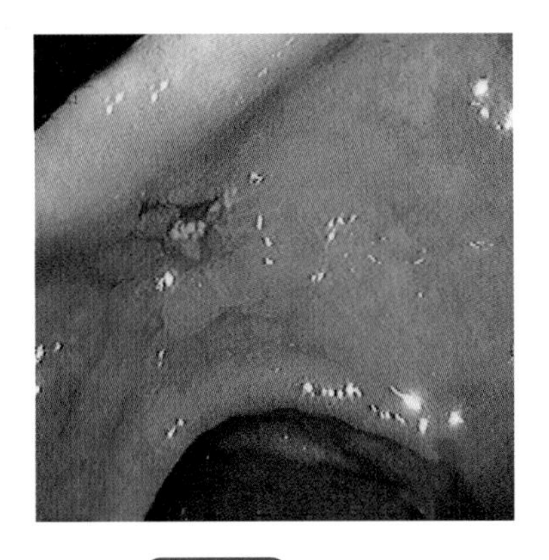

그림 6-7 조기위암

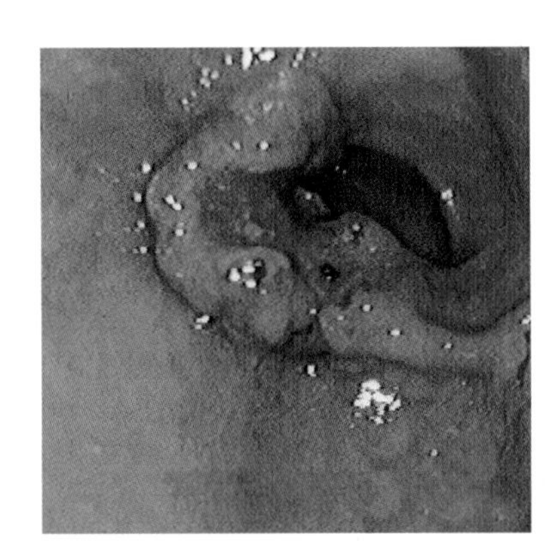

그림 6-8 진행위암

1) 헬리코박터 파일로리(Helicobacter pylori)

위 안에 기생하는 세균이다. 헬리코박터 파일로리가 있다고 해서 모두 위암이 발생하는 것은 아니지만, 전암성 병변이 있는 경우에 헬리코박터가 있으면 제균제를 복용해 박멸하는 것이 좋다.

2) 만성위축성위염(chronic atrophic gastritis)

위점막이 얇아져 혈관이 비쳐 보이며, 심하면 정상 점막주름이 소실된다.

3) 장상피화생(intestinal metaplasia)

위점막이 장점막처럼 변해가는 상태로, 현미경으로 보면 술잔세포(goblet cell)가 나타난다.

4) 선종성 용종(adenomatous polyp)

위용종의 현미경적 형태가 선종인 경우이다.

5) Menetrier 병

위내 단백질이 없어지고 점막 분비세포가 과증식 되어, 위점막이 두꺼워진다.

상피하병변(Subepithelial Lesion, SEL)

위나 장의 상피 아래에 발생하는 종양이다. 예전에 점막하종양이라고 부르던 것으로, 최근에 용어가 변경되었다. 내시경의 생검겸자로 눌러보면 점막 아래에 움직이는 종괴가 느껴지며, 주변 점막이 늘어져 주름(bridging fold)이 생긴다.

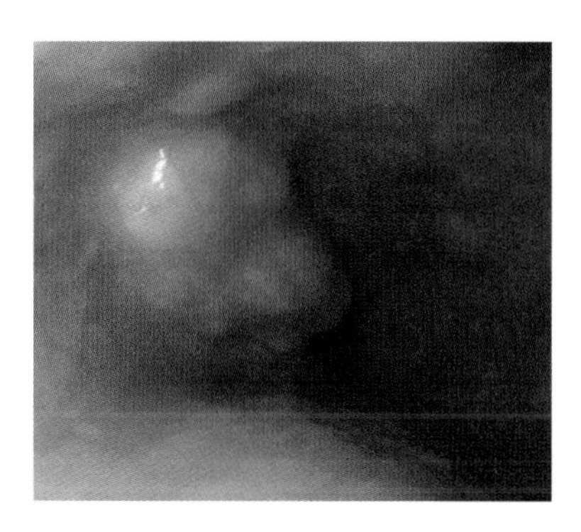

그림 6-9 상피하병변, 식도

1. 위 상피하병변의 종류

1) 양성 상피하병변

(1) 상피성 : 낭종, 이소성 췌장

(2) 비상피성 : 평활근종, 지방종, 섬유종, 신경초종, 신경섬유종, 혈관종, 림프관종

(3) 염증성 : 호산구성 육아종

2) 악성 상피하병변 : 평활근육종, 기타 육종

2. 상피하병변이 발견된 경우 진단 및 치료 과정

상피하병변(SEL)이 발견된 경우

① 1 cm 이하로 작은 경우, 1년에 한 번 정도 내시경검사로 경과를 관찰
* 단, 크기가 작더라도 악성징후(malignant sign)가 관찰되면 암을 의심해야 한다. ; 궤양이 있는 경우, 경계가 불확실한 경우, 빠르게 커지는 경우

② 1 cm 이상이면, 초음파내시경검사(EUS)를 시행

③ 2 cm 이상인 경우, 초음파내시경검사상 악성질환이 의심되면, 초음파내시경유도 세침흡인조직검사(EUS-FNAB)를 시행

④ 5 cm 이상인 경우, 초음파내시경검사나 CT검사 소견에서 악성질환이 의심되면, 조직검사 없이도 수술적 절제를 시행

3. 초음파내시경(endoscopic ultrasonogram, EUS)

초음파가 부착된 내시경으로, 점막하종양의 성격과 예후를 추정할 수 있는 중요한 진단방법이다.

1) 초음파내시경의 이용

(1) 점막하종양(식도, 위, 십이지장)을 감별할 수 있다.

장관벽 내의 병변과 외부압박을 감별한다. 점막하 종괴의 기원층, 크기, 형태, 내부에코를 관찰할 수 있다.

(2) 췌장, 담도계, 종격동의 병변을 관찰할 수 있다.

2) 초음파내시경의 스캔방법

(1) 풍선접촉법(balloon contact method)

탐촉자에 부착된 풍선에 물을 채워 위장관 벽면에 접촉시켜 검사하는 방법

(2) 탈기수충만법(water filling method)

겸자공을 통해 위장관의 내강에 탈기수(기포를 제거한 물)를 채워 검사하는 방법

3) 초음파내시경를 이용한 조직검사

필요한 경우 내시경초음파를 이용해 병변을 조직검사할 수 있다.

(1) 초음파내시경 유도하 세침흡인술(EUS-guided fine needle aspiration, EUS-FNA)

(2) 초음파내시경 유도하 trucut 조직검사(EUS-guided trucut biopsy)

위용종(polyp, 폴립)

위장관의 벽으로부터 내강으로 돌출된 종괴로, 암의 전암상태인 경우도 있으므로 주의해야 한다.

1. 용종의 분류

내시경에 의한 형태학적 분류(야마다 분류법)

> 용종의 분류 : 야마다(山田, Yamada) 분류법
>
> type I – 무경성, 경계가 불분명하게 약간 융기된 형태
> type II – 무경성, 경계가 명확하게 융기된 반구형 형태
> type III – 아유경성, 기저부가 잘룩한 구형
> type IV – 유경성

경(stalk, 頸)은 용종과 장관의 벽이 목처럼 연결된 부분을 말한다.

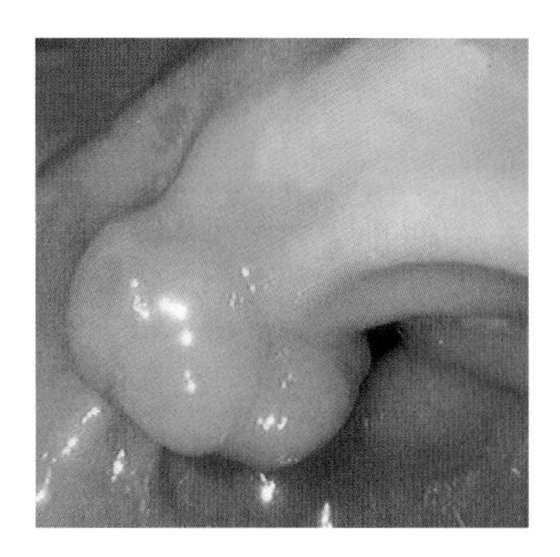

그림 6-10 위용종, 유경성

2. 용종의 종류

1) 선종성 용종(adenomatous polyp)

조직학적 형태가 선종(adenoma, 腺腫)인 용종으로 전암성 병변이므로 완전절제 및 추적관찰을 철저히 해야 한다. 선종은 조직학으로 다음과 같이 분류된다.

- 관상 선종(tubular adenoma) : 악성화 경향이 상대적으로 낮다.
- 관상-융모상 선종(tubulo-villous adenoma)
- 융모상 선종(villous adenoma) : 관상용종보다 악성화 경향이 더 높다.

위장관의 암세포는 병리학적으로 "정상세포 → 선종 → 선암" 으로 변화해간다. 선종세포가 암세포로 변화해 가는 것을 "이형성(dysplasia)"이라고 한다. 변화한 정도에 따라 "(low /moderate / high) grade dysplasia" 로 표현한다.

2) 증식성 용종(hyperplastic polyp)

정상세포가 염증이나 기타 자극에 의해 정상보다 많이 증식해서 용종의 형태를 보인 경우로 암과는 무관하다.

3) 염증성 용종

염증에 의해 정상점막이 용종처럼 돌출된 경우이다.

3. 용종의 제거 및 추적관찰

용종의 제거 및 추적관찰

1) 크기가 1 cm 미만 → 조직검사를 시행한다.
   ① 결과가 악성종양, 또는 전암성 병변 → 완전 절제한다.
   ② 결과가 암과 무관한 양성병변 → 절제 불필요, 추적관찰 한다.
2) 크기가 1 cm 이상 → 절제한다.
   용종절제술(polypectomy), 수술적 절제
   양성일지라도 출혈의 위험성, 악성세포를 포함하고 있을 가능성 때문에 절제해야한다.
   절제한 경우에는 추적관찰을 해야 한다(3개월, 6개월, 그 후엔 1년마다).

위궤양(gastric ulcer)

위점막이 여러 가지 원인에 의해 결손된 상태를 위궤양이라고 한다. 염증이 심해 위점막이 결손되면 양성 위궤양이 된다. 하지만 악성종양이 위궤양의 형태로 나타나는 경우가 많으므로, 위궤양이 발견되면 반드시 악성을 감별해야 한다. 양성 위궤양과 악성 위궤양은 내시경으로 어느 정도는 구분이 가능하지만, 확실한 진단을 위해서는 반드시 조직검사를 시행해야 한다.

궤양(ulcer)과 미란(erosion)은 둘 다 점막이 결손된 상태를 말하는데, 미란은 점막만 결손된 비교적 가벼운 상태를 말하고, 궤양은 점막하층까지 결손된 비교적 심한 형태의 점막결손을 말한다.

1. 위궤양의 원인

1) 헬리코박터 파일로리(Helicobacter pylori)

2) 약물(비스테로이드성 소염진통제, 스테로이드)

3) 심리적 스트레스

4) 기타

예전에는 위궤양의 주요 발병기전을 “위점막에 대한 공격인자와 방어인자의 불균형”으로 설명하였으나, 최근에는 헬리코박터 파일로리 세균을 위궤양의 가장 중요한 원인으로 인정하고 있다.

헬리코박터 파일로리는 위암의 발병에도 매우 중요한 요인이므로, 위내시경검사 도중 위궤양이나 십이지장궤양이 발견되면 헬리코박터 파일로리에 대한 검사를 시행해 양성이면 제균제 치료를 시행해야 한다.

〈헬리코박터 파일로리 검사법〉

1. CLO 검사(Campylobacter-like organism test)

   가장 많이 사용되는 방법으로, 급속 요소분해효소 검사(rapid urease test)라고도 한다. 빠르고 간단하고 정확하지만, 내시경검사 중에만 가능한 검사이다. 헬리코박터로 분류되기 전에 캄필로박터와 유사한 세균이라 해서 이런 이름을 갖게 되었다.

   위내시경을 시행할 때 위의 점막을 조금 떼어 요소와 시약이 담긴 배지 위에 놓아두면, 헬리코박터가 있을 경우 색깔이 변한다. 세균이 분비하는 요소분해효소(urease)가 요소를 이산화탄소(CO2)와 암모니아로 분해하기 때문이다.

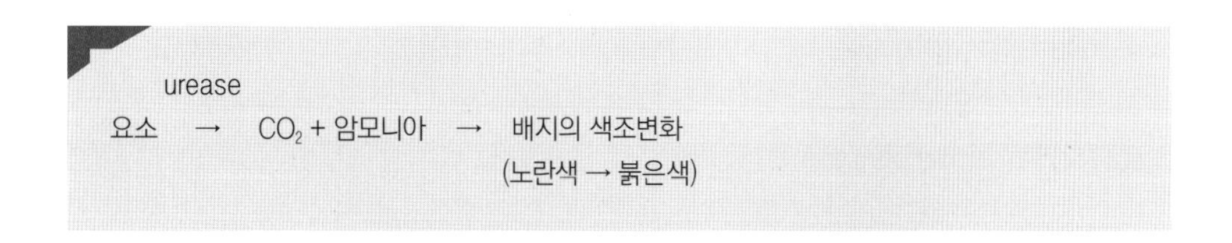

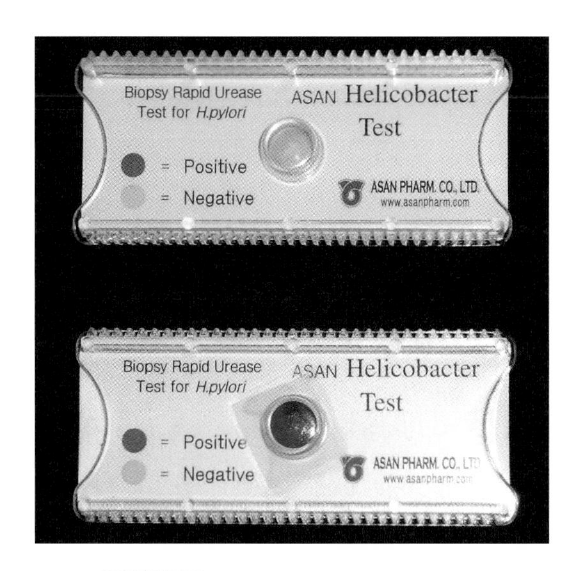

그림 6-11 CLO 검사(위-음성, 아래-양성)

2. 조직학적 검사

   의심되는 병변이 있을 때 조직검사를 하는데, 이때 동시에 Giemsa염색으로 헬리코박터 존재 유무를 확인한다.

3. 항체 검사

   혈액(혈청)에서 헬리코박터 파일로리의 항체(IgG, IgA)를 검출한다. 치료 후에 세균이 박멸된 후에도 양성으로 나오므로, 치료 효과 판정에는 적절하지 않다.

4. UBT test(urease breath test, 요소호기검사)

CLO test처럼 헬리코박터가 요소를 이산화탄소와 암모니아로 분해하는 능력을 이용한다. C13가 부착된 요소를 포함한 음식물을 먹으면, 위의 헬리코박터가 요소를 분해하여 C13가 부착된 이산화탄소를 배출한다. 환자의 호기(呼氣)를 모아 적외선 분광기로 분석한다. 민감도와 특이도가 높아 정확하지만, 비용이 비싸다.

2. 위궤양의 발생위치

위각부, 전정부의 소만에 주로 발생한다. 위저부, 체부, 대만부는 상대적으로 적게 발생한다.

3. 위궤양의 병기(phase)

1) 급성기(A : active phase)

① A1 : 궤양바닥에 백태가 두텁게 부착되어 있다. 혈괴, 섬유소, 조직괴사물들이 부착되어 있다. 궤양의 변연은 부종으로 융기되어 있다. A1은 A2로 빠르게 진행하므로 실제 임상에서는 드물다.

② A2 : 백태가 엷어진다. 궤양의 변연이 명확해지고, 주변의 융기는 가라앉는다.

2) 치유기(H : healing phase)

① H1 : 궤양바닥이 얕아지고 백태도 엷어진다. 궤양변연이 평활해지고 주변의 융기는 더욱 가라앉는다. 재생상피가 나타나고, 궤양중심을 향하는 주름의 집중이 보인다.

② H2 : 궤양크기의 축소가 현저해진다. 궤양바닥에 재생된 조직이 보이고, 재생상피가 붉게 보인다. 주름의 집중이 현저해진다.

③ H3 : 반흔기처럼 보이지만, 반흔 부위에 재생상피가 완전히 덮혀 있지 않을 때 H3로 분류한다.

3) 반흔기(S : scar phase)

① S1 : 붉은 색의 재생상피(적색 반흔)가 궤양바닥을 덮고 있다. 중심의 함요가 약간 남아있고, 주름의 집중이 중심을 향하고 있다.

② S2 : 주위점막과 같은 색조의 재생상피(백색 반흔)로 덮인다. 주름의 집중이 약해진다.

4. 치료

1) 헬리코박터 파일로리가 발견되면 제균제 복용 : 1-2주

2) 프로톤 펌프 억제제(proton pump inhibitor, PPI) : 4-8주

5. 추적검사

양성 위궤양일지라도 치료 4-6주 후에 내시경검사를 재검하여 치료효과 판정 및 악성화 가능성을 재검토하여야한다.

십이지장궤양(duodenal ulcer)

십이지장궤양은 대분분 암과 무관한 양성질환이지만, 재발이 흔하다. 헬리코박터 파일로리 세균에 의해 발생하는 경우가 많아 제균제 치료가 중요하다.

1. 원인

1) 헬리코박터 파일로리(Helicobacter pylori)

2) 약물(비스테로이드성 소염진통제, 스테로이드)

3) 기타

2. 증상

증상이 없는 경우가 많아 건강검진에서 내시경검사로 우연히 발견되는 경우가 흔하다.

복통, 복부 불편감 등의 증상을 호소하기도 한다.

3. 위치

대부분 구부(duodenal bulb)에 발생한다. 그보다 원위부에서 발견되면 Zollinger-Ellison 증후군을 의심하고 혈청gastrin 검사를 해야 한다.

구부의 전벽이 제일 흔하고, 일부는 전벽과 후벽에 다발성으로(kissing ulcer) 나타나기도 한다. 구부의 후벽은 관찰이 어려운데, 만약 후벽에 궤양이 있을 경우 췌-십이지장동맥(pancreatico-duodenal artery)를 손상시킬 가능성이 있어 주의해야 한다.

4. 십이지장궤양의 병기(phase)

위궤양과 마찬가지로 급성기(A1, A2), 치유기(H1, H2), 반흔기(S1, S2)로 구분한다.

5. 치료 및 예후

십이지장궤양은 악성은 드물지만 재발이 흔하다. 헬리코박터에 의한 경우 제균제 치료가 중요하다.

합병증이 없고 증상이 호전되는 경우에는 추적검사가 필요 없다. 합병증으로는 장관의 협착, 심한 출혈, 천공 등이 발생할 수도 있다.

위염(gastritis)

위염은 위내시경검사의 목표질환은 아니다. 대부분 조우병변이고, 가끔은 치료가 필요한 주변질환인 경우도 있다.

1. 생리적 위염(physiologic gastritis)

위 점막은 음식물이나 약물에 의해 항상 자극을 받고 있으므로, 현미경적으로나 내시경적으로 약간의 염증소견을 보이는 경우가 많다. 대부분 치료가 필요치 않다.

2. 위염의 분류법

위염은 검사자의 관찰에 의해 주관적으로 기술되므로 분류하기가 쉽지 않다. 다음과 같은 분류법이 주로 사용되고 있다.

1) Schindler 분류법(1947년)

위염의 분류 - Schindler 분류법

1. 급성위염
2. 만성위염
3. 만성표층성위염
4. 위축성위염
   a. 위축성위염 뿐인 것
   b. 표층성위염을 동반한 것
   c. 과형성 변화를 동반한 것
   d. 장상피화생을 동반한 것
5. 비후성위염

2) Sydney 분류법(1990년)

1990년 시드니에서 개최된 World Congress of Gastroenterology에서 채택되었다.

조직학적 분류(histological division)와 내시경적 분류(endoscopic division)를 따로 구분했으며, 기술용어가 설정되었다.

- **기술용어**(descriptive terms)

  위염의 상태를 표현하는 용어로, 다음과 같은 것이 있다.

  부종(edema), 발적(erythema), 유약성(friability), 삼출물(exudate), 편평미란(flat erosion), 융기미란(raised erosion), 결절상(nodularity), 주름의 비후(rugal hyperplasia), 주름의 위축(rugal atrophy), 혈관의 투영성(visibility of vascular pattern), 벽내 출혈반(intramural bleeding spots)

위염의 분류 - The Sydney system

1. 위염의 위치(topography)
   1) 전체 위(pangastritis)
   2) 전정부(gastritis of antrum)
   3) 체부(gastritis of corpus)
2. 내시경적 위염의 분류 (categories of endoscopic gastritis)
   1) 발적/삼출성 위염(erytematous/exudative gastritis)
   2) 편평미란성 위염(flat erosive gastritis)
   3) 융기미란성 위염(raised erosive gastritis)
   4) 위축성위염(atrophic gastritis)
   5) 출혈성 위염(hemorrhagic gastritis)
   6) 역류성 위염(enterogastric reflux gastritis)
   7) 비후성위염(rugal hyperplastic gastritis)

3. 위염의 종류

1) 발적/삼출성 위염(erytematous/exudative gastritis)

가장 흔한 형태의 위염. 발적은 전정부에서 흔하며, 특히 유문륜에서 체부 쪽으로 방사되는 선상의 발적이 흔하다. 위의 연동운동에 의해 생긴다.

삼출성 위염은 체부에 더 흔하며, 위 점막에 달라붙는 끈끈한 삼출물이 관찰된다.

2) 편평미란성 위염(flat erosive gastritis)

주위 점막과 같은 높이의 미란이 주요병변인 위염

3) 융기미란성 위염(raised erosive gastritis)

주위 점막에 비해 융기되어 있고 그 중앙부에 미란이 있는 융기미란이 주요병변인 위염, 전정부에 방사성으로 사마귀모양 또는 염주모양으로 늘어서 있는 경우가 많다.

4) 위축성위염(atrophic gastritis)

주입된 공기로 위가 과신전되지 않은 상태에서 위벽의 혈관이 투영되어 보인다. 심한 경우 점막주름이 위축되어 있는 경우도 있다. 정상 위라도 주입된 공기로 과신전된 경우 혈관이 보일 수도 있으므로 주의해야 한다. 위암의 선암병변에 속한다.

5) 출혈성 위염(hemorrhagic gastritis)

붉은 색 또는 검은 색의 점상 또는 반상 출혈반점이 있다. 붉은 색의 혈액 또는 검은 색으로 응고된 혈액이 관찰될 수도 있다.

6) 역류성 위염(enterogastric reflux gastritis)

담즙역류에 의해 발생하는 위염으로, 점막에 담즙이 묻어 있고 발적과 부종이 관찰된다.

7) 비후성위염(rugal hyperplastic gastritis)

체부의 점막주름이 현저히 두꺼워져 있다. 공기를 주입하여도 주름이 잘 펴지지 않는다.

4. 위염의 치료

건강검진 내시경검사에서 흔하게 발견되는 증상이 없는 위염은 대부분 치료가 필요하지 않다. 하지만 복통, 속쓰림, 더부룩함 등의 증상이 있거나, 병변의 상태가 심한 경우에는 적절한 약물치료가 필요하다.

치료약물은 제산제, 히스타민분비억제제, 프로톤펌프억제제(proton pump ingibitor, PPI), 위점막보호제 등이 사용된다.

위내 음식물 잔류(food stasis)

위내시경검사를 시행했을 때 위 안에 음식물이 남아있는 경우가 가끔 있다. 금식해야 하는 줄 모르고 검사 전에 음식을 먹은 경우와, 소화기능의 장애로 위배출 기능이 지연(delayed gastric emptying)된 경우가 가장 많다.

하지만 가끔 병적인 원인으로 음식물이 남아 있는 경우도 있을 수 있으므로, 음식물이 보인다고 바로 검사를 끝내지 말고 관찰 가능한 범위를 모두 살펴서 숨어 있는 질환이 있는지 찾아보아야 한다.

위내 음식물 잔류의 원인으로는 다음과 같은 것들이 있다.

- 위석(bezoar)
- 유문부의 협착 또는 종괴에 의한 폐쇄
- 십이지장 협착
- 미만성으로 침윤된 위암에서 위운동 감소

- 당뇨병에 의한 위운동 감소
- 수술 위에서의 위운동 감소(미주신경절제술, 위아전절제술 등)
- 기타

위석(bezoar)은 위장관 내에 돌처럼 굳은 물질이 생기는 질환으로, 소화가 불가능한 물질들이 모여서 이루어진 것이다. 음식물로 착각하기 쉬우므로 의심스러우면 생검겸자로 건드려 보아야 한다.

위석 중에 가장 흔한 것은 식물위석(phytobezoar)으로 식물의 찌꺼기가 모여서 만들어지는 것이고, 모발위석(trichobezoar)은 머리카락이 모여서 만들어지는 것이다. 식물위석 중에서는 감을 먹고 나서 생기는 감위석(diospyrobezoar)이 가장 흔하다. 감위석은 감에 들어있는 탄닌(tannin)이 위산과 만나면 딱딱한 덩어리를 형성하기 때문에 생긴다.

위석은 작고 부드러운 경우 대개 특별한 합병증 없이 자연적으로 배출되지만, 크고 단단하게 종괴를 형성할 경우 위장관의 폐쇄, 천공, 위궤양, 출혈 등을 일으킬 수도 있다.

치료로는 위석이 대변으로 자연 배출되기를 기다리거나, 위장관 운동촉진제 복용, 내시경을 이용한 분쇄(올가미 이용) 등이 이용된다. 하지만 위석의 크기가 너무 크고 단단한 경우에는 수술로 위를 절개한 후 제거해야 하는 경우도 있다.

감위석(diospyrobezoar)의 경우 콜라를 이용한 치료법이 사용되기도 한다. 주입기(injector)를 이용해 위석 속에 콜라를 직접 주입하면 위석이 부드럽게 변한다. 그 후에 내시경의 겸자나 올가미를 이용해 위석을 조각 낸 뒤 제거한다. 하지만 콜라를 많이 마신다고 위석을 예방하거나 생긴 위석을 없애주지는 않는다.

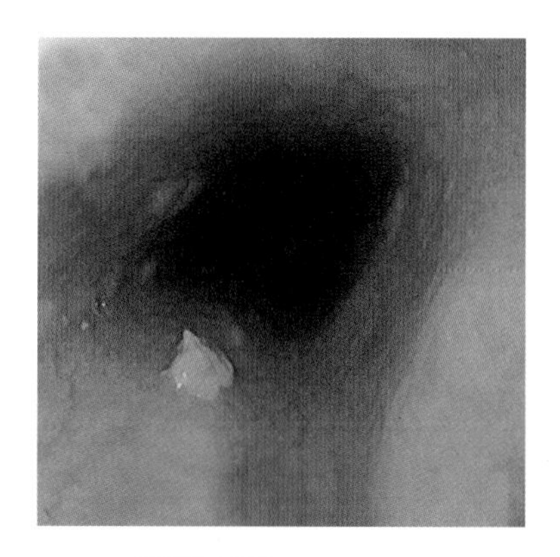

그림 6-12 식도 유두종

위내시경검사의 조우병변

1. 당원 표피비후증(glycogenic acanthosis)

식노의 내강에 둥글고 하얀 색의 반섬 또는 반구처럼 보인다. 당원(glycogen)이 침착된 세포들이 모인 것으로 임상적 의의는 없다.

2. 상부식도의 이소성 위점막(ectopic gastric mucosa)

상부식도괄약근 바로 아래의 식도점막에 붉고 둥그스름한 타원형의 병변으로, 식도점막의 편평상피가 아닌 위점막의 원주상피로 되어 있다. 이곳에서 위산이 분비되어 후두부로 역류되면, 인후부 불편감의 원인이 되기도 한다.

3. 식도 유두종(esophageal papilloma)

식도 내강으로 돌출되어 보이는 하얀색의 젖꼭지 모양의 병변이다.

4. 황색종(xanthoma)

위에서 주로 관찰되는 노란색의 작은 종괴로, 지질이 침착하여 생긴다.

5. 이소성 췌장(ectopic pancreas, aberrant pancreas)

위의 전정부 대만에 주로 생기는 배꼽모양의 병변으로, 둥근 언덕 모양의 주변부와 분화구 모양의 중앙부로 되어 있다.

6. 혈관이형성(angiodysplasia) 또는 혈관확장증(vascular ectasia)

위장관의 점막에 혈관이 과잉증식 되어 생긴다. 심한 경우 출혈을 일으켜 치료가 필요할 수도 있지만, 대부분은 임상적 의의가 없다.

02 대장내시경
colonoscopy

목표질환 : 대장암, 대장용종

주변질환 : 염증성 장질환(궤양성 대장염, 크론씨 병), 장 결핵, 치핵

조우병변 : 대장게실, 대장흑색증

1. 대장의 구조

대장은 회맹판이 있는 맹장부터 항문까지이며, 다음과 같은 구조물로 구성되어 있다.

회장 말단부 - 회맹판 - 맹장 - 충수돌기 입구 - 상행결장 - 간만곡부 - 횡행결장 - 비장 만곡부 - 하행결장 - 에스결장 - 직장 - 항문

2. 대장내시경검사에서 병변의 위치표시

해부학적 위치로 표시하는 방법과, 내시경 삽입으로 단축되었을 때 항문연(anal verge)까지의 거리로 표시하는 방법이 모두 사용된다.

대장의 원래 길이는 약 1.5-1.8m에 달하지만, 내시경의 삽입으로 단축이 되면 약 70-80 cm정도가 된다. 단축된 후 병변에서 항문연까지의 거리를 내시경 표면의 숫자를 보고 기록한다.

- 맹장(70-80 cm from anal verge)
- 간만곡부(60 cm from anal verge)
- 비장만곡부(40 cm from anal verge)
- 에스결장-하행결장 연결부(30 cm from anal verge)
- 직장-에스결장 연결부(15 cm from anal verge)

직장에 있는 병변의 위치는 3개의 휴스톤판(Houston valve - superior, middle, inferior)과의 상대적 위치로 기록한다.

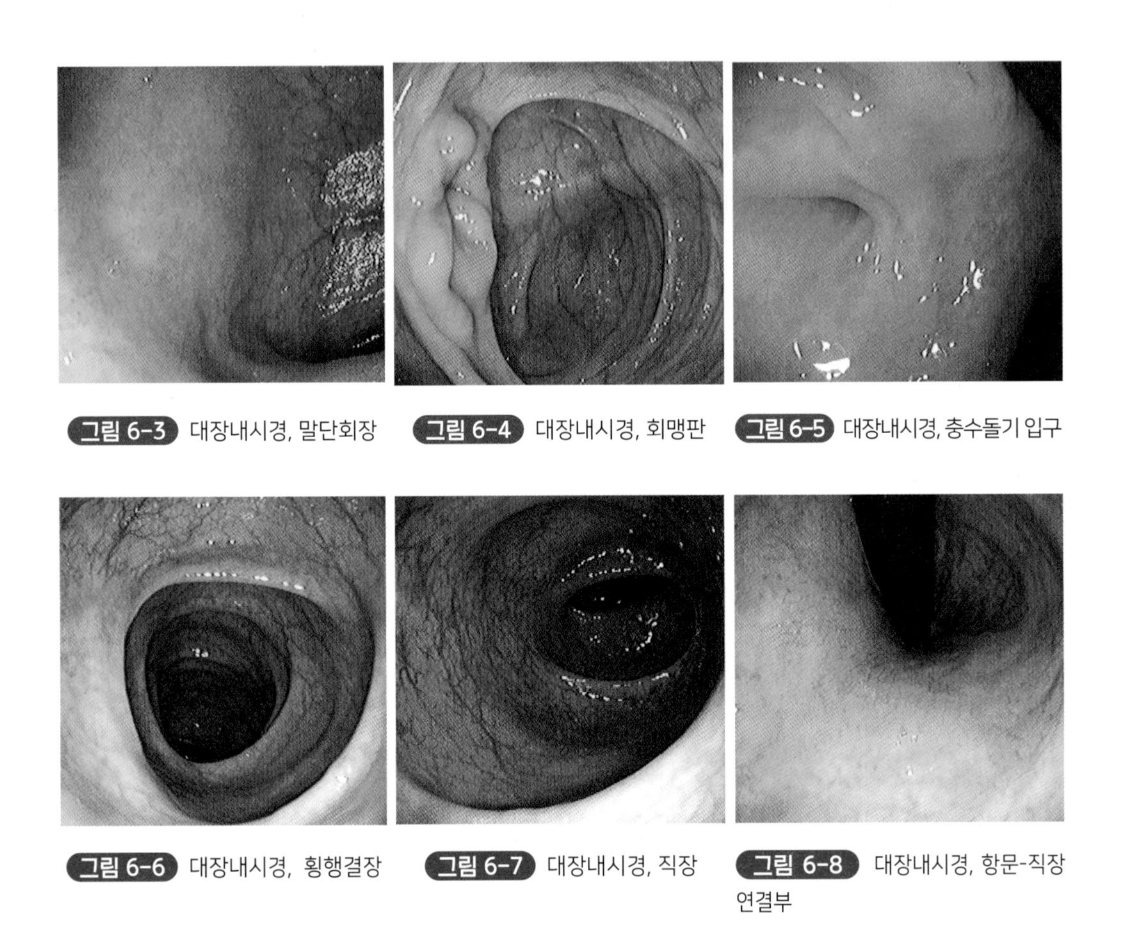

그림 6-3 대장내시경, 말단회장

그림 6-4 대장내시경, 회맹판

그림 6-5 대장내시경, 충수돌기 입구

그림 6-6 대장내시경, 횡행결장

그림 6-7 대장내시경, 직장

그림 6-8 대장내시경, 항문-직장 연결부

3. 대장의 구조와 대장내시경 삽입의 어려움

대장내시경은 위내시경에 비해 삽입이 어렵다. 그 이유는 다음과 같다.

- 대장이 식도와 위에 비해 훨씬 더 길고 구불구불하기 때문
- 에스결장, 횡행결장이 복벽에 고정되어 있지 않기 때문
- 직장-에스결장 연결부(RS junction), 에스결장-하행결장 연결부(SD junction), 비장만곡부, 간만곡부에서 급한 커브를 형성하기 때문
- 내시경의 진행 방향이 장의 연동운동 방향과 반대로 역주행하기 때문
- 복강 내 수술을 한 사람의 경우, 수술 때문에 장이 비틀어지는 경향이 있기 때문

[검사순서 및 주의사항]

1. 검사 수 일전부터 파와 같은 섬유질 음식과 씨가 있는 과일을 피하게 하여 검사에 지장을 주지 않도록 한다. 검사 전날에는 유동식을 먹도록 권장한다.
2. 대장정결제는 나누어서 마시되 검사 예정시간보다 약 3시간 전쯤에 모두 마시도록 한다. 너무 늦으면 대장정결이 이루어지지 않으며, 너무 빠르면 정결 되었던 상태가 다시 불량해진다.
3. 검사가 시작되기 전에 대장내시경검사용 복장을 착용하게 한다. 검사복은 항문 부위가 터져있어 개폐가 가능한 것이어야 한다. 가끔 검사복 안에 속옷을 입는 수검자가 있으므로 그러지 않도록 미리 설명해준다.
4. 거품제거제를 마시게 하고, 생리식염수를 정맥내 주사하여 혈관을 확보한다.
5. 안경이나 휴대폰은 안전한 곳에 보관한다.
6. 내시경도중 호흡마비를 감시하기 위해 산소포화도측정기(pulse oxymeter)를 손가락에 부착시킨다.
7. 진경제, 진통제 등의 약물로 전처치를 한다.
8. 수면유도용 약물을 천천히 정맥내로 주사하고, 수검자가 적절히 준비되었으면 직장수지검사(digital rectal examination)를 먼저 시행한다. 특별한 이상이 없으면 내시경 선단부를 항문으로 삽입하여 검사를 시행한다.
9. 검사 도중에는 위내시경검사에서 설명한 대로 수검자의 호흡상태를 철저히 감시해서 호흡마비에 대비해야 한다.
10. 검사가 끝난 뒤 수면에서 회복되는 동안에도 호흡상태를 감시하고, 침대에서의 추락을 방지해야 한다.
11. 검사가 끝난 뒤에도 수면유도제에서 완전히 회복하기 전에는 자동차 운전, 위험한 기계조작 등은 하지 않도록 권고한다.

대장암(colonic cancer)

대장에 발생하는 악성종양 중에서 상피성 악성종양을 대장암이라고 한다. 대장의 비상피성 악성종양에는 카르시노이드(유암종, carcinoid), GIST, 육종, 악성 림프종 등이 있다.

1. 대장암의 분류

1) 조직학적 분류

(1) 선암(腺癌, adenocarcinoma) - 대장암은 대부분 선암이다.

(2) 점액선암(mucinous carcinoma)

(3) 도장반지세포선암(signet ring cell carcinoma)

(4) 편평세포선암(squamous cel carcinoma)

(5) 선암-편평세포암(adenosquamous cell carcinoma)

(6) 신경내분비선암(neuroendocrine carcinoma)

2) 육안적 형태에 의한 분류

일본 대장암 취급규약에서 정한 분류법으로, 위암의 Borrmann분류에 준하여 구분한다.

0형 : 표재형 → 조기대장암

1형 : 종괴형(융기형) → Borrmann type 1

2형 : 궤양융기형 → Borrmann type 2

3형 : 궤양침윤형 → Borrmann type 3

4형 : 미만침윤형 → Borrmann type 4

5형 : 미분류

3) 점막의 침범정도에 따른 분류

(1) 조기대장암 : 림프절 전이에 관계없이 암세포의 침범이 점막하층을 넘지 않은 경우, 0형(표재형)에 해당된다.

(2) 진행대장암 : 암세포가 고유근층 이상을 침범한 경우, 1-4형에 해당된다.

2. 원인

유전적인 요인과 환경적인 요인에 의해 발생한다. 유전적으로 타고난 영향도 있지만, 환경적 요인 특히 이민 등으로 거주 지역이 변하면 식습관이나 환경의 차이로 대장암의 발생률이 달라진다. 최근 우리나라에서도 대장암이 급증하고 있는데 식생활 등 생활패턴이 변하고 있기 때문이다. 대장암의 위험 요인으로는 다음과 같은 것들이 있다.

1) 육식 즉 동물성 지방의 과도한 섭취

육류 중에서도 특히 붉은색을 띈 육류가 대장암 발생률을 높인다. 육식을 통해 동물성 지방을 많이 섭취하면, 간에서 콜레스테롤과 담즙산의 분비가 증가된다. 대장 내 담즙산의 양이 많아져, 대장 내 세균들이 이들을 분해하여 독성 대사산물을 만든다. 이들이 대장의 점막세포를 손상시키고, 발암물질에 대한 감수성을 증가시킨다.

2) 섬유질 섭취 부족

야채, 과일 등에 포함된 섬유질의 충분한 섭취는 대장암의 예방 효과가 있다. 섬유질은 음식물이 장을 통과하는 시간을 줄임으로써 발암물질과 장 점막과의 접촉시간을 단축시키고 장내 발암물질을 희석시킨다.

3) 칼슘, 비타민D의 부족

칼슘은 이온화된 지방산이나 담즙산 등과 결합하여 용해되지 않는 칼슘염을 형성하여 대장 점막의 증식을 억제하는 역할을 한다.

4) 육류의 조리방법

높은 온도에서 고기를 굽거나 튀길 때 나오는 발암물질이 대장암의 발생을 촉진한다. 고기를 삶는 경우에는 이것이 덜하다.

5) 운동 부족

운동량, 노동량이 많은 사람에서 대장암의 발생 위험이 감소한다. 신체활동이나 운동은 장의 연동운동을 활발하게 만들어 대변이 장을 통과하는 시간을 단축시킴으로써 대변 내 발암물질과 장 점막이 접촉할 시간이 줄어들게 하는 효과가 있다.

6) 염증성 대장 질환

궤양성 대장염, 크론씨 병

7) 대장 용종

대부분의 대장암은 선종성 용종이라는 단계를 거쳐 암으로 발전하게 된다. 선종성 용종이 암으로 발전할 위험이 얼마나 있는지는 용종의 크기와 현미경적 조직소견에 따라 차이가 있다.

8) 유전적 요인

대장암이나 대장 선종을 가진 환자의 가족은 그렇지 않은 사람에 비해 대장암에 걸릴 확률이 높다.

9) 고령

대장암은 연령에 비례하여 발생하는 경향이 있어 50세 이상의 연령에서 발생률이 증가한다.

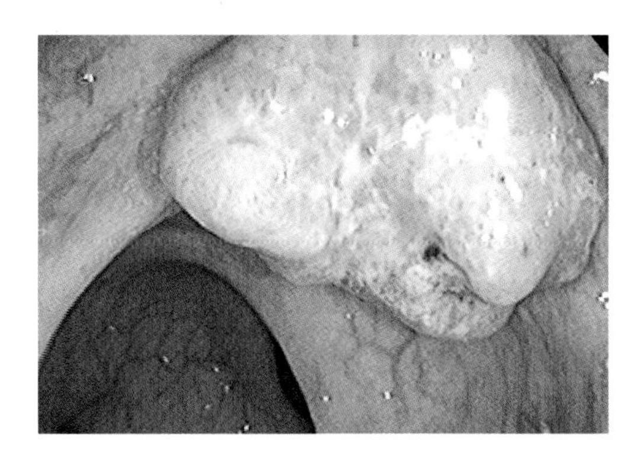

그림 6-19 대장암

3. 증상

초기에는 아무런 증상도 나타나지 않는 경우가 많다. 진행이 되면 배변습관의 변화(설사 또는 변비), 혈변, 출혈로 인한 빈혈 증상, 복통 등의 증상이 나타난다.

4. 진단

대장내시경 이외의 검사법에는 다음과 같은 방법들이 있다.

1) 직장수지검사(digital rectal examination)

항문을 통해 손가락을 삽입하여 항문 근처 직장의 종양을 촉진하는 방법이다.

2) 분변잠혈검사

대변에서 혈액성분을 검사한다. 많은 사람들을 대상으로 하는 집단검사에서 1차 선별검사 방법으로 활용되고 있지만, 민감도와 특이도는 낮은 편이다.

3) 대장조영술

항문을 통해 방사선 비투과성인 바륨 조영제와 공기를 넣어 엑스선 촬영을 한 다음 대장의 점막에 이상이 있는지 검사하는 방법이다. 수면유도제가 필요치 않으며 전체 대장을 안전하게 검사할 수 있다는 장점이 있지만, 방사선 노출 위험이 있고 민감도가 대장 내시경검사보다 낮아 작은 용종이나 암을 발견하지 못할 수도 있다.

4) CT 대장조영술

대장조영술과 같은 방법으로, 영상을 CT로 재구성하여 관찰하는 방법이다.

5) 혈청 CEA(carcinoembryonic antigen) 검사

태아 때에는 정상적으로 존재하는 당단백의 일종이다. 태어난 후에는 사라지는데 대장암 환자의 혈청에서는 증가된다. 여러 양성질환에서도 나타날 수 있으므로 감별이 필요하다.

대장용종(colonic polyp)

대장의 점막이 비정상적으로 자라 대장의 내강으로 돌출된 상태를 말한다. 암으로 발전할 수 있는 선종성 용종과 암과 무관한 증식성 용종, 염증성 용종 등이 있다. 선종성 용종의 발생 위험인자는 대장암의 위험인자와 동일하다.

1. 대장용종의 분류

크게 상피성 용종과 비상피성 용종으로 나뉜다.

대장용종의 분류

1. 상피성 용종
   1) 양성
      선종성 용종(adenomatous polyp)
      증식성 용종(hyperplastic polyp)
      염증성 용종(inflammatory polyp)
      과오종성 용종(hamartoma polyp)
      – 소아 용종(juvenile polyp), 포이츠–예거 용종(Peutz–Jegher's polyp)
   2) 악성
      선암(adenocarcinoma)
2. 비상피성 용종
   1) 양성
      지방종(lipoma)
      림프관종(lymphangioma)
      평활근종(leiomyoma)
      섬유종(fibroma)
      혈관종(hemangioma)
      림프용종(lymhoid polyp)
   2) 악성
      유암종(카르시노이드, carcinoid)
      GIST(Gastrointestinal stromal tumor)
      육종(sarcoma)
      악성 림프종(malignant lymphoma)

1) 선종성 용종(adenomatous polyp)

선종성 용종은 모든 대장용종의 70%를 차지한다. 시간이 지나면 암으로 진행할 가능성이 높아 반드시 제거해야 한다.

선종은 조직학적으로 다음과 같이 분류된다.

(1) 관상선종(tubular adenoma) : 흔하지만, 악성화 경향은 낮다.

(2) 관상-융모상 선종(tubulo-villous adenoma) : 중간정도의 악성화 경향

(3) 융모상 선종(villous adenoma) : 드물지만, 악성화 경향이 높다.

- serrated adenoma(**톱니선종, 치상선종**)

  구조적으로는 증식성 용종이지만, 세포학적으로는 선종성 용종처럼 이형성 변화를 보이는 선종이다. 가끔 암으로 진행되기도 하므로 주의해야 한다.

- serrated pathway

  증식성 용종이 톱니선종을 거쳐 암으로 진행하는 경로이다. 대장암은 정상세포가 선종을 거쳐 암으로 발전한다고 믿어져 왔다. 이를 "adenoma-carcinoma sequence"라고 한다. 하지만 드물게 증식성 용종이 톱니선종을 거쳐 암으로 발전하는 경우가 있어, 이를 "serrated pathway"라고 한다.

- **이형성**(dysplasia)

  정상세포가 선종을 거쳐 암으로 변화해가는 것을 "이형성" 변화라고 한다.

정상세포 → 선종(adenoma) → 암(carcinoma)
이형성

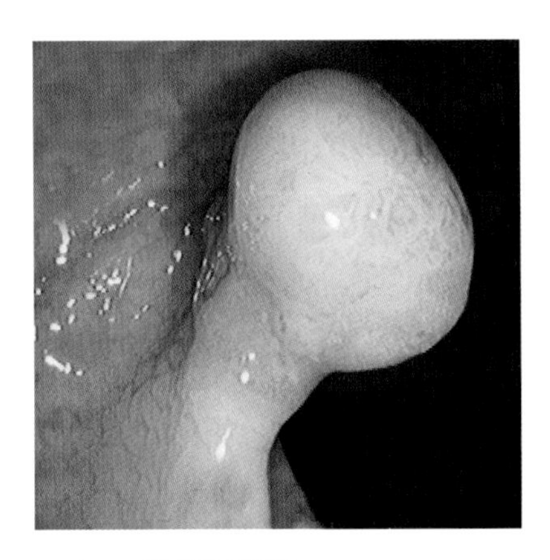

그림 6-20 대장용종

이형성은 그 정도에 따라 등급(grade)으로 표현한다.

① low grade dysplasia

② moderate grade dysplasia

③ high grade dysplasia

예를 들어, 대장용종의 조직검사 결과가 "tubular adenoma with low grade dysplasia"로 나왔다면, "조직학적 형태는 관상선종이며, 이형성변화 정도는 낮은 용종" 이라는 의미이다.

- **진행선종**(advanced adenoma)

  암으로 발전할 가능성이 높은 선종을 의미한다. 다음과 같은 경우에 해당된다.

  ① 크기가 1 cm 보다 큰 경우

② 조직학적으로 융모 형태(villous adenoma)를 보이는 경우
③ 고도 이형성(high grade dysplasia)를 동반한 경우

2) 증식성 용종(hyperplastic polyp)

선종성 용종 다음으로 흔하며, 암으로 발전하지 않는다. 직장에 편평하고 창백한 색조의 5 mm이하의 작은 용종이 여러 개 있는 경우에는 대부분 증식성 용종이다. 이렇게 육안으로 선종과 구별이 가능한 경우도 있지만, 명확하지 않은 경우가 많으므로 반드시 조직검사를 통해 확인해야 한다.

3) 염증성 용종(inflammatory polyp)

장에 염증이 생겼다가 치유되는 과정에서 점막이 돌출된 것으로 암으로 진행하지는 않는다. 염증성 장질환(궤양성 대장염, 크론씨 병)이나 기타 대장의 염증성 질환에서 나타난다. 여러 개가 동시에 나타나는 경우가 많다. 크기는 대개 5 mm 이하로 작으며, 모양은 비특이적이어서 다양한 형태를 보인다.

4) 과오종성 용종(hamartoma polyp)

소아 용종(juvenile polyp), 포이츠-예거 용종(Peutz-Jegher`s polyp) 등이 있다.

5) 지방종(lipoma)

표면이 매끈하고 노란색을 띄며, 회맹판이나 그 부근에 잘 생긴다. 생검겸자로 눌러보면 쉽게 눌러지며, 점막을 당겨보면 마치 텐트처럼 잘 당겨진다.

6) 림프관종(lymphangioma)

표면이 매끄럽고, 림프액이 들어있어 투명한 느낌을 주는 점막하종양이다. 표면에 선형 함몰이 관찰되며, 생검겸자로 쉽게 눌러진다.

7) 림프용종(lymhoid polyp)

위장관 림프조직의 증식에 의해 생긴 점막하종양이다. 주로 단독으로 직장에서 발견되는 경우가 많다.

8) 유암종(카르시노이드, carcinoid tumor)

다른 장기로 전이될 수 있어 악성 종양으로 분류된다. 주로 직장에서 발견된다. 점막하종양의 형태를 하고 있으며, 표면에 광택이 있고, 노란색을 띈다. 중앙에 함몰, 미란, 궤양, 출혈을 보이는 경우도 있다. 악성변화를 보이므로 제거해야 한다.

9) GIST(Gastrointestinal stromal tumor, 위장관기질종양)

위장관중간엽종양(Gastrointestinal mesenchymal tumor)의 하나이다. 고유근층에서 생긴 점막하종양이며, 직장에서 많이 발견된다. 악성의 가능성이 있는 종양이다.

2. 대장용종의 제거

1) 생검 및 절제

용종이 작은 경우 조직검사를 하면서 겸사(forceps)를 이용하여 용종을 제거한다.

2) 올가미 용종절제술(snare polypectomy)

용종이 약간 큰 경우에 금속으로 만들어진 올가미에 전류를 흘려 용종을 떼어낸다.

3) 내시경적 수술

(1) 내시경적 점막 절제술(endoscopic mucosal resection, EMR)

병변 주위를 에피네프린 희석액이나 생리식염수를 주입하여 부풀어 오르게 한 다음, 올가미를 이용하여 병변과 주위의 점막을 절제한다.

(2) 내시경적 점막하 절제술(endoscopic submucosal disection, ESD)

병변 주위를 내시경용 칼날(knife)를 이용하여 점막하층까지 절제한다.

3. 용종절제술의 합병증

용종절제술의 대표적인 합병증에는 천공, 출혈, 감염 등이 있다.

1) 천공(perforation)

용종이 절제된 부위의 장벽이 천공될 수 있다.

2) 출혈(bleeding)

절제된 부위에 혈관이 있으면 출혈이 심할 수 있다. 용종절제술 당시에는 괜찮아 보여도 시간이 지나(1주 정도까지도) 지연출혈이 생길 수도 있음을 염두에 두어야한다.

3) 감염(infection)

대장 안의 세균들에 의해 쉽게 감염이 될 수 있다.

- 이들 합병증에 대한 대책으로는 다음과 같은 것이 있다.
  ① 합병증에 대한 충분한 설명이 가장 중요하다. 시간이 경과한 후에도 합병증이 발생할 수 있음을 잘 설명해야 하며, 복통이나 혈변 등 증상이 발생하면 즉시 진료를 받도록 권고한다.
  ② 약 1주일 동안 음주, 심한 육체활동 등을 금지한다.

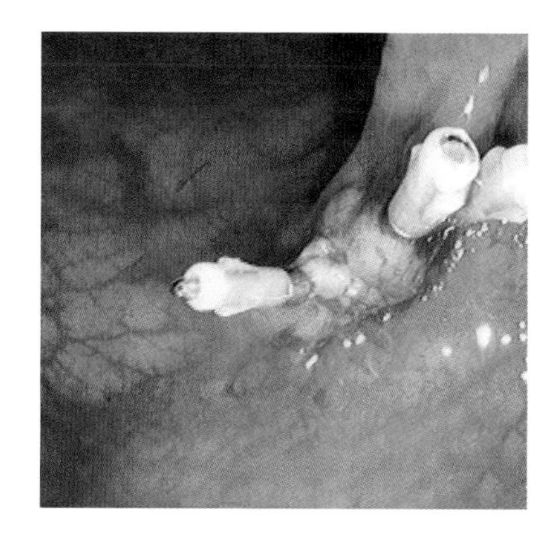

그림 6-21 용종절제술 및 헤모클립 지혈

4. 대장용종의 예후 및 추적검사

선종에서 대장암으로 진행하는데 걸리는 시간은 약 5년에서 10년 정도이다. 용종의 크기가 클수록, 조직검사에서 융모상 세포가 많을수록, 세포의 분화정도가 낮을수록 암으로 진행하는데 걸리는 시간이 짧아지고 암 발생률이 높아진다.

> **대장용종**
>
> 증식성 용종 : 정상과 같이 3-5년 후 재검사
> 선종(저도 이형성) : 2년 이내 재검사
> 선종(고도 이형성) 또는 암 : 추가 정밀검사 및 수술

염증성 장질환(inflammatory bowel disease)

대장을 침범하는 만성 염증성 대장질환으로, 궤양성 대장염과 크론씨 병이 있다.

1. 궤양성 대장염(ulcerative colitis)

대장에 궤양을 포함한 염증성 병변이 발생하는 만성 재발성 질환으로, 항문에 인접한 직장에서 시작되어 점차 안쪽으로 진행된다.

1) 원인

아직 정확히 알려진 것은 없지만, 환경적 요인, 유전적 요인, 대장 내에 정상적으로 존재하는 세균에

대한 인체의 과도한 면역반응 등이 중요한 발병 원인으로 여겨지고 있다.

최근 서구화되어 가는 생활습관 및 식습관의 영향으로 우리나라에서도 발병 빈도가 증가하고 있는 추세이다.

2) 증상

혈액과 점액을 함유한 묽은 변 또는 설사, 복통, 빈혈, 열, 식욕감퇴, 체중감소, 피로감, 변비, 잔변감 등이 있다.

3) 내시경 소견

(1) 병변의 범위

직장에서 시작하여, 건너뛰기 병변(skip lesion)이 없이 연속적으로 근위부로 진행한다. 예외적으로 충수돌기 개구부는 건너뛰기 병변이 있을 수 있다.

소장은 잘 침범하지 않지만, 전 대장이 침범된 경우에는 말단회장에 역류 회장염(backwash ileitis)을 동반하기도 한다.

(2) 초기변화

정상적인 혈관모양의 소실, 발적, 삼출물, 부종, 점막의 취약성, 출혈, 과립상 변화 등

(3) 궤양

궤양 주위 점막의 발적이나 취약성이 현저하다.

(4) 대장 벽의 변형

염증성 용종, 점막다리(mucosal bridge), 가성게실(pseudodiverticulum), 대장 내강의 파이프 모양 변형 등이 발생할 수 있다.

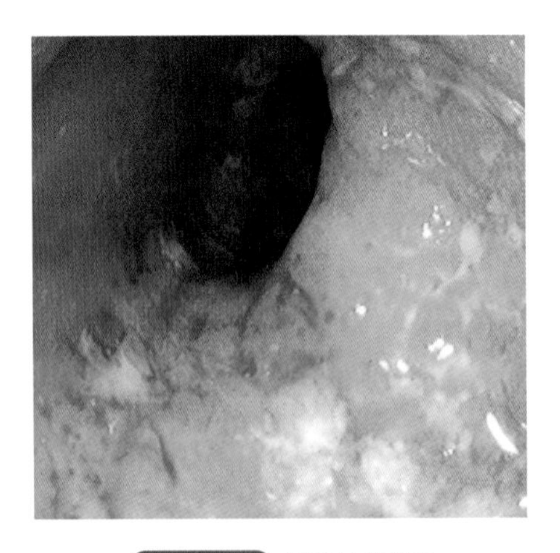

그림 6-22 궤양성 대장염

4) 치료

완치할 수 있는 방법은 아직 없지만, 적절한 약물을 사용하면 증세를 호전시킬 수 있다.

5) 합병증과 예후

대부분의 경우 악화와 호전이 반복되며 만성적으로 진행된다. 상당히 오랜 기간 증상이 없는 경우도 있다.

직장에만 병변이 있는 경우에는 병의 경과 및 치료 효과가 비교적 좋아 일시적인 약물치료만으로도 완치될 수 있다. 직장 이상의 부위까지 넓은 범위를 침범한 경우에는 대장천공 또는 독성 거대결장 등의 심각한 합병증이 발생할 수도 있다. 또한 대장암으로 진행되기도 하는데, 10-20년 이상 오래된 경우에는 대장암이 발생할 확률이 증가한다.

2. 크론씨 병(Crohn's disease)

소화관 전체에 걸쳐 어느 부위에서든지 발생할 수 있는 만성 염증성 장질환이다.

- 크론씨 병이 궤양성 대장염과 다른 점
  - ① 염증이 장의 모든 층을 침범한다.
  - ② 병변이 불연속적으로 나타나는 건너뛰기 병변(skip lesion)을 보인다.

1) 원인

원인은 아직 정확히 알려져 있지 않지만, 궤양성 대장염과 마찬가지로 환경적 요인, 유전적 요인, 및 소화관 내에 정상적으로 존재하는 세균에 대한 신체의 과도한 면역반응 때문에 발생한다고 추정되고 있다.

흡연은 크론씨 병과 밀접하게 연관되어 있다. 크론씨 병에서 흡연이 질병의 발생을 촉진하며, 흡연자의 경우 치료를 받은 후에도 재발률이 높고 증상이 더욱 악화된다.

2) 증상

증상의 종류와 정도는 환자마다 매우 다양하다. 설사, 복통, 식욕 감퇴, 미열 등이 흔한 증상이다. 항문 주위에 치핵, 치루 등의 병적인 변화가 동반된다.

3) 내시경 소견

(1) 병변의 범위

장관의 어디서나 발생할 수 있지만, 회맹부에 발생하는 경우가 가장 흔하다. 그 다음으로 대장, 회장 말단부, 소장 등에서 발생한다.

(2) 초기 병변

부종을 동반한 점상 발적, 아프타성 궤양 또는 미란

(3) 궤양

장관 축을 따라 길게 나타나는 종주형 궤양(세로 궤양)

(4) 조약돌 모양(cobble stone appearance)

궤양들이 서로 연결되어 그 사이의 섬막이 부종으로 돌출되어 마치 조약돌을 깔아놓은 듯 보인다.

(5) 대장 벽의 변형

협착, 누공(fistula), 염증성 용종, 결절성 변형, 점막다리(mucosal bridge) 등.

4) 치료

완치할 수 있는 방법은 아직 없지만, 약물로 경과를 호전시킬 수는 있다.

5) 합병증 및 예후

대부분의 경우 악화와 호전이 반복된다. 때로는 오랜 기간 동안 증상이 나타나지 않을 수 있다. 심각한 합병증(협착, 장 폐쇄, 대장 천공 등)이 발생하거나, 내과적 치료에도 불구하고 증상이 조절되지 않는 경우에는 수술해야 하는 경우도 있다.

장 결핵(intestinal tuberculosis)

Mycobacterium tuberculosis에 의한 감염성 질환으로, 대부분의 장염이 일시적이고 급성인데 비해 장결핵은 만성 대장염을 일으킨다. 내시경으로 크론씨 병과 감별이 어렵다.

1. 장 결핵이 크론씨 병과 다른 점

1) 대장의 내강을 둘러싸는 윤상 또는 가로배열의 궤양

2) 항결핵제에 반응을 보인다.

2. 장 결핵의 내시경 소견

1) 병변의 범위

회맹부에 주로 발생(90%)하며, 직장 쪽으로 갈수록 드물다. 회맹판이 열려 있는 경우가 많다.

2) 궤양

작을 때는 아프타성 궤양, 커지면 불규칙한 지도 모양의 궤양으로 보인다. 대장 내강을 둘러싸는 윤상궤양, 가로궤양의 형태로 나타나는 경우가 많다.

3) 대장 벽의 변형

염증성 용종, 가성게실(pseudodiverticulum), 협착 등을 보일 수 있다. 조약돌 모양은 매우 드물다.

과민성 대장증후군(irritabe bowel syndrome, IBS)

복통, 복부 팽만감과 함께, 설사 혹은 변비 등의 배변장애 증상을 일으키는 만성적인 질환으로, 대장내시경이나 X선 검사로는 확인이 되지 않는다.

건강검진센터에서 대장내시경을 받는 사람 중에는 과민성 대장증후군인 경우가 많다. 이런 증상 때문에 대장에 어떤 문제가 있는지를 확인해보고자 하는 경향이 일반인보다 높기 때문이다.

1. 원인

확실한 원인은 미상이다.

내장 감각의 과민성 증가, 장의 운동성의 변화 등이 영향을 미치는 것으로 알려져 있다. 정신적 스트레스가 증상을 유발하는 중요한 요인이다.

2. 증상

하복부 불편감, 복통, 배변습관의 변화(설사, 변비)가 주요증상이다. 복통이 심하더라도 배변 후에는 대개 호전된다. 이런 증상이 오랫동안 지속되더라도 생명이나 건강에는 영향을 미치지 않는다.

3. 진단

환자가 증상을 호소하는데, 대장내시경이나 엑스선촬영 등 검사에서 특별한 소견이 발견되지 않는다면 과민성 대장 증후군을 의심해보아야 한다.

4. 치료

환자에게 본인의 병을 잘 이해시키고 심리적 스트레스를 감소시키는 것이 가장 중요하다.

과식하지 않고, 규칙적인 식사를 하도록 하며, 대장에 자극을 줄 수 있는 음식을 피한다.

증상이 심할 때에는 약물을 사용하기도 한다.

1) 진경제 : 장의 긴장도를 감소시킨다.

2) 완화제 : 변비 증상을 완화시킨다.

3) 신경안정제 : 심리적 불안을 감소시킨다.

대장내시경검사의 조우병변

1. 림프소포(lymphoid follicles)

혈관 주위에 작고 붉은 고리모양의 병변이 모여 있다. 마치 나뭇가시에 나뭇잎이 매달려 있는 것처럼 보인다. 맹장 특히 충수돌기 개구부에서 가끔 발견된다.

2. 비특이적 직장 발적

직장에 작고 붉은 반점들이 관찰된다. 특별한 증상이 없는 경우가 많다.

3. 아프타성 궤양(aphthous ulcer)

크론씨 병이나 기타 여러 질병에서 나타나지만, 특별한 증상이나 질병이 없는 사람에서도 가끔 관찰된다.

4. 대장게실(diverticulum)

위장관의 벽에 작은 구멍이 난 것처럼 보이는 병변이다. 대부분 아무런 합병증을 일으키지 않지만, 대변 찌꺼기 등에 의해 게실 내강이 막혀 염증(게실염)을 일으키는 경우도 있다. 특히 맹장과 상행결장에 많은데 이때는 충수염으로 오인되기도 한다. 게실염이 아주 심한 경우에는 천공될 수도 있지만, 대부분은 아무 합병증이 없으므로 잘 설명해주어야 한다.

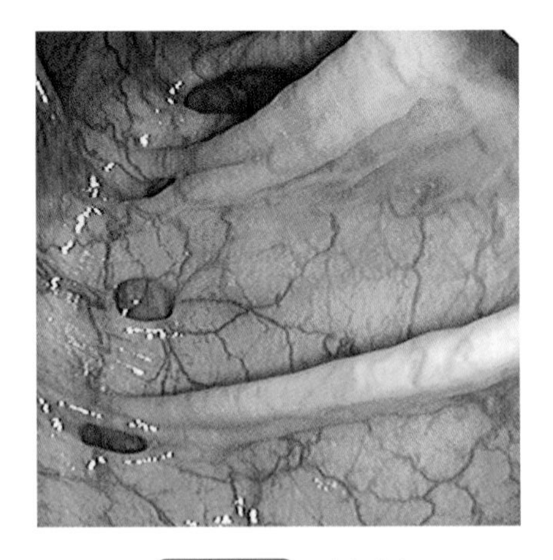

그림 6-23 대장게실

5. 치핵(치질, hemorrhoid)

혈변의 가장 흔한 원인이며 환자에게는 불편과 고통이 심한 질환이지만, 건강검진센터에서는 주변 질환이나 조우병변에 포함된다. 증상이 심한 경우 수술 등 치료를 권고한다.

6. 대장 흑색증(melanosis coli)

대장 벽이 마치 검은 색 잉크를 칠한 것처럼 검게 보인다. 변비 치료나 대장세척 목적으로 완화제를 장기간 사용한 사람에게서 가끔 관찰된다.

참고문헌

1. 가정의학. 대한가정의학회. 계축문화사. 2002.
2. Harrison's principles of internal medicine, Anthony S. Fauci, McGraw-Hill, 2008.
3. Cecil's textbook of medicine, Lee Goldmann W.B, Saunder`s Company, 2003.
4. 진단검사의학. 대한임상병리학회. 고려의학. 2001.
5. 임상병리파일. 이귀녕, 권오현. 의학문화사. 2000.
6. 영상의학. 한만청. 일조각. 2010.
7. PET/CT in clinical practice, T.B.Lynch, Springer, 2007.
8. 안과학. 윤동호, 이상욱, 최억. 일조각. 2005.
9. Clinical opthalmology, Jack J. Kanski, Butterworth-Heinemann, 2007.
10. 안저검사에 의한 감별진단. 이재흥. 서울대학교출판부. 2006.
11. 알기쉬운 안저검사와 판독. 오사카부립 건강과학센터. 대한의학서적. 2009.
12. Diseases of the ocular fundus, Jack J. Kanski, Elsevier Mosby, 2005.
13. 이비인후과학. 노관택. 일조각. 2004.
14. Diagnostic handbook of otorhinolarygology, Michael Hawke, Martin Dunitz, 1997.
15. 사진으로 보는 이비인후과학. Benjamin 저. 이호기 역. 정담. 2002.
16. 부인과학. 대한산부인과학회. 고려의학. 2007.
17. 임상심전도학. 최윤식. 서울대학교출판부. 2004.
18. Rapid interpretation of EKG's, Dale Dubin, Cover purblishing company, 2000.
19. 쉽게 이해하는 심전도. 高階經和 저. 오용석 역. 대한의학서적. 2006.
20. 산업의학진료의 실제. 대한산업의학회. 계축문화사. 2002.
21. 건강증진 가이드. 코야마 와사쿠 저. 차형수 역. 한국의학. 2001.
22. 인체 방사선 해부학. 박용휘. 서울외국서적. 2000.
23. 흉부 X선 판독법. 百島祐貴 저. 박명재 역. 대한의학서적. 2006.
24. 복부초음파진단학. 심찬섭. 여문각. 2007.
25. 신경학. 대한신경과학회. 군자출판사. 2007.
26. 상부위장관내시경 Atalas. 민영일. 군자출판사. 2001.
27. 상부위장관내시경. Berthold Block 저. 송인성, 정현채 역. 대한의학서적. 2005.
28. 상부소화관 내시경소견의 판독 및 감별진단. 박인서 역. 군자출판사. 2008.
29. 대장내시경 진단 및 치료. 양석균, 변정식. 군자출판사. 2009.
30. 대장내시경 아틀라스. Helmut Messmann 저. 차재명, 정기욱 역. 대한의학서적. 2006.
31. 대장내시경삽입법. 구도 신에이 저. 심찬성, 이희정 역. 군자출판사. 2002.

Index

국문 찾아보기

ㄱ

가다실 ··· 120
가성 고칼륨혈증 ··· 257
간경변증 ··· 208, 268
간디스토마 ··· 368
간상호중구 ··· 156
간세포암 ··· 398
간암 ··· 209, 269, 398
간염 ··· 207
간접형 빌리루빈 ··· 203
간질 ··· 369
간질성 폐질환 ··· 96
간질액 ··· 251
간 초음파검사 ··· 398
간헐적 파행증 ··· 82
간흡충 ··· 368
간흡충/폐흡충의 피내반응검사 ··· 365
갈고리촌충 ··· 370
감각신경성 난청 ··· 105
감마글로불린 ··· 202
갑상선 결절 ··· 418
갑상선 자가항체 검사 ··· 285
갑상선 초음파검사 ··· 418
갑상선호르몬자극호르몬 ··· 283
개방각 녹내장 ··· 63
거대적아구성빈혈 ··· 165
거핵세포 ··· 139
거핵아세포 ··· 139
건강검진 ··· 3
검진내시경 ··· 476
결정체 ··· 353
결핵균 ··· 379
결핵균 배양검사 ··· 380
겸상적혈구성 빈혈 ··· 166
경구 담낭조영술 ··· 404
경구용 철분제제 ··· 172
경구용 황산염 액제 ··· 474
경동맥 ··· 419
경동맥 죽상경화판 ··· 421
경동맥 초음파검사 ··· 419
경동맥 협착 ··· 422
경동맥 화학색전술 ··· 399
경두개 초음파검사 ··· 427
경정맥신우조영술 ··· 408
경피적 극초단파 응고법 ··· 400
경피적 신쇄석술 ··· 409
경피적 에탄올 주입술 ··· 400
고나트륨혈증 ··· 256
고밀도지단백 ··· 229
고삼투압성 혼수 ··· 225
고염소혈증 ··· 258
고요산혈증 ··· 245
고인산혈증 ··· 260
고주파 열치료술 ··· 400
고지혈증 ··· 237
고칼륨혈증 ··· 256
고칼슘혈증 ··· 259
고혈압 ··· 47
골다공증 ··· 111
골밀도검사 ··· 106
골수 ··· 162
골수검사 ··· 169
골수의 골수아세포 ··· 138
골전도 ··· 101
공기전도 ··· 101
공복 혈당 ··· 221
공통 경로 ··· 176
과립성 백혈구 ··· 138, 156
과립세포종 ··· 483
과민성 대장증후군 ··· 515
관류 ··· 87
관상동맥 MDCT ··· 442
광섬유 ··· 471
광전효과 ··· 471
광절열두조충 ··· 370
교정시력 ··· 58
구부 ··· 480
구아이악 검사 ··· 361
구충 ··· 367
궤양성 대장염 ··· 511
그레이브스 병 ··· 285

근시 ········ 56
근육량 ········ 41
글로불린 ········ 135, 202
글로빈 ········ 136
글루카곤 ········ 290
글리코겐 ········ 192
급성간염 ········ 207
급성 골수성 백혈병 ········ 160
급성기반응물질 ········ 314
급성 림프구성 백혈병 ········ 160
급성 사구체신염 ········ 217
급성신부전 ········ 218
급성 췌장염 ········ 292
급속진행성 사구체신염 ········ 217
기관지 내시경 검사 ········ 380
기관지 천식 ········ 97
기관지확장증 ········ 382
기능적 잔기 용량 ········ 88
기립성 단백뇨 ········ 354
기생충검사 ········ 363
기초대사량 ········ 45
긴촌충 ········ 370
길버트(Gilbert)증후군 ········ 205

ㄴ

나안시력 ········ 58
나트륨 ········ 255
난소 낭종 ········ 413
난시 ········ 57
난청 ········ 104
낭미충증 ········ 370
내막-중막 두께 ········ 420
내시경 ········ 471
내시경적 점막 절제술 ········ 510
내시경적 점막하 절제술 ········ 510
내인성 경로 ········ 176
내장지방 ········ 42
노력성 폐활량 ········ 90
노력성 호기 중간유량 ········ 90
노인성 난청 ········ 105
녹내장 ········ 61
뇌동맥류 ········ 457
뇌동맥 협착 ········ 429
뇌수막종 ········ 451
뇌졸중 ········ 425
뇌종양 ········ 451
뇌하수체 선종 ········ 451
뇌혈관조영술 ········ 457
늑막 비후 ········ 382
늑막염 ········ 381
늑막 유착 ········ 382
니코틴산 ········ 242

ㄷ

단백뇨 ········ 354
단순요로촬영 ········ 408
단일광자흡수법 ········ 106
단핵구 ········ 138, 156
단핵아세포 ········ 139
담낭용종 ········ 402
담석증 ········ 403
담즙산 수지 ········ 242
당뇨 ········ 356
당뇨병 ········ 222
당뇨병성 케톤산 혈증 ········ 225
당신생과정 ········ 192
당원분해과정 ········ 192
당원 표피비후증 ········ 500
당원형성과정 ········ 192
당화 단백 ········ 221
당화혈색소 ········ 221
대만 ········ 479
대상성 간경변증 ········ 268
대세포암 ········ 377
대식세포 ········ 139
대장게실 ········ 516
대장암 ········ 503
대장용종 ········ 506
대장 흑색증 ········ 517
도플러 심장초음파 ········ 435
돌발성 난청 ········ 105
동결절 기능부전 ········ 73

동맥경화증 …… 77, 81
동방결절 …… 71
동성 빈맥 …… 74
동성 서맥 …… 73
동양모양선충 …… 367
두비니구충 …… 367
두빈-존슨(Dubin-Johnson)증후군 …… 206

ㄹ

람블편모충 …… 371
랑게르한스섬 …… 290
레닌 …… 212, 254
로터(Rotor)증후군 …… 206
류마티스 관절염 …… 326
류마티스 인자 …… 325
리파제 …… 290, 291
림프관종 …… 483
림프구 …… 138, 156
림프소포 …… 516
림프아세포 …… 139

ㅁ

만성B형간염보유자 …… 273
만성간염 …… 207, 268
만성 골수성 백혈병 …… 160
만성기관지염 …… 97
만성 림프구성 백혈구 …… 160
만성 사구체신염 …… 218
만성신부전 …… 219
만성위축성위염 …… 488
만성 췌장염 …… 293
만성 폐쇄성 폐질환 …… 97
말초혈액 도말검사 …… 167
맘모톰 …… 416
망막 …… 65
망상적혈구 …… 162
망상적혈구수 …… 167
매독 …… 322
매독균 …… 318
매독균 비특이 항체검사 …… 318
매독혈청검사 …… 318
모자감염 …… 264
목표질환 …… 3, 4, 17
무과립성 백혈구 …… 138, 156
무구조충 …… 370
무기폐 …… 382
무증상 갑상선기능저하증 …… 286
무증상 담석 …… 405
무호흡 …… 475
미세 알부민뇨 …… 355
미세침흡인세포검사 …… 393
미오글로빈뇨 …… 358
민감도 …… 132
민촌충 …… 370

ㅂ

바디바 바디바 …… 188
바렛식도 …… 485
바소프레신 …… 213
방사선 …… 375
방실결절 …… 71
방실차단 …… 74
백의 고혈압 …… 47
백혈구 …… 137
백혈구 감별검사 …… 156
백혈구 수 …… 155
백혈구 에스테르분해효소 …… 340
백혈병 …… 159
보체 …… 195
복부비만 …… 42
복부지방률 …… 42
부갑상선 …… 260
부갑상선 기능저하증 …… 262
부갑상선 기능항진증 …… 261
부갑상선호르몬 …… 260
부정맥 …… 73
분변잠혈반응검사 …… 361
분선충 …… 368
분절호중구 …… 156
불포화철결합능 …… 168
비경구용 철분요법 …… 173

비대상성 간경변증 ······ 268
비만도 ······ 34
비소세포 폐암 ······ 377
비알코올성 지방간염 ······ 208
비알콜성 지방간 ······ 400
비타민D ······ 260
비포합형 빌리루빈 ······ 203
비후성 심근증 ······ 433
빈맥 ······ 74
빈혈 ······ 164
빌리루빈 ······ 346

ㅅ

사구체신염 ······ 217
사구체여과율 ······ 213
산동제 ······ 67
상피하병변 ······ 489
생리적 위염 ······ 496
서맥 ······ 73
서바릭스 ······ 120
선별 ······ 3
선암 ······ 377
선종성 용종 ······ 488
선충류 ······ 367
섬유낭종성 변화 ······ 394
섬유선종 ······ 394, 416
섬유소 ······ 175
섬유소 용해 ······ 175, 176
섬유소원 ······ 134
세크레틴 ······ 290
세포내액 ······ 251
세포면역 ······ 139
세포외액 ······ 251
세포외액비 ······ 43
소리굽쇠검사 ······ 101
소만 ······ 479
소세포 폐암 ······ 377
수정체 ······ 65
수직감염 ······ 264
수축기 고혈압 ······ 47
순음청력검사 ······ 101
스카치테이프 법 ······ 364
스타틴 ······ 242
시신경 유두 ······ 65
시신경 전위유발검사 ······ 68
식도암 ······ 482
식도 유두종 ······ 500
식도의 양성종양 ······ 483
신경교종 ······ 451
신경원특이에놀라제 ······ 302
신경초종 ······ 451, 483
신장암 ······ 406
신증후군 ······ 217
심근경색 ······ 76
심근증 ······ 433
심방 세동 ······ 75
심방 조동 ······ 75
심실상성 빈맥 ······ 74
심실 세동 ······ 76
심인성 난청 ······ 105
심장초음파검사 ······ 431
심장 판막질환 ······ 433
심전도검사 ······ 70
십이지장궤양 ······ 495

ㅇ

아메리카구충 ······ 367
아밀라제 ······ 290, 291
아질산염 ······ 341
아포단백 ······ 228
아포지단백 ······ 229
아프타싱 궤양 ······ 516
악성(惡性) ······ 131
악성빈혈 ······ 165
안구광학 단층촬영 ······ 68
안압 ······ 59
안지오텐시노겐 ······ 254
안지오텐신 ······ 212
안지오텐신 I ······ 254
안지오텐신 II ······ 254
안지오텐신전환효소 ······ 254
알도스테론 ······ 212, 213, 254

알부민 ······ 135, 201
알부민 대 글로불린의 비율 ······ 202
알코올성 간염 ······ 208
알콜성 지방간 ······ 400
약-D형 검사 ······ 188
약물성 간염 ······ 208
양성(良性) ······ 131
양성(陽性) ······ 130
양성 단백뇨 ······ 354
양성예측도 ······ 132
양성 전립선비대 ······ 417
양전자 ······ 463
양전자방출단층촬영 ······ 463
에제티미브 ······ 242
역류성 식도염 ······ 483
염소 ······ 257
염증성 장질환 ······ 511
엽상 낭육종 ······ 417
오르니틴회로 ······ 214
올가미 용종절제술 ······ 510
외인성 경로 ······ 176
요관경하 배석술 ······ 409
요꼬가와흡충 ······ 369
요 단백 ······ 342
요당 ······ 344
요로결석 ······ 408
요비중 ······ 338
요산 ······ 244
요소질소 ······ 214
요소회로 ······ 193, 214
요시험지봉 ······ 332
요충 ······ 367
요침사 검사 ······ 350
용적-시간 곡선 ······ 89
용혈성 빈혈 ······ 166
우각차단 ······ 74
원시 ······ 57
원주체 ······ 352
원충류 ······ 370
웨스터그렌 ······ 315
위각부 ······ 479
위궤양 ······ 492
위내 음식물 잔류 ······ 498
위석 ······ 498
위식도 역류장애 ······ 483
위암 ······ 486
위양성 ······ 131
위염 ······ 496
위용종 ······ 490
위음성 ······ 131
위저부 ······ 479
유구조충 ······ 370
유두종 ······ 483
유량-용적 곡선 ······ 91
유로빌리노겐 ······ 205, 346
유로빌린 ······ 205
유리 지방산 ······ 227
유리체 ······ 65
유리 콜레스테롤 ······ 227
유문륜 ······ 479
유방 ······ 383
유방암 ······ 391
유방영상판독 및 데이터 체계 ······ 387
유방 초음파검사 ······ 415
유산 탈수소효소 ······ 206
유전성 구상적혈구증 ······ 166
음감쇄현상 ······ 102
음성(陰性) ······ 131
음성 되먹이기 ······ 283
음성예측도 ······ 132
음영효과 ······ 102
음차검사 ······ 101
응집소 ······ 183
응집원 ······ 182
이면성 심장초음파 ······ 434
이소성 위점막 ······ 500
이소성 췌장 ······ 500
이중에너지 방사선흡수법 ······ 106
이중조영대장검사 ······ 396
이중풍선내시경 ······ 471
이질아메바 ······ 371
이형성 ······ 508
인 ······ 259
인간면역결핍바이러스 ······ 316

인산나트륨 ··· 474
인슐린 ··· 290
인슐린 비의존형 당뇨병 ··· 224
인슐린 의존형 당뇨병 ··· 224
인유두종 바이러스 ··· 117, 119
인지질 ··· 227
인후 신경증 ··· 483
임신성 당뇨병 ··· 224

ㅈ

자궁경부 액상세포검사 ··· 118
자궁경부의 상피내 신생물 ··· 117
자궁경부 확대촬영술 ··· 118
자궁근종 ··· 412
지궁근종의 이차 변성 ··· 412
자동굴절검사기 ··· 52
잔기량 ··· 87
잠혈 ··· 348
장 결핵 ··· 514
장기 비특이적 종양표지자 ··· 298
장기 특이적 종양표지자 ··· 298
장상피화생 ··· 488
장중첩증 ··· 396
장흡충 ··· 369
저나트륨혈증 ··· 256
저밀도지단백 ··· 229
저산소증 ··· 163
저염소혈증 ··· 258
저인산혈증 ··· 260
저칼륨혈증 ··· 257
저칼슘혈증 ··· 259
저혈당 혼수 ··· 226
적아세포 ··· 162
적혈구 ··· 136, 162
적혈구 수 ··· 152
적혈구용적률 ··· 153
적혈구용적분포 ··· 155
적혈구증가증 ··· 152
적혈구 지수 ··· 154
적혈구 침강속도 ··· 315
적혈구 크기의 변이도 ··· 155
전격성간염 ··· 208
전립선 산성탈인산효소 ··· 303
전립선 초음파검사 ··· 417
전립선특이항원 ··· 302
전산화 단층촬영 ··· 441
전음성 난청 ··· 105
전정부 ··· 479
전혈 ··· 134
정량적 전산화단층촬영 ··· 106
정량적 초음파측정법 ··· 107
정상치 ··· 130
정적아세포 ··· 162
젖산탈수소효소 ··· 300
제1형 당뇨병 ··· 224
제2형 당뇨병 ··· 224
제지방 ··· 45
제한성 심근증 ··· 433
제한성 폐기능장애 ··· 96
조우병변 ··· 18
조충류 ··· 369
조혈모세포 ··· 138, 162
족부궤양 ··· 226
종양태아항원 ··· 304
종양표지자 ··· 294
좌각차단 ··· 74
좌측이동 ··· 157
주변질환 ··· 17
죽상경화증 ··· 77
죽종 ··· 77
중간밀도지단백 ··· 229
중성지방 ··· 227, 228, 233
지난백 ··· 228
지단백(a) ··· 229
지방간 ··· 400
지방종 ··· 483
지중해 빈혈 ··· 166
지질 ··· 227
직접도말법 ··· 363
직접형 빌리루빈 ··· 203, 204
진양성 ··· 131
진용한 시력표 ··· 54
진음성 ··· 131

진행성 난청 105
질확대경 118
집란법 364

ㅊ

차폐 102
참고치 130
참굴큰입흡충 369
채혈 143
철결핍성 빈혈 165, 170
청력장애 104
체부 479
체성분검사 36
체수분 40
체수분검사 43
체액 251
체액면역 139
체외 인터페론 감마 380
체외충격파쇄석술 404, 409
체지방 41
체지방률 42
체질량 지수법 35
체표면적 45
초음파 397
초음파내시경 490
초자체 65
초저밀도지단백 229
촌충 369
총단백 200
총 빌리루빈 203
총철결합능 168
총 폐용량 88
총혈구검사 151
추골동맥 419
추락 475
출혈시간 177
췌장 288
췌장암 410
췌장염 292
치밀도 389
치밀유방 389, 390, 394
치질 516
치핵 516

ㅋ

카일로미크론 229, 233
칼륨 256
칼슘 258
콜레스테롤 228, 235
콜레스테롤 에스터라제 235
콜레스테릴 에스테르 227
콜치신 248
쿠퍼세포 195
크레아티닌 215
크레아티닌 청소율 216
크렙스회로 206
크론씨 병 513
크리글러-나자르(Crigler-Najjar)증후군 205

ㅌ

탐-호스폴 당단백질 352
톱니선종 507
투베르쿨린 피부반응 검사 380
트랜스페린 포화도 169
트롬보키나아제 135
트롬보플라스틴 135, 176
트롬빈 135, 175
트립신 290
특발성 폐섬유증 96
특이도 132

ㅍ

판크레오지민 290
페그인터페론 알파 272
페리틴 312
편충 367
편평상피세포암 377
평균적혈구색소농도 154
평균적혈구용적 154
평균적혈구혈색소 154

평상 호흡기량 87
평활근종 483
폐결절 377
폐결핵 379
폐기종 98
폐디스토마 369
폐쇄각 녹내장 62
폐암 377
폐활량 88
폐흡충 369
포합형 빌리루빈 204
폴리에틸렌글리콜 474
표준체중법 34
퓨린 244
프라하 진단기준 485
프로칼시토닌 315
프로톤 펌프 억제제 485
프로트롬빈 135, 176
프로트롬빈 시간 178
플라스미노겐 177
플라스민 177
피브리노겐 135, 140
피브린 135, 175
피하지방 42

ㅎ

하시모토 갑상선염 286
하행부 480
한천석 시력표 54
항CCP 항체 328
항TPO 항체 285
항산균 380
항산균 도말검사 380
항시트룰린단백 항체 328
항원 182, 263
항응고제 140
항이뇨호르몬 213, 254
항체 183, 263
허혈성 심장질환 76, 432
헤마토크리트 153
헤모글로빈 136, 152
헤파린 141
헬리코박터 파일로리 488
헴 136
혈관내 용혈 164
혈관-미주신경 반사 147
혈관외 용혈 163
혈관이형성 500
혈관종 401
혈관확장증 500
혈뇨 356, 358
혈병 134
혈색소 152
혈색소뇨 358
혈소판 139
혈소판분포계수 159
혈소판 수 158
혈액 133
혈액-뇌 장벽 204
혈액 응고 175
혈액형 182
혈장 134, 251
혈중요소질소 214
혈청 134
혈청 철 167
혈청 페리틴 168
협심증 76
형질세포 139
호기 예비량 87
호모시스테인 169
호산구 138, 156
호염기구 138, 156
호중구 138, 156
혼합성 난청 105
확산 87
확장성 심근증 433
환기 85
활성화부분트롬보플라스틴 시간 180
황반 65
황색종 500
회충 367
후방음향음영 403
흉부단순촬영 376

흡기 예비량 ··· 87
흡기용량 ··· 87
흡인성 폐렴 ··· 475
흡충류 ··· 368
히스-피킨제 섬유 ··· 71

기호

-D- / -D- ··· 188
% transferrin saturation ··· 169
α -fetoprotein ··· 304
β2M ··· 311
β세포 ··· 290
γ-globulin ··· 202
γ-GTP ··· 198

번호

1차 예방 ··· 4
1초간 노력성 호기량 ··· 90
1회 호흡량 ··· 87
2차 예방 ··· 4
3차 예방 ··· 4
10-year fracture risk ··· 109
10년 내 골절위험도 ··· 109

영문 찾아보기

A

Abdominal obesity ··· 42
Aberrant pancreas ··· 500
ABO식 혈액형 ··· 182
Acetyl CoA ··· 236
Acid-fast bacilli, AFB ··· 380
Acquired immune deficiency syndrome ··· 316
ACTH ··· 308
Activated partial thromboplastin time, APTT ··· 180
Acute glomerulonephritis ··· 217
Acute hepatitis ··· 207
Acute lymphocytic leukemia, ALL ··· 160
Acute myelogenous leukemia, AML ··· 160
Acute phase reactant ··· 314
Acute renal failure, ARF ··· 218
Adenocarcinoma ··· 377
Adenomatous polyp ··· 488
ADH ··· 213, 254
AFP ··· 304
Agglutinin ··· 182
Agglutinogen ··· 183
Agranulocyte ··· 138, 156
AIDS ··· 316
Air conduction ··· 101
Albumin ··· 135, 201
Albumin/globulin ratio, A/G ratio ··· 202
Alcoholic hepatitis ··· 208
Aldosterone ··· 212, 213
Alkaline phosphatase ··· 300
Allopurinol ··· 248, 249
ALP ··· 199, 300
Alpha ··· 229
ALT ··· 196
Amylase ··· 290, 291
Ancylostoma duodenale ··· 367
Anemia ··· 164
Anexate ··· 473
Angina pectoris ··· 76
Angiodysplasia ··· 500

Angiotensin ··· 212
Angiotensin converting enzyme, ACE ··· 254
Angiotensinogen ··· 254
Angle ··· 479
Angle closure glaucoma ··· 62
Antibody, Ab ··· 263
Anti-citrullinated protein antibody, ACPA ··· 328
Anti-cyclic citrullinated peptide antibody, anti-CCP Ab ··· 328
Anti-diuretic hormone ··· 213
Antigen, Ag ··· 263
Anti-HAV Ab IgG ··· 281
Anti-HAV Ab IgM ··· 281
Anti-TPO Ab ··· 285
Antrum ··· 479
Aphthous ulcer ··· 516
Apo-lipoprotein ··· 229
Apo-protein ··· 228
Arrhythmia ··· 73
Arteriosclerosis ··· 77, 81
ASC ··· 123
Ascaris lumbricoides ··· 367
ASC-H ··· 123
ASC-US ··· 123
AST ··· 196
AST/ALT 비율 ··· 197
Astigmatism ··· 57
Atelectasis ··· 382
Atheroma ··· 77
Atherosclerosis ··· 77
Atrial fibrillation ··· 75
Atrial flutter ··· 75
Atrio-ventricular node ··· 71
Autorefractometer ··· 52
AV block ··· 74
AV node ··· 71
A형 간염 ··· 281
A형 간염 바이러스 ··· 281

B

Band form neutrphil ··· 156
Barrett's esophagus ··· 485
Basal metabolic rate, BSA ··· 45
Basophil ··· 138, 156
BCG 접종 ··· 381
Benign ··· 131
Benign prostatic hypertrophy, BPH ··· 417
Benzathine penicillin G ··· 323
Beta ··· 229
Bezoar ··· 498
Bilirubin ··· 346
BI-RADS ··· 387
Bleeding time, BT ··· 177
Blood ··· 133
Blood-brain barrier ··· 204
Blood clot ··· 134
Blood group ··· 182
Blood sampling ··· 143
Blood urea nitrogen, BUN ··· 214
Body ··· 479
Body fat mass ··· 41
Body fat percentage ··· 42
Body fluid ··· 251
Body mass index, BMI ··· 35
Body surface area, BSA ··· 45
Bone conduction ··· 101
Bone marrow ··· 162
Bone Mineral Densitometry, BMD ··· 106
Bradycardia ··· 73
Brain tumor ··· 451
Breast ··· 383
Breast cancer ··· 391
Bronchial asthma ··· 97
Bronchiectasis ··· 382
Bulb ··· 480
B형간염 ··· 263
B형간염 건강보유자 ··· 273
B형간염보유자 ··· 273
B형간염 신속검사 ··· 270

C

CA 15-3 ··· 309

CA 19-9 310
CA 27.29 310
CA 50 311
CA 72-4 311
CA 125 308
Calcitonin 308
Campylobacter-like organism test 493
Carcinoembryonic antigen 305
Cardiomyopathy 433
Carotid artery 419
Carotid plaque 421
Cast 352
CBC 151
CCD 471
Ccr 216
CEA 305
Cellular immunity 139
Cerebral aneurysm 457
Cerebral angiography 457
Cerebro-vascular accident, CVA 425
Cervarix 120
Cervical intraepithelial neoplasia, CIN 117
Cervicography 118
Cestoda 369
Charge-coupled device 471
Chest PA 376
Cholecystokinin 290
Cholelithiasis 403
Cholesterol esterase 235
Cholesteryl ester 227
Chronic atrophic gastritis 488
Chronic bronchitis 97
Chronic glomerulonephritis 218
Chronic hepatitis 207, 268
Chronic lymphocytic leukemia, CLL 160
Chronic myelogenous leukemia, CML 160
Chronic obstructive pulmonary disease, COPD 97
Chronic renal failure, CRF 219
Chylomicron 229, 233
Clonorchis sinensis 368
CLO 검사 493
CM 229
Colchicine 248
Colonic cancer 503
Colonic polyp 506
Colposcope 118
Common pathway 176
Compensated liver cirrhosis 268
Complement 195
Computed Tomography, CT 441
Concentration technique 364
Conductive hearing loss 105
Conjugated billirubin 204
Coronary MDCT 442
Corpus 479
C-peptide 312
C-reactive protein 314
Creatinine, Cr 215
Creatinine clearance 216
Crohn's disease 513
CRP 314
Crystal 353
CS/PW intradermal test 365
CYFRA 21-1 307
Cysticercosis 370
Cystosarcoma phylloides 417
C형간염 274

D

Decompensated liver cirrhosis 268
Dense breast 394
Density 389
Descending portion 480
Diabetic ketoacidosis, DKA 225
Diffusion 87
Dilated cardiomyopathy 433
Diphyllobothrium latum 370
Direct bilirubin 203, 204
Direct smear 363
Distoma 368
Diverticulum 516
DM foot 226

DNA polymerase 272
Doppler echocardiography 435
Double balloon enteroscopy 471
Double contrast colon study 396
Drug induced hepatitis 208
Dual energy X-ray absorptiometry, DEXA 106
Duodenal ulcer 495
Du-Pan-2 310
Du Test 188
Dysplasia 508

E

Echocardiography 431
Ectopic gastric mucosa 500
Ectopic pancreas 500
EDTA 141
EIA법 270
Emphysema 98
Endoscopic mucosal resection, EMR 510
Endoscopic submucosal disection, ESD 510
Endoscopic ultrasonogram, EUS 490
Entameba histolytica 371
Enterobius vermicularis 367
Enzyme immunoassay 270
Eosinophil 138, 156
Erythroblast 162
Erythrocyte 136, 162
Erythrocyte sedimentation rate 315
Esophageal cancer 482
Esophageal papilloma 500
ESR 315
Esterase 340
Ethylene diamine tetraacetic acid 141
Expiratory reserve volume, ERV 87
Extracellular fluid, ECF 251
Extracellular water ratio, EWR 43
EXTRACORPOREAL SHOCK WAVE LITHOTRIPSY, ESWL 404, 409
Extravascular hemolysis 163
Extrinsic pathway 176

F

Fall down 475
False negative 131
False positive 131
Fasciola hepatica 369
Fasting blood sugar, FBS 221
Fat free mass, FFM 45
Fatty liver 400
Fe 167
Febuxostat 249
Fecal occult blood test 361
FEF25-75% 90
Ferritin 168, 312
Fibrin 135, 175
Fibrinogen 134, 135, 140
Fibrinolysis 175, 176
Fibroadenoma 394, 416
Fibrocystic change 394
Flow-volume curve 91
FNAB 393
Food stasis 498
Forced expiratory volume at one second, FEV1 90
Forced vital capacity, FVC 90
Free fatty acid 227
FT3 (free T3) 282
FT4 (free T4) 282
FTA-ABS 19S(IgM) 321
FTA-ABS IgG 321
FTA-ABS IgM 321
Fulminant hepatitis 208
Functional residual capacity, FRC 88
Fundus 479

G

GALL STONE 403
Gallbladder polyp 402
Gardasil 120
Gastric cancer 486
Gastric ulcer 492

Gastritis ··· 496
Gastro-esophageal reflux disorder, GERD ··· 483
Giardia lamblia ··· 371
Glaucoma ··· 61
Glioma ··· 451
Globin ··· 136
Globulin ··· 135, 202
Globus hystericus ··· 483
Glomerular filtration rate, GFR ··· 213
Glucagon ··· 290
Gluconeogenesis ··· 192
Glucosuria ··· 356
Glycogen ··· 192
Glycogenesis ··· 192
Glycogenic acanthosis ··· 500
Glycogenolysis ··· 192
Glycosylated Hb ··· 221
Glycosylated protein ··· 221
Granular cell tumor ··· 483
Granulocyte ··· 138, 156
Graves disease ··· 285
Greater curvature ··· 479
Guaiac test ··· 361
Gymnophalloides seoi ··· 369

H

H_2 receptor antagonist ··· 485
H_2 수용체 길항제 ··· 485
Hashimoto's thyroiditis ··· 286
Hb ··· 136, 152
HbA1c ··· 221
HBc Ab ··· 265
HBc Ag ··· 265
HBe Ab ··· 266
HBe Ag ··· 266
HBs Ab ··· 265
HBs Ag ··· 265
HBV DNA ··· 266
HBV rapid test ··· 270
HCG ··· 307
HCV Ab ··· 276
HCV RNA ··· 276
HCV 유전자형 검사 ··· 277
Health Screening ··· 3
Hearing disturbance ··· 104
Helicobacter pylori ··· 488
Hemangioma ··· 401
Hematocrit, Hct ··· 153
Hematopoietic stem cell ··· 138, 162
Hematuria ··· 356, 358
Heme ··· 136
HEMOGLOBIN, HB ··· 136, 152
Hemoglobinuria ··· 358
Hemolytic anemia ··· 166
Hemorrhoid ··· 516
Heparin ··· 141
Hepatitis ··· 207
HEPATITIS A VIRUS, HAV ··· 281
Hepatocellular carcinoma ··· 398
Hereditary spherocytosis ··· 166
High density lipoprotein, HDL ··· 229
High sensitivity C-reactive protein ··· 315
His-Purkinje fiber ··· 71
HIV ··· 316
HLA type antigen ··· 189
HLA형 항원 ··· 189
HMG CoA ··· 236
HMG CoA 환원효소 ··· 236
Homocystein ··· 169
Hook worm ··· 367
HPV DNA chip 검사법 ··· 119
Hs-CRP ··· 315
HSIL ··· 123
Human chorionic gonadotropin ··· 307
Human immuno-deficiency virus ··· 316
Human papilloma virus, HPV ··· 117, 119
Humoral immunity ··· 139
Hyaline body ··· 65
Hypercalcemia ··· 259
Hyperchloremia ··· 258
Hyperkalemia ··· 256
Hyperlipidemia ··· 237
Hypernatremia ··· 256

Hyperopia ··· 57
Hyperosmolar nonketotic coma ··· 225
Hyperphosphatemia ··· 260
Hypertrophic cardiomyopathy ··· 433
Hyperuricemia ··· 245
Hypocalcemia ··· 259
Hypochloremia ··· 258
Hypoglycemic coma ··· 226
Hypokalemia ··· 257
Hyponatremia ··· 256
Hypophosphatemia ··· 260
Hypoxia ··· 163

I

Idiopathic pulmonary fibrosis ··· 96
IgA nephrosis ··· 218
IgA 신증 ··· 218
Incidental lesion ··· 18
Indirect bilirubin ··· 203
Inflammatory bowel disease ··· 511
INR ··· 179
Inspiratory capacity, IC ··· 87
Inspiratory reserve volume, IRV ··· 87
Insulin ··· 290
Insulin Dependent Diabetes Mellitus ··· 224
Interaural attenuation ··· 102
Interferon-gamma ··· 380
Intermediate density lipoprotein, IDL ··· 229
Intermittent claudication ··· 82
International normalized ratio ··· 179
Interstitial fluid, ISF ··· 251
Interstitial lung disease ··· 96
Intestinal flukes ··· 369
Intestinal metaplasia ··· 488
Intestinal tuberculosis ··· 514
Intima-media thickness, IMT ··· 420
Intracellular fluid, ICF ··· 251
Intraocular pressure, IOP ··· 59
Intravascular hemloysis ··· 164
Intravenous pyelography, IVP ··· 408
Intrinsic pathway ··· 176
Intussusception ··· 396
Iron deficiency anemia, IDA ··· 165, 170
Iron profile ··· 167
Irritabe bowel syndrome, IBS ··· 515
Ischemic heart disease ··· 76, 432
Isolated systolic hypertension ··· 47

K

KUB ··· 408
Kupffer cell ··· 195

L

LA classification ··· 484
Lactate Dehydrogenase ··· 300
Lactic dehydrogenase ··· 206
Landolt ring ··· 52
Large cell carcinoma ··· 377
LDH ··· 206, 300
Left bundle branch block, LBBB ··· 74
Leiomyoma ··· 483
Lens ··· 65
Lesser curvature ··· 479
Leukemia ··· 159
Leukocyte ··· 137
Lipase ··· 290, 291
Lipid ··· 227
Lipoma ··· 483
Lipoprotein ··· 228
Lipoprotein(a) ··· 229
Liquid-based cytology, LBC ··· 118
Liver cancer ··· 209, 269, 398
Liver cirrhosis ··· 208, 268
Low density lipoprotein, LDL ··· 229
Lp(a) ··· 229
LSIL ··· 123
Lung cancer ··· 377
Lymphangioma ··· 483
Lymphoblast ··· 139
Lymphocyte ··· 138, 156
Lymphoid follicles ··· 516

M

Macrophage ··· 139
Macula ··· 65
Magnetic resonance imaging ··· 446
Malignancy ··· 131
Mammotome ··· 416
Masking ··· 102
MDCT ··· 441
Mean corpuscular hemoglobin, MCH ··· 154
Mean corpuscular hemoglobin concentration, MCHC ··· 154
Mean corpuscular volume, MCV ··· 154
Mean forced expiratory flow during the middle half of the FVC ··· 90
Megakaryoblast ··· 139
Megakaryocyte ··· 139
Megaloblastic anemia ··· 165
Melanosis coli ··· 517
Menetrier 병 ··· 488
Meningioma ··· 451
Metagonimus yokogawai ··· 369
Methylmalonic acid ··· 169
Mevalonic acid ··· 236
Microalbuminuria ··· 355
Midazolam ··· 473
MMA ··· 169
Mobitz type 1 ··· 74
Mobitz type 2 ··· 74
Monoblast ··· 139
Monocyte ··· 138, 156
Motion-mode echocardiography ··· 434
MRA ··· 455, 457
MRI ··· 446
Multi-detector computed tomography ··· 441
Mycobacterium tuberculosis ··· 379
Myeloblast ··· 138
Myocardial infarction ··· 76
Myoglobinuria ··· 358
Myopia ··· 56
M형 심장초음파 ··· 434

N

NCEP-ATP III ··· 240
Necator americanus ··· 367
Negative ··· 131
Negative feedback ··· 283
Negative predictive value ··· 132
Nematoda ··· 367
Nephrotic syndrome ··· 217
Neuron specific enolase ··· 302
Neutrophil ··· 138, 156
Nitrite ··· 341
NMP 22 ··· 312
Nonalcoholic steatohepatitis, NASH ··· 208
Non-Insulin Dependent Diabetes Mellitus ··· 224
Non-small cell lung cancer ··· 377
Nontreponemal test ··· 318
Normoblast ··· 162
NSE ··· 302

O

Occult blood ··· 348
OCG ··· 404
OCT ··· 68
Onco-fetal antigen ··· 304
Open angle glaucoma ··· 63
Optical fiber ··· 471
Optic disc ··· 65
Oral cholecystogram ··· 404
Oral Sulfate Solution, OSS ··· 474
Ornithine cycle ··· 214
Osteoporosis ··· 111
Ovarian cyst ··· 413

P

Pack year ··· 377
Pancreas ··· 288
Pancreatic cancer ··· 410
Pancreatitis ··· 292
Pancreozimin ··· 290

PAP ··· 303
Papilloma ··· 483
Pap smear ··· 115
Paragonimus westermani ··· 369
Parasite examination ··· 363
Para-target disease ··· 17
Parathormone ··· 260
Parathyroid gland ··· 260
PCR ··· 380
PCT ··· 315
Pegylated interferon α ··· 272
Percutaneous ethanol injection therapy, PEIT ··· 400
Percutaneous microwave coagulation Therapy ··· 400
Percutaneous nephrolithotomy ··· 409
Perfusion ··· 87
Peripheral blood smear ··· 167
Pernicious anemia ··· 165
PET ··· 463
PET-CT ··· 463
PET-CT검사 ··· 464
PH ··· 339
Pharyneal neurosis ··· 483
Phospholipid ··· 227
Photo-electronic effect ··· 471
Physiologic gastritis ··· 496
Pituitary adenoma ··· 451
Plasma ··· 134, 251
Plasma cell ··· 139
Plasmin ··· 177
Plasminogen ··· 177
Platelet ··· 139
Platelet count ··· 158
Platelet distribution width, PDW ··· 159
Pleurisy ··· 381
Polycythemia ··· 152
Polyethyleneglycol, PEG ··· 474
Polyp ··· 490
Positive ··· 130
Positive predictive value ··· 132
Positron ··· 463
Posterior acoustic shadow ··· 403
Prague criteria ··· 485
Prebeta ··· 229
Precancerous lesion ··· 488
Presbycusis ··· 105
Probenecid ··· 248
Procalcitonin ··· 315
Progressive hearing loss ··· 105
Prolactin ··· 308
Propofol ··· 473
Prostate acid phosphatase ··· 303
Prostate specific antigen ··· 302
Proteinuria ··· 354
Prothrombin ··· 176
Prothrombin time, PT ··· 178
Proton pump inhibitor, PPI ··· 485
Protozoa ··· 370
Protrombin ··· 135
PSA ··· 302
PS-P 1 ··· 313
Psychogenic hearing loss ··· 105
Pulmonary nodule ··· 377
Pulmonary tuberculosis ··· 379
Pure tone audiometry, PTA ··· 101
Purine ··· 244
P wave ··· 71
Pyloric ring ··· 479
P파 ··· 71

Q

QRS complex ··· 71
QRS 파 ··· 71
Quantitative CT, Q-CT ··· 106
Quantitative ultrasonogram, Q-US ··· 107

R

Radioactive rays ··· 375
Radiofrequency ablation, REA ··· 400
Rapid plasma reagin ··· 319
Rapid progressive glomerulonephritis ··· 217

RBC ··· 162
RBC count ··· 152
RBC indices ··· 154
Reagent strip ··· 332
Red blood cell, RBC ··· 136
Red cell volume distribution width, RDW ··· 155
Reflux esophagitis ··· 483
Renal cell carcinoma ··· 406
Renin ··· 212, 254
Residual volume, RV ··· 87
Restrictive cardiomyopathy ··· 433
Restrictive pulmonary dysfunction ··· 96
Reticulocyte ··· 162
Reticulocyte count ··· 167
Retina ··· 65
Reversed passive hemagglutination ··· 270
RFA ··· 400
Rh(D)- ··· 186
Rh(D)+ ··· 186
Rheumatoid arthritis ··· 326
Rheumatoid factor, RF ··· 325
Rh식 혈액형 ··· 185
Rh양성 ··· 186
Rh음성 ··· 186
Right bundle branch block, RBBB ··· 74
Round worm ··· 367
RPHA법 ··· 270
RPR ··· 319

S

SA node ··· 71
SCC-Ag ··· 305
Schwannoma ··· 451, 483
Scotch tape test ··· 364
Screening ··· 3
Screening endoscopy ··· 476
Secondary degeneration ··· 412
Secretin ··· 290
Segmented neutrophil ··· 156
Sensitivity ··· 132
Sensorineural hearing loss ··· 105
Serologic test for syphilis ··· 318
Serrated adenoma ··· 507
Serrated pathway ··· 508
Serum ··· 134
Serum separate tube ··· 142
SGOT ··· 196
SGPT ··· 196
Shadow effect ··· 102
Shift to left ··· 157
Sickle cell anemia ··· 166
Sick sinus syndrome ··· 73
Silent gallstone ··· 405
Single photon absorptiometry, SPA ··· 106
Sino-atrial node ··· 71
Sinus bradycardia ··· 73
Sinus tachycardia ··· 74
Slow prebeta ··· 229
Small cell lung cancer ··· 377
Snare polypectomy ··· 510
Sodium citrate ··· 141
Sodium phosphate ··· 474
Soft lean mass ··· 41
Specificity ··· 132
Squamous cell carcinoma ··· 377
Squamous cell carcinoma related antigen 305
SST 시험관 ··· 142
Strongyloides stercoralis ··· 368
STS ··· 318
Subclinical hypothyroidism ··· 286
Subcutaneous fat ··· 42
Subepithelial Lesion, SEL ··· 489
Sudden hearing loss ··· 105
Supra-ventricular tachycardia ··· 74
Syphilis ··· 322

T

Tachycardia ··· 74
Taenia saginata ··· 370
Taenia solium ··· 370
Tamm-Horsfall glycoprotein ··· 352
Tape worm ··· 369

Target disease ······ 3, 4, 17
TBS ······ 122
TCA cycle ······ 206
Thalassemia anemia ······ 166
The Bethesda System ······ 122
Thrombin ······ 135, 175
Thrombokinase ······ 135
Thromboplastin ······ 135, 176
Tidal volume, TV ······ 87
Tissue polypeptide antigen ······ 306
Total bilirubin ······ 203
Total body water ······ 40
Total iron binding capacity, TIBC ······ 168
Total lung capacity, TLC ······ 88
Total protein ······ 200
TPA ······ 306
TPHA ······ 320
Transarterial chemoembolization, TACE ··· 399
Transcranial Doppler, TCD ······ 427
Trematoda ······ 368
Treponema pallidum ······ 318
Treponema pallidum hemagglutination ··· 320
TRH ······ 283
Trichostrongylus orientalis ······ 367
Trichuris trichiura ······ 367
Triglyceride, TG ······ 227
True negative ······ 131
True positive ······ 131
Trypsin ······ 290
T-score ······ 107
TSH ······ 282
Tuberculin skin test ······ 380
Tumor marker ······ 294
Tuning fork test ······ 101
Two-dimensional echocardiography ······ 434
Type 1. IDDM ······ 224
Type 2. NIDDM ······ 224
Tyroid nodule ······ 418

U

UGI ······ 395
Ulcerative colitis ······ 511
Ultrasound ······ 397
Unconjugated billirubin ······ 203
Unsaturated iron binding capacity, UIBC ··· 168
Upper gastro-intestinal series ······ 395
Urea cycle ······ 193, 214
Urea nitrogen ······ 214
Ureteroscopic lithotripsy ······ 409
Uric acid ······ 244
Urinary stone ······ 408
Urine sediment analysis ······ 350
Urobilin ······ 205
Urobilinogen ······ 205, 346
Uterine myoma ······ 412

V

Valvular heart disease ······ 433
Vascular ectasia ······ 500
Vaso-vagal reflex ······ 147
Vater 유두부 ······ 480
VDRL ······ 319
Venereal disease research laboratory ······ 319
Ventilation ······ 85
Ventricular fibrillation ······ 76
Vertebral artery ······ 419
Very low density lipoprotein, VLDL ······ 229
Visceral fat ······ 42
Vital capacity, VC ······ 88
Volume-time curve ······ 89

W

Waist-hip ratio ······ 42
WBC count ······ 155
WBC differential count ······ 156
Weak-D test ······ 188
Westergren ······ 315
White blood cell, WBC ······ 137
White coat hypertension ······ 47
Whole blood ······ 134
Wolff-Parkinson-White syndrom ······ 75

WPW 증후군 ········ 75

X

Xanthoma ········ 500

Z

Zollinger-Ellison 증후군 ········ 495
Z-score ········ 109